Deutsche Literaturkritik
der Gegenwart

Deutsche Literaturkritik

der Gegenwart

Herausgegeben von

Hans Mayer

VORKRIEG, ZWEITER WELTKRIEG
UND ZWEITE NACHKRIEGSZEIT (1933–1968)

Goverts

Neue Bibliothek der

Weltliteratur

Erschienen 1972 bei Goverts Krüger Stahlberg Verlag GmbH,
Frankfurt am Main
Alle Rechte an dieser Ausgabe vorbehalten
Für die einzelnen Lizenzgeber siehe Quellennachweis
Gesamtherstellung Wilhelm Röck, Weinsberg
Spezialdruckpapier von der Papierfabrik Bohnenberger, Niefern
Umschlag, Einband und Typographie von Roland Hänßel
Schrift 9/10 Garamond
Printed in Germany 1972
ISBN 3 7740 0403 x

INHALT

Hans Magnus Enzensberger

DIE SPRACHE DES »SPIEGEL«

Gesellschaftskritik, oder was sich dafür hält, leidet gemeinhin unter der Vorstellung, sie müsse ihre Gegenstände entlarven. Womit sie sich befaßt, das stellt sie sich gern als undurchschaubar vor. Diese Auffassung spiegelt die Ohnmacht des Kritikers vor den Mächten wider, mit denen er es zu tun hat. Sie ist nicht nur paranoid, insofern sie ihr Gegenüber zur Verschwörung dämonisiert; sie ist falsch. Irrationales Pathos versagt vor den meisten gesellschaftlichen Sachverhalten schon deshalb, weil sie zutage liegen. Gerade ihre Evidenz macht sie unsichtbar.

Das gilt, beispielsweise, für die deutsche Wochenzeitung *Der Spiegel*. An Versuchen, dieses mächtige Blatt zu »entzaubern«, hat es nicht gefehlt. Ein kommunistischer Parteifunktionär namens Neumann hat die Vermutung geäußert, *Der Spiegel* sei »ein Organ des britischen Geheimdienstes«. Von katholischer Seite wurde die Frage gestellt, »in wessen Auftrag ... der *Spiegel* den Christenglauben« bekämpfe. Gewerkschaftliche Kreise halten die Zeitung für ein Instrument von kapitalkräftigen Unternehmern; bei der Industrie gilt sie als links. Alle Gegner des Blattes verfallen früher oder später darauf, nach seinen »Hintergründen« zu fragen.

Das ist eine durchaus überflüssige Frage. Die Besitz- und Finanzverhältnisse des *Spiegel* liegen klarer auf der Hand als die der meisten anderen Presseorgane Deutschlands. Der Verlag der Zeitung hat die Rechtsform einer GmbH; im Namen der Gesellschaft erscheint neben dem

Titel des Blattes der Name Rudolf Augstein. *Der Spiegel* ist das Organ dieses Mannes. Er ist nicht nur Gesellschafter, sondern auch Herausgeber der Zeitung, und zwar nicht ein Herausgeber, der sich damit begnügt, die Geschäfte zu überwachen, sondern der wichtigste Mitarbeiter des Blattes, der unter dem Pseudonym Jens Daniel vehemente Leitartikel schreibt und im Grunde wohl der Chefredakteur des *Spiegel* ist: ein in Deutschland einzigartiger Fall.

Erich Kuby schildert diesen Mann, wohl nicht ohne Stilisierung, aber aus eigener Anschauung, mit folgenden Worten: »Ein ganz junger Mensch von äußerster Sensibilität, mit rasiermesserscharfer Intelligenz ausgestattet, erfüllt von Trauer und Pessimismus, von der Sorge, das Gefühl könnte ihn überwältigen und dahin bringen, auf den Schwindel hereinzufallen, voller Dégoût und voller Erwartung, ob nicht doch vielleicht einmal etwas Unerwartetes passiert, unerwartet für einen, der unausgesetzt alles erwartet und dessen zur Schau getragene Blasiertheit Rüstung ist [1]«.

Der zweite Gesellschafter des Verlages, John Jahr, der im Impressum der Zeitschrift als »Verleger« erscheint, nimmt auf die redaktionellen Entscheidungen Augsteins keinen Einfluß. Man hat in ihm, weil er an der Illustrierten *Constanze* beteiligt ist, einen Vertrauensmann von Axel Springer, dem größten und skrupellosesten Pressemagnaten Westdeutschlands, sehen wollen. Eine direkte Verbindung des *Spiegel* mit dem Springer-Konzern ist jedoch nicht nachzuweisen [2].

Die Geschichte des Unternehmens ist rasch rekapituliert. Die erste Nummer der Zeitung erschien unter dem Titel *Diese Woche* im November 1946 an den Kiosken. Die

---

[1] Erich Kuby in den *Frankfurter Heften* vom Juli 1953.
[2] Mit Wirkung vom 1. Juni 1962 ist John Jahr als Gesellschafter des *Spiegel* ausgeschieden.

englische Militärregierung zeichnete verantwortlich dafür. Das Eisen, das sie damit in der Hand hatte, wurde ihr jedoch bald zu heiß; sie ließ es schon einen Monat später fallen. Der damals dreiundzwanzigjährige Augstein bekam die Lizenz in seine Hände und taufte die Zeitschrift auf ihren heutigen Namen.

Ihre Auflage betrug damals 15 000, 1956 fast das Achtzehnfache dieser Ziffer[3]. *Der Spiegel* wurde mindestens achtmal verboten oder beschlagnahmt, ein Parlaments-Ausschuß wurde nach ihm benannt; er ist heute eine Institution geworden, die für die Bundesrepublik charakteristisch ist. Demoskopische Untersuchungen deuten darauf hin, daß jede Nummer der Wochenzeitung durchschnittlich von etwa zwei Millionen Leuten gelesen wird. Zwar gibt es in der westdeutschen Presse weit höhere Auflagenziffern als die des *Spiegel;* doch lesen ihn nicht nur die kaufkräftigsten Schichten der Gesellschaft (der Heftpreis liegt erheblich über dem anderer wöchentlicher Periodica), sondern vor allem die sogenannten meinungsbildenden Gruppen, also beispielsweise Lehrer, Journalisten, höhere Angestellte, Studentenvertreter, Politiker vom Stadtrat bis zum Minister. Durch diese Struktur seiner Leserschaft potenziert sich die Wirkung des *Spiegel.* Dazu kommt, daß die Auslandsauflage des *Spiegel* sehr hoch ist: fast ein Zehntel aller verkauften Exemplare geht, weit gestreut, ins Ausland.

Diese Tatsachen sind für das ökonomische Fundament des Unternehmens, für das Anzeigengeschäft, von ausschlaggebender Bedeutung. Etwa die Hälfte aller *Spiegel*-Seiten sind mit Annoncen gefüllt. Das Anzeigenaufkommen dürfte im Monat nahezu eine Million betragen[4]. An die Tatsache, daß es der Zeitung an solchen Aufträgen keineswegs fehlt, haben manche Beobachter Vermutungen

---

[3] Ende 1961 lag die Auflagenziffer des *Spiegel* bei 490 000.
[4] 1961: etwa eineinhalb bis zwei Millionen Mark.

geknüpft, die sich mit möglichen Zusammenhängen zwischen Anzeigengeschäft und redaktioneller Politik beschäftigen. Kurt Pritzkoleit schreibt in seinem Buch *Die neuen Herren*:

»Welche Überlegungen veranlaßten wohl die bundeseigenen Vereinigten Aluminium-Werke und die mächtigste deutsche Eisengroßhandlung ... riesige Anzeigen an das Blatt zu vergeben? Gaben sie sich der Illusion hin, dank dieser Werbung auch nur ein einziges Kilogramm Aluminium oder eine Tonne Stabeisen mehr zu verkaufen, als sie ohne die teuren Anzeigen los geworden wären? ... und wie steht es mit einer Anzeige, deren ganzseitiger Text jeden Rekord an lapidarer Kürze schlägt, da er nur aus den Worten besteht: Handelsunion Aktiengesellschaft, Kapital DM 46 Millionen, Düsseldorf? Wieviele (Leser) verbinden überhaupt eine Vorstellung mit der Firma ›Handelsunion‹? Womit handelt sie denn? Nur die Eingeweihten ... wissen, daß es sich um die Zusammenfassung der Handelsfirmen des früheren Stahlvereins handelt. Und selbst sie werden durch das Inserat kaum veranlaßt werden, etwa ihre Bezugsquellen zu wechseln oder die Aktien der Handelsunion zu kaufen ...

Spielt das Publikum bei dergleichen Anzeigen überhaupt eine Rolle? ... Was ist eigentlich die wirtschaftliche Überlegung, die Firmen wie die Hansa Stahl Export GmbH, Friedrich Krupp, ... Ruhrstahl AG, Hoeschwerke AG, Mannesmann AG, Phoenix-Rheinrohr AG, ... Farbwerke Hoechst AG, Farbwerke Bayer AG, Schrottag, Demag, ... und so weiter verführt, teure Inserate an ein Massenblatt zu vergeben, dessen Leserschaft vornehmlich konsumorientiert ist, die aufgezählten Firmen nur dem Namen nach kennt und nie in die Lage kommen wird, seinen Bedarf an Eisen und Stahl anders als durch Kauf eines Pakets Nägel oder Schrauben zu decken?

Eine wirtschaftliche Ratio haben diese Anzeigen tatsächlich nicht ... wenn ihnen ein Sinn zukommt, ... so

Die Sprache des »Spiegel«   **11**

kann es nur der sein, daß die Inserenten sich durch lukrative Aufträge das Wohlwollen der vielgelesenen, als überaus kritisch geltenden Zeitschrift zu versichern trachten« [5].

Solche Überlegungen besagen allerdings mehr über die Moral der deutschen Schwerindustrie als über die Moral des *Spiegel*. Jedenfalls hat die Symbiose, die sich hier anbahnt, die redaktionelle Unabhängigkeit der Zeitschrift nicht merklich beeinflußt. Sie nimmt, im Gegensatz zu andern großen Zeitungsunternehmen der Bundesrepublik, auf ihre Inserenten keine Rücksicht.

Der Erfolg des *Spiegel* – und damit seine Macht – ist weder durch Hintermänner oder Geldgeber noch durch die Methoden seiner Anzeigen-Akquisiteure zu erklären. Er ist in Europa einzigartig. Dagegen bestehen in den Vereinigten Staaten seit fünfunddreißig Jahren vergleichbare Wochenzeitschriften. *Time* und *Newsweek* haben bei der Entstehung des *Spiegel* Pate gestanden. Diese Patenschaft erkennt das Blatt in seinem Untertitel ausdrücklich an. Er lautet: »Das deutsche Nachrichtenmagazin« und ist dem von *Time* (»The weekly News-Magazine«) nachgebildet. Auch die programmatischen Erklärungen, die das amerikanische Journal in einer Jubiläumsnummer zu seinem fünfundzwanzigjährigen Bestehen abgab, decken sich in den meisten Punkten mit dem sogenannten *Spiegel*-Statut, das die Arbeitsweise der Redakteure und Mitarbeiter festlegt.

Nicht einmal die Kenntnis solcher und ähnlicher Dokumente ist indessen nötig zu einer Analyse des *Spiegel*-Erfolges. Das Geheimnis dieser Zeitung liegt an der Oberfläche. Sie charakterisiert sich selbst am schärfsten durch die Sprache, derer sie sich bedient. Daß sie es verstanden hat, eine eigentümliche, außerhalb ihrer Spalten nicht existierende Sprache sich zu schaffen, belegen die beiden folgenden Zitate, die als eine Versuchsanordnung gelten kön-

---

[5] *Die neuen Herren,* München 1955.

nen; jeder Bewohner der Bundesrepublik wird ihre Quelle
erraten – oder zu erraten glauben.

»X, der am 9. November im Hospital von S. starb, war
im Kulturbetrieb seiner Zeit eine Rarität. In seinem kurzen Leben spielte er die Rolle eines Clowns und erreichte
auf diese Weise zweierlei: man zahlte ihm seine Drinks,
ohne die er nicht auskommen konnte, und man nahm ihm
die bitteren Wahrheiten seiner Dichtung nicht übel. Er
wurde schließlich zu einer Art Nationalphänomen. Seine
neunzig Gedichte mußten siebenmal nachgedruckt werden.
Mit sechzehn Jahren verließ er die Schule – aus Abneigung gegen das, was er dort lernen sollte. Ein Jahr lang
versuchte er sich als Reporter, mit wenig Erfolg. In den
Kneipen erwarb er sich einen bedeutenden Ruf – als Ge-
schichtenerzähler, aber noch mehr durch seinen ungeheuren Bierkonsum. Als sich endlich niemand mehr fand, der
ihn aufnehmen oder seine Schulden bezahlen wollte, kehr-
te er indigniert in seine Heimat zurück. Bettelei um Al-
mosen kam ihm ebenso selbstverständlich vor wie seine
schmutzige Umgebung und die alkoholischen Orgien, die
sich meist über mehrere Tage hinzogen. Mehr und mehr
entglitt ihm jegliche Selbstkontrolle. Sogar wohlmeinen-
den Bekannten erschien er bald nur noch als schreibender
Possenreißer. Er verschmähte es schließlich nicht mehr, seinen Gastgebern Oberhemden zu stehlen. Für seinen Biographen war der Dichter schon zu seinen Lebzeiten ein
psychisch toter Mann. Als während einer Tournee auch der
physische Tod eintrat, entstand in Literaturkreisen eine
ungewöhnliche Erregung. Die widersprüchlichsten Versi-
onen über die Todesursache wurden laut, darunter als
wohl absurdeste die, X sei von Dichter-Konkurrenten
vergiftet worden. Die glaubwürdigste und wohl einzig
richtige Version ist die des Arztes vom Gesundheitsamt in
S., die besagt, daß X an einer Alkoholvergiftung starb, die
durch eine Lungenentzündung kompliziert worden war.«

»Y, 27, Verwaltungsjurist, wurde am 11. Juni vom Staatspräsidenten von P. als Staatssekretär für besondere Aufgaben ins Kabinett berufen. Damit fand eine Blitzkarriere ihren vorläufigen Abschluß, die vor sieben Jahren einigermaßen unrühmlich begonnen hatte. Die juristische Fakultät der Universität Z. hatte damals die Dissertation des jungen Y kurzerhand in den Papierkorb gesteckt. Seiner einflußreichen Familie war es trotzdem gelungen, den genialisch angehauchten Versager als Referendar an den Bundesgerichtshof zu lancieren, nachdem er sich durch intime Eroberungen in den Kreisen der Hochfinanz einen gewissen Namen gemacht hatte. Das Aktenderby ließ den eher gefühlig veranlagten Anfänger jedoch zunächst kalt. Stattdessen verfiel er auf die Idee, sich als Sensationsschriftsteller zu versuchen, wobei er rasch einen beachtlichen Riecher entwickelte. Bereits der erste, keß hingehauene und sentimental verbrämte Skandalroman schokkierte das internationale Publikum und hatte eine Selbstmordepidemie zur Folge. Den Druck eines unförmigen Ritterdramas, des nächsten Werks aus der Hobby-Schublade des dilettierenden Juristen, mußte er allerdings selbst bezahlen, weil er keinen Verleger dafür fand. Beim Chef der Regierung von P. hatte sich der Sonntagsdichter durch ausgedehnte Saufabende, Parforceritte und Herrenparties eingeführt. Die Bevölkerung war von dieser kostspieligen Form halboffizieller Geselligkeit freilich wenig angetan. Auch einflußreiche Regierungskreise betrachteten sie kaum als Befähigungsnachweis für den hochdotierten Posten im Kabinett. Minister Q. erhob sogar gegen die Berufung des weinseligen Benjamin offiziell Einspruch. Y sicherte sich jedoch rechtzeitig durch schöngeistige Leseabende und wohlgezielte Charme-Offensiven den Einfluß der Damen-Koterie aus der nächsten Umgebung des Regierungschefs. Sagte Y, als seine Berufung gesichert war: ›Der Alte kann ohne mich nicht mehr schwimmen noch waten.‹«

Die erste dieser beiden Geschichten stand in der Num-

mer 51/1956 des *Spiegel*. Die Chiffre X steht hier für den
Namen des größten englischen Dichters seit Eliot und
Pound, des Walisers Dylan Thomas. Die zweite Geschich-
te handelt von Johann Wolfgang Goethe. Sie stand nie im
Spiegel; einzig und allein deshalb nicht, weil es den *Spie-
gel* im Jahre 1776 noch nicht gab.

Das Experiment erweist, daß die Sprache der Zeitung un-
kenntlich macht, was sie erfaßt. Unter der Drapierung
durch ihren Jargon sind weder die Züge Goethes noch die
von Dylan Thomas wiederzuerkennen. Es wäre falsch,
von einem *Spiegel*-Stil zu sprechen. Stil ist immer selektiv;
er ist nicht anwendbar auf beliebig Verschiedenes. Er ist
an den gebunden, der ihn schreibt. Hingegen ist die *Spiegel*-Sprache anonym, das Produkt eines Kollektivs. Sie
maskiert den, der sie schreibt, ebenso wie das, was beschrieben wird. Es handelt sich um eine Sprache von
schlechter Universalität: sie hält sich für kompetent in jedem Falle. Vom Urchristentum bis zum Rock and Roll,
von der Poesie bis zum Kartellgesetz, vom Rauschgift-
krawall bis zur minoischen Kunst wird alles über einen
Leisten geschlagen. Der allgegenwärtige Jargon überzieht
das, worüber er spricht, also alles und jedes, mit seinem
groben Netz: die Welt wird zum Häftling der Masche.
Genauer als mit jedem anderen Ausdruck läßt sich die
Spiegel-Sprache mit diesem Wort kennzeichnen, das aus
ihrer eigenen Sphäre stammt.

   Ideologisch wird diese Masche mit dem Argument zu
rechtfertigen gesucht, sie verbürge allgemeine Verständlichkeit. Das Magazin *Time* begründet seinen Jargon in
einem programmatischen Jubiläums-Aufsatz folgendermaßen:

»Das ganze Magazin sollte verständlich sein für *einen*
beschäftigten Mann – eine Auffassung, vollkommen verschieden von derjenigen der Rubriken in den Tageszeitun-
gen, die sich jeweils an besondere Gruppen wenden. Um

den gesamten Inhalt von *Time* den Weg in den Kopf des
Lesers finden zu lassen, mußte er zunächst in eine Sprache
übersetzt werden, die ein Mann verstehen konnte. Später
wurde aus dieser Idee heraus die Maxime formuliert:
Time ist so, als ob es von einem Mann für einen Mann geschrieben wäre.«

Die Ausbildung einer eigentümlichen Sprache für die
journalistischen Zwecke des Blattes wird hier offen als redaktioneller Grundsatz ausgerufen; der Artikel spricht sogar davon, daß eine »Übersetzung« erforderlich sei, und
betont damit die Fremdheit des Magazin-Jargons gegenüber der kurrenten Schriftsprache. Mit ihr wird kurzer
Prozeß gemacht, und zwar angeblich aus Rücksicht auf
den Leser, dem sie schlechterdings nicht zuzumuten sei, da
sie über seinen Horizont gehe.

Dieser Leser ist eine mythologische Figur, die in allen
Sparten der Kulturindustrie anzutreffen ist; er erinnert an
die Anima-Figur des deutschen Films, die den Namen
Lieschen Müller trägt. »Die *Spiegel*-Redakteure betrachten sich«, mit den Worten ihres Herausgebers, »selbst als
Durchschnittsleser... Das bedeutet, daß *Spiegel*-Redak-
teure nicht allzu klug sein dürfen.« Selbstverständlich gibt
es »den« *Spiegel*-Leser erst, seit es den *Spiegel* gibt: die
Zeitschrift produziert ihn als ihre eigene Existenzgrund-
lage. Nicht nur macht sie ihre Gegenstände diesem Leser
kommensurabel, sondern auch den Leser dem Magazin.
Sie zieht ihn auf ihre Ebene, sie bildet ihn aus. Das ist kein
einfacher Vorgang, sondern ein komplizierter Prozeß der
Domestizierung, der sich an den Leserbriefen im Detail
studieren läßt, die das Magazin jede Woche auf vielen
Spalten abdruckt. Sie beweisen, daß der Dressur-Akt, jedenfalls bei einem Teil der Leserschaft, durchaus gelungen
ist. Viele Briefschreiber haben die Sprache des *Spiegel* re-
gelrecht erlernt; manche versuchen sogar, sie zu überbie-
ten. Es liegt in der Natur der »Masche«, daß sie leicht aufzunehmen ist; sie bietet sich dazu an. Denn obgleich sie

keineswegs simpel, sondern ganz artifiziell ist, so kann
doch jeder über sie verfügen, weil sie weder mit der Person dessen, der sie gebraucht, noch mit der Sache, über die
sie spricht, irgend etwas zu tun hat. Was an ihrer Struktur
komplex scheint, ist gerade das Trickhafte, das Taschen-
spielerische: also das Erlernbare schlechthin. Die Koketterie mit der eigenen Gewitztheit, die rasch applizierte Terminologie, die eingestreuten Modewörter, der Slang der
Saison, die hurtige Appretur aus rhetorischen Beifügun-
gen, dazu eine kleine Zahl syntaktischer Gags, die sich
meist von angelsächsischen Mustern herschreiben: das sind
einige der auffälligsten Spezialitäten der *Spiegel*-Sprache.
Wie das Immergleiche als ein Besonderes verpackt und an
Ahnungslose verkauft wird, die sich, je ahnungsloser sie
sind, um so mehr einbilden, Bescheid zu wissen, das hat
Theodor W. Adorno in seinen Arbeiten über die Kulturindustrie exakt beschrieben. Das tiefe Bedürfnis, mitreden
zu können, beutet die Sprache des *Spiegel* geschickt aus.
Sie ist insofern der wäßrigen, widerstandslosen Sprache
des *Reader's Digest* verwandt. Freilich ist sie weniger bie-
der: sie führt sich nicht auf, als wäre sie *Das Beste*, sondern als wäre sie das Letzte. Wie ein einfacher Satz in diese hochspezialisierte Sprache übertragen wird, zeigt das
folgende Beispiel: »Bei der Schlußfeier der XVI. Olympischen Sommerspiele schickten die australischen Salutschüt-
zen dem Muskelkrieg von Melbourne ein martialisches
Echo nach. Die Artilleristen Ihrer Majestät der englischen
Königin lieferten den aktuellen kriegerischen Kulissen-
donner zu jenem olympischen Schauspiel, das inmitten
einer sehr unfriedlichen Welt zum schlechten Stück geworden war. Sie kanonierten die wie einen Zylinderhut auf-
gestülpte Schlußfeier-Stimmung und alle preisenden Reden von der Gleichheit und Brüderlichkeit unter Sports-
leuten zu eitel Schall und Rauch.«
    Eine detaillierte Analyse dieser Passage erübrigt sich.
Im *Spiegel*, so äußert sich sein Herausgeber, »soll knappes,

farbiges Deutsch geschrieben werden«. Versucht man, das Zitat aus seiner Zeitschrift ins Deutsche zurück zu übersetzen, so ergeben sich zwei Sätze, die in der Tat knapp sind: »Bei der Schlußfeier der Olympiade wurde Salut geschossen. Das hat uns mißfallen.«

Hätte sich der Verfasser der Passage so ausgedrückt, so wären dem vielbeschäftigten Durchschnittsleser neun Zeilen überflüssiger Lektüre erspart geblieben. Auch die Verständlichkeit der Mitteilung hätte nicht gelitten. Die Vermutung, es wäre dem Schreiber nicht darum zu tun gewesen, daß man ihn verstehe, liegt nahe. In der *Spiegel*-Fassung ist die bescheidene Nachricht von ihrer Auslegung nicht zu unterscheiden. Information und Kommentar sind derart in die Masche verstrickt, daß sie sich nicht mehr trennen lassen.

Was den *Spiegel*-Text von jeder anderen Fassung des Sachverhaltes unterscheidet, ist aber nicht nur dessen Trübung durch Jargon und verstecktes Vorurteil, sondern auch seine angestrengte Humorigkeit. Der verzweifelte Witz eines Alleinunterhalters ist ihm anzuhören, der um jeden Preis sein Publikum bei der Stange halten muß. Nun läßt sich über das, was komisch ist, schlecht streiten. Wenn das Magazin etwa über den amerikanischen Schlagersänger Presley schreibt, er sei »sextraordinär« und »transportiere« seine Zuhörer »von Dixieland nach Kinseyland«, so ist das zwar miserables Deutsch, aber gewiß nicht ohne eine gewisse Komik, die der Primitivität des Gegenstandes entspricht. Die Zuckungen des Sängers, dem eine elfseitige Titelgeschichte zugedacht ward, »erweckten«, wie *Der Spiegel* schreibt, »den Eindruck, als habe er einen Preßlufthammer verschluckt«. Das schallende Gelächter über derartige Scherze wird fatal, wenn Gide und Claudel, Sartre und Freud durch ihresgleichen charakterisiert werden. Als in Ostberlin der junge Philosophieprofessor Wolfgang Harich verhaftet wurde, kramte *Der Spiegel* aus seinem Leben eine Episode mit einer Dame aus

Thailand aus und fragte »sich, ob es nun metaphysische
oder physische Gründe hatte«, daß er mit der »siamesi-
schen Dame in die Berliner Podbielski-Allee 1 gezogen
war«.

In solchen Scherzen drückt sich ein Humor aus, der zwischen Zote und Ehrabschneiderei die Mitte hält. Er erinnert an die alptraumartigen Bunten Abende, die vor zwei
Jahrzehnten unter dem Motto »Kraft durch Freude« sich
so viele Freunde gewinnen konnten. Neu an ihm sind allein die Verzierungen: auf solche Art und Weise werden
Konsumgüter älterer Konstruktion mit Chromleisten auf-
frisiert. Wer sich auf die trüben Quellen eines derartigen
Gelächters besinnt, der weiß, daß die Maxime »Lächerlichkeit tötet« eine sehr finstere Bedeutung annehmen
kann: der Applaus für den Alleinunterhalter schlägt leicht
in den Jubel derer um, die Gemälde mit Taschenmessern
traktieren und ihren Beifall kundtun, wenn der Totschlä-
ger in Aktion tritt.

Was derart den Leser des »deutschen Nachrichtenmaga-
zins« unterhalten soll, straft diesen Untertitel Lügen. In
der Tat ist *Der Spiegel* keineswegs ein Nachrichtenblatt.
Der redaktionelle Inhalt besteht vielmehr aus einer
Sammlung von »Stories«, von Anekdoten, Briefen, Vermutungen, Interviews, Spekulationen, Klatschgeschichten
und Bildern. Gelegentlich stößt der Leser auf einen Leitartikel, eine Landkarte, eine statistische Tabelle. Unter
allen Mitteilungsformen kommt diejenige am seltensten
vor, nach der das Magazin benannt ist: die schlichte Nachricht. »Die Form, in der der *Spiegel* seinen Nachrichten-
gehalt an den Leser heranträgt«, so heißt es im *Spiegel*-
Statut, »ist die Story.« Diese typische Darbietungsform
bedarf einer genaueren Erörterung. Auf den ersten Blick
scheint sie dem flüchtigen Leser Vorteile zu bieten: sie
nimmt ihm die synthetische Arbeit ab, indem sie den Stoff
für ihn zerkleinert und die einzelnen Informationen zu
einem eingängigen Ganzen ordnet. Dem Verfahren liegt

eine atomistische Vorstellung von der Natur der Information zugrunde, derzufolge sich jede Nachricht in eine homogene Menge von Partikeln auflösen läßt. (Diese Vorstellung wird von der modernen Kybernetik geteilt; dort
heißen die elementaren Informationspartikel *bits*.) Wie
aber wird die derart aufbereitete und homogenisierte
Masse zur Story synthetisiert?

Die Übersetzung in die *Spiegel*-Sprache genügt dazu
nicht. Entfernt der Auflösungsprozeß die Nachricht aus
dem Kontext der Situation, aus der sie entsteht, so verwandelt die Synthese zur Story sie in ein pseudo-ästhetisches Gebilde, dessen Struktur nicht mehr von der Sache,
sondern von einem sachfremden Gesetz diktiert ist. Jede
Nachricht hat eine Quelle, die sich angeben läßt; Zeit, Ort
und Urheber sind von ihr nicht ablösbar. Diese Angaben
gehören deshalb zum unentbehrlichen Minimum jeder,
auch der kleinsten Zeitungsmeldung. Im *Spiegel* fehlen sie,
weil sie mit dem Prinzip der Story nicht vereinbar sind:
Story und Nachricht schließen einander aus. Während die
Nachricht im allgemeinen für Unterhaltungszwecke ungeeignet und kein Genuß-, sondern ein Orientierungsmittel
ist, stellt die Story ganz andere Bedingungen: Sie muß
Anfang und Ende haben, sie bedarf einer Handlung und
vor allem eines Helden. Echte Nachrichten ermangeln
häufig dieser Eigenschaften: um so schlimmer für die
Nachrichten!

Das *Spiegel*-Statut stellt die Unentbehrlichkeit des Helden ausdrücklich fest: »Nichts interessiert den Menschen
so sehr wie der Mensch. Deshalb sollten alle *Spiegel*-Geschichten einen hohen menschlichen Bezug haben. Sie sollten von Menschen handeln, die etwas bewirken.« Was
unter einem »hohen menschlichen Bezug« zu verstehen ist,
bleibt dabei offen; die gleichzeitig hochtrabende und hinkende Formulierung läßt nichts Gutes ahnen. Auf den
ideologischen Hintergrund des Story-Helden kommt das
Spiegel-Statut nicht zu sprechen. Das amerikanische Ma-

gazin *Time* drückt sich in dieser Hinsicht deutlicher aus:
»Nachrichten«, so heißt es dort, »entstehen nicht durch
›geschichtliche Kräfte‹ oder Regierungen oder Klassen,
sondern durch Individuen.« Damit ist der Held gerecht-
fertigt. *Human interest,* Stories aus Fleisch und Blut: solche Parolen gründen auf der Scheinwahrheit, daß Geschichte vom Einzelnen gemacht werde. Der primär gesellschaftliche Charakter historischer Erscheinungen wird mit
einem Seitenhieb auf den marxistischen Klassenbegriff geleugnet. Die Anekdote bestimmt die Struktur einer solchen Berichterstattung; die Historie wird zum Histörchen.

Als demokratisch gibt sich eine solche Geschichtsauffas-
sung durchaus zu Unrecht aus; denn der einzelne, dessen
Interessen dem Kollektiv gegenüber sie wahrzunehmen
vorgibt, ist keineswegs der einfache Bürger, sondern im
Gegenteil der Prominente, der sich vor den anderen durch
Erfolg oder Macht auszeichnet, und dessen elitäre Vor-
rechte das Magazin noch bestätigt, indem es ihn als naturalistische Ikone auf seinem Umschlag präsentiert. Diese
Auffassung vom einzelnen und seiner geschichtsbildenden
Kraft erinnert eher an die totalitären Schlagworte vom
Führerprinzip und vom Persönlichkeitskult als an die
klassischen Maximen der Demokratie. Indessen ist dieser
ideologische Aspekt des Helden wohl weniger redaktioneller Absicht zuzuschreiben als dem Zwang der Story-
Form, die zur Darstellung historischer Sachverhalte ungeeignet ist. So wurde die ungarische Oktoberrevolution von
1956 im *Spiegel* zu einer Titel-Geschichte über Imre
Nagy, der auch auf dem Titelblatt erschien. Jeder auf-
ständische Arbeiter hätte das historische Ereignis besser
repräsentiert als dieser hilflose Mann [6].

---

[6] Vom Prinzip der Titel-Ikone ist die Redaktion seither, unter
dem Zwang der Sachen, öfters abgegangen. Unter den Nummern 42–52 des Jahrgangs 1961 sind drei, auf deren Umschlag
kein Porträt mehr erscheint: die wachsenden amerikanischen

So offensichtlich die Mängel der Story für die Zwecke der Berichterstattung sind, so sehr der Informationscharakter des Magazins unter dem Zwang seines Jargons leidet, sein Ruf als der eines wohlunterrichteten Blattes hat darunter nicht gelitten. Das mag zunächst daran liegen, daß sich *Der Spiegel* die Informationen, die er verarbeitet, allerhand kosten läßt. Im Gegensatz zu einem großen Teil der Tagespresse hat er sich nie damit begnügt, Fern- und Hellschreiber anzuzapfen und sich auf das Material zu verlassen, welches die Nachrichtenagenturen liefern. Er hat von Anfang an und mit großer Konsequenz ein eigenes, sehr umfangreiches und gut funktionierendes Netz von Korrespondenten im In- und Ausland aufgebaut. Diese Mitarbeiter haben sich ihrerseits nicht mit offiziellen und offiziösen Informationen zufriedengegeben; sie haben es verstanden, sich Zugang zu vertraulichen Nachrichtenquellen zu verschaffen. Ferner verfügt das Magazin über ein einzigartiges Archiv. Mögen die Quellen des *Spiegel* auch zuweilen trübe sein, so sind sie doch in der Regel zuverlässig. Das Statut der Zeitschrift postuliert ganz eindeutig: »Alle im *Spiegel* verarbeiteten Nachrichten müssen unbedingt zutreffen.« Um die Einhaltung dieses Grundsatzes zu sichern, hat die Redaktion ein eigenes System der Verifikation entwickelt. Jedes Manuskript wird, ehe es zum Satz geht, im Archiv der Zeitschrift einer Kontrolle unterworfen. Die Verifikation geschieht punktuell: jede einzelne Sachbehauptung wird auf ihre Richtigkeit

---

Investitionen in Europa werden durch Sternenbanner und durch Karikaturen, die Schwierigkeiten der deutschen Reeder durch eine Tafel ihrer Flaggen, ein Bericht über die naive Malerei durch eine Reproduktion illustriert. Auf zwei weiteren Titelbildern tritt das Porträt-Element zurück: das Gesicht von James Joyce hinter einer Seite des *Ulysses*-Manuskripts, der Kopf Gomulkas hinter einer Karte, auf der die Oder-Neiße-Grenze eingezeichnet ist.

hin geprüft. Die Kriterien sind rein logistischer Art: eine Behauptung kann mit Sicherheit richtig, mit Sicherheit falsch oder möglich sein. Das Training des Kontroll-Lesers läuft also darauf hinaus, den Text gegen den Strich zu lesen und die Zubereitung der Informations-Partikel zur Story rückgängig zu machen.

Schon daraus geht hervor, wie wenig die Zuverlässigkeit, derer sich die Zeitschrift rühmt, dem Leser nützt: die Spezialisten im *Spiegel*-Archiv sind im Grunde die einzigen, die vermöge ihres Trainings in der Lage sind, den Informationsgehalt des Blattes zu analysieren. Das Postulat, alle darin verarbeiteten Nachrichten müssen zutreffen, gilt zwar vom Gesichtspunkt des Produzenten, nicht aber von dem des Lesers aus. Wenn bei einer Umfrage im Jahre 1954 91 % der teilnehmenden Leser der Meinung waren, *Der Spiegel* sei objektiv, so sind sie einer Täuschung erlegen. Objektivität nämlich ist ein Kriterium, das auf die Story schlechterdings nicht anwendbar ist. Maßgebend für das Gelingen einer Story ist einzig und allein ihr Effekt. Die Forderung nach Richtigkeit geht nicht, wie bei der Nachricht, aus ihrem Wesen hervor: sie wird von außen an sie herangetragen; ja, genau genommen, kann eine Story gar nicht richtig sein, sondern höchstens die in ihr verarbeiteten Details. Nur in diesem Sinn kann davon gesprochen werden, daß *Der Spiegel* die Wahrheit sagen will, ja sagen muß. Nicht Richtigkeit, sondern Unangreifbarkeit wird ihm abverlangt, und zwar aus rein juristischen Gründen. Als falsch gilt in diesem Verstand nur eine Behauptung, die zu einem Rechtsstreit führen kann, der für die Zeitschrift aussichtslos wäre. Statt von Richtigkeit sollte man daher lieber von Un-Unrichtigkeit sprechen. Moralisch gesprochen ist jedoch eine doppelte Verneinung nicht, wie in der Logik, mit einer Bejahung identisch.

Kann sich die Story also nicht auf die Objektivität der Nachricht berufen, so fehlt ihr andrerseits auch die Legitimation, die andere journalistische Äußerungsformen, wie die Glosse, der Kommentar oder der Leitartikel, für sich beanspruchen dürfen. In den Spalten der Zeitschrift selber tritt der Unterschied zutage, der hier zu machen ist. Die Leitartikel von Jens Daniel gehören zu den besten Leistungen der deutschen Publizistik dieser Jahre. Das Verfahren ihres Verfassers ist unangreifbar, mag er nun mit seinen Schlußfolgerungen recht haben oder nicht. Sein Fall ist vollkommen klar: Er steht mit seinem Namen ein für das, was er sagt, und, was noch wichtiger ist, er nimmt für seine Äußerungen keinerlei objektive Gültigkeit in Anspruch. Im Gegenteil: er wirkt gerade durch die entschiedene Subjektivität seiner Artikel, durch seine Überzeugung, durch sein Engagement. Niemals versucht er seine Deutung der Nachrichten als diese selbst auszugeben.

Genau das aber tut der Story-Schreiber. Er bleibt grundsätzlich anonym, er legt die Karten nicht auf den Tisch, er arbeitet aus dem Unsichtbaren. Das rührt nicht von seiner persönlichen Bosheit, sondern von den Gesetzen seiner Form her, die eine ästhetische Form ist. Die Story ist eine degenerierte epische Form; sie fingiert Handlung, Zusammenhang, ästhetische Kontinuität. Dementsprechend muß sich ihr Verfasser als Erzähler aufführen, als allgegenwärtiger Dämon, dem nichts verborgen bleibt und der jederzeit, wie nur je ein Cervantes ins Herz des Don Quijote, ins Herz seiner Helden blicken kann. Während aber Don Quijote von Cervantes abhängt, ist der Journalist der Wirklichkeit ausgeliefert. Deshalb ist sein Verfahren im Grunde unredlich, seine Omnipräsenz angemaßt. Zwischen der simplen Richtigkeit der Nachricht, die er verschmäht, und der höheren Wahrheit der echten Erzählung, die ihm verschlossen bleibt, muß er sich durchmogeln. Er muß die Fakten interpretieren, anordnen, modeln, arrangieren: aber eben dies darf er nicht zugeben. Er darf seine epische Farbe nicht bekennen. Das ist eine verzweifelte Position. Um sie zu halten, sieht sich der Story-Schreiber gezwungen, zu retuschieren, zwischen den Zei-

len zu schreiben. Keine Publikation hat es in der Technik
der Suggestion, des Durchblicken-Lassens, des Innuendo
weiter gebracht als *Der Spiegel*.

Es ist nicht leicht, aus einer solchen Technik eine Tugend
zu machen; allzu offensichtlich spekuliert sie auf die Neugier des Schlüsselloch-Guckers, allzu penetrant macht sie
Neid, üble Nachrede und Schadenfreude zu ihren Verbündeten. Immerhin hat man dem Magazin, das sie gebraucht, da und dort zugute gehalten, seine kritische Haltung mache sie nötig: gewisse Tatsachen könnten eben nur
zwischen den Zeilen öffentlich bekanntgemacht werden;
und es sei besser, daß über sie andeutungsweise geschrieben
werde als gar nicht. Das Argument richtet sich gegen die
seriöse Tagespresse des Landes, von der es nicht zu Unrecht heißt, sie scheue sich, »unangenehm aufzufallen«.
Der Ausdruck stammt aus dem Argot des Militärs als
einer Gesellschaft, in der es vor allem zu parieren gilt. Die
Auffassung, Informationen von öffentlichem Interesse ließen sich nur zwischen den Zeilen publizieren, geht von
ähnlichen Voraussetzungen aus. Wer so denkt, hält Zensur für eine Selbstverständlichkeit und hat sich mit ihr
schon abgefunden. Er verzichtet darauf, von den Möglichkeiten der Demokratie jenen Gebrauch zu machen, der sie
allein verwirklichen kann. Solche Vorsicht ist nicht nur
überflüssig, sie ist verräterisch: ein Erbe des Faschismus,
dessen der deutsche Journalismus sich nachgerade entledigen dürfte.

Gerade seine kritische Haltung, oder was dafür gehalten
wird, hat (neben seinen sprachlichen Eigentümlichkeiten
und der Erfindung der Story) dem *Spiegel* seinen Ruf, seinen Erfolg und seine Macht eingetragen. Was davon zu
halten ist, lehrt eine einfache Überlegung. Alle bisherigen
Versuche, dem *Spiegel* irgendwelche Überzeugungen zuzuschreiben, sind gescheitert. Das Blatt hat keine Position.
Die Stellung, die es von Fall zu Fall zu beziehen scheint,

richtet sich eher nach den Erfordernissen der Story, aus
der sie zu erraten ist: als deren Pointe. Sie wird, oft wenige Wochen später, durch eine andere Geschichte demen-
tiert, weil diese einen anderen »Aufhänger« verlangt. Wer
dem Blatt also eine Basis von Überzeugungen zubilligen
möchte, sieht sich fortwährend dupiert. Er wird nur
triumphierende Hinweise auf die »Objektivität« und Unabhängigkeit des Magazins ernten, wenn er dessen Pointen mit einer Richtung verwechseln sollte. Die Ideologie
des *Spiegel* ist nichts weiter als eine skeptische Allwissen-
heit, die an allem zweifelt außer an sich selbst. Damit ist
bereits gesagt, daß *Der Spiegel* Kritik nicht zu leisten vermag, sondern nur deren Surrogat. Eine Kritik, die keinen
anderen Ansatz hat als den imaginären Hebelpunkt einer
Skepsis, die vor sich selber halt macht, wird sich stets zur
Magd der Ereignisse machen. Wer nicht bereit ist, Stellung
zu beziehen (und eben dies ist dem *Spiegel*-Schreiber ver-
wehrt), der schränkt seine Kritik von vornherein auf
bloße Taktik ein und gesteht, noch ehe er sie übt, daß sie
nichts aus den Angeln heben soll. Zwar gibt er vor, die
Welt verändern zu wollen, doch weiß er nicht, zu welchem
Ende. Sein Ziel ändert sich mit den taktischen Erfordernissen des Tages, die sich ihrerseits ändern, noch während
die Story in den Satz geht: seine Kritik ist ohne Perspektive, sie ist blind. Wenn es eines Beweises bedürfte, daß
diese Blindheit dem journalistischen Metier nicht eingebo-
ren ist, so wäre der erste Blick auf die besten kritischen
Wochenzeitungen Europas genug: auf den *New States-
man, L'Express, France-Observateur* und *L'Espresso.* Jeder von ihnen, ungeachtet ihrer Besonderheiten, wird noch
das kleinste taktische Detail zum Anlaß einer kritischen
Wurzelbehandlung.

   Läßt aber der taktische Realismus, wie ihn *Der Spiegel*
versteht, radikale Fragestellungen nicht zu, so versuchen
seine Redakteure doch auf das beflissenste, jeder Zeile, die
in dem Magazin erscheint, den Anstrich der Radikalität

zu geben. Das Surrogat stellt sich, damit es nicht durchschaut werde, als das Echte hin, und umgekehrt: wo radikale Fragen gestellt werden, verdächtigt *Der Spiegel* sie, indem er sie süffisant belächelt, als Surrogat. Der Pseudo-Kritik bleibt gar keine andere Wahl, als die wahre, wo immer sie sich zeigt, zu diskreditieren.

Was dem *Spiegel* an kritischer Potenz fehlt, versucht er durch inquisitorische Gestik zu ersetzen. Mit Hilfe seines Netzes von Informanten und seines großen Archivs hat das Magazin die Technik des Dossiers bis zur Perfektion ausgebildet. Seine Titelgeschichten muten zuweilen an, als läge es in ihrer Absicht (und in ihrer Kompetenz), ein Verfahren gegen den Helden, dem sie gelten, einzuleiten. Charakteristisch ist dafür eine infame sprachliche Einzelheit: jener berüchtigte Dativ-Artikel, mit dem die deutsche Justiz den Angeklagten zu bedenken pflegt. »Er folgte«, so heißt es in einer *Spiegel*-Geschichte, »*dem* Dylan Thomas sogar zurück nach Wales.« Oder: »Der Chruschtschow-Brief verriet *dem* Tito...« Die Regeln, nach denen der Angeklagte verhört und abgeurteilt wird, bleiben dabei das Geheimnis der Redaktion.

Soweit es sich um Film-Manager oder Schlagersänger handelt, die an Publizität um jeden Preis interessiert sind und denen es gleichgültig sein kann, was über sie gesagt wird, wenn nur überhaupt von ihnen die Rede ist, solange also die Opfer der Methode ihr implicite zustimmen (das mag auch für gewisse Politiker gelten) – solange ist gegen sie nicht viel einzuwenden. In solchen Fällen wird man das Magazin ruhig als eine Art gebrochener Illustrierten hinnehmen können, als *Bild-Zeitung* für den gehobenen Bedarf. Daß Ansprüche und Methoden sich gegenüber dem grobschlächtigen Vorbild verfeinern, ändert nichts an der Natur der Sache.

Der Leser, wie ihn *Der Spiegel* sich erfunden und ausgebildet hat, wird allerdings nicht geneigt sein, sich mit dem Konsumenten der illustrierten und der Boulevard-Zeitun-

gen vergleichen zu lassen. Die Differenz der Ansprüche
und Methoden hält er für qualitativ. Darin bestärkt ihn
die Propaganda des Blattes, die gerne mit Werbesprüchen
wie dem folgenden operiert:

> »Wer möchte nicht wie Theseus sicher gehen?
> Wie schön ist das Gefühl: ›Ich weiß Bescheid!‹
> *Der Spiegel* ist – Sie werden's selber sehen –
> Der Ariadne-Faden unsrer Zeit!«

Faktisch rechnet die Zeitschrift jedoch mit einem Leser,
der, ebenso wie der Abnehmer der Illustrierten, als *tabula
rasa* vorgestellt wird. Nichts wird bei ihm vorausgesetzt
als die routinierte Kenntnis des Jargons. Dieser ideale Leser ist ein Wesen ohne Herkunft, ohne Geschichte und ohne Gedächtnis. Er ist das eigentlich ahistorische Wesen.
Die scheinbar objektiven, unverrückbaren Bilder, die auf
die *tabula rasa* seines Bewußtseins projiziert werden, sind
nur augenblicksweise und virtuell vorhanden. Ihr Kontext
muß immer wieder von neuem geboten werden, so oft sie
erscheinen: das erste Bild ist immer schon verflogen, ehe
das nächste auftaucht. Historizität und Gedächtnis ersetzt
dem Leser, der hier gefordert wird, das Archiv des Magazins, ein ungeheurer Tatsachen-Silo. Wie die Gegenwart
im Reporter, so ist in ihm die Vergangenheit omnipräsent.
Konsequenterweise entfällt die historische Dimension, die
der Story-Form nicht zugänglich ist, auch für den Leser,
der ihr zugedacht ist. Alle gegebenen Sachverhalte werden
prinzipiell als unbekannte dargestellt: erst ihr Auftauchen
im Magazin verleiht ihnen momentan die Würde des Vorhandenen. Die Welt wird, mit einem Ausdruck von Günter Anders, zur Matrize des Magazins, die Story zu ihrem
Phantom.

Sein Einverständnis mit dem Bild, das die Zeitschrift
sich von ihm macht, erklärt ihr Leser, indem er, obwohl
total unwissend, den Anspruch erhebt, alles verstehen und
aburteilen zu können. In dem Glauben, niemand könne
ihm etwas vormachen, wird er dadurch bestärkt, daß ihm

fortwährend etwas vorgemacht wird. Es wird ihm eine Überlegenheit suggeriert, die er in Wirklichkeit nicht besitzt. Nicht die Rolle eines Handelnden, sondern die eines Zuschauers wird ihm dabei zugespielt. Die Einblicke und Enthüllungen, die ihm das Magazin verschafft, machen ihn zum Voyeur: er darf, ohne daß er für irgend etwas verantwortlich wäre, »hinter die Kulissen« sehen: »Der *Spiegel* leuchtet hinter die Kulissen unseres lärmerfüllten Welttheaters . . .« »Hingegen ich, der Weise, les' im *Spiegel* die Hintergründe.« (Werbesprüche des Magazins.) Was dem Leser derart angeboten wird, ist die Position am Schlüsselloch. Die Entscheidung nimmt ihm das Magazin ab: sie wird in der Story präfabriziert. Während die Nachricht als zuverlässiges Mittel zur Orientierung eigenen Verhaltens dient und insofern ein Produktionsmittel ist, bleibt die Story reines Konsumgut. Sie wird verzehrt und hinterläßt nur emotionale Rückstände, die als Ressentiment wirksam werden: zum Beispiel Neid oder Schadenfreude. Zwar enthalten viele Stories versteckte Aufforderungen zum Handeln, aber diese Aufforderungen ergehen nie an den Leser, sondern an den jeweils anderen, der angegriffen, »enthüllt« wird.

Moralisch entlastet das Verfahren den Konsumenten, indem er ihm jegliche Verantwortung abnimmt und ihm die Schlechtigkeit der Welt, will sagen: der andern, mit denen er nichts zu tun hat, für die er nicht einzustehen braucht, die er nicht beeinflussen kann, wöchentlich einmal vor Augen führt. *Intellektuell* klärt es ihn über seinen faktischen Zustand, den der Ignoranz, keineswegs auf, sondern verschleiert ihn mit allen Mitteln. Nicht Orientierung, sondern ihr Verlust ist die Folge.

Selbstverständlich gelingt die Konditionierung des Lesers immer nur teilweise; sie erfordert Zeit. Der ideale *Spiegel*-Leser ist eine Abstraktion – keineswegs jedoch ein Hirngespinst. Wie diese Abstraktion schrittweise und fast unmerklich verwirklicht wird, das sei hier an einem

Beispiel demonstriert, das zugleich eine Überprüfung aller Thesen erlaubt, die über das Magazin und seine Methoden hier aufgestellt worden sind. Wir wählen zu diesem Zweck den Fall des Philosophen Jean-Paul Sartre, mit dem sich *Der Spiegel* mehrfach beschäftigt hat. Es kann sich dabei nicht darum handeln, sachliche Fehler zu konstatieren und die Angaben, die das Magazin macht, von außen her zu widerlegen. Eine Diskussion des Werkes von Sarte oder seiner Person ist hier nicht am Platz. Es werden deshalb nur *Spiegel*-Texte zitiert. Der Kommentar beschränkt sich auf die Darstellungsweise des Magazins. Um das Typische des Sachverhaltes zu unterstreichen, wird der Name des Protagonisten hier durch eine Chiffre ersetzt.

Im Dezember 1956, einige Monate nach dem ungarischen Aufstand, ist im *Spiegel* eine Titelgeschichte über X erschienen. Sein Photo auf dem Umschlag trägt die Unterschrift: »Moskaus schmutzige Hände.« Längst, ehe er mit der Lektüre beginnen kann, wird dem Betrachter des Bildes mit diesen Worten ein Vorurteil suggeriert, das mit dem Photo selbst nichts zu tun hat, das durch nichts ausgewiesen ist und das den Leser von vornherein gegen den Helden der Story einnehmen soll. Ihr Titel, »Der arme Mitläufer X«, setzt dieses Manöver fort. Das ironisch-schulterklopfende Bedauern, mit dem X bedacht wird, und die Verdächtigung, dem Schriftsteller X sei es eher um den Erfolg als um die Wahrheit zu tun (Bildtext: »Ist die Wahrheit mit dem Erfolg identisch?«) verbinden sich zu einem Kesseltreiben der Gefühle, das gänzlich ohne Argumente auskommt.

Der »Aufhänger« der Story ist ein Brand des Hauptquartiers der KP Frankreichs, das von Demonstranten angezündet worden war. »Die Flammen aber erhellten das getrübte Bewußtsein jenes Philosophen, der lange Jahre hindurch auf eine recht düstere und unklare Weise mit den Kommunisten abwechselnd zusammengearbeitet oder sich geneckt hatte. Der zwölf Jahre während Flirt zwischen

X und den Kommunisten kann als typisch gelten für die
Bewußtseinslage eines ganzen Hümpels von Intellektuellen in und außerhalb Frankreichs, denen der Ideenkult
Ersatz für die bescheidene Redlichkeit des Tages ist.«
Daß hier Diffamierung und nicht Information beabsich-
tigt ist, wird kaum noch verhohlen. Die Epitheta »düster«,
»unklar« und »getrübt« deuten an, daß X ein finsteres
Gewerbe betreibt, daß er »im Trüben« fischt. Die Ausdrücke »Flirt« und »necken« sollen eine zwölfjährige, in-
tensive Auseinandersetzung auf das Niveau des Zoten-
reißers bringen. Der Hinweis auf die »bescheidene Redlichkeit des Tages«, um die der Story-Schreiber offenbar
bemüht ist, gewinnt vielleicht an Verständlichkeit, wenn
man eine *Spiegel*-Geschichte aus dem Jahr 1949 zum Vergleich heranzieht:
»Der ›wahrscheinlich genialste geistige Aufwiegler
Frankreichs seit Voltaire‹: so hat ein französischer Kritiker
X genannt, bewundernd, obwohl er ihm einige erhebliche
philosophische Widersprüche nachwies. X ist Philosoph,
Dramatiker, Kritiker und nicht zuletzt politischer Schriftsteller, ein Literat lateinischer Prägung, wie es der alte
Voltaire auch war. Ein Mann von großer Selbstsicher-
heit, brillanter Dialektik und angriffslustiger Intelligenz ... Soviel Debatten seine Schriften und Dramen her-
vorgerufen, sowenig vermag der Privatmann X die Öffentlichkeit zu interessieren ... X ist im übrigen umgäng-
lich und weicht weder Interviews noch Diskussionen aus
... (Er) besticht sofort durch seine Nüchternheit und Intelligenz. Er gefällt sich in der Rolle des berühmten
Schriftstellers und langweilt auch nicht durch simple Leut-
seligkeit ...«
Mit eben jenem »Hümpel«, den er heute verunglimpft,
hat der redliche Story-Schreiber also sieben Jahre zuvor
fraternisiert. Damals hieß es im *Spiegel*: »Unter X' Führung (trat) jene demokratische Literaturfront in Erscheinung, der die Regierungen der ›dritten Front‹ manche Un-

terstützung verdanken ... X ... versteht unter sozialer
Demokratie eine Demokratie, die dem einzelnen wirklich
freie Wahl läßt und ihn nur durch Eigenverantwortlich-
keit bindet.«

Sieben Jahre später, da X genau nach den Maximen
von 1949 handelt, scheint dem Journalisten die beruhigen-
de Versicherung am Platz:

»In Frankreich, und besonders in Paris haben die schillernden Stellungnahmen brillanter Geister ebensowenig
Einfluß auf die Tagespolitik wie anderwärts auch ...
Aber immerhin konnte die KP Frankreichs ... sich bislang
auch die Anflüge intellektuellen Verhaltens schenken, solange erlauchte Reisegefährten wie X in der Kutsche hock-
ten.«

»Erlauchter Reisegefährte«: das ist eine ironische Reverenz, die sich den Anschein gibt, ihr Opfer zu achten. Zu
beachten ist hier auch, daß die Redensart »in der Kutsche
hocken« dem Story-Schreiber eine genaue Definition des
Verhältnisses erspart, in dem X zur Kommunistischen Partei stand und steht. Worauf es ankäme, das wird eskamo-
tiert. Hämische Wendungen solcher Art sind auf den ersten Blick nicht leicht zu durchschauen. Auf dieser Un-
durchsichtigkeit beruht ihre Wirkung auf den ahnungslo-
sen Leser:

»Nach der Befreiung ... kultivierte er seinen Horror
gegen die Selbstzufriedenheit und das gute Gewissen um
ihn herum.« Da die Ehrenhaftigkeit dieser Haltung über
jeden Zweifel erhaben ist, kann sie nur durch den Jargon,
um darin zu bleiben, »madig« gemacht werden. Wer »seinen Horror kultiviert«, leistet sich offenbar einen intellektuellen Luxus, der auf Kosten der Mitwelt geht.

»Wie viele Moralisten vor ihm ... stand er gefühlsmäßig auf der Seite der Unglücklichen, der Unterdrückten,
der Zukurzgekommenen, denen er die frohe Botschaft der
humanen Gerechtigkeit verhieß.« Gefühlsmäßig: will sagen, ohne rationale Überprüfung seiner Position. Die

»Unglücklichen« werden unversehens in »Zukurzgekommene« verwandelt, in arme Schlucker, die es eben nie zu etwas bringen. Mit feinem Humor ergötzt sich der Story-Schreiber an der Vorstellung, daß ihnen ein Philosoph eine »frohe Botschaft verheißt«: für Realisten seines Schlages macht sich X damit zu einem Wanderprediger, der wie nur irgendein Billy Graham Anlaß zu gönnerhaftem Spott gibt.

»Aber X war bereit, einen Schritt weiter zu gehen: ›Es ist unser Ziel‹, schrieb er 1945, ›die bestehende Gesellschaftsordnung zu ändern.‹ Damit geriet er wie von selbst in die Nachbarschaft ... der Kommunisten.« In diesem Satz läßt die Pseudokritik die Katze aus dem Sack. Wer an der bestehenden Gesellschaftsordnung etwas ändern will, gerät »wie von selbst« in die Nähe der Kommunisten. Von hier bis zu der Feststellung, Kritik sei Kommunismus, ist es nicht mehr weit.

»Im Jahre 1952 nahmen die Kommunisten X' naive Anbiederung und seine Ketzereien nicht übel ...«, aber wenig später mußte der Clown, der sich so schamlos den Kommunisten anbiedert, und der dabei noch nicht einmal Verstand genug hat, um zu begreifen, was er tut (denn darauf will das Adjektiv »naiv« hinaus), wenig später mußte ... »der äußerlich unscheinbare, fast kleinbürgerlich wirkende Philosoph, den sein Augenfehler bei öffentlichen Schaustellungen zu Verlegenheit neigen läßt ... in die Zwangsjacke.«

Der Fall ist klar: X ist nicht nur ein toller Kleinbürger, der sich zur Schau stellen läßt; er ist nicht nur unscheinbar, kurzsichtig, ein schielender Wicht (»Soviel Debatten seine Schriften und Dramen hervorrufen, sowenig vermag der Privatmann X die Öffentlichkeit zu interessieren«: so las man's vor Tische); der Philosoph ist offenbar ein klinischer Fall. Er ist verrückt. In die Zwangsjacke steckt man bekanntlich nur Geisteskranke.

»X' Sprache deckte sich nun mit dem rituellen Vokabu-

lar der kommunistischen Partei-Dogmatiker. Nach jesuiti-
schem Vorbild machte (er) geistige Vorbehalte. (Aber) er
glaubte, daß er . . . einen Pakt eingegangen sei, der ihn
zwar nicht als Philosophen, wohl aber als Laienbruder
eines proletarischen Ordens verpflichtete, dessen barockes
Ritual er zu respektieren habe.«

Hier münzt der Story-Schreiber ein weiteres Ressentiment für sich aus: das dumpfe antiklerikale Gefühl, das
sich besonders gegen die Jesuiten richtet. Die Ausdrücke
»Ritual«, »Dogma«, »jesuitisch«, »Laienbruder,« »Orden« entstammen sämtlich dieser Sphäre. Mit dem Fall X
haben sie nicht das geringste zu tun. Hier wird beim Leser
eine Geisteshaltung, die sich fälschlich für aufgeklärt hält,
vorausgesetzt und zugleich ausgebeutet. Zur Erzielung des
gewünschten Effektes muß sogar die Bibel herhalten:

»Als Pariser Schläger das Gebäude (der *Humanité*) in
Brand setzten, riß der Tempelvorhang vor den Geheim-
nissen des X entzwei und gab den Blick frei auf jene seltsame Mischung von Scharlatanerie, politischer Weltfremd-
heit und gemeinplätzigen Philosophemen, die von diesem
brillanten Geist . . . ausgekocht und einer staunenden intellektuellen Mitwelt als Heilstrank serviert worden
war.«

Kontext und Phrasierung verwandeln die Vokabeln
»Heilstrank« und »Tempelvorhang« in üble Propaganda-
werkzeuge. Ein Heilstrank, der »serviert« wird wie ein
Cocktail, ist eo ipso gefälscht. Der »politische Schriftsteller
und Literat lateinischer Prägung, wie es der alte Voltaire
auch war« hat sich unversehens in einen Scharlatan verwandelt, der politisch einfach weltfremd ist. Wo sind nur
»die Nüchternheit und die Intelligenz« geblieben, durch
die er einst »bestach«? Plötzlich reichen sie nur noch zur
Entwicklung »gemeinplätziger Philosopheme« hin, wie
Der Spiegel, aller Trivialität abhold, mit Befremden fest-
stellt. »Der bedrängte Glasperlenspielmeister sophisti-
schen Wortgedrechsels wich vor (der) redlichen Entschei-

dung zurück und flüchtete sich in sein Spezialgebiet, in die Dialektik.«

Unter »Wortgedrechsel« sind hier wohl Formulierungen zu verstehen, die mehr Sorgfalt verraten als die einer *Spiegel*-Story. Dialektik gilt als abseitiges Spezialgebiet, das den normalen Menschen nichts angeht. Sie ist nicht etwa eine unentbehrliche Methode des philosophischen Denkens, die seit der Antike bekannt ist, sondern ein Refugium für Sophisten, die nicht mehr ein noch aus wissen. (Man wird nicht fehl gehen, wenn man die Diffamierung der Intellektuellen, die Abneigung gegen »Wortgedrechsel«, wie übrigens auch das Ressentiment gegen den Jesuitenorden auf faschistische Sprachregelungen zurückführt.)

»Es liegt nahe«, so resumiert das Magazin den Fall X, »nach einem anderen Schlüssel für X' angeblichen ›Abfall vom Kommunismus‹ zu suchen, und es fällt schwer, opportunistische Gründe auszuschließen.« Es fällt der Redaktion sichtlich schwer, den offenen Rufmord auszuschließen; sie tut es wohl nur, um juristische Folgen zu vermeiden. Dagegen ist es ungefährlich, die Wendung »Abfall vom Kommunismus« als Zitat zu kennzeichnen, obgleich sie von X selbstverständlich nie gebraucht worden ist. Der Angeber, auf den das Wort »angeblich« verweist, ist also niemand anders als *Der Spiegel*. Die Analyse einer einzigen Story und ihr Vergleich mit einer früheren, die im selben Blatt erschienen ist, reicht hin, um den letzten Zweifel daran zu beheben: auf wessen Seite der Opportunismus zu suchen ist, von dem *Der Spiegel* spricht.

Sie bestätigt im Detail die Thesen, zu denen die Betrachtung des Magazins im ganzen geführt hat. Sie lassen sich folgendermaßen zusammenfassen: 1. Die Sprache des *Spiegel* verdunkelt, wovon sie spricht. 2. »Das deutsche Nachrichtenmagazin« ist kein Nachrichtenmagazin. 3. *Der Spiegel* übt nicht Kritik, sondern deren Surrogat. 4.

Der Leser des *Spiegel* wird nicht orientiert, sondern desorientiert.

Diesen vier Thesen läßt sich eine fünfte an die Seite – und gegenüberstellen: *Der Spiegel* ist unentbehrlich, solange es in der Bundesrepublik kein kritisches Organ gibt, das ihn ersetzen kann. Er ist das einzige Blatt, das auf Interessenverbände, Ministerialbürokratien und Funktionäre keinerlei Rücksicht nimmt; das einzige, das zu keiner Form jener freiwilligen Selbstzensur bereit ist, die in der westdeutschen Publizistik gang und gäbe ist; das einzige, das den Mächten nicht deshalb schon seine Reverenz erweist, weil sie an der Macht sind. Was dem Journalismus wahrhaft demokratischer Länder als Selbstverständlichkeit gilt: von den Freiheiten, die ihm verbrieft sind, jeden möglichen Gebrauch zu machen, das ist in Deutschland bis heute ein Ausnahmefall geblieben. Dieser Ausnahmefall ist *Der Spiegel*. Das hat ihn zu einer Institution gemacht.

Die These, *Der Spiegel* sei unentbehrlich, ist keine Ehrenrettung. Das Magazin hat die Macht, einen korrupten Beamten aus seinem Amt zu entfernen, einen Minister öffentlich anzugreifen, offizielle Zwecklügen dem allgemeinen Gelächter preiszugeben; es hat aber auch die Macht, die Meinungen von Millionen zu korrumpieren. Solange es von dieser Möglichkeit Gebrauch macht, stellt es damit seine Legitimation, jene zu ergreifen, selbst in Frage. Die Feststellung, es sei unentbehrlich, kommt einer Bankerott-Erklärung nahe; sie ist von größerer Tragweite als alles, was sich über eine Wochenzeitung sagen läßt: denn sie bezieht sich nicht eigentlich mehr auf den *Spiegel,* sondern auf die inneren Verhältnisse unseres Landes insgesamt. Jedes Volk, so hat ein berühmter Amerikaner einmal gesagt, hat die Presse, die es verdient. Jedes Volk, so ließe sich dem hinzufügen, verdient die Presse, die es nötig hat. Daß wir ein Magazin vom Schlage des *Spiegel* nötig haben, spricht nicht für das Blatt, das die Masche zu seiner Moral gemacht hat; es spricht gegen unsere Presse im ganzen, ge-

gen den Zustand unserer Gesellschaft überhaupt; es
spricht, mit einem Wort, gegen uns [7].

ERSTER ZUSATZ:
ÜBER DIE PRODUKTIONSMITTEL DER KRITIK

Hinter der fragwürdigen Auskunft, er schreibe nur zur
eigenen Erbauung und sei mithin auf Veröffentlichung
nicht angewiesen, kann sich der Kritiker noch weniger
verschanzen als jeder andere Autor. Seine Arbeit will
nicht nur getan, sie will auch verbreitet sein; sonst bleibt
sie sinn- und folgenlos. Zu seinen Produktionsmitteln gehören also nicht nur Stuhl und Tisch, Papier und Bleistift,
sondern auch die großen Apparate der Bewußtseins-Industrie. Bekanntlich kann er aber über die Apparate nicht
frei verfügen. Oft befinden sie sich in den Händen jener,
auf die seine Kritik gemünzt ist. Damit ist nicht schon gesagt, daß ihre Veröffentlichung ausgeschlossen wäre; nur
totalitäre Herrschaft fühlt sich zu schwach, um sie zu ertragen und stark genug, um sie gewaltsam zu verhindern.
Hingegen muß eine Gesellschaft, die auf den Namen der
Demokratie Ansprüche macht, Kritik schon zur Befesti-
gung dieser Ansprüche dulden. Sie räumt ihr einen Spiel-
raum ein, dessen Grenzen nicht von der Kritik selbst, sondern von den Interessen der Herrschaft, also nach taktischen Gesichtspunkten, bestimmt werden. Der Kritiker

---

[7] Auf eine Aktualisierung dieses Aufsatzes aus dem Jahr 1956
wurde verzichtet, obwohl sich sein Gegenstand seither erheblich verändert hat; inwiefern, zum Bessern oder Schlechtern,
kann der Leser selber entscheiden, wenn er den damaligen mit
dem heutigen Befund vergleicht; dabei will ihm der vorliegende Versuch nicht nur methodisch, sondern gerade vermöge
seiner Zeitdifferenz behilflich sein. – Die veralteten Zahlen-
angaben des Textes sind in den Anmerkungen korrigiert. Stilistische Besserungen sind stillschweigend vorgenommen worden; sie berühren den Kern der Analyse an keiner Stelle.

gibt seine eigene Position bereits preis, wenn er diese
Grenzen anerkennt; wenn er sie überschreitet, verliert er
seine Produktionsmittel. Das ist sein alltägliches Dilemma.
Gewaltsam kann er es nicht auflösen. Es gehört weder zu
den Aufgaben, noch zu den Möglichkeiten der Kritik, ihre
Gegenstände abzuschaffen. Wer ihr zutraut, sie werde
Herrschaft liquidieren, Machtverhältnisse aus den Angeln
heben, verschwendet seine Hoffnungen oder seine Besorg-
nisse. Kritik meint nicht gewaltsame Veränderung der
Welt, sie deutet auf deren Alternative; sie ist nicht revolutionär, sondern revisionistisch gesonnen. Was sich von innen her nicht verändern läßt, an dem muß sie verliegen.
Die Revision, mit der sie beauftragt ist, gleicht, immer
wieder, einer Probe aufs Exempel. Da deren Resultat
nicht vorausgesagt werden kann, muß sie in jedem Fall
versucht werden.

Mit eigenen Kräften kann die Kritik ihr Dilemma nicht
aus der Welt schaffen. Sie muß von Fall zu Fall mit ihm
fertig werden. Dazu ist List erforderlich. Die Frage der
Produktionsmittel ist für den Kritiker eine taktische Frage. Auf die Spitze getrieben erscheint sie dann, wenn seine
Revision der Bewußtseins-Industrie selber gilt: der Gegenstand der Kritik fällt mit dem Mittel zusammen. Der
Autor kann dem Dilemma begegnen, indem er sich an die
Ränder der Industrie zurückzieht und jener Medien bedient, die sich ohnehin nur an Minoritäten richten. Diese
peripheren Medien kompromittieren ihn nicht, oder doch
zu minderen Graden. Der Rückzug ins Exklusive geschieht
aber um den Preis, daß er sich wissentlich auf ein Publikum von Einverstandenen, oder doch Eingeweihten, beschränkt und die Unwissenden ihrer Unwissenheit überläßt.

Sein Gutes hat das Dilemma darin, daß es den Kritiker
zwingt, sich über die Absichten klar zu werden, die er mit
seiner Arbeit verfolgt, sowie über die Adressaten, die er
erreichen möchte. Wozu schreibt er, und für wen? Auf die-

se Fragen ist er sich Anwort schuldig, und nach dieser Antwort muß er sein taktisches Verhalten einrichten.

(Beispiel. Eine Dialog-Fassung der vorliegenden Untersuchungen über »Die Sprache des *Spiegel*« ist im Februar
1957 vom Radio-Essay des Süddeutschen Rundfunks in
Stuttgart gesendet worden. Die Veröffentlichung erregte
ein gewisses Aufsehen. Die Redaktion des Magazins bat
wenige Tage nach der Sendung um die Erlaubnis zum teil-
weisen Abdruck des Manuskripts in seinen Spalten. Sie
wurde erteilt.)

Zweiter Zusatz:
Über den Beifall von der falschen Seite

Die eklatanten inneren Widersprüche, die unserer Zivilisation auf den ersten Blick anzumerken sind, werden gemeinhin, und nicht immer zu Unrecht, als bedrohlich empfunden. Gleichzeitig garantieren sie aber die Freiheiten,
die uns verblieben sind. Solange sie an den Tag treten
können, ist es möglich, den Zustand der Gesellschaft zu
verändern, ohne sie zu zerbrechen. Erst wenn sie gewaltsam zum Schweigen gebracht werden, wenn das Gemein-
wesen seine Antagonismen verleugnet und sich als Mono-
lith ausgibt, verschwindet die Möglichkeit der Revision.
Die einzig in sich stimmige Welt ist die totalitäre.

Kritik setzt die Widersprüche des Wirklichen voraus,
setzt bei ihnen ein und kann von Widersprüchen selbst
nicht frei sein. Hierauf macht aufmerksam, was man
ihr als den »Beifall von der falschen Seite« zum Vorwurf macht. Jeder, der sich überhaupt öffentlich äußert,
wird ihn zu hören bekommen; kaum einer, der nicht dann
und wann versucht wäre, jenem Beifall aus dem Wege zu
gehen, Rücksicht auf ihn und auf alle die zu nehmen, die
ihm zur Last legen, wofür er nicht haften kann: die Meinung seiner Zuhörer.

Leicht zu sehen, daß Kritik sich unter ihren heutigen
Bedingungen taktisch verhalten, oder verstummen muß;
aber der Satz verliert sein Recht und wird zur Ausrede,
wenn er sich von seinen Gründen löst. Behauptet er sich
abstrakt und unbeschränkt, so entzieht er der Kritik die
Bedingungen ihrer eigenen Existenz. Eine Grenze des taktischen Verhaltens soll hier angezeigt, die Struktur aller
Rechnungen mit dem »Beifall von der falschen Seite« soll
skizziert werden.

Zunächst setzen diese Rechnungen voraus, daß der Kritiker Partei ergriffen hat, schon ehe er an seine Arbeit geht;
was er erst unterscheiden möchte, wird ihm in den Mund
gelegt und flugs benannt. Auch daran, wieviel Ansichten
von der Realität möglich seien, bleibt von vornherein kein
Zweifel. Nur bis zwei darf gezählt werden. Die Rede
vom falschen Beifall bezieht sich auf eine streng symme-
trische Welt, aus der die Farben verbannt sind; auf immer
dasselbe Feld, das weiße, versucht sie den Kritiker zu ziehen. Dort mag er reden, solange er will. Seine Parteigänger haben keine Zeit, ihm zuzuhören. Sie sind vollauf damit beschäftigt, im schwarzen, im feindlichen Feld nach
Anzeichen des Beifalls Ausschau zu halten. Auf diese Weise machen sie ihre Feinde zu Schiedsrichtern ihres eigenen
Redens. Unerheblich, was an den Worten ihres Sprechers
wahr oder unwahr ist; Kritik, die sich taktisch auf solche
Spielregeln einläßt, sich ihnen beugt, wird vollends fun-
gibel.

Was dem Gegner nützt, muß unterbleiben: Worauf
dieser Satz hinausläuft, das wird an seiner Umkehrung
klar: Was der eigenen Seite nützt, geschieht. Die Struktur
beider Sätze ist totalitär.

Die Redensart vom Beifall, der von der falschen Seite
komme; die Aufforderung, der Kritiker habe sich vor ihm
zu hüten: sie zeigen an, wie weit sich, im Gefolge des Kalten Krieges, totalitäre Schemata in unserem Denken ausgebreitet haben. In Deutschland, einem geteilten Land,

begegnet man ihnen täglich. Äußert sich etwa in der Bundesrepublik (A) jemand (a) kritisch gegen einen führenden Politiker (X) seines eigenen Landes, so wird aus dem Beifall, der in der DDR (B) seinen Worten gezollt wird, geschlossen, er schätze (B) über die Maßen. Hat (a) etwas gegen einen führenden Politiker namens (Y) einzuwenden, der in (B) amtiert, so erfreut er sich in (A) ziemlichen Beifalls und wird automatisch für einen Parteigänger von (X) gehalten. Wer so argumentiert, bemerkt meist nicht, daß er (A) und (B) einander als spiegelsymmetrische Varianten gleichsetzt.

Damit hat es aber keineswegs sein Bewenden. Auch Personen, die zwischen (a) und (A), zwischen (A) und (X) zu unterscheiden wissen, machen sich sehr oft ein ähnliches Schema zu eigen. Stellen sie etwa (X) und (Y) gemeinsam auf die »falsche« Seite, so resultiert, daß von diesen beiden einzeln gar nicht mehr gesprochen werden kann. Jedes Wort gegen (X) darf nämlich auf den Beifall von (Y) rechnen und umgekehrt; ist also, nach der totalitären Logik des Schemas zu verwerfen. Wie lebendig, und tödlich, diese Formalismen in Deutschland sind, lehrt jeder Blick auf die gegenwärtige Publizistik. Selbstverständlich können die Chiffren für beliebige Gegensätze stehen (Unternehmer – Gewerkschaften; »Bonn« – Opposition gegen »Bonn«; und so fort).

Die Angst vor dem »Beifall von der falschen Seite« ist nicht nur überflüssig. Sie ist ein Charakteristikum totalitären Denkens. Kritik, die ihr Konzessionen macht, ist durch keinen Hinweis auf taktische Überlegungen zu rechtfertigen; sie ist hinfällig.

(1957)

Max Rychner

DIE BRIEFE GOTTFRIED BENNS

In einem Brief an seine Tochter Nele schrieb Gottfried
Benn 1947, seine junge Frau habe sich einen Hund ange-
schafft, »und das ist fürchterlich, ich hasse ja Tiere, sie stören mich...« Dieser Ausbruch meint mehr als bloße
Besorgnis vor Störungen in der Sphäre des Heims durch
ein Wesen eigener Lebendigkeit mit Affekten, Trieben,
Forderungen, Körpernähe: er kommt aus einer Schicht, in
welche die verwöhnten Empfindlichkeiten nicht hinab-
reichen.

Ein Brief von 1941 an F. W. Ölze gibt zu erkennen,
welch gedankenvolle, trotzdem aber unheimliche Erschütterung schon der ferne Anblick des Tieres in Benn bewirk-
te; er spricht von einem Besuch im Berliner Zoo: »Bären,
Robben, Jaguare und mein Lieblingstier: der Puma, re-
gungslos auf einen Ast gestreckt, monoman, mit grünen
Augen. Ich muß sagen, ich war tief beeindruckt vom *Tier*,
dem Verhafteten, ungeheuer Unterworfenen aller seiner
Wendungen und Bewegungen, seinen schauerlichen Wie-
derholungszwängen im Traben, Schaben, Wetzen, Heulen,
dieser ganzen Neuronen- und Reflexspannungen von geradezu fühlbarem Charakter, die nur die Entladung in die
Muskulatur kennt – offenbar die älteste Vorform des Bewußtseins –, noch ohne jeden Ausweg in die Trennung
vom Objekt, die wir dann brachten.« Die vitale Spannung
im Tier so beschwert mitzufühlen, bezeugt eine fast tote-
mistische Verbundenheit mit ihm, oder doch die manchmal
bejahte, manchmal verneinte Fähigkeit dazu – im Gedicht

gefeiert, im Leben verworfen. Den täglichen, stündlichen
Anblick des »ungeheuer Unterworfenen« fürchtete er in
dem kleinen Hund; am Puma, der nicht angemenschlich-
ten Großkatze, gefiel er ihm, denn da prangte das Tierische formal so schön und offenbar zusagend in sich beschlossen, daß die Teilhabe an der ihre Begrenzung be-
drückend vorzeigenden Sphäre der Urtriebe erleichtert
wurde durch ebenso unmittelbare ästhetische Evidenzen.
Kein Dichter hat das Tierische am Menschen so beständig
im Blick behalten wie Benn, das Körperleben, die Vital-
seele, die Instinktgaben, die Triebmuster; er, der die men-
schengeschaffene Geschichte als sinnlos verhöhnte, hat die
Vor- und Frühgeschichte der menschlichen Natur um so
ernster sich vorzustellen versucht und hat sich über den
Sprung des Menschengeschlechts ins Bewußtsein, den er
eine »kosmische katastrophenhafte Entspannung für das
All« nannte, sein Leben lang nicht beruhigt. In jüngeren
Jahren hätte er das unbewußte Hündchen beneidet – »ich
bin der Stirn so satt« –, der spätere Moralist der Form
büßte den Glauben ein an den Hirnstamm als Zone einzig
uns erreichbaren Glücks. Die Tiere im Zoo offenbarten
sich ihm in einer Art Unterweltsvision, geplagt von Wie-
derholungszwängen wie Sisyphus, ausweglos in den Le-
bensdrang gebannt wie der ins Lechzen gespannte Tanta-
lus: Grauen packte ihn, wenn es an das Untere in ihm
rührte. Selbst der kleine Hund erschien da als ein mahnen-
der Sendbote aus lichtlosem Reich – zudem spielte in diesem Falle vielleicht auch die Eifersucht ein wenig mit.

Anders sprach das Pflanzenreich zu ihm: An Friedrich
Siems 1953: ». . . Können Sie sich in einen Gott hinein-
denken, der etwas so Sanftes wie die Pflanzen und die
Bäume geschaffen hat? Ratten, Pest, Lärm, Verzweiflung
– ja –, aber Blumen?« Und er erwähnt ein altes Bild, dargestellt sei »ein kleiner zärtlicher Gott, der zwei Bäume
hochzieht«. Schwebte ihm Meister Bertrams Erschaffung
der Pflanzen in Hamburg vor? Genauer bekennt er sich

Ernst Jünger gegenüber, wobei natürlich auch eine Ablehnung mitlaufen muß: »Wald mag ich nicht, mochte ich nie, aber Blumen über alles.« In Gedichten will er manchmal die Verzauberung durch Worte wieder heraufbeschwören und dem Leser schenken, die er durch Blumen erfuhr, wobei die Schönheit der Namen – Levkoje, Bougainvillea, Amaryllis – etwas von ihrer Schönheit widerspiegeln soll. Das sprachlich umschmeichelte Ohr soll dem inneren Auge Bilder erwecken, die in Musik erscheinen, für einen Augenblick, und wieder untergehen in der Nacht, die uns erfüllt. Erhöht wird eine Unbekannte durch die stumme Anrede »Du Rosenhirn«: durch ihre Schönheit hat sie teil an der der Vollendung nahen Rose, reicht sie an etwas Höheres heran als die kentaurische Vermischung von Mensch und Tier, die sie auch ist. In der Blume scheint die Natur die ihr mögliche Kunst zu erschaffen, aber während das menschliche Kunstwerk der Zeit ein Stück Dauer abgewinnt, gibt sie mit den ihren ein besonderes bewegendes Beispiel der Vergänglichkeit (freilich auch der Wiedergeburt). Benn wurde berührt vom Blumenschicksal; an H. E. Holthusen schrieb er: »Blumen tragen die Sonne, den Sommer und die Nacht, ich empfinde sie als durchaus tragisch: sinnlos schnell verblühend.«

Also tragisch – aber die Zuweisung des raschen Blütentodes an die Sphäre des Sinnlosen bezeugt auch in diesem Fall eine Gegnerschaft zu Naturgesetzen, die etwas theologisch Starres hat und sich im Grunde gegen die Natur selbst und die gesamte Schöpfung richtet. Einfach war es nicht für den hochbegabten Spärerwachten, aus dem strenggläubigen väterlichen Pfarrhaus in die agnostischen Naturwissenschaften der neunziger Jahre überzutreten und alles zu Hause Eingebleute ins Gegenteil verkehren zu müssen: Gottesglauben in Unglauben, vollkommene Schöpfung in mißratene, das Menschendasein als Offenbarung seiner Sinnlosigkeit – bis dann dem Nichts aller Werte die überschlanke Gottheit des Kunstwillens abgewonnen wurde. In einer Schöpfung aus Grausamkeit ist für Benn der schnelle Blumentod noch im besonderen quälend, weil da die Natur ihren eigenen Kunstwillen scheinbar ungeduldig verneint, also das, was sie beinahe über sich selbst hinaushebt und sie rechtfertigen könnte. Vielleicht jedoch fürchtete er im Grunde diese mögliche Rechtfertigung, da sie die Reinheit seines umfassenden Neins gefährdete. Wie bitter streng war er gegen das, was er in sich als Schwäche wußte oder glaubte! Das erst in den *Gesammelten Gedichten*, der Auftakt zur »Morgue«, ist ein Abschied an eine Aster; der tote Bierfahrer, zwischen dessen Zähne sie geklemmt ist, beschäftigt den sezierenden Arzt einzig als anatomischer Gegenstand, doch die Blume rührt den Dichter an, wie er sie am Ende mit der Holzwolle in die Brusthöhle stopft: »Trinke dich satt in deiner Vase! / Ruhe sanft, / Kleine Aster!« Diese Schlußverse sind eine Blüte der Zärtlichkeit, der Todgeweihten huldigend und dem zärtlichen kleinen Gott, der sie schuf.

Die Briefe sind aber schließlich, auch wo sie von Tier- und Pflanzenwelt handeln und dabei von ihm, der in ihnen von anderem spricht, an Menschen gerichtet, im innern Hinblick auf jeweils einen oder zwei Partner: Geliebte, Freunde, Bekannte, Unbekannte; in jedem von ihnen wird zunächst eine Beziehung zu zweit deutlich, oder halbdeutlich, sodann die Benns zu sich und zur Umwelt – heute gewinnen sie eine neue Bestimmung, indem sie dem dialogischen Kreis enthoben und in die Fremde unter die vielen geworfen werden, wo sie allen Wahlverwandtschaften, Zuneigungen, Befremdungen verfügbar sind. Ihre Wechselströme der Sympathie werden, nach den Spielarten der Induktion zwischen Menschen, neue Sympathien erregen, ihr Sachgehalt Interesse, das nur dafür bereit war und nur daran lebendig wird; ihr Stil wird die Überzeugungsmacht des persönlich Folgerichtigen ausüben, wird *extreme* Zustimmung, extreme Abneigung hervorrufen. Die Rückwirkungen einer ins Vertrauen gezogenen allgemeinen Leserschaft werden eine Summe von Bennschen Figuren in Gefühlen und Gedanken ergeben, dort noch, wo diese sich entziehen möchten; andere als die Rückwirkungen auf das dichterische Werk, aber ihnen zugehörige. Bruchfiguren als Folge von Schocks werden sich bilden, am andern Ende der Skala zarte Arabesken, Nachbildungen der lianenhaft gewundenen Liebenswürdigkeiten, die in dieser Briefprosa zahlreich vorkommen. Dazwischen Kreise der Bestürzung, Ellipsen der Ungewißheit, Quadrate der Bewunderung, Vielecke komplizierter Einverständnisse: eine ganze Geometrie.

Der Band bietet eine Auswahl; ich kenne nur diese und halte mich daran. Geschrieben wurde der überwiegende Teil der Briefe in Berlin 1913–56, in der Einsamkeit und Kälte der Großstadt, ohne die Benn nicht leben konnte, die er bald als Reiz, bald als Qual empfand und in der er sich mit lebenskluger Taktik barg. Der Gesellschaft wich er aus; die Begründung an eine Freundin, die ihn in ihren Kreis einlud, lautete: »Mein Herz ist zu melancholisch.« Natürlich gibt es Ausbrüche aus der Einsamkeit, denn seiner Abwehr entgegen arbeitete beständig das Anziehende seiner Person, damit verbunden der elementare Wunsch, geliebt und erkannt zu werden. Er brach wohl aus, doch verstand er es, sich allenfalls wieder zurückzunehmen: der Briefwechsel mit einer Freundin wechselt vom allzu nahen Du in die gemäßigtere, aber herzlich reichere Zone des Sie über. Immer wieder muß ein Gleichgewicht hergestellt werden zwischen den Forderungen des hervorbringenden Ichs und denen einer Umwelt, die aus Neigung oder Interesse, ohne es zu wissen oder wollen, das Ich überanstrengt und das an ihm lähmt, was sie doch als seinen Wert weiß und so haben will. Abneigung gegen die sich immerhin frei bildende Gesellschaft – über deren umfassende organisierte Form, den Staat, gibt es nur ganz wenige, freilich äußerst entschiedene Bemerkungen; die eine stehe für sie: »Bin heute wieder von der Steuer mit Pfändung bedroht, wenn ich nicht sofort 500 M. zahle. Die Leute sind irre, der Staat muß zertrümmert werden.« (1931) Welch eine Begründung dieser ehernen Folgerung, die von einem Bakunin-Schüler stammen könnte! Zu bedenken bleibt, daß zu jener Zeit in Berlins Publizistik kaum jemand Wort und Stimme hatte, der nicht das Zertrümmern empfahl: die Weimarer Republik, der Kapitalismus, die bürgerliche Gesellschaft, die Kirchen, das Christentum, die Parteien, die Familie, die höhere Bildung und wie vieles noch sollte nach der Ansicht von Fanatikern und Dogmatikern, die mit dem Hammer – mit nichts sonst – philosophierten, endlich »überwunden« werden. Den anarchischen Hang zum Ungeschorenbleiben von seiten des Staates hat Benn nur ehrlicher bekannt als andere, die ihn ebenso hatten; das Paradoxe ist, daß er unter den Nazi das straffste staatliche Ordnungsgefüge, die Armee, bejahen und als Zufluchtsstätte der inneren Emigration aufsuchen mußte. Er stammte noch aus Zeiten, wo es zum Stolz des Gebildeten gehörte, unpolitischer Konstitution zu sein und seine Interessen nicht mit denen des Staates zu vermischen, die als wesentlich unrein galten. Was sollte denn ein Dichter, der »die Sinnlosigkeit des Daseins« als seinen einzig möglichen Glauben annahm, der in der Mitte des Lebens, 1921, schrieb: »Ich glaube weder an Wissenschaft noch an Erkenntnis, insonderheit halte ich die Naturwissenschaften für Komparserie bei allen ernsteren Fragen, und zum Schluß glaube ich weder an Entwicklung noch Fortschritt weder des Einzelnen noch der Gesamtheit . . .«, was sollte er von den Organisationen politischer Gebilde halten?

Ein sinnloses Leben muß auch eine sinnlose Geschichte haben und machen; Benns Hohn gegen die der Geschichte abgewonnenen Sinngefüge nahm mit den Jahren zu. Nur die Erdzeitalter nahm er ernst; er bestimmte den heutigen Menschen als den des Quartär. Theodor Lessings Buch *Die Geschichte als Sinngebung des Sinnlosen* fand damals, in einer Zeit überwiegend optimistischer Geschichtsgläubig-

keit in Hegels Nachfolge, überzeugbare Leser. Der
Mensch war da »die Sackgasse des Lebens überhaupt«, er
war »eine Krankheit«, ein faux pas der Natur, der die
Grundwerte seines heiligen kosmischen Sinnes mit seinem
sogenannten Geist, den er größenwahnsinnig überwertete,
bereits zerstört hatte. Wo geriet da der homo sapiens hin?
Die Entscheidung zum Geist wurde auf geistreiche Art als
Sündenfall des Menschengeschlechts erklärt; sie war der
Ursprung aller Übel, die zusammengefaßt wurden unter
dem Namen Zivilisation. Klages, Daqué, Frobenius,
Spengler sind dem Umkreis dieser Anschauungen zuzu-
ordnen, die auf Benn so mächtig einwirkten. »Der Schritt
vom Ausdruck der Seele zum Zweck von Triebhaftigkeit
zu bewußtem Wollen, von Lebensgemeinschaft zu Gesellschaft, von damit verbundener ›organischer‹ zu ›mechani-
scher‹ Weltanschauung, vom Symbol zum Begriff, von Ge-
schlechterordnung der Gemeinschaft zum kriegerischen
Staat und zur Klassenscheidung, von den mütterlichen
chthonischen Religionen zu den geistigen Stifterreligionen,
von Magie zu positiver Technik, von einer Metaphysik
der Symbole zu positiver Wissenschaft – das ist nach dieser Lehre eine strenge Phasenfolge eines sicheren Todes-
weges . . .« Diese Zusammenfassung so gearteter Lehren in
einem Satz, die kaum überboten werden könnte, stammt
von Max Scheler. Von Verlust zu Verlust würde sich demnach die Geschichte bewegen, hinweg von den einst den
Menschen und die Welt einenden Bildern! In dionysischen
Augenblicken kommt es noch zu solcher Einigung mit der
metaphysischen Wirklichkeit des Lebensdranges – »Unbewußt, höchste Lust«; *Tristan und Isolde* –; sie inmitten
des intellektuell fehlgeleiteten Lebens heraufzurufen, war
dann folgerichtig das Amt des Dichters, des Lyrikers, der
um das Verlorene wußte und es den danach Verlangenden
durch seine Sprachmagie, einer Entsprechung zur ursprünglichen, echten Magie, zu übermitteln vermag. Sie ist
das große Thema Benns, nachdem die dionysische Vision

seines bewunderten Nietzsche in ihm tiefer gedrungen war
als die apollinische, die ihn zunächst kalt ließ. Einung: das
war ihm zutiefst nichts Zwischenmenschliches, Gesellschaftliches, Persönliches, sondern eben die Auflösung der
Person in der Hingabe an den dunklen, rauschhaft einflie-
ßenden Willen des Allebens. Sein beherrschendes Bestreben war die Herbeiführung solcher großer Berührungen,
noch sein abendlicher Gang in die niedrig belebte Einsamkeit der Destille hatte das Ziel der Beschwörung, wo der
in sich Versunkene zum Mysten, sein Bierglas zum Opfer-
krug wurde und die Gedanken in die Bilder einzugehen
drängten, die in der daktylisch fallenden Musik seiner
Schwermut durch ihn zogen. Und wenn das Ich von seinen
Erfahrungen der Aufhebungsversuche seiner Einsamkeit
sprach, so sprach es zu sich, auch wenn es du sagte. Aus
astronomischer Entfernung traf dann sein fremder Blick
auf die Pathetiker und Ethiker des Soziallebens, die, jeder
mit seinem Rezept, daran waren, das Gewimmel zu dessen
nun bevorstehendem immerwährendem Glücke zu bändi-
gen. Er allein, sie zu Tausenden. Welcher Mut!

In jedem Brief jedoch wandte er sich an ein wirkliches
Du, dessen Daseinskraft er spürte und dessen Eigenleben
er genau bedachte. Er spricht von sich, zudem verstand er
aber die Kunst der Anteilnahme, und er war, auch wenn
ihn sein Beruf zwischendurch langweilte, Arzt genug, um
schreibend den Partner stets auch als Körper mit dessen
gefährdeten Funktionen vor sich zu sehen. Ich erinnere
mich an ein Gespräch 1953 im »Glockenhof«, Zürich,
einem Hotel, wo auf jedem Nachttisch die Bibel liegt: wir
waren allein in einer Art Frühstücksraum; über das blau-
karierte Tischtuch, den Tee und die Aprikosenkuchen hinweg schauten die großen hellen Augen freundlich, aber
auch bestandaufnehmend auf alles, was meine Erscheinung ihnen darzubieten vermochte, dann erkundigte er
sich, ein erfahrener Frager, nach meinem Wohlergehen,
nach Krieg und Frieden meines vegetarischen Nervensy-

stems und meinen politischen Verhaltungsweisen dazu. Untersuchend wird ja vom Patienten auch der Arzt untersucht – auf Echtheit und Grad seines Interesses, auf Vielfalt, Einfalt, Wesentlichkeit der Fragen, Sicherheit der Handgriffe, Verknüpfung des Erschauten mit Wissen, Erfahrung, Analogien, Nachdenken usw. Benn war erstaunlich, wie er ins Allgemeine überging, von der Weisheit des Körpers sprach, als redete dieser selbst aus Jahrzehntausende hindurch angelegtem Gedächtnis, das seine Wünsche, Bedürfnisse, Abneigungen regulierte. Unter die Zivilisationsverluste rechnete er die Trägheit, deren Bereich heute der Betriebsamkeit und ihren Spannungen zum Opfer falle; er wies auf die Zeiten, in denen Goethe in einem produktiven, erholenden Sinn »faul« war, ohne Gewalttätigkeit gegen sich, um dann auf höherer Stufe einen neuen Anfang zu setzen. Die vitale Seite des Schöpferischen beschäftigte ihn, seine Phasenwechsel, die Pubertäten und Altersschübe, das Aussetzen derselben – Unruhe ging dunkel durch seine Augen, denn da stieß auch er an eine Wand ohne Türe. Dann sprach er, vom Einzelmenschen überspringend, von der Menschheit: der Nihilismus sei nicht die letzte Weisheit, die Verachtung, zu der er so oft geneigt habe, sei im Grunde nicht erlaubt, denn sie, die Menschheit, sei, aufs Ganze besehen, etwas Hohes, ein grandioser Versuch, Urheber unbekannt . . .

Der Verächter: das war er, wie George, wie Borchardt, wie Valéry, gleich entschieden wie sie, und das Zeitalter bot ihnen Stoff genug. Seine Verachtung ging auf Menschen, auf den Menschen, auf das, was er in sich als allzumenschlich fürchtete, und, allzu getreu, auf das, was Nietzsche zu verachten lehrte. Flauberts impassibilité schwebte ihm vor, dieses Phantom eines Überempfindlichen; er nahm seine Attitüden an: »Es mag auch sein, daß ich menschliches Leid nicht mag, da es nicht Leid der Kunst ist, sondern nur Leid des Herzens. Sehe ich menschlichen Gram, denke ich: nebbich; sehe ich Kunst, Erstarrtes aus Distanz und Melancholie, aus Trauer und Verworfenheit, denke ich: wunderschön.« (1922) Das ist Artistenrhetorik nach den grellen Melodien der poètes maudits, nietzscheanische Mitleidsentwertung, und es ist, trotz der objektiven Kälte der Aussage, wahrscheinlich nicht einmal wahr. Denn zu sehr litt er selbst an der »mörderischen Indifferenz« des Lebens, die er als die wissend und schweigend hinzunehmende Voraussetzung allen Daseins feststellte. Gefühlsausbrüche, sie galten ihm für gering, verglichen mit diesem grundlegenden Existenzgefühl, in ihnen empfinde man das Leben »zu eng, zu individuell, zu epileptisch. Nur wer an jeder Stunde die Klauen, die Hauer, die rostigen Nägel sieht, mit denen sie unser Herz in Stücke reißt, der hat das Leben in sich aufgenommen und steht ihm nahe und darf leben«. (1929) Vom Leiden der Kreatur Mensch wußte er alles, und der vorgeblich mitleidlose Artist stand Tag für Tag klein und gedrungen im weißen Ärztemantel in seiner Sprechstunde und half kranken, bedrückten Menschen, während aus den Federn von Scharen selbstsüchtiger Schriftsteller mit bedenklicher Privatmoral Heerscharen von sozialmoralisch aufgepumpten Phrasen in Zeitungen, Zeitschriften, Büchern spektakelten ... Schwach entwickelt ist allgemein die Einsicht dafür, wie billig die meiste geschriebene Ethik mit ihren Forderungen, immer an andere, ist und bleibt. Teilnehmend und entfernt: er war beides, er war immer nur mindestens auf zwei Nenner, nie auf einen einzigen, zu bringen. Ambivalenz, dieses Wort kommt in den Schriften häufig vor. Beziehungsscheu, mimosenhaft, aggressiv, die Briefe zeigen ihn so. Liebesbriefe sind keine darunter; ich könnte mir denken, daß es die köstlichsten wären ...

Auch sie wohl nicht ohne Haken und Angeln für die Partner, die mit schmal begrenzter Erwartung einsinnige Lyrik empfangen wollen. Es gibt da ein merkwürdiges Geständnis in Form eines Lehrsatzes: »Liebe ist das Elysium der Unproduktiven, die nicht denken und Ausdruck

schaffen können. Der Extreme in seiner Finallage gibt
auch die Liebe nicht mehr ab, er behält sie für sich selbst.«
(1952) So schrieb der Sechsundsechzigjährige in einer
brieflichen Erläuterung des Wortes Eigen-Immortelle, das
in einem Gedicht vorkommt. In seiner Finallage: das
Wort ist erfüllt von Todesahnung. Für Augenblicke war
er doch auch ein Myste der Erotik gewesen, der die ersehnte Einung in einem oder durch ein Du erfahren hatte; sein
schönstes Gedicht, »Aus Fernen, aus Reichen«, wäre sonst
nicht entstanden, auch nicht »Wie lange noch«. Vom Tod
der Liebe wußte er, wie von ihr nicht? Sie ist ihm angelegt
auf Erblühen und schnelles Sterben, wie die Blumen, ihr
Wunsch nach Dauer ist gesättigt mit Unwirklichkeit.

> »Und dein eignes Herz
> so wandelbar, bodenlos und augenblicklich –«

Wie könnte sie sich dem tragischen Gesetz entziehen, das
er über die Welt verhängt sieht und das ein leidender Re-
bell in ihm dennoch nie annimmt! Die Illusionslosigkeit,
die er sich errichtete, hat sein Herz nicht vor Ergriffenhei-
ten bewahrt, welche dichterisch Eros und Thanatos ver-
einen. Wie Orpheus hat er seine Liebe noch im Totenreich
gesucht und dann die Tiefe der Erfahrung über ihre Dauer
gestellt:

> Doch sehe ich ein Zeichen
> über das Schattenland
> aus Fernen, aus Reichen
> eine große, schöne Hand,
>
> die wird mich nicht berühren,
> das läßt der Raum nicht zu:
> doch werde ich sie spüren,
> und das bist du.

Solches Ausströmen wollte der Alternde nicht mehr, als er
sich selbst den unterweltlichen Fluten nahe fühlte und mit
verbissenem Willen nur mehr seinem Kult der Form zu
leben vorhatte. In den Briefen an eine junge Dichterin er-
sieht es sich, wie seinen überstirnten Weg auch spät noch
Feuer umzuckten und umspielten und ihn nicht ganz un-
entzündet durchließen, mochte er auch im Schutze seiner
Lehre von der Finallage und ihren Erfordernissen der
Selbstbewahrung dahinschreiten. In dem fechterischen
Hin und Her dieses Briefwechsels hat er Formeln von ga-
lanter Liebenswürdigkeit untermischt mit Sticheleien, die
nicht nur obenhin treffen sollten: »Man liegt vor einer
Frau nicht Tag und Nacht auf den Knien und murmelt zu
ihr Gebete empor, eine Frau ist ein Gegenstand.« Der er-
lesen Höfliche konnte brüskieren, nicht aus dem Versehen
des Taktlosen, sondern nach Plan und Absicht, nicht nur
einen Briefpartner, sondern seine Leser. Wie André Gide
Aufrichtigkeit um jeden Preis sich auferlegte, nicht
ohne Genuß an dieser ethischen Unternehmung, stellte
Benn seine Aussagen auf Rückhaltlosigkeit ab, angewidert durch die von den dozierenden Literaten, den Ge-
schichtsoptimisten, betriebenen Schönfärbereien des Men-
schenbildes nach späthumanistischen Schablonen. Dazu
kommt die Neigung zu der berlinischen Keßheit des Ausdrucks, zum Ordinären, Krassen, Antibürgerlichen um jeden Preis in der Sprache als echtestem Zeugnis der Zeit –
der Geschichtsfeind war darauf bedacht, genau in der
Zeit, der seinen, zu stehen – die zum Extrem auf jeden
Fall! Er war ein Meister der Herausforderung; die Jahre,
die er kaum beachtet oder beachtet aber unerwünscht war,
haben seine Haltung nicht gelockert, im Gegenteil. In einem Brief 1949: »Ich weiß, was für gewalttätige Dinge
ich denke und schreibe. Aber Belletristik gibt es ja genug
und Keuschheitslegenden auch, meine Idealität ist nicht
die einer Mimose.« Im selben Jahr: »Ich höre weiter, daß
die Wirkung meiner Bücher im einzelnen stark ist, aber im

ganzen alle Welt schockiert und geradezu böse macht. Nun, das ist nicht gegen meine Wünsche. Mit offenen Armen aufgenommen zu werden, würde mich sehr bedenklich machen. Ein Brief aus Schweden trug eine – *Strindberg*briefmarke! Dieser giftige, unerbittlich geniale Kopf, den sie verhungern ließen – jetzt ist er also eine Briefmarke, und die Bürgerwelt entgiftet ihn mit ihrer Spucke.«

An Nietzsche wird er erst recht gedacht haben; der Isolierte hat stets die in ihrer Zeit Isolierten gegrüßt, die auch das Schrille stilistisch einsetzten, um sich vernehmbar zu machen. Gut hundert Jahre früher hatte es Jean Paul in Berlin nicht gewagt, den Titel seines entstehenden Romans in Gesellschaft zu nennen, weil er anstößig sei. Es handelte sich um die *Flegeljahre* ... Seither hatte die Literatur die naturalistische Treue in der Wiedergabe von Slang, Soldatenjargon, Ganovenrede eingeübt und, in der Lyrik, den Rückgriff auf Villon, der seinerseits auch auf die Kaschemmensprache zurückgegriffen und den Worten der unteren Sphären das Schämen in den oberen ausgetrieben hatte. Neben Gedichten, die wie vor einem höheren göttlichen oder menschlichen Wesen sprechen, entstanden solche, die so sprechen, wie man zu sich selber spricht: welche Tabus hielten sich da noch? Der innere Monolog der Marion Bloom im *Ulysses* von Joyce zeigt es literarisch; die Tiefenpsychologie war längst in die Bilderzone der Triebe eingedrungen: das Verschwiegenste wurde in die öffentliche Sprache hereingeholt; es sollte nun im Gedicht auch singen. Seine Wahrheit galt als total und absolut, so daß an ihr gemessen wurde, wer und was »verlogen« sei – dieses Wort *verlogen* wurde nach 1918 rasch eine verbreitete Waffe wie ein billiges Revolvermodell, das man reihum einer auf den andern richtete. – Verachtung, Alleinsein, Zurückhaltung der Liebe, gewalttätige Dinge sagen, Melancholie, Ennui: es gibt eigentümliche Übereinstimmungen mit Briefstellen Paul Valérys; bei beiden Hohn auf

Weltanschauungen, Ideologien als Wille zu geschichtlichem Wirken und gegen die Geschichte insgesamt. In einem Brief an Gide 1894 erzählt Valéry von seinen Kriegsvisionen, die ihn als trunkene Flut überwältigen, dionysisch, aus einer Region, die er nicht kennt. Alle Untergänge waren vorausgesehen. Benn: »Die Mythe des Menschen schrie nach Exekution.«

Die Mythe des Menschen, der man teilweise, phasenweise selbst war, wie die Oasen der Briefe, die den Gatten, Vater, Freund, den geistig Teilnehmenden zeigen, genau, aber kaum jemals von nahe. Hier gibt es die kompensierenden Gegenstücke zum Schonungslosen, zum gewollten Schock, zum überbewerteten »Kaltschnäuzigen«, das einer zitternd-feinen Sensibilität vom Druck des extremen Formulierungszwangs abgepreßt wurde. Nichts jedoch von brieflichem Sichgehenlassen, selbst im Vertraulichen wieviel sachlicher Ernst! Fast vollständig fehlt das Element der Heiterkeit, an seiner Stelle sind als Leuchtbojen Sarkasmen über die Umwelt ausgestreut. Überlegt und überlegen ist die Taktik, mit der er den freiwillig, aus Verehrung ihm aus seiner Verfemung Helfenden dabei half: er wünschte Wirkung und Ruhm, um über sie geringschätzig verfügen zu können. Es gibt Briefwechsel, die eine kurze Zeit intensiv geführt werden, dann verstummen, nachdem die Situation, die sie hervortrieb, sich und ihn, den Schreibenden, erschöpfte. Wenige Freundschaften; einen einzigen Mann redet er mit Vornamen an: »Lieber Erich…« Aber auch da bleibt es beim Sie. Im *Doppelleben* heißt es mit Anspielung auf Erich Reiß: »Der einzige, den ich vielleicht als Freund bezeichnen könnte…« Vielleicht… Es ist die arme Summe eines ganz auf sich allein Gestellten, unter dem Druck seiner Botschaft Lebenden, eines Dichters, der in seinem Werk keinen Menschen geschaffen hat als sich. Beim Tode jenes Freundes schrieb er an dessen Gattin 1951 dies: »Ich glaube ja an eine irgendwie geartete Weiterexistenz auch nach dem Tod, es ist kein Aufhören, die Toten bleiben bei uns und gehören dazu, trotzdem bleibt das Aufhören des Sichtbaren und Ansprechbaren eine große Erschütterung.« Da rührte er an ein Geheimnis, von dem er nur dieses eine Mal, und wie verschleiert! sprach. Es ist ein Anklang an das, was eine der Eingebungen zum *Unaufhörlichen* ist: »Ja, dieser Mensch wird ohne Ende sein.« An Frauen wandte er sich brieflich aus größerer Nähe, veranlaßt wohl auch durch ihren Willen, der unbelasteter auf natürliche Weise mitentschied, welche Distanz gelten solle. In seinen Antworten konnte männlicher Charme erblühen, geprägt persönlicher, mit herbem Geruch, der ihn steigerte. Manche Briefe verraten es, wie er sich mit Anstrengung aus seiner Indifferenz wie aus schwerem Wasser emporwand, um die bewegenden Augenblicke einer Beziehung wieder auf sich zu nehmen, die ihrer Wirklichkeit, wo nicht der Mensch von weit außerhalb her als mutationsreifes Endexemplar des Quartär anzusprechen war, sondern hier und jetzt als ihm von Herzen anhangende, ihn in seinem Wert erfassende Frau wie Gertrud Zenzes oder Erna Pinner oder Thea Sternheim und andere.

An die erste schrieb er aus der kalten Not des Nachkriegs nach Amerika, 1947, ihm keine Care-Pakete mehr zu senden: »Diese Geschenke haben eine Gewalt, der ich innerlich nicht gewachsen bin. Sie schneiden zu tief in das Leben ein, in dies sehr einsame, mühsam zusammengehaltene Leben, das ich – ich weiß nicht warum – immer noch verteidige. Diese Bitte ist ernst.« Fast alles ging ihm zu nahe. Ein Teil der Briefe, ebenso zahlreiche Teile innerhalb der Briefe bestehen aus Abwehr eines Aufgestörten, der in den meisten menschlichen Beziehungen seinen Schmerz des Menschseins noch einmal, und schneidender, erfuhr, deshalb seiner Berührungsangst, mochte er sie auch von den Umständen gezwungen bezwingen, lauschte und recht gab. Sie regte sich in umgekehrtem Verhältnis zum Niveau seines Gegenübers, und sie macht es begreiflich, daß er Nietzsches etwas geschwollene Formel vom »Pathos der Distanz« aus natürlicher Neigung in Lebenspraxis umsetzte. Kam er indessen heran in die Nähe, so war eine Gegenwart, auch in Briefen, erstaunlich intensiv zu spüren; jede einzelne Äußerung über eines seiner Themen besaß dann das Gewicht all dessen, was er je darüber gedacht hatte, und im Gespräch fielen ihm Formulierungen aus seinen Schriften zwischendurch mit dem Glanz des Spontanen wiederum zu. Kompakt wie die Prosa der ausgearbeiteten Schriften ist die seiner Briefe; in jedem Satz ist er, noch in der Art des Ausweichens, zugegen, dicht, sicher, folgerichtig bis ins letzte, darum unangreifbar – bis auf die Voraussetzungen seines in sich stimmigen Weltbildes. Im Persönlichsten seiner Antworten erscheint, mehr als bei den meisten, vieles von der Persönlichkeit des Partners auf dem Lichtschirm, so daß wir unsichtbar in einem Kreis von Menschen nun zugelassen sind, der von ihm ausgezeichnet wurde. Einzelne darin manchmal zu sehr: er konnte, wenn er einen nicht sah, am Telephon, im Brief, eine Art von chinesischen Höflichkeiten bis auf die Spitze treiben, so auch die Anerkennung literarischer Leistungen, die seiner Natur eher fremd bleiben mußten. Da war er großherzig und warf einem Geschenke zu; tat er jedoch einem Autor die Ehre an, kritisch auf einen Text einzugehen, dann war es genau und durchdacht und von seinem Standort aus, deutlich von gegenüber.

Seine Güte entfaltete sich, weil ihm ein Stachel bewußt hielt, daß alles Entstandene eine Leidensgeschichte verkörpert und allein schon diese ernst zu nehmen sei. Über Dritte konnte er rasant aburteilen, wenn ihr Werk für ihn keine Förderung bedeutete, indessen sind ja Briefe nicht Tummelplätze historischer Gerechtigkeitsübungen, und wer sie vom Ausdruck momentaner Stimmungen reinwaschen will, tötet sie. Denen, die seine Verehrung gewonnen hatten, bewahrte er sie treu: »Meine Götter geblieben sind immer Heinrich Mann, Nietzsche und Taine, an denen habe ich mich gebildet.« (1949) Ein karger Olymp – aber vielleicht war eben diese Besetzung nötig, um das Zustandekommen der Gedichte Benns zu ermöglichen. Die drei waren für ihn die wirkungsmächtigsten, während seine Kenntnis eine große Zahl von Namen, Werken, Lebensläufen umfaßte und er auch seine Neigung zu Artisten, wie Flaubert, Wilde, d'Annunzio, Verwandte in ihrem Kunstwillen, gerne zugab. Aus den Naturwissenschaften müßte eine ganze Schar von Nährvätern angeführt werden. Moderne Dichter haben den Bildungsprunk der früheren ins Gegenteil verkehrt; auch Valéry gab sich, als habe er kaum fünf Bücher gelesen. Bescheidenheit und Finte zugleich! Die lebenslang durchgehaltene Höhe des Anspruchs, an sich wie an andere, und das Ergebnis daraus bezeugen anderes als solche Selbststilisierungen, die mit Verschweigungen operieren.

Für jene, die in der glücklichen, doch unerprobten Lage sind, jeweils den ersten Stein werfen zu dürfen, werden diese Briefe, die Benn so rückhaltlos enthalten wie alle seine Schriften, wiederum Ärgernis genug enthalten. Doch welcher Wurf erreichte den Dichter, der sich sein Leben hindurch furchtlos darbot! Alles, was in den Briefen auf menschlicher Ebene unerklärlich scheint, weist zurück auf jenes große Unerklärliche im Dichter, dem wir die vollkommensten seiner Verse zu danken haben. Beides ist hinzunehmen an einer Erscheinung dieses Ranges, die den Stolz ihres Daseinsrechtes keinen Augenblick preisgab und die noch ihre Schwächen zur Leistung zwang. Werke und Briefe, sie sind dicht beieinander, das Leben und seine Erhöhung, die Wahrhaftigkeit und ihr Schmerz, die schwere Stummheit und der überspringende Funkenschlag des Worts. Das Unerklärliche wirkt durch ein zum Äußersten gespanntes Dasein, das sich offenbart, entriegelnd auf Verschlossenheiten unseres Daseins, in denen Träume eines umfassenderen Menschentums umgehen. Da dürfen selbst unbequeme Rätsel bleiben – auch die messerfeine Linie von Stirn und Nase des Dichters, im Halbprofil von zauberhaftem Schwung, war eines, auch der Friede auf den Zügen seiner Totenmaske, höher als alle Vernunft, Rätsel und unerklärlich: seine Sprache noch einmal und was sie ergänzt.

(1957)

HILDE SPIEL

HEIMITO VON DODERER

Dem musikalischen Erbgut der Welt hat Österreich die überirdische Heiterkeit Mozarts geschenkt. Sein Beitrag zur Literatur war seit eh und je von Schwermut überschattet. Grillparzer, jener griesgrämige Träumer, empfahl die Abkehr von der Welt. Raimund sah den himmlischen Hobler, den Aschenmann hinter jedem weltlichen Glück. Hofmannsthal waren »die Ahnen im Totenhemd so eins mit mir wie mein eigenes Haar«. Für Schnitzler schien die Grenze zwischen Trug und Wirklichkeit zu verschwimmen. Musil hielt die Möglichkeiten der Dinge für deutsamer als deren tatsächlichen Bestand. Zweifler, Zauderer, Querköpfe sind es, die ihre Welt bevölkern. Passive Helden sie alle: von Grillparzers Rustan, der sich einmal im Schlafe an die rauhe Wirklichkeit wagt und sie, erwachend, für immer verwirft, über Hofmannsthals »Schwierigen« bis zu Musils »Mann ohne Eigenschaften«. Besessen von der Fragwürdigkeit des Irdischen, halten sie zuletzt jeden Akt für sinnlos oder überflüssig und forschen so lange nach Ursprung und Ziel jeglichen Handelns, bis sie gleich dem Meyrinkschen Tausendfüßler kein Bein mehr zu regen vermögen.

»Kann ich dir suchen helfen? Du enervierst dich«, fragt den »schwierigen« Grafen Bühl seine Schwester, da er an seiner Schreibtischschublade rüttelt. »Ich dank' dir tausendmal«, erwidert er, »ich such' eigentlich gar nichts, ich hab' den falschen Schlüssel hineingesteckt.« Sie suchen gar nichts, sie stecken den falschen Schlüssel hinein, und dennoch – dennoch finden sie mehr als einer, der zielsicher die richtige Lade aufgesperrt hat. Und was sie gewinnen auf ihren ergebnislosen, hindernisreichen Irrwegen durch die Labyrinthe der Seele, das ist deren Erkenntnis selbst, das sind subtile Daten über die eigenen Gefühls- und Denkprozesse, wie man sie anders als durch so hartnäckige Introspektion wohl kaum gewinnen kann.

»Das Denken«, schreibt einmal Robert Musil, »ist, solange es nicht fertig ist, ähnlich einer Kolik sämtlicher Gehirnwindungen, und wenn es fertig ist, hat es schon nicht mehr die Form des Gedankens, in der man es erlebt, sondern bereits die des Gedachten, und das ist leider eine unpersönliche, denn der Gedanke ist dann nach außen gewandt und für die Mitteilung an die Welt hergerichtet.« Ja, in besonders vertrackten Fällen gelingt es unserem passiven Helden nicht einmal, jene Schwelle zwischen dem Denken und dem fertig Gedachten zu überschreiten, und nur in einer Art von Denkschlaf, einem halb bewußten Dämmerzustand, besitzt er überhaupt das, was gemeiniglich als Verstand bezeichnet wird.

Ein solcher Fall ist etwa der Leutnant Melzer – ebenfalls ein »Mann ohne Eigenschaften«, aber im Gegensatz zu jenem nur mit einem Familiennamen bedacht – eine der Hauptfiguren des bedeutendsten Romanwerks, das seit Musils dreiteiligem, nie ganz beendetem Epos in Österreich entstand. Heimito von Doderers *Strudlhofstiege* und *Die Dämonen,* diese beiden Gebirgsketten oder Hochplateaus in einem Hügelland von erheblichem Reiz, stellen gleichsam ein *non plus ultra* österreichischer Lebens- und Geisteshaltung dar. Hier ist wie in einem gewaltigen Spiegel die letzte mürbe Reife einer Kultur eingefangen. Aber der Spiegel maskiert eine Tür, die ins Schloß gefallen ist. Wer den Saal verläßt, tritt hinaus in das scharfe Licht und die schneidende Luft einer veränderten Welt, der Welt nach dem zweiten großen Krieg, deren atomare und planetarische Zauberkünste die Seelenmagie der alten Zeit verbleichen lassen wie den Mond bei Tag.

Wie homogen sie war trotz ihrer Komplexität, diese alte Zeit, läßt sich beinahe an der Auswechselbarkeit ihrer Charaktere erproben. Ist es Ulrich oder Melzer, der es liebt, die Geleise seines Denksystems zu befahren – blitzschnell an den Weichen und Wechseln vorbei, jenen »Wendepunkten oder Tropoi, wie's die Alten nannten«, wobei dann immer ein grünes oder rotes Licht aufflammt und dem Gedanken die neue Richtung weist? Ist es Graf Bühl oder Ulrich, der »mit der größten Energie immer nur das tut, was er nicht für notwendig hält?« – Melzer oder Bühl, »der sich von Beginn an weniger in die sinnliche Anwesenheit dieser Frau verliebt hatte als in ihren Begriff?« Sind sie nicht alle die Verkörperung jener »Grundanständigkeit, aus der alles möglich ist? Auch der größte Schritt. Auch der zum Genie. Und die sich dabei immer selbst im Weg steht, weil sie vor allem zurückscheut, was nicht einfach ist. Und was ist schon einfach?« Kopierte man sie übereinander, diese drei liebenswürdigen Kunktatoren, man hätte vor sich den edelsten Typ des österreichischen Menschen, jenen, an dem Österreich und der an ihm zugrunde ging.

Melzer freilich, mag er sich auch selbst häufig als völlig allein im Raume stehend erscheinen, »gleich einem jener Zinnsoldaten auf einem Fußbrettchen, herausgeschnitten aus dem Grünen oder dem Kies«, Melzer ist nur ein Farbfleck – ein ausgesparter Fleck? – in dem großen Zeitgemälde, das Doderer in seinen beiden Romanen entwirft. Der erste schildert die Jahre knapp vor dem ersten Weltkrieg und bald nach dessen Ende, und tut dies in unaufhörlichen Sprüngen über Zeit und Erinnerung hinweg. Die Strudlhofstiege, eine überaus harmonische Treppenanlage im neunten Wiener Gemeindebezirk, wie im Sinne einer bei den Einwohnern jener Stadt beliebten Mythologisierung ihrer alten Bauten und Monumente zum Genius der vielfältig verschlungenen Beziehungen, die sie miteinander verbinden. Ja, sie wird zum Sinnbild ihres Lebens

überhaupt, ihres inneren Gleichmaßes, ihrer in die Vergangenheit gerichteten Sehnsucht. So steht Melzer eines
Abends am unteren Ende der Stiegen »und hörte des
Brunnens Geträtsch oben auf dem Absatz, zu welchem die
Treppen hinauf pirouettierten. Die Rampen lagen hell.
Mond oder Neumond, es machte hier nicht viel aus, das
Gestirn mochte, wenn es aufstieg, mehr zusehen dem, was
hier etwa vorging als dazu leuchten: denn oben und unten
taten's die hohen Kandelaber auf ihren schlanken, gegitterten Masten, und an der Rampe stand auch je einer, von
Blattpflanzen umschlungen, die er grün durchhellte.
    Langsam ging Melzer hinauf, durch die Schichten
gleichsam emportauchend, als stiege er vom Grunde, nicht
also wie hinabtauchend in die Tiefe der Zeit. Ihm lag die
Vergangenheit oben, als ein Helles, Schäumendes, daraus
die Sonne gewesener Tage zu gewinnen war, kein Dumpffes und Dunkles. Aus diesem aber wollt' er sich bäumen,
die süße Luft der Oberfläche zu schmecken.«
    Doderers Prosa, man sieht es an diesem Beispiel, ist eigenwillig, oft sogar eigensinnig oder trotzig falsch. Der
Mann, der – nicht zufällig wohl im Sinne von Karl Kraus
– dazu auffordert, »alle Wörter zu zerschlagen oder aufzubrechen, was schwer fällt, da sie unter dem Druck der
Jahrhunderte hart und vom Gebrauche glatt und rund
wie Kiesel geworden sind«, derselbe Mann besteht darauf,
Wendungen wie »ohne diesem«, »mehr wie das« oder Austriazismen wie das Wort »dasig« zu gebrauchen. Es sind
barocke Auswüchse eines barocken Talents, das zugleich
einer Sprache von Stifterscher Schönheit fähig ist und
Landschaften, Menschengesichter, Lebensmomente und
Stimmungszustände mit einer Anschaulichkeit zu beschreiben versteht, wie sie zur Zeit so häufig nicht übertroffen
wird.
    Vor allem für die zarten Veränderungen in den »erst
noch wachsenden, keimblattfeuchten Lamellen der Seele«
findet er Formulierungen und Vergleiche von erstaunlich

plastischer Natur. Da gibt es »aufgesprungene Türchen des Charakters, die durch Augenblicke tief hineinschauen lassen in seine Brüchigkeit«. Da beginnt einer »die Trennung zu ertragen so wie jemand etwa, der endlich die richtige Lage für den Transport eines schweren Gepäckstückes gefunden hat«. Da versucht ein anderer, sein Gefühl zu erforschen, aber »wenn man sich über diesen Apparat beugt, hat man die Nadel schon irritiert; die Windrose unserer Neigungen kann nicht befragt werden wie eine Taschenuhr«. Oder es bringt's einer fertig, »sich selbst gleichsam von dem Katapult einer neu geschaffenen Situation nochmals abzuschießen«. Kurz, es ist in diesem Buche die Schilderung innerer Vorgänge so wichtig und genau wie die der äußeren Begebenheiten.

Um so runder wird freilich dadurch die Gestaltung. Auf einem breiten Hintergrund sind mehr als zwanzig Figuren auf das schärfste und eindringlichste voneinander abgehoben, sind die unterschiedlichsten Klüngel und Cliquen einer vielschichtigen Gesellschaft definiert. Was sich daraus ergibt, ist ein Ganzes, welches doch immer noch als Summe vieler Teile erkennbar bleibt – ein Gewebe aus Individualitäten, die sich stets als solche behaupten. Ob es die hektisch-begabten Geschwister Stangeler sind oder der »kreuzbrave« Strommeister Schachl mit seiner seelenklugen Tochter; ob das hilflose Mädchen Ingrid, der »eine Art von knochenloser oder schlingpflanzenhafter Weichheit« eigen ist, oder das verwirrend komplementäre Zwillingspaar der Schwestern Pastré; Amtsrat Zihal, dessen Kulturauftrag die »formale Übersteigerung jeglichen Inhalts bis zur Haupt- und Staatsmission« ist; Major Laska, der sein vollendet ausgewogenes Leben auf dem Schlachtfeld endet; eine skurrile Reihe von Hausmeistern, Tabak-Trafikanten und Unterläufeln; oder Thea die Schöne, die Frau ohne Eigenschaften, einer gläsernen Vitrine vergleichbar, in welcher alle äußeren Einwirkungen überaus sichtbarlich zur Schau gestellt sind – sie alle haben, bei höchster Erhaltung ihrer Eigenart, einen gleichen, ihnen allen gemeinsamen Lebensstil.

Und auf diesen kommt es an. In der Art etwa, wie der Herr von W. (der Sohn jenes Ministers, »dessen originelle Häßlichkeit nur wie eine Marotte seiner eigenen Intelligenz wirkte, weil es ihm vielleicht langweilig erschien, obendrein noch hübsch zu sein«), wie jener also lässig in seinem Lodenanzug vor dem Postament steht, sein »Packl Herzegowiner« herauszieht, das er kurz vorher in der Tabak-Trafik erstanden hat, und es langsam in seine silberne Tabatière füllt, um sich sodann eine Zigarette zu drehen, während er sich bei einem zufällig hinzugetretenen Freund höflich nach dem Befinden von dessen Vater erkundigt – das macht es eben jenem Freunde plötzlich klar, worin die vornehmste Leistung der Österreicher besteht: nämlich in nichts anderem als in ihrer Art zu leben. Sie gleichen darin den Engländern. Denn hier wie dort gilt das Wort: »›le style c'est la nation.‹ Wo jener fehlt, gibt es keine. Und wo einer sich selbst fühlt und sich wohlfühlt auf die beschriebene Art, dort ist er zur englischen Einheit von Form und Inhalt gekommen.«

Eine solche Einheit freilich kann nur in der Weltweite, Großzügigkeit und Varietät gedeihen, wie sie die Luft eines Imperiums durchweht. Jenes »Packl Herzegowiner« ist nur die endgültig beste Wahl aus einem Angebot von sieben Ländern und fast zwanzig Nationen. Und die Art, in einem Lodenanzug dazustehen, als wäre einem dieser angeboren, schließt eine lange Reihe vererbter und durchaus integrierter Erscheinungsformen ein – die des Jägers, des Gutsherrn, des Höflings und nicht zuletzt des Weltmanns. Ein Lebensstil von solcher Vollendung aber steht am Ende einer Entwicklung, und am vollkommensten präsentiert er sich eine Minute vor dem Zerfall. Eine Epoche in eben diesem Augenblicke festzuhalten, auf der Kippe in den Abgrund, von der Abendröte überstrahlt, ist ein Unternehmen, dem die Götter günstig gesonnen sind und über dem schon einmal das Genie eines Petronius, eines Proust sich entzünden durfte. Doderer, dem ein ähnliches Glück widerfuhr, war ihm ebenfalls gewachsen. Wenn in seinem Buche jene diffizile und aufs äußerste verfeinerte Lebensform, welche die letzten Jahrzehnte des Habsburgerreichs kennzeichnet, in allen ihren Manifestationen zum Ausdruck kommt, wenn hier die fruchtbare Unschlüssigkeit und Wehmut jenes Menschenschlages endgültig beschrieben wird, so geschieht dies *ad majorem Austriae gloriam* – zur Erhöhung und Verklärung einer untergehenden Kultur.

Nicht daß Doderer seine *Strudlhofstiege* als eine solche, vom letzten Sonnenglanz gewobene Gloriole um das Haus Österreich geplant oder angelegt hätte! Wenn sie als dies erscheint, so ist es ohne, ja vielleicht sogar gegen seine Absicht dazu gekommen. Er selbst wollte sein Buch nur als Fingerübung, als Rampe zu dem eigentlichen *magnum opus* betrachtet wissen, das längst vor diesem begonnen, aber erst nach dessen Erscheinen druckreif geworden war. Aus den *Dämonen* hatte er es herausgehoben gleich einer einzigen, lange ausgesponnenen Variation. Vielleicht besaß es deshalb eine größere Dichte, einen engeren Zusammenhalt als das Gesamtwerk. In jedem Falle ließ es seinen Autor über die schöngeformte Stiege den Weg zum Ruhm erklimmen, ordnete ihn in das europäische Geistesgut, das wohl noch einige Jahrhunderte von Generation zu Generation herabgereicht wird, etwa in der Nähe von Jean Paul und Musil ein, und erwies ihn zugleich als Lokalgenie, als titanischen Hausgeist, ja als einen jener im familiären Bereich waltenden Dämonen, wie er selbst sie allenthalben am Werke sieht.

Das größere Opus, dem Doderer den von Dostojewskij entlehnten Titel verlieh, hatte nicht nur das geringere erzeugt, es war ihm auch, in biologisch unerklärlicher Wechselwirkung, seinerseits entstiegen wie Athene dem Haupt des Zeus. »Damals«, so konnte man in der *Strudlhofstiege*

über den Sektionsrat Geyrenhoff lesen, »begann schon bei
ihm das Herumwurmisieren in der großen dicken Chronik.« Damit deutete der Autor bereits viel über die Beschaffenheit der *Dämonen* an. Denn diese Chronik – vorgeblich von Geyrenhoff mit gelegentlichen, nicht immer
erkennbaren Einflechtungen einer anderen Figur, Kajetan
von Schlaggenbergs, aufgezeichnet – gleicht in ihrer Form
wahrhaftig einem Wurme, einem herrlichen riesenhaften
Tatzelwurm, der sich, kraftschnaubend und in allen Farben des Regenbogens schillernd, auf vielen Füßen und mit
gewaltigen Windungen seines Leibes über die Szene bewegt, hoch aufgetürmt über allem niedrigen Gekräuch wie
jene urweltlichen Drachen und Echsen, die ein immer wie-
derkehrendes Motiv in Doderers Traum- und Mythenwelt
sind. Ehe der Leser überhaupt wagt, ihm ins Auge zu blik-
ken, empfindet er Ehrfurcht vor dem Schöpfungsakt, dem
dieses majestätische Tier entsprang.

Immerhin brauchte es fünfundzwanzig Jahre, bis das
Werk vollendet war. Daß dies, da und dort, noch sichtbar
ist, an der ungleichmäßigen Verteilung des Schwerge-
wichts, an Tempounterschieden der Erzählung, an der
Länge gewisser Abschweifungen und der Stärke oder vielmehr Dünne des Fadens, mit dem sie noch an der Haupt-
handlung hängen, sei der einzige Vorbehalt, den man angesichts dieser übermenschlichen Leistung machen kann.
Im Vergleich zu Thomas Mann, in dessen Höhe sie ragt,
wirkt sie wie ein weitläufiges, vielgezacktes Hochgebirge
neben einem klargeformten Gipfel. Denn so sehr sich Doderer durch seine Figur Schlaggenberg auch gegen jeden
»blauen Dunst«, gegen die ganze tief innere Unordnung
der Romantik verwahrt, ist dies schließlich doch eine ro-
mantische Dichtung, gleich dem Brentanoschen *Godwi* ein
»verwilderter Roman« im besten Sinne, will heißen, auf
weiten Strecken allein unter dem Diktat der ungehemmt
schwärmenden, inspirierten Phantasie geschrieben. In gewissem Sinn gilt dafür denn auch, was Auerbach über

Jean Paul sagte: daß er dichte wie ein spazierender Hund.
Nun, kein Hund – aber eben jener wunderbare Tatzelwurm!

Nicht, daß den *Dämonen* kein großer Plan, keine er-
kennbare Struktur zugrunde läge! Zuletzt ist hier alles,
wenn es sich auch noch so häufig verirren und verstricken
mag, miteinander verbunden, und zöge man, wie der Autor selbst vorschlägt, an einer beliebigen Stelle den Faden
aus dem Geweb', es würde sich zeigen, daß dieser in der
Tat durch das Ganze läuft. So wird ein Faden etwa auf
Seite 14 leicht herausgelüpft, und siehe, auf Seite 961
merkt man, welcher es gewesen ist. »Jetzt fiel die Masche«, sagt der Erzähler, jetzt sah ich den Faden laufen
durchs ganze Geweb, er wurde einzeln sichtbar«. Das mache ihm einer nach! Bei all den zahllosen Ausflügen in
sämtliche Bezirke des inneren und äußeren Lebens – mit
besonders liebevoller Berücksichtigung des neunten und
neunzehnten Wiener Gemeindebezirks –, bei Höhenwan-
derungen und Tiefenforschungen jeglicher Art wird doch
der grundlegenden Handlung nicht vergessen, und zuletzt
tritt sie oder treten sie, denn es sind ihrer zwei, klar und
deutlich zutage und werden fest verknotet wie in jedem
vorbildlichen Kriminalroman. Man hat nur eben eine
ganze himmlische Landschaft und ein ganzes Fegefeuer
voll gequälter Seelen durchlaufen, ehe die Absicht des
Autors erreicht worden ist.

War die *Strudlhofstiege* ein geschlossenes Buch über ein
diffuses Thema – nämlich die verschiedenen Abwandlun-
gen einer Geisteshaltung, einer Art zu sein, so sind die
Dämonen umgekehrt ein diffuses Buch über ein scharf ab-
gegrenztes Thema – nämlich den Niedergang einer Gesellschaft in die Tiefen des totalen Staats. Dieser Vorwurf
führt den Autor, der sich zuvor als letzter Siegelbewahrer
Altösterreichs erwiesen hat, mitten in die Problematik der
Übergangszeit zwischen den beiden Kriegen. Zwar ist das
soziale Geflecht, dessen Auflösung er schildert, der bereits

brüchige, schüttere, mit grobem Faden durchflickte Rest des
edlen und farbenprächtigen Wirkteppichs der Habsbur-
germonarchie. Doch er tut recht daran, dessen endgültigen
Zerfall im Rahmen jener Ereignisse zu fixieren, die der
ersten Republik so lange den Atem abschnürten, bis mit
seiner demokratischen Staatsform der Staat selbst den Er-
stickungstod starb. Freilich wirkt Doderers Wahl des
springenden Punktes, von dem das Verhängnis seinen
Ausgang nahm, einigermaßen befremdlich. Er sieht in der
historischen Demonstration der Wiener Arbeiter am 15.
Juli 1927, die gegen den Freispruch der sogenannten
»Schattendorfer« Mörder gerichtet war, den ersten Abstieg ins »Bad der Masse«, den ersten Schritt zu Klassen-
justiz und Massenterror und damit zum Diktat der ent-
fesselten Gewalten, mögen sie nun von der Linken oder
von der Rechten heranmarschiert sein. Lägen die Anfänge
dieses Buches nicht in den Zwanzigerjahren, so ließe sich
vermuten, daß sein Autor ein markanteres Datum, einen
unheilvolleren Eingriff in die Staatsordnung hätte zum
Anlaß nehmen können als jene keineswegs unberechtigte
Aktion der österreichischen Arbeiterschaft. Aber sei's
drum! Ist sie ideologisch schwer verfechtbar, so hat sich
die dichterische Rechtfertigung seiner Wahl erwiesen.
Denn der Brand des Wiener Justizpalastes, mit dem jener
15. Juli zu Ende ging, wird ihm zum hell leuchtenden Fa-
nal, zum Symbol des Weltenbrandes.

Um dies geht es also, und im weiteren Bezug um jedes
verhängnisvolle Absinken in die Illusion, um jeden billigen Handel mit einer »zweiten Wirklichkeit«, die dem
verblendeten oder lebensängstlichen Menschen die erste
greifbare Wirklichkeit ersetzen soll. Bei Dutzenden von
Figuren, die alle mit einer bestürzenden Lebendigkeit auf
uns zukommen, wandelt Doderer diese Flucht in die Hybris ab, und nur ein einzig Reiner findet sich unter ihnen,
Leonhard, der Fabrikarbeiter, dessen Weg aus der Masse
hinaus und in die Erhöhung, die Loslösung des Individu-

ums führt. Auch mit den eigenen Verwirrungen geht dieser Autor im Zuge eines Untersuchungsverfahrens, gegen das Freuds Selbstanalyse geradezu ein Kinderspiel war, unbarmherzig um. In drei Spiegelungen tritt er vor uns hin – als Chronist Geyrenhoff, als Gewaltmensch Schlaggenberg und als Träumer René Stangeler – und was immer in seiner drei- und wohl noch mehrfach gespaltenen Seele an Kinderängsten, Phobien, mythischen Zwangsvorstellungen aufzufinden ist, wird hier ans Tageslicht gebracht und auf das eindrucksvollste vor uns ausgebreitet.

Neben dem Grundthema zeichnet sich ein zweites, eine Erbschafts- und Familienintrige ab, deren Aufgabe es ist, die unzähligen Mitwirkenden an diesem Monsterschaubild weiterhin in Verbindung zu bringen. Keine Schicht der Wiener Bevölkerung bleibt unerforscht, und in keinem der so grundverschiedenen Milieus geht Doderer auch nur um Haaresbreite fehl. Vom Prinzen Croix, »der bei aller Freiheit und Unfeierlichkeit im Satzbau und in der Wortwahl seine Rede so deutlich in den Raum entläßt«, daß sich einfach ein freier Raum für sie bildet, auch wo vordem keiner gewesen, bis zu den abgründigen Gestalten im Elendscafé, denen »die Lianengestrüppe des Lebens schon jedes Glied umwickelt und fixiert« haben, sieht er freie und unfreie Geschöpfe in allen Winkeln des Lebens, mögen sie nun mit den Akzenten der ersten Gesellschaft oder der Unterwelt ausgerüstet sein. Eben die erratische Art seines Wanderns durch all diese Gefilde macht es ihm möglich, ein nahezu vollständiges Sittengemälde einer Stadt zu einem bestimmten Zeitpunkt zu geben. Es ist in solchem Ausmaß und in solcher Eindringlichkeit in deutscher Sprache noch nicht unternommen worden.

Gleich der *Strudlhofstiege* ist dieses Buch überreich an frappanten Formulierungen über die Mechanik des täglichen Lebens, aber auch über die größeren Zusammenhänge der Geschichte, der Politik und sozialen Ordnung. Wie sie

enthält es neben sprachlichen Eigenwilligkeiten und absichtlichen, ja auftrumpfenden Nachlässigkeiten Stellen
von einzigartiger sprachlicher Schönheit. So spielen Musi-
kanten »einen jener weichen und verschliffenen Ländler,
Tänze unserer Urgroßeltern, eine recht innige und gescheite Musik«. So wird »der Erinnerung scharfer und süßer
Zahn angesetzt«. Oder ein Morgen hat »die zugleich hart-
klare und duftige Aura des Herbstes, bei lackreinem Himmel«. Oder es wird, auf einer halben Seite, das Wesen
dieser Stadt, dieses Landes, denen er mit allen Fasern angehört, derart vollendet umrissen, daß man nicht mehr
über Wien, über Österreich wissen muß, um sich ihrer
bewußt zu sein:

»... bei offenen Grenzen war hier Europa durchgeflu-
tet, mit Vergnügen einschießend in die Bahnen und Über-
lieferungen der örtlichen Geselligkeit, welche eine artige
und unnachahmliche Mitte hielten zwischen dem Hier und
Jetzt der Hügel, Weingärten, der alten Höfe und urväte-
rischen Bräuche da draußen sowie der bescheidenen Anmut kleiner adeliger Palästchen in einer nicht breiten, in
einer stillen und kühlen Gasse der inneren Altstadt: zwischen diesem Hier und Jetzt auf der einen Seite, auf der
Seite des Gemütes sozusagen, des familiären und geselligen Lebens, zwischen dieser Kleinwelt gerundeter Formen
– und der dort draußen, in den verschiedensten Landschaften, Klimaten und Kostümen, in Gletschereis, Tief-
landsteppe, blauem Meer und südlichen Weinhängen aufge-
blätterten vielsprachigen Fülle eines Riesenreiches, mit dem
großen Prunk seiner alten Formen, denen man vom Vater
und Ahn her verpflichtet war, und nicht etwa bloß durch
das Amt, welches man eben jetzt trug – zwischen diesen
beiden Polen im Gleichgewichte, schwebte jener sorglose
Reigen, lächelten jene gescheiten entzückenden Frauen, bewegten sich jene so gut aussehenden Männer, die es fertig
brachten, mit einem oft erstaunlich geringen Aufwande
von Intelligenz doch vollgültige Träger und Repräsentan-

ten einer der reizendsten Kulturen zu sein, von den vielen versunkenen, die unser eiliger Erdteil hatte . . .«

Immer wieder dehnt sich hier der Raum, wächst die Vision dieser *Dämonen* weit über ihren Vorgänger hinaus. Es sei hier gar nicht lange von dem grandiosen Exkurs ins Historisch-Neurotische die Rede, jenem Bericht einer mittelalterlichen Hexenfolter, die Doderer in die Handlung einflicht und mit ebenso verblüffender Gelehrsamkeit wie durchtriebenem Genuß durch ihr zeitgenössisches Idiom verbrämt und camoufliert. Diesen Leckerbissen wird jeder allein für sich ausfindig machen. Aber die Höhepunkte, die zu Ende des Buches auftreten, diese ergreifendsten aller Episoden, diese zartesten aller Seelengespinste und erschreckendsten aller Gesichte – ihrer muß man Erwähnung tun. Es sind die Abschnitte über das Haus »Zum blauen Einhorn«, wo die einfältig-untergründige Frau Kapsreiter mit dem Kinde Pepi oder Krächzi wohnt, das bei der Schattendorfer Arbeiterversammlung erschossen wird, und wo die beiden jungen Mädchen Licea und Sylvia einen Ruheort vor ihrer eigenen lästigen Häuslichkeit finden. Seit dem Tod des Knaben Echo in Thomas Manns *Doktor Faustus* ist keine so rührende Kindergestalt im deutschen Schrifttum erstanden wie dieser Krächzi, der in sein kleines Segelboot hineinzugehen vermag wie in eine geträumte Wirklichkeit. Lange schon hat man die Reinheit und geistige Anmut junger Mädchen nicht so schön verkörpert gefunden wie in Licea und Sylvia, in denen »Intelligenz und Tiefsinn der Jugend straff aufgerichtet sind wie Tulpen im taufrischen Beet«. Und kaum je sind Visionen wie jene niedergeschrieben worden, die im »Nachtbuch« der Kapsreiter aufgezeichnet sind. Mit welcher Qual sie heraufgeholt wurden aus den tiefsten und unerforschtesten Gründen der eigenen Seele, wird daraus klar, daß gewisse Motive dieser Angstvorstellungen oder »Fremdgänge«, wie Doderer sie nennt – etwa die Schreckfigur aus Holz und Draht an der Decke des leeren Bügel-

zimmers – auch von einer seiner unmittelbaren Spiegel-
figuren, dem Sektionsrat Geyrenhoff, erinnert und mitgeteilt werden.

Voll von *profondeurs* dieser Art, aber auch voll reicher
äußerer Sicht, voll Spannung und bezwingendem Humor,
hat dieses Hauptwerk Doderers alle Erwartungen erfüllt,
die sich daran knüpften. Sein Titel, manches in seiner
Gliederung, ja gewisse Kapitelüberschriften geben die Absicht des Autors kund, sich auf das gleichgenannte Buch
Dostojewskis zu stützen. Darauf einzugehen bleibe künftigen Literaturforschern vorbehalten. Zeitgenossen des
Autors haben, anstatt bereits vergleichende Werkanalyse
zu treiben, vorerst noch die Trommel zu rühren für den
eigenwilligsten Geniestreich, den die deutsche Nachkriegs-
prosa vorzuweisen hat. Jenen künftigen Forschern wird
das Buch noch ganz andere Nüsse zu knacken geben als
seine Querverbindungen zum russischen Vorbild, denn es
findet sich manches darin, was kein Leser, es sei denn ein
Wiener, ja ein Döblinger oder Heiligenstädter, auf den ersten Blick zu enträtseln vermöchte. Vor allem aber gilt es
hier, den Kern aus ihm herauszuschälen, der in einer Ablehnung jeglicher Hybris besteht. »Wenn es schon durchaus einen Sinn haben muß, das Leben«, sagt René Stangeler einmal, »so wird er doch eben in der Erfüllung des eigenen Schicksals liegen, das gemeint war von Anfang an,
welches man endlich einholt, in der vollkommenen Auflösung jener Gestalt, die einem gewissermaßen aufgetragen
war ... damit man nicht verlorengeht, zerflattert, seit-
wärts ins Beiläufige taumelt, wo es dann einfach heißt,
›mag er fallen!‹, ›in die Versenkung‹, nein, ins – Boden-
lose ...«

Das ist und bleibt, wenn alles gesagt ist, dieses schöne
und oft chaotische Buch: ein Kampf gegen das Chaos.
Hier wird er sichtbarlich ausgefochten. Und siehe, er gelingt! In der Person des Dichters aber, der die Ordnung
seiner überlieferten Welt einer zerbröckelnden, zerrinnen-

den Gegenwartswelt als Maßstab anlegt, der ihren Verfall beschreibt, wenn er ihn schon nicht hemmen kann, und sie dadurch in Einklang bringt mit ihrer eigenen Geschichte – in seiner Person vollzieht sich die Metamorphose zwischen Vergangenheit und Zukunft. Doderer selbst, Inbegriff und vollendeter Kommentator des altösterreichischen Wesens, als der er sich auch in weniger umfangreichen Hervorbringungen wie seinen Romanen *Ein Umweg* und *Die erleuchteten Fenster* sowie seinen Kurz- und Kürzestgeschichten, vor allem aber im Leben erweist, ist zugleich der zeitgemäßeste unter den neuen österreichischen Autoren. Halb in einer bayerischen Kleinstadt, halb im neunten Wiener Gemeindebezirk daheim, hat er die Brücke zwischen der souveränen und der angegliederten Phase seiner heimatlichen Literatur geschlagen. Sein Roman *Ein Mord, den jeder begeht* nimmt Ausgang von einem nicht näher bestimmten Ort, der Wien sein kann, aber nicht sein muß, dessen Züge sich mühelos in die jeder süddeutschen Stadt übersetzen lassen, und bewegt sich auch idiomatisch in einem Sprachraum, dessen Grenzen wesentlich weiter gezogen sind. So wird der letzte Schriftsteller des alten Österreich zum ersten des neuen. Er führt die geliebte, in allen Fasern gekannte, noch einmal unvergleichlich bereicherte Dichtung seines Landes mit zarter Hand, im Menuettschritt, an die Seite der mächtigen und mütterlichen deutschen Literatur.

WALTER JENS

GEGEN DIE ÜBERSCHÄTZUNG GERD GAISERS

Zwerge, Irre und Huren, Trunkenbolde und Narren bevölkern die Bühne; die Literatur der Moderne gleicht dem Pandämonium des Hieronymus Bosch; der Roman hat die Ausmaße eines Schreckens-Kabinetts; Caligari guckt durch den Vorhang. Der »positive« Held scheint gestorben zu sein; die Zonen des Edlen, Guten und Schönen sind zu Reservaten der Gemeinde-Dichter geworden: das »Normale« als Exerzierplatz der Mediokrität. Sollte hier etwas nicht stimmen?

Gewiß, der Alltag ist nun einmal schwerer zu beschreiben als die Exorbitanz; Jago, Mephisto und Franz sind »dankbarer« als Othello, Faust und Karl; das Schillernd-Diffuse lockt die Phantasie viel stärker als die Selbstverständlichkeit an – aber muß darum der Himmel für alle Zeiten ein Objekt der Traktätchen-Dichter bleiben, während die Meister aus Ost und West – Brecht nicht anders als Bernanos – das Licht vom Schatten aus herbeizaubern wollen: die Idealität, gespiegelt in den Augen einer höllischen Fratze; der Wert, bewiesen aus dem Gegenwert: Gott, auf die Maße eines Anti-Teufels reduziert, der Held der neuen Zeit als ein Nicht-Kapitalist?

Ich fürchte, die Großen machen es sich denn doch ein wenig zu leicht, wenn sie den Bannkreis des Makabren, die Teufelspakt-Zonen so selten verlassen. Natürlich ist ein Krebs sehr leicht und ein Schnupfen sehr schwer, ein Mörder sehr einfach und ein Durchschnittsmensch sehr mühsam zu analysieren; natürlich gibt der Chirurg mit

den goldenen Händen scheinbar mehr her als der Ober-
inspektor – und dennoch erweist sich der Meister erst
in der Darstellung der Banalität ... eine ausweglose
Liebe: sehr leicht zu beschreiben; eine glückliche Liebe:
schon schwerer; eine Alltags-Ehe: hier wird das Genie,
ein Autor von Hofmannsthals Rang, in die Schranken
gefordert.

Mit einem Wort, da es das »Gute« denn auch wohl noch
gibt, sucht der Literatur-Freund, der Hausmanns und Ge-
nets in gleicher Weise überdrüssig, nach der adäquaten Gestaltung der Wert-Welt. Wo aber, fragt er, finden sich in
der Dichtung dieser Zeit Moralitäten von poetischem
Rang? Bei der Verfolgung dieser Frage stößt er sehr
schnell auf den Namen Gerd Gaiser. Hier, im Werk des
schwäbischen Autors, Pfarrersohns und Studienrats, gibt
es noch Lichtgestalten: Ness, Oberstelehn und Soldner;
hier ist die Güte nicht getilgt; hier wird im Namen des
Rechts und des Anstands gekämpft: doch auf welchem Niveau? Traktat oder Literatur: das ist die Frage.

Eine erste Betrachtung des Gaiserschen Werks läßt den
Kritiker nachdenklich werden: der Gegensatz von Licht
und Schatten, Hell und Dunkel, scheint allzu simpel; die
Akzentuierungen wirken fatal. Hier das Gesindel, dort
der Edelmensch; hier Herse Andernoth, die keusche Krie-
gerwitwe, mit der Tochter Diemut, als deren Merkmal ein
Zopf figuriert; dort, böse, schwarz und geil, Rakitsch, ein
dunkel blickender Lüstling, »widerwärtig«, von »ge-
schmeidiger Höflichkeit«, das Mitglied eines »Stammes,
der gewohnt war, sich zu biegen, um am Ende oben zu
sein« – nein, diese Antithesen zwischen germanischen Son-
nengestalten und einer »giftigen Spinne«, die wie ein leib-
haftiger Veitel Itzig parliert (»es wäre vielleicht gut,
wenn ich führe gegen einen Baum«), will uns ganz und gar
nicht gefallen. Man braucht noch nicht einmal, von politischer Feindschaft verblendet, Gaisers unselig-gehässige Gedichte aus dem Dritten Reich zu zitieren, um zu erkennen,

daß der Gegensatz zwischen den Gesunden und den Kranken, den Bäurisch-Verwurzelten und – Gaisers Todfeinden – den Intellektuellen, den Erdverwachsenen und den morbiden Städtern, den Hungernden und den Reichen das Symbol des Hohen Meissners beschwört. Gerd Gaiser als unbelehrbaren Nationalsozialisten zu denunzieren, wäre, so betrachtet, nicht minder abwegig als zu leugnen, daß sein Gesamtwerk im Zeichen einer romantisch-völkischen Betrachtungsweise steht, die, antisemitisch getönt, im Namen des »Reinen« und »Echten« argumentiert. Gerade das neueste Buch erhellt Gaisers Herkunft aufs schönste – Diese Geschichten – scheinbar in einer irrealen Ernst-Jünger-Landschaft angesiedelt, in Wahrheit handfest fraubündisch-rätoromanisch – umkreisen, locker gefügt, die Auseinandersetzung zwischen dem hoch zivilisierten, überfeinerten Vioms und den anarchisch-brutalen Bewohnern der Calvorgora. (Das Buch besteht aus vierzehn Etüden; neun behandeln das gleiche Sujet, drei fallen, in Tenor und Stil, aus dem Kontext heraus, eine, »Ich warte auf Ness«, las man schon anderen Orts.)

»Am Paß Nascondo« ist ein enthüllendes Buch. Mit Respekt heischender Ehrlichkeit analysiert der Verfasser sein Ideal-Bild: Brunnenwasser, *»keusch und unverchlort«* (»Ich habe ein Faible für Brunnenwasser«), *»nichts aus Eisschränken«,* statt dessen zerbröckelnde Türme, mittelalterliches Gemäuer, das Gehabe von Männern und Frauen, die einem gerade in die Augen schauen: *»sauber hergerichtete, offen blickende und verständige junge Leute«,* Menschen, *»denen etwas abverlangt wird«.* Rechte Kerle trinken den Wein aus irdenen Tassen, Touristen hingegen *»liebten das herbe Gewächs nicht, sie ließen sich gewöhnlich die aufgezuckerten Marken kommen.«*

In der Tat, der alte Gaiersche Gegensatz: die an Lagerfeuern, unter Klampfenklängen, ausgedachte Antithese feiert fröhliche Urständ – die »Schlußball«-Décadents aus dem reichen Neuspuhl erscheinen hier als müde Viomser, die fern allem Natürlichen, abseits von den Quellen der Natur dahinvegetieren:

> »Das Haus der Aldermanns war geräumig, sehr geräumig sogar, gedämpft altmodisch, jedoch mit dem Neuesten an Hygiene ausgestattet; es war ein keimfreies, gut entstaubtes und bekömmlich ventiliertes Haus ... Auf den Tisch kam in diesem Haus nichts, das in Vioms gezogen oder zubereitet gewesen wäre. Was das Land hergab, galt dort grundsätzlich als nicht genießbar. Mindestens mußte es Prozeduren unterzogen werden, vor allem der des Einfrierens.«

Die armen Städter! Chlor, Hygiene und Eisschränke haben sie wohl ... aber mit den Schlangen zu sprechen, verstehen sie nicht: das können nur die andern, die Gesunden, die nicht, wie wir, »aus Übermüdung ein Gespräch« scheuen, kernige Recken, die noch vom alten Schlag sind – von der stolzen Art des Erzählers: »Ja, ein gutes Leben war es in Puntmischur, und herrlich genoß sich die Einsamkeit draußen, spürte man hinter sich, was einem in Puntmischur gehörte: ein Tisch, ein Dach, ein Bett.«

Ich möchte nicht mißverstanden werden – Romantik ist eine ehrenwerte Sache; wer einmal die Feuer lodern sah, in der Sonnwend-Nacht, kann, sagt man, den verglimmenden Glanz nicht so schnell vergessen. Es kommt nur darauf an, in welcher Weise es dem Poeten gelingt, das Bild des Hohen Meissners im Atomzeitalter lebendig zu erhalten. Mit einer Schwarz-Weiß-Zeichnung, im »Schlußball«-Stil, ist es gewiß nicht getan. Charakterisierungen wie »sie war noch in einem langen seidenen Morgenrock und hatte im Mund eine Zigarette, die in einer langen weißen Spitze steckte« reichen nun leider nicht aus, um die Frivolität einer Dame zu skizzieren.

Doch Nuancierungen sind Gaisers Sache noch niemals gewesen, in der Figurenzeichnung und, vor allem, im Sprachlichen nicht. Es muß einmal gesagt sein: Unter allen Nachkriegsautoren, die zu Ruhm und Ansehen gelangt sind, scheint Gerd Gaiser der schlechteste Stilist zu sein. Sein Deutsch ist, mit einem Wort, miserabel.

Man könnte Blätter mit Stilblüten füllen: *»Die Seiten des Berges lagen unendlich ansteigend vor mir«; »merkwürdig, dachte ich, dieses neu eröffnete Badeleben«* (das eröffnete Leben: Anatomie der Sommerfreude!); *Die Ahornblätter rührten sich süß und grün vor den Fenstern«; »Der Himmel machte mich ... sinnlos freudevoll«(??).*

Noch ärger steht es mit den – am liebsten durch ein »gut ist es« oder »schlecht ist es« eingeleiteten – Maximen: *»Gut ist eine Gefährtin auf den abgelegenen Vorsässen, eine, die für dich wäscht und mit dir ißt und schläft«* oder *»Gut war jetzt im Tal wohnen, wo der Mensch bestehen kann«* oder *»schlecht war es, wachen zu müssen in den nackten steinernen Türmen.«* Ja, das sind goldene Regeln, die man beherzigen könnte, wenn der Autor sie ein bißchen gewandter vortrüge und nicht immer alles als »herrlich« *(»durch die herrliche, glänzende Luft gingen sie unten mit ihren Sensen«)* und »wunderbar« bezeichnete; wenn er ein wenig transponieren würde (ein ganz klein wenig nur!), statt von *»unbegreiflicher Reinheit«* zu predigen und sich die Welt ständig *»in Glanz und Licht baden«* (baden!) zu lassen.

Und selbst das möchte noch hingehen, sofern der Stil wenigstens einheitlich-feierlich wäre; doch zum Unglück des Autors entsprechen den epigonalen Bildern Anhäufungen von gespreizten Wendungen: *»Ich habe mich dergestalt vergessen, daß ich aufgehört habe ...«; »Zugleich schienen diese Bilder dadurch, daß sie da waren, ihren Gegenstand aufgehoben zu haben, so daß nun nicht mehr sich zu wiederholen brauchte«* (man wartet angsterfüllt, auf ein drittes »daß«!). Fatal sind die Adverbien; fatal das »seltsamerweise«, »sinnloserweise« und »somit«; fatal das Mal für Mal wiederholte »da schoß es mir durch den Kopf«. Fatal sind Sentenzen wie *»Sie konnten nicht feh-*

len, ihnen fehlte nichts«; fatal sind die Charakterisierungen: *»diese ältere, müde Person, die schon ein wenig ansetzte, aber früher war sie wohl etwas wie ein Rennpferd gewesen«;* fatal sind die (nicht als Prinzip verwandten) Stilbrüche: hier »gliss« und »Trocknis«, kühne Wortneubildungen, entwachsen dem Boden der Schwäbischen Alb, dort »seine Frau war ein operativ sanierter Prachtbau«, hier »öfters« – Gaisers Lieblingswort –, dort »perlmuttrig«; hier barockes Pathos, dort Jargon. Fatal ist die Verwechslung von Szene und Bericht: die kulturhistorischen Traktate im Dialog; fatal ist ... aber genug. Ich habe am Ende denn doch einige schöne Sätze und Bilder entdeckt; ich habe lange gesucht, aber sie sind mir nicht entgangen, die lyrisch-zarten »Marmorklippen«-Töne: *da und dort rannen in den klaren Fluß Färbungen ein, rötliche Eisentöne, Rauchschleier, ein zartes Weinblau«* oder *»die von Spinnweben bärtigen Kragsteine«* oder – ein Flugzeugblick – *»die Lichtspinnen der Innenstadt, bunt beperlt, ein Laufen, Zucken und Flimmern.«*

Immer, wenn Gaiser als Maler beschreibt, gelingen ihm plastische Sätze; wenn er dagegen Maximen vorträgt oder schlichtweg erzählt, scheitert er ... hier und in den anderen Büchern. Weder die altvorderlich-pietistische Belehrung noch das Pathos der Zelte und Klampfen, weder die simple Darstellung noch die Deutung ist seine Sache. Gaisers Stärke liegt im Entwurf des Kolorits; von Farben versteht er sehr viel.

Ich könnte mir denken, daß er ein bedeutender Maler ist, denn ein bedeutender Schriftsteller ist er gewiß nicht; und ich hätte mir die lange, zitatreich-belegende Analyse an dieser Stelle, wo Werke von Rang betrachtet werden sollen, sehr, sehr gern erspart. Aber leider hat man Gaiser – sicherlich aus ehrenhaften Motiven – auf ein Podest gehoben, das ihm niemals gebührt. Die Gründe dieser Überschätzung liegen auf der Hand: nachdem Kolbenheyer, Griese und Hans Grimm (ein großer Novellist, nebenbei!)

mehr oder minder verstummt waren, glaubte man in Gaisers Büchern eine Stimme zu vernehmen, deren Tenor zum festlichen Konzert gehört: das Tiefsinnig-Raunende, Stabreimend-Beschwörende, das Wortschöpferisch-Dunkle, Feierlich-Mythische, Widerpart des »Asphaltliteratentums«, heroisch und anti-zivilisatorisch. Das Wort des Jägers und Lehrers als Richtspruch der Zeit: war hier nicht, unter den Schriftstellern, endlich wieder ein Dichter entstanden?

Ein Dichter? O nein! Ein Mann, dessen Prosa schon – Gaiser an Gaiser gemessen – Höhen erreicht, wenn er schreibt: *»meine Abneigung gegen Zeitungen war nicht zu mehr gut, als daß ich erst ziemlich lange hinterher erfuhr, was in Neuspuhl noch gewartet hatte«* – ein Mann, der unabsichtlich die schwersten grammatikalischen Schnitzer macht, Sätze wie *»sie glänzte von Injektionen«* (!!) bildet und hinter barocken Bildern die Unfähigkeit, präzise Sätze zu formulieren, verbirgt – ein solcher Mann wird, wegen seines Fleißes und seiner Ehrlichkeit, unsere Achtung verdienen – als ein Schriftsteller aber kann er beim besten Willen nicht gelten. Es gibt nun einmal einen Maßstab: die Sprache.

Immerhin, wird man einwenden, mag Gaiser als Stilist auch nicht zählen, so gibt er seinen Lesern doch, im Unterschied zu anderen Poeten, »etwas mit«, eine Aussage, eine Moralität, einen Wink, und zeigt, als legitimer Kritiker der Zeit, unter dem Chaos die Ordnung, hinter der Denaturation die Natur.

Nun gut, »Am Paß Nascondo« symbolisiert – auch hier, wie so oft, erweist sich Gaiser als ein Ernst-Jünger-Adept – eine konkrete Situation: *»Drüben zum Beispiel, im Mandat, kommt einer auf die Liste, wenn er produktiv ist; ist er es nicht, fällt sein Name aus. Sie nennen es produktiv und meinen, er muß funktionieren. Und auf unserer Seite funktioniert er, indem er konsumiert, wie es seiner Steuerklasse entspricht, womöglich drüber. Das*

kommt auf ein und dasselbe heraus.« Ein poetisches
Gleichnis: das gespaltene Deutschland, Zeitkritik in Chiffre und Bild? Nein, Teil eines schlecht geschriebenen Leitartikels oder Abiturienten-Aufsatzes, provinziell gefärbt,
sehr plump und sicherlich sehr gut gemeint... doch »gut
gemeint« ist ja, nach Gottfried Benn, das Gegenteil von
Kunst.

(1960)

Joachim Kaiser

MAX FRISCHS DRAMA »ANDORRA«
IN ZÜRICH URAUFGEFÜHRT

Es gab starken Pausenbeifall und am Schluß beinahe Ovationen, als Max Frischs »Andorra«-Drama in Zürich uraufgeführt wurde. Das Thema und der Rang des Autors sicherten der von Fernsehaufnahmen, Interviews und massenhaft aufgetretener Theaterprominenz umrahmten Premiere eine fast sensationelle Resonanz. Darum entschloß man sich, den Uraufführungsabend durch drei zu dividieren. Wegen des offenbar beispiellosen Andrangs wird die Uraufführung an drei aufeinanderfolgenden Abenden wiederholt. Dem entspricht, daß die deutsche Erstaufführung – voraussichtlicher Termin: 20. Januar 1962 – von drei westdeutschen Bühnen zugleich unternommen wird, nämlich von Düsseldorf, Frankfurt und München. Zwanzig weitere deutsche Theater folgen. Andorra ist mehr als eine Premiere, es ist eine repräsentative Kraftprobe des deutschsprachigen Theaters.

DAS TÖDLICHE EXPERIMENT

Ausgerechnet im jüngsten Börsenblatt des deutschen Buchhandels wird auf der Titelseite eine stattliche Bildmonographie über Andorra, den Pyrenäen-Kleinstaat, angezeigt. Doch wie groß die Versuchung, mißzuverstehen, nun auch sein mag, jenes Andorra, von dessen Imago Frisch jetzt seit 1946 verfolgt wird, seit der berühmten unüberhörbaren Tagebuchskizze »Der andorranische Jude«, hat damit nichts zu tun. Im artifiziellen Andorra begegnet uns, wenn man den Vorgang nicht bequem als »allgemein menschlich« verstehen will, ein Extrakt aus jenen beiden Mentalitäten oder Nationen, denen von jeher Frischs fasziniertes Mißtrauen, seine selbstquälerische Anteilnahme, seine züchtigende Liebe galt: eine Quintessenz aus Deutschem und Schweizerischem.

Die Prosaskizze handelte von einem jungen Andorraner, den man für einen Juden hielt – man erwartete darum Verstandesschärfe, Geldsucht, mangelnde Vaterlandsliebe, Egoismus von ihm – und der sich schließlich nach diesem unausweichlichen Bilde verhielt. Als er gestorben war, entdeckten die Andorraner, daß jener vermeintliche Jude gar kein Jude gewesen – und entsetzten sich, sooft sie in den Spiegel dieser Parabel blickten. Das Stück erzählt die Parabel anders. Nicht der Jude steht im Mittelpunkt, sondern – bereits der neu formulierte Titel deutet es an – Andorra. Dieses Andorra wird in den ersten Szenen gleichsam aus Worten erbaut. *Theo Ottos* Spielfläche bietet sich als gespenstischer, kaum charakterisierter Hohlraum dar, in dem der Text das Bühnenbild hineinstellt. Da wird ein Haus »geweißelt« (also wohl im Sinne des Neuen Testaments »übertüncht«); ein Pfahl (an dem man die zum Genickschuß Verurteilten dereinst binden wird) aufgestellt, ohne daß die Leute sich viel dabei denken; da zieht eine Prozession vorbei; da grölt ein ordinärer Soldat; da vollzieht sich andorranische Selbstgerechtigkeit. Von Anfang an spüren wir, sollen wir – überdeutlich – spüren, »Furchtbares wird geschehen«. Denn auch bei der jauchzenden Fröhlichkeit, die Andri zu Beginn beseelt, ahnt man die Katastrophe. Andris Glück bedeutet kaum mehr als die Fallhöhe für seinen elenden Sturz. Gewiß, er liebt die Tochter seines Pflegevaters, wird wiedergeliebt und kann überdies mit der Erfüllung seines sehnlichen Berufswunsches rechnen: Er darf Tischler werden. Und weil er ja nicht der Sohn seines Pflegevaters ist, sondern ein in

die Familie aufgenommenes Judenkind, darf er auch erhoffen, daß der Vater ihm die Hand seiner Tochter geben
wird. Denn woher soll er wissen, was wir Zuschauer
längst erfahren haben, daß er nur Objekt eines grausamen
anthropologischen Experiments ist? Andris Vater, der
Lehrer, hat nämlich gelogen. Dieser Andri ist sein unehe-
licher Sohn, den er als Juden ausgibt. »Ich habe meine Lüge in die Welt gesetzt, um die Welt (samt ihrem idiosyn-
kratischen antisemitischen Vorurteil) daran zu entlarven.«

In einer früheren Fassung des Stückes begründet ein
Briefwechsel zwischen Andris Vater und seiner unehli-
chen Mutter dies für Max Frisch so charakteristische Experiment, das dem Versuch Stillers, nicht stille zu sein, ähnelt, oder dem Versuch Fabers, Ingenieur zu sein und kein
Schicksal zu haben, oder dem Versuch des Staatsanwalts,
Graf Öderland zu werden, oder dem Versuch Don Juans,
nur die Geometrie zu lieben.

Jetzt ist dieser Briefwechsel gestrichen, wohl um der
Eindeutigkeit des Vorgangs willen. Doch daraus, nicht nur
daraus ergibt sich eine gefährliche Klippe, da man nicht
hinreichend begreift, warum der Vater im entscheidenden
Augenblick, nämlich bei Andris Heiratsantrag, die wahren Ablehnungsgründe verschweigt. Andri, der dem antisemitischen Vorurteil bereits in tausend Masken, vorneh-
men oder rüden oder, besonders ekelhaft, pseudo-»aufgeklärten«, ausgesetzt war, bricht nun mit allem, läßt die
Welt samt seinen Wünschen hinter sich, wird aus einem
Opfer zum tragischen Helden. Nun nimmt er die Wahrheit nicht mehr an, wenn man sie ihm sagt. »Wieviel
Wahrheiten habt ihr? Das könnt ihr nicht machen mit
mir.« Er ist verstockt, unzugänglich, wählt sein Schicksal:
plötzlich eine Mischung aus Märtyrer und existentialisti-
schem Entwerfer des eigenen Wesens.

Wie im Kin Ping Meh dämmert die Rache für Andor-
ras Schuld von draußen: Die Schwarzen, den Tataren
gleich, besetzen das Land. Es kommt zur entsetzlichen,

ebenso absurden wie zwingenden (14.) Szene der »Judenschau«. Die Andorraner müssen vor dem Blick eines eleganten »Judenerkenners« à la Eichmann Spießruten laufen. Er erkennt in Andri den Juden – der er nicht ist, aber
sein will. Andri wird getötet, der Lehrer erhängt sich,
Tochter Barblin verfällt dem Wahnsinn, und in Andorra
geht alles weiter wie zuvor.

Denn die Andorraner haben nicht gelernt, was die Zuschauer vielleicht doch spüren und beherzigen werden, daß
nicht nur die von irgendeinem Offizier befohlene Erschießung Andris ein Unrecht war, sondern vielmehr die Totalität des an keinem Punkte ganz dingfest zu machenden
Vorurteils. Zwischen die Szenen sind Übergänge einge-
blendet. Plötzlich erscheinen die Akteure vor den Schranken eines utopischen, quasi nürnbergischen Gerichtshofes
und sagen aus. Deklarieren ihre Ansichten als Meinungs-
freiheit, berufen sich auf Befehle, Irrtümer, ja auf Andris
Verstocktheit – die sie doch selbst hervorriefen. Alle Argumente armseliger Rechthaberei, wie wir sie aus den Verfahren der vergangenen sechzehn Jahre kennen, tauchen
brillant zusammengefaßt wieder auf. Aber auch die in
Zürich laut beklatschte, ironisch vorgetragene Ideologie
von der Beliebtheit, Friedfertigkeit, Wahrhaftigkeit des
stolzen Kleinstaates, der sich für den Mittelpunkt der
Welt hält, ist noch unbeschädigt vorhanden.

Wie – nicht warum

Frisch hat das Drama eines unheilbaren Vorurteils geschrieben. Er hat sich, und das bezeichnet zunächst die
Grenze des Stückes, dabei auf die Frage nach dem Wie beschränkt. Nicht warum die Andorraner antisemitisch reagieren, wird erörtert, sondern auf welche Weise sie es
tun. Das Drama fragt sich nicht in Menschen hinein, sondern es stellt fest. Am Anfang gleicht es beinahe einer dra-

matisierten Soziologie gesellschaftlich vermittelter antise-
mitischer Verhaltensweisen. Da ist der reiche Tischler, der
voller Selbstgerechtigkeit seinen jüdischen Lehrling (dem
er nur Verkaufsbegabung unterstellt, aber keine hand-
werkliche) demütigt und betrügt, der rüpelhafte Soldat,
der feige »Freund«, der wohlmeinende Priester, der Andri auf lauter »jüdische« Eigenschaften lobend festlegt
und zum Schluß doch ganz froh über Andris Anderssein
ist (übrigens der einzige, der später sein Verhalten bereut)
und der vaterländisch bramarbasierende Professor: eine
intellektuelle Null, die ihr Versagen in der Fremde mit
Chauvinismus zudeckt. *Willy Birgel* gab eine vorzügliche
Studie böser, gelegentliche Gutmütigkeit nicht ausschlie-
ßende Idiosynkrasie. *Rolf Hennigers* Vater, ein wenig
schmierig im Wohlwollen und dennoch voller schwächli-
cher Sympathie und *Kurt Becks* besoffener Soldat standen
dem kaum nach.

Dennoch bedrohte der nur »feststellende« Charakter in
den Anfangsszenen die Entfaltung des Stücks. Diese Szenen waren fast zu knapp, und die von *Kurt Hirschfeld*
vorzüglich geführten Schauspieler (die westdeutschen
Aufführungen werden sich an einer sehr durchdachten,
schwer zu übertreffenden Uraufführungsleistung zu messen haben) mußten die mannigfachen, hereinbrechenden
Symbole des Unheils gleichsam einholen, ohne daß der
Text zwischen Vorgang und Bedeutung immer genügend
Spiel-Raum gelassen hätte. Fast war es eine Klippe, daß
gleich zu Anfang ein Dorfidiot und ein besoffener Soldat
antisemitische Verhaltensweisen einführten. Erst relativ
spät drängte sich die Handlung vor das eindeutige *Fabula
docet*. Freilich war auch hier manches schon mit hoher
Kunst gemacht. Der Doppelsinn des Wörtchens »noch«,
temporal und weder-noch, (»Kein Mensch«, sagt der Pater, »verfolgt euren Andri – noch hat man eurem Andri
kein Haar gekrümmt«) bezeugt ebenso eine geheime
schriftstellerische Meisterschaft wie die Sicherheit der Sze-

nenführung und des Aufbaus. Indessen ist Andri – *Peter Brogle* war, was den Typus und den Ausdruck betrifft, eine Idealbesetzung; aber manchmal wirkte er, weil er zu oft lachte, zu naiv, wie aus einem Märchen nach Andorra versetzt, anders als alle anderen, ein Hans im Pech, aus dem erst nach der Pause ein tragischer Held wurde – anfangs nur Objekt, und die Andorraner sind da *nur* typische Antisemiten. Kein Wunder, daß zu diesem Zeitpunkt doch, dank *Ernst Schröders* großartigem Beginn, der Lehrer im Mittelpunkt steht: Er ist lebendig, Problem und Abgrund zugleich.

Doch das ändert sich. Andri nimmt an – und fängt sich. Er macht sich zum Subjekt, zerbricht die Grenze seiner Figur, wird aus der naiven Klage zur Anklage und nähert sich dem tragischen Hochmut aller großen Helden seit Ödipus, die ihr Schicksal herausfordern und die Katastrophen nicht scheuen. Der »Gehetzte« wird zum Wozzeck eines gesellschaftlich rassischen Vorurteils, Marionetten ihres Aberglaubens ermorden ihn, so wie es in Büchners Meisterwerk auch Marionetten sind (Doktor, Hauptmann), die zum Schicksal des armen Kerls werden. *Kathrin Schmids* Barblin macht die allzu sehr nur aus schematischen Reaktionen (»Küß mich«, Weinen, Unbeständigkeit, Wahnsinn) zusammengesetzte, geliebte Barblin lebendig: ein Wunder, dem Regisseur und Max Frisch gewiß gleichermaßen zu danken.

Irrsinnig – und darin mit dem Realen korrespondierend – war die Szene der »Judenschau«. Sie läßt keine Erklärung zu. Dennoch wirkt sie erschütternder als ein vernünftiger Angriff auf verbrecherische Praktiken. So wie Schönberg in seinem »Überlebenden von Warschau« oder Picasso in seinem »Guernica«-Bild hat sich Frisch in dieser Szene dem reinen Grauen gestellt. Und er bewältigt es, soweit Kunst dergleichen überhaupt bewältigen kann.

Es gibt im Augenblick wohl keinen deutschsprachigen Dramatiker, der einem solchen Thema auch nur annä-

hernd so gewachsen wäre wie Max Frisch. Seine schon im
»Graf Öderland« bewährte Kraft, Fabeln zu ersinnen,
von denen man glauben möchte, sie seien bereits vorhanden, während sie doch des Dichters Kunst entspringen,
triumphiert auch hier. Daß Frisch dennoch nicht das letzte
Wort zu seinem Vorwurf sagte, sondern die Allegorie anfangs in die Nähe der Simplizität rückte, zuviel mit expressiven Wiederholungen arbeitete, bis sich endlich Andri
frei machte, liegt offen zutage. Oder sollte es auch heute
noch unmöglich sein, die »Antisemiten« zu durchschauen,
ohne sie zugleich verbotenerweise zu Objekten einer notwendig neutralisierenden Betrachtung zu verharmlosen?
Doch dies Stück wendet sich ja nicht nur an den Verstand,
sondern mehr noch ans Mitleid. Es schlägt von der Allegorie in Dichtung um. Unverlierbar, unüberhörbar der größte Satz, zugleich die Essenz des Werkes: »Kein Mensch,
wenn er die Welt sieht, die sie ihm hinterlassen, versteht
seine Eltern.«

(1961)

WALTER MARIA GUGGENHEIMER

EIN ZWECKENTFREMDETER ARISTOKRAT

Das Große Haus der Städtischen Bühnen Frankfurt am Main, Stätte konsequentester Interpretation der Werke von Bertolt Brecht in der Bundesrepublik und, sieht man von dem darauf spezialisierten Berliner Ensemble ab, sicherlich im deutschen Sprachraum überhaupt, hat Brechts Bearbeitung von Shakespeares Tragödie *Coriolan* uraufgeführt. Es ist zu untersuchen, warum der bedeutende Anlaß nicht vollends zum großen Ereignis wurde; warum die Kombination, die noch so kluge Koordinierung stärkster dramatischer Elemente am Ende doch nur ein zwar ungeheuer anregendes, aber nicht eigentlich überzeugendes Resultat ergab.

Shakespeares Coriolan-Stück berichtet die Geschichte Coriolans; des römischen Patriziers also, der seiner Heimat eminente Dienste als Feldherr leistet, sich aber durch hochfahrendes Wesen die Gunst des Volkes verscherzte; verbannt wurde; an der Spitze des eben noch von ihm geschlagenen Heeres der Volsker gegen seine Vaterstadt zu Felde zieht; auf Bitten seiner Mutter jedoch einen billigen Frieden schließt und begreiflicherweise von den Volskern erschlagen wird. Man sieht, was da alles an Thematik drinsteckt: die unfaßbare Unfähigkeit eines Mannes von Wert, seine Qualitäten, wie man bei unseren amerikanischen Freunden sagen würde, zu verkaufen; das Schicksal des Emigranten, der in letzter Minute vor der Rache zurückschreckt; die Abhängigkeit eines auftrumpfenden Mannsbildes von seiner Mutter, die ihn sehenden Auges den patriotischen Ideen, für die freilich sie ihn erzog, nun auch opfert. Ja man ist versucht, die Tatsache, daß der *Coriolan* zu Shakespeares relativ selten gespielten Stücken gehört, geradezu auf die kaum bewältigbare, kaum erträgliche Überfülle von Konflikten zurückzuführen, die uns allen allzu nahegehen.

All dies nun interessiert den zeitgenössischen Bearbeiter Bertolt Brecht nur am Rande.

Brechts *Coriolan* ist nicht eigentlich die Geschichte Coriolans; viel eher die Geschichte jener abwechselnd zaghaften und gewalttätigen Plebejer, die den überragenden Mann in der Not rufen, im Sieg bejubeln, im Alltag dulden, im Interessenkampf verjagen; die sich das unnatürliche Opfer der Patriziermatrone wie selbstverständlich zunutzemachen und eilfertig und kaltherzig nach Liquidierung des unbequemen Helden zur Tagesordnung übergehen. Auf der Tagesordnung der von Brecht als Schluß hinzugedichteten Senatssitzung unter Führung der Volkstribunen stehen Kanalisationsarbeiten; nur zu einem beiläufigen Verbot für die Familie Coriolans, die übliche Trauer zu tragen, wird sie kurz unterbrochen.

Die Bearbeitung stammt aus dem Jahre 1952. Warum Brecht selbst sie nicht mehr inszenierte, obwohl ein Stück der Arbeit mit guter Absicht auf die Proben verschoben wurde und somit noch zu tun blieb, das wird nicht leicht zu ermitteln sein. Vielleicht wußte er es selbst nicht recht. Vielleicht aber störte ihn doch ein Gefühl, daß für eine derartige Umkrempelung das ihm von Shakespeare, gar über die tiecksche Übersetzung, überkommene Material nicht ganz zureiche. Nicht dies ist dabei das Hinderliche, daß Shakespeare bei aller Kritik seinen Helden oft recht imponierend und gewinnend gestaltet; menschliche Sympathie für den individuellen Klassenfeind hat sich der Stückeschreiber Brecht nicht selten selbst geleistet, am augenfälligsten im Puntila; man kann fast sagen, da begann er sich in seiner dramaturgischen Dialektik erst richtig wohlzufühlen.

   Es liegt an anderem: für die Versachlichung, für die Politisierung dieser ganz um einen privaten Charakter gebauten Tragödie wäre zwar aus der Historie jede Handhabe zu gewinnen, nicht aber aus der poetischen Vorlage. Nie wird auch nur ersichtlich, worauf nun genau die rücksichtslose Klassenherrschaft des geistig unbedeutenden und politisch hilflosen Adels sich stützt; ebensowenig anderseits, mit Hilfe welcher Machtmittel die waffenlosen und undisziplinierten Plebejer, eben noch geduckt und bedrückt, auf einmal in die Lage kommen, ihren gehaßten Feind zu verbannen. Da der ursprünglichen, der shakespeareschen Anlage des Stückes gemäß der Text in dieser Hinsicht nicht viel hergibt, hätte die Inszenierung manches aufholen können, und müssen. Heinrich Koch als Regisseur vermied jedes spektakuläre Aufgebot, skelettierte sozusagen beide gegnerische Gruppen, glaubte gewiß auf solche Weise der gedanklichen Klarheit zu dienen; vergaß aber vielleicht, daß, mit Brecht, zum Hauptgedanken die Konfrontierung gesellschaftlicher Mächte und ihrer Institutionen geworden war. Die aber dürfen nicht nur reden, die müssen schon »da« sein. – In einer Pressekonferenz bedrängt, warum in dieser Spielzeit etwas überraschend er Brecht und Intendant Buckwitz Barocktheater inszenierte, antwortete Koch, in strittigen Fällen pflegten sie zu knobeln; gut gegeben auf die landesüblich-sachverständige Fragerei hin; die Würfelei aber, ist man zu wünschen versucht, hätte diesmal ruhig eher den konventionellen Erwartungen gemäß ausgehen dürfen: zur Demonstrierung von Macht hat Buckwitz vielleicht doch die robustere Hand (wenn ich nur an die zehn Schwarzgewappneten denke, mit denen er, allen Gesetzen der Geometrie zum Trotz, in seiner *Maria Stuart* die ganze Riesenbreite der Hersfelder Stiftskirche absperrte!).

   Was mein Freund Joachim Kaiser mir während der

Frankfurter Vorstellung zuflüsterte, hat er unterdessen in der *Süddeutschen Zeitung* geschrieben, und das freut mich, denn ich habe etwas dagegen zu sagen. Er meint da, die sozusagen klassenkämpferischesten Sätze stammten nicht von Brecht, sondern von Shakespeare. Aber die geniale Wendung von der Macht des Volkes, die zu gebrauchen es nicht die Macht habe, ist eine realistische Unterscheidung, ganz im Stil illusionslosen Renaissancedenkens (und erst durch den demokratischen Formalismus späterer Jahrhunderte wieder verdunkelt). Und gar die Äußerung, es schmecke den Patriziern besser, wenn sie die anderen hungern sähen, ist pures Ressentiment und das genaue Gegenteil einer kalt determinierten Klassenkampfhaltung. Was mir umgekehrt auffiel, ist, daß Brecht eine Menge Gelegenheiten, mit Shakespeare die Leute aus dem Volk zu individualisieren und dadurch sozusagen menschlich nahezubringen, achtlos oder vielmehr sehr absichtlich fallenläßt. Bei ihm sind sie womöglich noch plebejischer, noch zerfahrener auch, als beim Plebsverächter Shakespeare. Brecht kommt es keineswegs darauf an, die Revolutionierenden im einzelnen sympathisch zu zeichnen; ja, so scheint er zu denken, könnten sie menschliche Würde bekunden, wo bliebe der Nachweis, daß ihre Klassenlage menschliche Würde zerstört?

Um so größere Bedeutung kommt nun freilich ihren bewußten Wortführern, den Volkstribunen, zu. Michael Rueffer, der eine von ihnen, schwelgte geradezu in ätzender Analyse und schneidender Argumentation. Der starke Mann am Platze war er nicht, der kindlich kraftmeierische Coriolan. Dadurch gerät dieser, genauer: Hansgeorg Laubenthal, in eine kaum bewältigbare Situation: von Anfang bis Ende eine Hauptrolle durchzuhalten, die es nur mehr dem Umfang und dem Anspruch nach, nicht mehr aber in der Mechanik des dramatischen Spiels ist, das schaffe, wer mag.

Für einen Machtkampf hat Shakespeare, der mit

Machtmenschen Bescheid wußte, den Coriolan nicht ausgerüstet. »Gute Mutter«, läßt auch Brecht ihn noch von den
Plebejern sagen, »ich wäre lieber ihr Sklav' auf meine Weise / Als auf die ihrige ihr Herr!« Und das ist ihm ernst.
Er will gar nicht kommandieren, nicht einmal im Krieg.
Nicht um den politischen Gegensatz gehe es hier, sagt in
seinem Shakespeare-Buch Gustav Landauer, kein Marxist
allerdings, bis in den Tod aber ein großer Revolutionär,
sondern »um den ewigen Streit der vereinzelten tapferen
Hoheit gegen die massenhafte Niedrigkeit.« Da kommt er
bei Brecht gerade recht! Der sieht sich die Hoheit auf ihre
gesellschaftliche Funktion an, und es bleibt übrig: ein ver-
snobter Individualist; politisch: ein verstockter Konservativer. Daß man mit ungewaschenem Hals und ungeputz-
ten Zähnen sich um Politik kümmern könne, findet Coriolan grotesk. Es ist nicht in der Ordnung: in der Ordnung
einer aristokratischen Republik, die es freilich gar nicht
mehr gibt; seine Klassengenossen, der Consul, Menenius,
alle wissen es, nur er nicht; sie sind politisch viel klüger als
er, weswegen unerfindlich ist, warum Koch sie militaristisch
schnarren oder senil quasseln läßt. Freilich, Brecht legt es
oft nahe[1], und große Gestalten sind sie schon bei Shakespeare nicht; der aber wollte auch kein politisches Drama
schreiben; wenn Brecht es wollte, hätte er es tun müssen.
    Woran scheitert denn, als alles schon wieder eingerenkt
erscheint, die Versöhnung Coriolans mit den im Grunde ja
gutmütigen Volksmassen? Daran, daß er von den berech-
nenden Tribunen sich des Verrats beklagt findet. Das bloße Wort bringt ihn so in Rage, daß er die Sache selbst sofort begeht. Das ist Coriolans Drama mit der Politik: daß

---

[1] »Ihr soupiert mit mir?«, fragt, gleichmütig mondän, Menenius
bei Brecht die gramgebeugten Damen sofort nach des verbannten Coriolan Abschied. In Frankfurt durfte er das allerdings
nicht, wohl aus Besorgnis vor jener Lachsalve, auf die, minder
ängstlich, Brecht es eben abgesehen haben mag.

in ihr nicht sechsunddreißig Mittel zur Wahl stehen, daß
man jeweils um eins schon ganz froh sein muß; daß sie
einen braven Mann, um seine Ehre zu rächen, zwingen
kann, sie wirklich dranzugeben – denn so muß ers ja sehen. Das freilich ist des noch ganz feudalen Briten und seines noch feudaleren Römers Kummer, nicht der Brechts.
Für den Helden, den der Bearbeiter übrigließ, schlug sich
Laubenthal recht tapfer.

Denn auch um eine sehr speziell moderne, um die schil-
lernde, die zwielichtige Note seiner Rolle brachte ihn
Brechts unnachgiebige Zielstrebigkeit: um jene bemerkenswerte, ganz undurchsichtige Mutterbindung, die schon bei
Plutarch, Shakespeares Quelle, mit kühler Distanz allerdings, betont wird; die Shakespeare bereits merkwürdig
summarisch behandelt; Brecht aber wischt all die dumpfe
Familienpsychologie beiseite, indem er die unbeugsame
Dame statt mit biologischem appeal mit einem massiven
Argument ausstattet: es sei ein ganz anderes, ein erneuer-
tes Rom, gegen das der Sohn da zu Felde ziehe. Die Figur
der über Klassengegensätze und Familienbande (welch
sinniges Wort!) hinweg unbeirrbaren Nationalistin gewinnt dabei an Interesse, und Ellen Daub wußte das
höchst eindrucksvoll zu nutzen. Im Gesamtrahmen des
Stückes jedoch ist das eine durchaus willkürliche und überdies verspätete Wendung. Dieser großen Figur verdarben
ja beide, Shakespeare und Brecht, mit argen Tiraden den
ersten Auftritt; »als schritte sie vom Sockel eines Helden-
denkmals«, sagte die junge Dame neben mir. Da mag sie
im weiteren Ablauf noch so scharfsinnig debattieren, wendig reagieren, der peinliche Eindruck ist allzusehr festge-
legt, als daß er auch nur Überraschungen Raum ließe.

Diese ganze Konzeption aber einer Art nationalbol-
schewistischer Einheitsfront im plötzlich sich aufraffenden
Rom, die Brecht da einführt, erforderte eine viel sorgfälti-
gere Vorbereitung und breitere Durchführung; das hastige
Szenchen mit der Bewaffnung des Plebs durch den Adel

wirkt da nur als eilig und ziemlich schlampig aufgepappt.

Unberührt von innerrömischen Querelen und ihrer Umfunktionierung durch Brecht bleibt die Gestalt des Volsker-Feldherrn Aufidius, des einzig ganz politisch und ganz überlegen taktierenden Menschen in dem Spiel. Hans Korte hat mir da gewaltig imponiert: nachdenklich, geduldig, erfolgreich, freudlos.

– Ein Wort noch ratloser Verwunderung über das Bühnenbild: sein Hauptelement bilden Lichtbilder, viel zu klein und wie verirrt auf die Rückwand projiziert, und die Schauplätze der jeweiligen Szenen zeigend, – erstaunlicherweise jedoch in ihrem heutigen Ruinen-Zustand. Sicher lag da irgendeine Idee zugrunde, eine Mahnung vielleicht an die Vergänglichkeit der Dinge und an die Eitelkeit der ganzen Streitereien auf der Bühne? Aber da hätte es schon einer unmißverständlichen Verdeutlichung bedurft.

An dem zwiespältigen Gefühl, das, wie achtungsgebietend auch immer, der Abend hinterließ, hat gewiß auch die stilistische Uneinheitlichkeit der Sprache ihren Anteil. Besonders geglückte Formulierungen beließ Brecht im romantisch gefärbten Text der Vorlage; weite Passagen straffte er in seiner unnachahmlichen Manier, die sich gedruckt oft skizzenhaft ansieht und die gesprochen eine unbeschreibliche Dichte des Dialogs ergibt. Plötzlich aber, ich wüßte es nicht anders zu sagen, packt ihn sein ganzes coriolanisches Pathos in Prägungen wie diesen:

Und es erhebt unterm Tritt des Gewaltigen
Dieselbe Erde in Furcht und in Lust.
Und viele sind nicht mehr, und heim kehrt der Sieger.
Oder:
                    Dieser Stadt
Verachtend euretwegen, die ihr sie
bewohnt, kehr ich den Rücken. 's gibt
noch eine Welt woanders.

Die klingen einem weiter im Ohr, wenn man schon all der
zu klärenden Wirrnis müde ist, die da vielschichtig an einem vorbeizog: römisch-antik, britisch-elisabethanisch,
deutsch-romantisch und hochmütig-marxistisch.

(1962)

MARTIN WALSER

BRIEF AN EINEN GANZ JUNGEN AUTOR

Lieber Kollege, wenn Du bemerkst, daß Dir der Jahrmarkt, der im Herbst und im Frühjahr mit Buden und Lärm in Deine Stadt kommt, keinen Spaß mehr macht, wenn Du schon Kettenkarussell fahren kannst, ohne in lauten Gesang zu verfallen, gar wenn Du mit den tauben Stoffballen nach Blechbüchsen wirfst und Deine Unterlippe nicht zerbeißt, obwohl Du nicht getroffen hast, dann ist es Zeit für Dich, Frühjahr und Herbst mit anderen Abenteuern zu besetzen. Als einschlägiger Jahrmarkt für Dich empfehlen sich die Frühjahrs- und Herbsttagungen der Gruppe 47.

Schreib also an Hans Werner Richter, Walter Jens oder Walter Höllerer. Es schadet Deinem Brief und Deinen Chancen durchaus nicht, wenn Du, ohne es direkt auszusprechen, merken läßt, daß Du alles gelesen hast, was der Adressat geschrieben und herausgegeben hat. Bei dem, was er herausgegeben hat, genügt die Kenntnis der Vor- und Nachworte. Er sieht dann schon, daß Du es ernst meinst.

Schlimm werden für Dich die ersten Stunden sein. Keiner kümmert sich um Dich. Du mußt zusehen, wie sie einander begrüßen. Manche gehen mit ausgebreiteten Armen aufeinander zu. Laß Dich nicht täuschen.

Bitte, weigere Dich, schon am ersten Vormittag vorzulesen. Gib Dich so scheu, wie Du bist.

Wenn Du den Lesenden und den Kritikern ein paar Stunden zugehört hast, verzichtest Du vielleicht darauf, jene Gedichte vorzulesen, die ein lautes Schließen der Tür

nicht überleben könnten. Du wirst spüren, daß Du im Saal
etwa mit der Aufmerksamkeit rechnen kannst, die in der
Bahn, im Raucherabteil zweiter Klasse, einem Mitreisen-
den gezollt wird, der vom Hund seiner Schwägerin erzählt.

Du kannst Dich aber darauf verlassen, daß Dir die Kritiker der Gruppe mit jener trainierten Konzentration zuhören, mit der etwa ein Detektiv, der im Urlaub ist,
gegen seinen Willen im Bahnabteil zuhört.

Vieles läßt sich nicht voraussagen (etwa: ob Hans Werner Richter Dich im Auftrag des Unmuts der Gruppe un-
terbrechen wird oder ob er sich lediglich beauftragt fühlen
wird, Dich während Deiner Lesung zwei-, dreimal erstaunt von der Seite zu mustern), eines aber ist fast sicher:
Nach Deiner Lesung werden *Höllerer, Jens, Kaiser* und
Reich-Ranicki sich mit Dir beschäftigen. Solltest Du diese
großen Vier je zitieren, tu's bitte immer alphabetisch und
sage das dazu. Wenn er und wir Glück haben, wird, ein
Alphabet für sich eröffnend und ausfüllend, *Hans Mayer*
aus Leipzig auftreten.

Nehmen wir an (um des Alphabetes willen), Höllerer
hebt zuerst die energische kleine Hand. Er verbindet das
gern mit einer ersten Drehung des Oberkörpers, so als
wollte er die Unabhängigkeit einzelner Körperpartien
voneinander erproben. Wenn er und eine seiner waagerechten Schultern zu Dir hinschauen, ist er in Ausgangs-
stellung. Er wird Dein Vorgelesenes flink tranchieren, in
Schnitte, wie fürs Mikroskop, zerlegen, wird einzelne Sätze vom Gros abtrennen, wird sagen, das seien für Dich
typische Sätze, Du hörst zum erstenmal, daß es für Dich
typische Sätze gibt, dankst es Höllerer mit einer Gänse-
haut, während er schon dabei ist, diese typischen Sätze
weiter zu zerkleinern, bis die Teilchen seinen mikrosko-
pischen Blick befriedigen.

Nachdem er Dich so in Deiner wahren Zusammenset-
zung nur noch für sich selber anschaubar gemacht hat, ist

er bereit, Dich zu benennen. Weil Du ein ganz junger Autor bist, er aber ein ganz großer Kulturenzüchter, spricht er vorsichtig über Dich. Du hast das Gefühl, er spricht über Dich wie über eine neue Krankheit. Dabei spricht er über Dich wie über eine neue Bakterienart, die er, wenn Du nur wolltest, aus Deinen Anlagen züchten könnte. Du mußt darauf gefaßt sein, daß er murrt. Sein Murren wird Dich verletzen, obwohl es gar nicht gegen Dich gerichtet ist. Es ist ein dauernder Hinweis auf die Sprache, in der er sich eigentlich ausdrücken möchte. Keiner von uns kennt sie. Wir kennen nur das Murren (das nichts Mürrisches an sich hat), welches ihn und uns daran erinnert, daß es jene Sprache gibt. Zu eben jener in Höllerer umgehenden Sprache gehört auch sein plötzliches Lachen. Bitte, erschrick nicht. Es klingt, als springe Rübezahl über die Steinhalde und reiße bös aufgelegtes Geröll mit sich. Ertönt dieses Lachen, wird der Raum sehr groß, und in diesem mit dem Lachen immer riesiger werdenden Raum sitzt jeder ganz allein.

Nicht umsonst tut Höllerer vorerst noch so, als spräche er zu sich selbst, als sei er fast sicher, daß ihn niemand so gut versteht wie er sich selbst. Zum Schluß wird er noch kurz praktisch und spickt die für Dich typischen Sätze mit ein paar Fähnchen und versieht die Fähnchen mit einigen subtilen Gutachterformeln.

Dann aber wirft er Dein Vorgelesenes samt seinen Fähnchen wieder in die Luft, aber keine Angst: Jens fängt es auf und nimmt Dein Vorgelesenes und Höllerers Fähnchen in seine Scheren. Du darfst ruhig an sowas wie Languste denken. Jens hält sich mit seinen Scheren Dein Vorgelesenes und die Zugaben Höllerers vom Leib. Du kannst Dich nicht darauf verlassen, daß er das pure Gegenteil von dem behauptet, was Höllerer gesagt hat. Zweifellos wird er dieses oder jenes Fähnchen Höllerers an eine andere Stelle stecken, vor allem aber wird er Dein Vorgelesenes immer wieder in die Luft werfen und wird das Vorge-

lesene in der Luft verfolgen lassen von einem Geschwader
heftig dröhnender Substantive, die im Verbandsflug geschult sind. Ein Luftkampf beginnt. Wird sich Dein Vorgelesenes gegen diese hoch und massiv anfliegenden Substantive behaupten können? Erstaunt wirst Du zusehen,
wie er sich bei diesem Spiel ins Zeug legt, mit welcher Leidenschaft er seine Substantive in den Kampf führt, um
Deinen Rang zu ermitteln – denn ihm geht es um Deinen
zukünftigen Platz in der Walhalla der zeitgenössischen
Literatur. Und wie auch immer er entscheiden wird, er hat
als Platzanweiser nicht seinesgleichen, wo er Dich hinsetzt,
da sitzt Du (vorerst). Erstaunt also und ergriffen wirst Du
zusehen, das weiß ich jetzt schon, wenn er in stürmischer
Genauigkeit mit Dir umgeht; an Kinsky oder Demosthe-
nes wirst Du denken, wirst Dich versinnen, bis zur syn-
chronisierenden Fehlleistung: Sturm über Attica, und
wirst ganz vergessen, daß es dabei um Dich geht, um Dein
Vorgelesenes. Und Du wirst nicht der einzige sein, der das
vergessen hat. Das mag Dich, falls Jens Dich gar zu
schlimm placiert, zwischen Stockholm und Athen – denn
er mißt immer gern am Nobel-Griechen – ein wenig trösten.

Nehmen wir an, Jens habe seine Substantiv-Geschwa-
der wieder eingezogen, die Stille, die nach Jens eintritt, sei
eingetreten, was nun? Eigentlich wäre Joachim Kaiser
dran. Das Alphabet weiß es, der Saal weiß es, er selbst
weiß es.

Hans Werner Richter sagt es. Kaiser, ein Kenner von
Jens-Finalen, hat den Kopf rechtzeitig in Schrägstellung
gebracht: Jeder, der jetzt hinschaut, sieht, daß er Dein
Vorgelesenes treuherzig anschaut. Er findet es hübsch, das
sagt er auch, weil er weiß, daß alle wissen, was er sagt,
wenn er ein Wort sagt, das er eigentlich nicht sagt. Den
treuherzigen Blick auf Dein Vorgelesenes hält er noch eine
ganze Zeit lang aufrecht, auch wenn er sich sichtbar dazu
durchringt, sein »hübsch« zu erläutern. Wenn er noch das

kritische Werkzeug seiner Vorredner in Erinnerung bringt, dann mit jenem Schauder, mit dem Erstkommuni-kantinnen von Vergewaltigung sprechen. Du wirst gleich hören und sehen, Kaiser hat es nicht mit dem Werkzeug. Elegisch schleppend spricht er aus Deinem Text einen Satz nach, das genügt unter Umständen. Ich bin überzeugt, Du wirst nachher zu Kaiser hingehen und Dich für diesen Satz entschuldigen. Kaiser kann leiden. Auch unter sich selbst. Legst Du Wert auf seine Anerkennung, dann lies nichts vor, was er, seiner Meinung nach, auch selbst hätte geschrieben haben können. Und wenn ihm zu Deinem Text Sätze einfallen, die so geistreich sind, daß sie sich vom Anlaß lösen, darfst Du nicht überrascht sein. Er ist es auch nicht.

Er ist es so wenig, daß er das zu früh einsetzende bei-fällige Kichern des Saales mit glaubhaften Händen ab-wehrt, während sein Satz sich noch auf den Punkt zube-wegt, auf den hin er gedacht ist. Er wehrt diesen allzu frühen Beifall nicht nur ab, weil er fürchtet, der Punkt, auf den es ankommt, könne schon im Beifall untergehen, nein, er wehrt sich glaubhaft, wehrt sich wieder einmal gegen sein Schicksal. Eine Art Midas-Schicksal. Er will über Dich sprechen, über Dein Vorgelesenes, und er tut es auch, aber kaum beginnt er einen Satz, will der schon wie-der aus dem Dienst entlaufen, will selber was werden und wird auch was, wird ein Kaiser-Satz. Und das hat Kaiser natürlich als erster kommen sehen. Versteh ihn also nicht falsch. Eigentlich möchte er Dir Sätze sagen im Weisungs-ton Bertolt Brechts; wenn er dazu Hugo-Wolf-Melodien benützt, dann stellt er dadurch einfach gewisse Anforde-rungen an Deine Musikalität und Gebrochenheit.

Sozusagen widerwillig hat er sich seiner Aufgabe entle-digt, Dein Vorgelesenes landet, mit Höllerers Fähnchen gespickt, von Jens groß etikettiert und gewogen, von Kai-ser ein- und ausgeatmet und intim entlarvt bei Reich-Ranicki, der sofort aufsteht, wenn er sich mit Dir abzuge-

ben beginnt. Weil er schneller sprechen kann als seine Vorredner, kann er, bei nur geringer Überschreitung der erträglichen Rededauer, alle Verfahren seiner Vorgänger an
Dir exekutieren und noch ein eigenes dazu. Sein eigenes
Verfahren ist ein rechtschaffenes, es hat auch mit seiner
eigenen Rechtschaffenheit zu tun. Höllerers Sprach-Bakte-
riologie, Jensens Maßnahme und Platzanweisung und
Kaisers Versuch, Dein Bild in seinem Spiegelkabinett zu
versehren, haben Reich-Ranicki außer Wiederholungen
und Korrekturen, nur noch übriggelassen, die weltliche
Nützlichkeit und Anständigkeit Deines Vorgelesenen zu
beurteilen. Und schon der bloße Gedanke, daß ohne sein
Da- und Dabeisein dieser weiß Gott nicht nebensächliche
Aspekt ganz unerwähnt geblieben wäre, versetzt Reich-
Ranicki in große Eile.

Wenn Du, ihm zuhörend, glaubst, er hätte das, was er
Dir sagt, schon gewußt, bevor er Deiner Lesung zuhörte, so
beweist Du dadurch nur, daß Dir solche Fertigkeit fremd
ist. Bedenke bitte immer, der Kritiker ist in jedem Augenblick einer. Der Autor hat Pausen. Und selbst wenn Reich-
Ranicki etwas sagt, was er schon vor Deiner Lesung wußte, so ist es doch Deine Schuld, daß ihm das jetzt wieder
einfällt. Laß Dich nie dazu hinreißen, einem Kritiker einen Vorwurf zu machen. Wisse (vielmehr): Der Autor ist
verantwortlich für das, was dem Kritiker zu ihm einfällt.
Ja, ich weiß, das ist eine schreckliche Verantwortung. Aber
noch steht ja Reich-Ranicki vor Dir, und das ist gut so,
denn wie auch immer seine Vorgänger mit Dir verfahren
sein mögen, er wird Dich nicht ganz verlorengehen lassen.

Natürlich will auch er zeigen, daß streunende Adjektive
und Vergleiche, die nur noch von verheirateten Entomolo-
gen gewürdigt werden können, seine kritischen Sinne be-
leidigt haben, natürlich reitet auch er gern laut und prächtig über den Markt wie König Drosselbart (der Ahnherr
aller Kritiker) und zerteppert Dir Deine Keramik, aber
ohne den Oberton einer spröden, fast preußischen Güte

kann er einfach nicht schimpfen. Eine nordöstliche Mutter ist er; in den Westen gekommen, um mit glänzenden Augen seinen Tadel so lange vorzutragen, bis sich eine Familie von solchen, die nur von ihm getadelt werden wollen, um ihn versammelt. Sollte die Gruppe 47 je eine Abordnung zu irgendwelchen Literatur-Olympiaden schicken, so wird der Mannschaftstrainer, der für zeitiges Schlafengehen, Beseitigung von internen Intrigen und Ausräumung von Wettbewerbsneurosen sorgt, zweifellos Reich-Ranicki sein. Unnachsichtig ist er nur gegen die geistigen Gegenden, aus denen er selber stammt. Möglich, daß er so Heimweh bekämpft.

Nun hoffe ich, um Deinetwillen, um unseretwillen, Hans Mayer sei uns erlaubt worden. Bedenke ich, wann Du geboren bist, rechne ich ein, wo Du jetzt wohnst, dann fürchte ich fast, Du hast noch keinen lebenden Marxisten gesehen. Und jetzt spräche einer zu Dir über Dich. Reich-Ranicki hat eigentlich doch recht langsam gesprochen, findest Du. Und noch eine Revision: Wenn Reich-Ranicki bei Deiner Lesung etwas eingefallen sein sollte, was er vorher schon wußte, so hast Du bei Mayer den Eindruck, Du hättest ihm einen Gefallen getan, weil Du ihm alles bestätigt hast, was er schon wußte. Hat es Dich beunruhigt, als Du fühltest, Höllerer spräche über Dich wie über eine neue Krankheit, so beunruhigt es Dich jetzt, daß Hans Mayer Dich wie eine allzu gut bekannte alte Krankheit bespricht.

Trotzdem, Du hast, während Mayer spricht, vielleicht auch zum erstenmal das Gefühl, daß Du einen Sinn hast in dieser Welt; Du hast nicht umsonst gelebt, denn Hans Mayer bestätigt Dir, daß es schon eines Lebens Sinn sein kann, Symptome vor Hans Mayer zu tragen, Anlaß zu einer Mayer-Diagnose zu sein, die Dich – das spürst Du gleich – überleben wird. Du siehst ihn so reden, schräg nach oben Sätze versendend, als denke Mayer ballistisch und wolle noch nebenbei Leipzig erreichen; Du hörst, daß doch alle Krankheiten zur Gesundheit wollen, und Du be-

trachtest diese Gesundheit namens Mayer; Du bist angerührt; denkst an Fahrkarten und alles mögliche; bist bewegt von dieser wohl schönsten Fremdsprache des Vater-
landes; und wer hätte gedacht, daß auch in Mayers Haus,
wenn nicht viele, so doch sicher mehrere Zimmer sind!
Wenn Mayer aufgehört hat zu sprechen, kommst Du Dir
vor wie nach dem Kino. Du blinzelst. Mußt Dich zurückfinden. Routiniertere Mayer-Hörer im Saal gehen Dir
voran, bahnen auch Dir einen Weg.

Nehmen wir an, Du säßest wieder auf Deinem Stuhl.
Hans Werner Richter ist von Dir zurückgekommen. Sein
Gesicht zeigt noch jene zwiespältige Versonnenheit des
Musikkritikers, der zwar ein Buch gegen Wagner geschrieben hat, der aber gerade aus einer Tristan-Aufführung
kommt. Da sitzt Du also, vor Dir Höllerer, der exakt ge-
murrt hat, Jens, der nobel-attisch gebrodelt hat, Kaiser,
der so gekonnt geseufzt hat, Reich-Ranicki, der spröd-
gutmütig geschimpft hat, und, als hätte er nur eben das
Fenster aufgemacht und wieder geschlossen, sitzt da aufrecht zwischen Stühlen der ballistische Redner Hans
Mayer.

Im Saal erhebt sich ein durch vier oder fünf teilbares
Echo, individuell phrasiert. Ist den fünfen ein Satz, der
geahndet werden muß, entgangen, so wird das jetzt
selbstverständlich nachgetragen. Hast Du Dir einen
Freund erworben durch Deinen Text, so wird der jetzt
aufstehen und Dich schüchtern oder grimmig verteidigen.
Dadurch gibt er den Kritikern die Möglichkeit, alles noch
einmal zu sagen.

Das tun sie zwar gereizt, aber bereitwillig. Das Gute
kann ja gar nicht oft genug wiederholt werden.

Da ich Deine eher schüchterne Art kenne, fürchte ich,
Du könntest Dich abschrecken lassen. Bitte laß Dich durch
nichts abschrecken. Wenn Du Deinen Text zum Vorlesen
auswählst, denke daran, hier handelt es sich um Literatur
fürs Zuhören. Heimliche Libretti eignen sich gut. Die

Texte müssen zwar die Musik, nach der sie schreien, schon enthalten, müssen aber dem Zuhörer suggerieren, er habe Rhythmus und Melodie beim Zuhören sozusagen dazugemacht. Natürlich sind auch feinere Arten schon gut über die Runden gekommen, aber wenn Du furchtsam bist und sichergehen willst, dann denke daran, daß man Proust vielleicht weniger lange zuhören kann als den wild und rhythmisch flutenden Bildern des *Olympischen Frühlings* von Spitteler. Literatur fürs Zuhören! Das muß nicht gleich schlechte Literatur sein.

In der Hoffnung, bald Dein Zuhörer zu sein, grüßt Dich Dein *Martin Walser.*

(*1962*)

WOLFGANG KOEPPEN

REDE ZUR VERLEIHUNG
DES GEORG-BÜCHNER-PREISES 1962

Herr Minister, Herr Oberbürgermeister, Herr Präsident, lieber Walter Jens, liebe Kollegen, ich danke dem Land Hessen, ich danke der Stadt Darmstadt, ich danke der Deutschen Akademie für Sprache und Dichtung tiefbewegt für die mit dem verehrten und lieben Namen Georg Büchners so hoch geweihte Auszeichnung, die Sie mir verliehen haben.

Sie sehen mich, meine Damen und Herren, mit einem Manuskript vor Ihnen stehen, doch enthalten diese Blätter leider nicht die Büchnerrede, die Dank- und Preissage, die Sie, was mich nun schon seit Wochen schwer bedrückt, üblicherweise, nach schöner Tradition und mit Recht von mir erwarten. Es ist etwas Schreckliches geschehen. Je mehr ich mich mit der Rede, die ich halten wollte, beschäftigte, je mehr Bücher ich aufschlug, je gelehrter ich wurde, desto unfähiger fühlte ich mich, meine Rede zu vollenden und sie Ihnen gar vorzutragen. Es wuchsen und steigerten sich unüberwindliche Hemmungen in mir und ließen mich langsam verzweifeln. Ich bin, glaube ich nun, nicht zuletzt deshalb Schriftsteller geworden, weil ich kein Handelnder sein mag. Ich liebe es nicht, mich auf den Markt zu begeben und zu reden. Ich bin kein Mann des geselligen Mittelpunktes. Ich bin ein Zuschauer, ein stiller Wahrnehmer, ein Schweiger, ein Beobachter, ich scheue die Menge nicht, aber ich genieße gern die Einsamkeit in der Menge, und dann gehe ich in mein Zimmer, an meinen Tisch und schreibe oder versuche es wenigstens. Das Buch, das so

vielleicht aus Welterleben und Klausur entsteht, gebe ich
meinem Verleger, der sendet es in den Handel, und dann
geht mich die ganze Geschichte nichts mehr an. Jedenfalls
wünsche ich mir das, und vielleicht hoffe ich auch insgeheim, daß das Buch an meiner Statt erreichen könnte, was
mir als Person versagt geblieben ist: zu sprechen, zu agieren, zu wirken, die Mitmenschen zu erregen, sie zu bewegen, wenn es gegeben ist, sie auch zu erfreuen, und, wenn
es sein muß, sie zu ärgern. Ich scheue es aber unendlich, auf
ein Buch hin von einem Leser angesprochen zu werden,
und es ist wahrlich keine Rolle, die ich mir zurechtge-
schneidert habe, es ist Wahrheit, wenn ich zu diesem Leser
sage: ich weiß nicht, was in dem Buch steht, ich verstehe
nicht, wovon Sie reden. Ich bedaure seit langem, daß ich
in jungen Jahren nicht so klug war, mir einen Decknamen
zuzulegen und ihn gegen alle zu verteidigen. Ich könnte
dann meinen Nachbarn als Nichtstuer, der Welt als Rent-
ner erscheinen und mir jeden Morgen zurufen: ach, wie
gut, daß niemand weiß, daß ich Rumpelstilzchen heiß.
Nachdem ich mich Ihnen nun als einen Autor vorgestellt
habe, der sich zum Schreiben und nicht zum Reden und
nicht zur Podiumdarstellung eines Schriftstellers eignet,
werden Sie mir hoffentlich glauben, wie sehr mich die
Vorstellung peinigte, mich in die Scheinwerfer dieses Saales stellen zu sollen. Doch diese Qual allein, schon schlimm
genug, war es nicht, die mich, zu meiner Scham, die ange-
fangene, philologisch, historisch, literaturgeschichtlich fun-
dierte Büchnerrede nicht vollenden ließ. Denn, bedenken
Sie, meine Damen und Herren, da war ja nun, und ärger,
als ich mir selbst im Wege stand, Büchner. Es wird wohl
erwartet, daß sich der Empfänger des Preises mit dem
Namensgeber in ein gutes Verhältnis setzt. Wie aber
konnte ich das! Wie durfte ich mich auch nur einen Augenblick in dieses Licht bringen, mich dem Genius gesellen,
mich dem Schein der Unsterblichkeit aussetzen, ohne mich
lächerlich zu machen? Georg Büchner war ja ein Jüngling,

als er starb, und hatte überdies, wie in Frankreich der neunzehnjährige Rimbaud, die Literatur schon hinter sich gebracht und sich dem Handel, der Forschung, der Wissenschaft, dem Abenteuer modernster Art zugewandt. Ich habe den Jahren nach schon mehr als zweimal Büchners Leben gelebt, doch er hinterließ uns ein noch in seinen Fragmenten vollendetes einzigartiges Werk; für unsere Literatur, schon in der Abendluft der Klassik, noch nahe den Gipfeln Schiller, Goethe, die den Horizont überragten, aber ihn auch versperrten, der Anfang von etwas Neuem, noch gar nicht ausgeschöpft, erst jetzt begriffen. Büchner ist unser Dichter, er ist es heute – was hätte ich gegen ihn in die Waagschale zu legen? Und dann auch noch dies: wie sollte ich in dieser Stadt, in Büchners Stadt, vor seinen Landsleuten, vor Büchner-Kennern, Büchner-Freunden, Büchner-Gelehrten, vor seinen besonderen und eifersüchtigen Verehrern über Büchner sprechen? So darf ich nur von Herzen bekennen: Georg Büchner war mir am deutschen Himmel immer der nächste von allen Sternen.

Dennoch erhebt sich nun für mich die Frage, ich komme nicht umhin, sie zu erörtern – Sie haben mich ja mit Ihrer Auszeichnung herausgefordert, Rechenschaft abzulegen, weniger vor Ihnen, als vor mir –, ob ich diesen mit Büchners Namen geschmückten Preis überhaupt verdiene. Ich berichtete schon, daß ich nach meinen geschriebenen, gedruckten, verkauften oder nicht verkauften Büchern nicht gefragt werden mag, und ich weiß wirklich nicht, was von ihnen zu halten wäre. Jedenfalls geben mir meine abgeschlossenen, veröffentlichten Arbeiten nicht den Mut, Ihren Preis mit gutem Gewissen zu empfangen. Einzig allein die Gabe, das Geschaffene zu vergessen, es weit hinten, es in der Vergangenheit zu lassen, es seinem eigenen Schicksal zu überlassen wie ein fremdes Ding und an das neue Buch, das noch nicht geschriebene, das noch nicht beendete zu denken und von ihm zu wünschen, von jedem neuen Werk, daß es ein gutes Buch werden möge, was sehr viel wäre, und daß es meiner »halben, irrgewordenen Zeit« mit Fragen und mit Zweifeln beistehen soll, sich zu erkennen, rechtfertigt mich für mich, den Büchnerpreis, wenn ich ihn nicht als Krönung, sondern als Förderung betrachte, anzunehmen.

So gesehen, meine Herren Preisstifter, bewundere ich Ihren Mut und Ihre Treue zu Büchner, denn Sie haben Ihre Gunst einem Menschen zugewandt, der nicht ausgezogen ist, um öffentliche Ehren zu erwerben. Daß ich hier unter Ihnen weile, angesprochen von Männern mit Titeln, Würden, Ämtern erfüllt mich mit tiefer Verwunderung und, lassen Sie es mich gestehen, auch mit Mißtrauen. Georg Büchner hat den Büchnerpreis nicht erhalten, und wenn es damals in Hessen, ich weiß es nicht, Dotationen für die Literatur, die Fürsten waren ja manchmal Mäzene, gegeben haben sollte, Büchner wäre nicht unterstützt, nicht geehrt worden, nicht für »Dantons Tod«, dem Trauerspiel der Revolution, das nicht nur Könige, sondern auch Revolutionäre erschrecken müßte, nicht für »Woyzeck«, den armen Menschen schlechthin, dem nie eine Gemeinschaft helfen wird, es sei denn, sie hoffe, ihn für ihre Zwecke mißbrauchen zu können, nicht für »Leonce und Lena«, dem Lustspiel, das aus eines Jünglings Schwermut leuchtet und am Rande der Verzweiflung, nicht für Lenz, der Apologie und der Pathopsychologie der verletzten, der erstickenden Jugend, und die einzige Auszeichnung, die Georg Büchner zuteil geworden, war ein Preis auf seinen Kopf: ich meine den Steckbrief, der hinter dem Flüchtling erlassen wurde. Und, meine Damen und Herren, ich finde das heute noch in Ordnung und ins rechte Maß gerückt. Da ich als junger Mensch so dahinlebte und allmählich und fast ohne mein Zutun Schriftsteller wurde, wahrscheinlich, weil ich gar nichts anderes werden konnte, da sah ich, aber ich dachte nicht einmal im Traum an so etwas, nicht diese Feier vor mir oder irgendeine ähnliche Feier, eines Tages, in der Ferne, einer Erfüllung gleich,

sondern, ich nahm das Wort meines Klassenlehrers ernst
und nahm es trotzig auf, eingebildet und verwundbar wie
Jünglinge sind, Koeppen, wenn Sie so weiter machen, enden Sie hinter den Zäunen, und ich spitzte mich mit hart-
näckiger Ziellosigkeit darauf, wie Lenz in einer Straße in
Moskau oder anderswo zu enden, am frühen Morgen, vor
den Besen der Straßenkehrer, von der Laune oder dem Er-
barmen eines Aristokraten ins Grab gelegt, oder wie Gé-
rard de Nerval in einer verrufenen Gasse, den Strick um
den Hals, an einer roten Laterne. Das war mein erster
Ehrgeiz. Romantisch, hochmütig und sehr naiv. Nicht,
daß ich besonders liebte, was man mit einem dummen
Ausdruck das Laster nennt. Ich hatte in meinem Leben
nicht viel mehr mit ihm gemein als mit Generalen oder
mit Gerichtspräsidenten. Aber ich sah den Dichter, den
Schriftsteller bei den Außenseitern der Gesellschaft, ich
sah ihn als Leidenden, als Mitleidenden, als Empörer, als
Regulativ aller weltlichen Ordnung, ich erkannte ihn als
den Sprecher der Armen, als den Anwalt der Unterdrückten, als den Verfechter der Menschenrechte gegen der
Menschen Peiniger und selbst zornig gegen die grausame
Natur und gegen den gleichgültigen Gott. Ich habe später
von der engagierten Literatur reden hören, und es ver-
blüffte mich dann schier, daß man aus dem Selbstverständlichen, so wie man atmet, eine besondere Richtung
oder eine eigene Mode machen wollte. Der Schriftsteller
ist engagiert gegen die Macht, gegen die Gewalt, gegen
die Zwänge der Mehrheit, der Masse, der großen Zahl, gegen die erstarrte faule Konvention, er gehört zu den Verfolgten, zu den Verjagten, und wenn er sich der Macht
unterwirft, sich mit der Herrschaft verbündet, sich von
der sterbenden Sitte, der dominierenden Partei und der
Stunde bezahlen läßt, mag er vielleicht noch zu formaler
Meisterschaft gelangen, bewunderungswert, aber er hat
seine Seele eingebüßt, seine Berufung, seinen geheimnis-
vollen Auftrag, die Zukunft verraten, und sein wohlge-

drechseltes Wort hallt kalt. Ich gehöre zu einem Stand, der vor allen anderen berufen ist und sich nicht scheuen darf, wenn es sein muß, ein Ärgernis zu geben.

Ich zähle aber auch, ich kann es nicht ändern, zu einer Generation, die leider nicht die Unmenschlichkeit, die Macht in ihrer bösesten Gestalt genug geärgert und bekämpft hat und deshalb der Welt zu einem Ärgernis geworden ist. Ich las in Elio Vittorinis »Offenem Tagebuch« gerade den Satz: mein Buch gehört meiner Generation. Ich wollte dem zustimmen. Natürlich gehört ein Werk zur Ernte der Generation seines Urhebers. Aber wie ist es, wenn der Autor mit seiner Generation zerfallen ist, oder wenn er sich von dem Lebensabenteuer seiner Generation abseits hält? Ich war, als Hitler zur Macht kam, beschäftigt, meinen ersten Roman zu schreiben, und es ist sicher, daß meine Generation, die damals und mit mir jungen Menschen es waren, die Hitler trugen, stützten, inthronisierten, und es war die von mir, dem einzelnen, dem Außenseiter von Beginn an als schrecklich, als unheilvoll empfundene Bewegung doch das Abenteuer, die Aufgabe, die es zu bewältigen galt, das Glück und das Unglück meiner Generation. Es waren unsere und leider auch meine Jahre, die da verbrannten, für mich, der ich nicht mitmarschierte, nicht in der braunen Reihe ging, verlorene, erlittene, sprachlose Jahre. Aber wie stand es mit den anderen, den Anhängern, den Trägern der Bewegung, die sich doch nun, diese ihre Jahre lang, in einer an sich beneidenswerten Weise erfüllen konnten, die Kommandeure, Gouverneure, Gauleiter, kleine Könige und leider auch Henker wurden, und denen, wie es in ihrem Liede hieß, Deutschland und für eine Weile auch Europa gehörte? Ich verabscheute meine Generation, es erboste mich ihre Bravheit der Kälber im Pferch des Metzgers, und als ich mit ihnen zur Musterung gehen mußte und am nächsten Morgen in der Deutschen Allgemeinen Zeitung von einem meiner Generation einen sich selbst aufgebenden panegyrischen,

gleichsam stiefelleckenden Artikel las, der Jahrgang 1906
ist angetreten, da hätte ich trotz Büchners Warnung, »daß
jeder, der im Augenblicke sich aufopfert, seine Haut wie
ein Narr zum Markte trägt«, auf die Straße gehen und
schreien mögen. Aber die anderen? Ich frage mich, wo ist
der Stendhal des Nationalsozialismus, der Mann, der
Dichter, der Napoleon liebte und der sich sein Leben lang
von der Teilnahme an seinen Feldzügen geadelt fühlte?
Wer liebte, von allen, die teilnahmen, Hitler, wer fühlte
sich durch den Blick dieses Führers geadelt, und wer
schrieb den Roman dieses Aufbruchs und beschrieb die
Leere, den Ekel und die Verzweiflung, die ihn doch über-
kommen haben müssen, als diese Macht, der er sich verschrieben hatte, so elend zusammenbrach? Dieser Mann,
dieser Dichter würde uns, gäbe es ihn, in Verlegenheit setzen. Aber es gibt ihn nicht. Zum Glück. Und so darf man
es wohl als eine Ehre der deutschen Literatur betrachten,
daß Hitler und die seinen von keinem Dichter begleitet
wurden! Aber nun meine Generation, die doch, als die
Fahnen noch hoch wehten, jubelte? Sie scheint mir nun,
wo sie Talent zur Literatur hatte, die wahrhaft geschlagene, die ganz und gar verlorene, die vom Teufel geholte
Generation gewesen zu sein, und ich möchte meinen Büchnerpreis mit für die annehmen, die für immer verstummt
sind, die umkamen, die vertrieben waren, die als Emigranten ihr Dasein fristeten, die zum Freitod gezwungen
wurden, die tragisch in des Unmenschen Schlachten fielen.
Wir sind wenige, die übriggeblieben sind, und für viele
war es dann, man spottete: »vierzigjährige junge Dichter«, zu spät.

»Friede den Hütten, Krieg den Palästen!« Ich hätte
mich gern dem Ruf des »Hessischen Landboten« verpflichtet. Aber ich mußte erkennen – und dies fing schon bei
Büchner an: »Mästen Sie die Bauern, und die Revolution
bekommt die Apoplexie« –, daß es immer schwieriger
wird, die Hütten und die Paläste auseinanderzuhalten.

Zuweilen flüchtet die Freiheit in den unterhöhlten Palast, und aus der Hütte tritt der neue Zwingherr. Der Schriftsteller ist kein Parteigänger, und er freut sich nicht mit den Siegern. Er ist ein Mann allein, oft in der traurigen Lage der Kassandra unter den Trojanern, er ahnt immer, wo die ewige Bastille steht und wie sie sich tarnt, und seine bloße, seine unzeitgemäße, seine ungesicherte, seine täglich erkämpfte vogelfreie Existenz zersetzt doch allmählich jede Mauer. Die Trompeten von Jericho, was waren sie denn als ein Gedanke, der gedacht und schließlich verstanden, als ein Wort, das gerufen und endlich gehört wurde? Doch keine Toten in Jericho! Der Schreibende, der Beschreibende darf nicht hassen, und selbst der Henker der Bastille verdient Mitleid mit seinem schwarzen Schicksal.

Meine Damen und Herren, ich sah neulich, wie vielleicht auch Sie, eine Dokumentation des englischen Fernsehens, die das Fernsehen in aller Welt zeigte. Es war die denkbar grausigste, von Gott verlassenste und gänzlich irrsinnige Geschichte. Da saßen in Hütten und Palästen, aber vor allem in Hütten, in Hütten uns fast schon unvorstellbarer Armut Menschen, zerlumpte Menschen, hungrige Menschen, weiße, braune, gelbe, schwarze, jeglichen Alters und Geschlechtes vom Säugling bis zum Greis und blickten gebannt, verzückt, gläubig, rührend, gutwillig in den neuen Zauberspiegel und hofften, daß nun die Welt mit ihrer ganzen Fülle zu ihnen komme, und sie sahen – ich muß hier einschränken, nur in der westlichen Welt, im Osten ist es wieder auf andere Weise traurig – neben der Allerweltsmarkenreklame und den sturen Weisungen des großen Bruders, ihres jeweiligen kleinen Diktators, überall nur eine dumme Ziege in einem Abendfetzen, die, ein Coctail- oder Sektglas in der Hand, ein verkauftes starres Lächeln im Gesicht, ein dummes Lied sang, oder sie sahen und hörten, noch schlimmer, Schüsse, Faustschläge, Fußtritte alter Wildwest- oder, am allerschlimmsten neuester amerikanischer Kriegsfilme. So sieht die Kultur aus, die man in den Urwald und in die Wüste schickt, so eine Zivilisation, die an ihrer Paranoia zugrunde gehen wird. Wenn nicht der Schriftsteller, wenn nicht der Dichter, wenn nicht eine kommende Generation von Dichtern sich der menschenverwirrenden Apparate annehmen wird. Ich versuchte, Ihnen vom Schriftsteller als Einsamen, als Beobachter, als Außenseiter, als dem Mann allein an seinem Schreibtisch zu sprechen. Aber ich meine nicht den armen Poeten in seiner Dachkammer, den Künstler als Spitzweg-Erscheinung. Der Schreibende, so sehr er Mikrophon und Kamera und Scheinwerfer scheuen mag, wird sich dem neuen heraufziehenden Analphabetentum von Bildzeitungen, Comicstrips, Fernsehen und auf höherer Ebene von technischen Formeln, die uns manipulieren, automatisieren, vielleicht zum Mond führen werden, stellen müssen. Robert Musil behauptete, man könne leichter prophezeien, wie die Welt in hundert Jahren aussehen, als wie sie in hundert Jahren schreiben werde. Ich meine, wir wissen nicht einmal, mit welchem Griffel sie schreiben wird. Diesen Griffel führen – und sei er ein Strahl, eine Lichtquelle, ein Unsichtbares aus Nichtmaterie – kann nur der Dichter, denn ohne die ihm geschenkte Gnade werden die Mitteilungsapparate der Gedanken, der Worte, der Bilder nur ein Geräusch erzeugen, Geräusch und Schatten und Wind und den letzten Tornado, der alles begräbt.

Ich bekenne mich zu Georg Büchner. Ich bekenne mich zu dem Beruf des Schriftstellers. Ich glaube an das Wort.

Peter Szondi

HOFFNUNG IM VERGANGENEN

Über Walter Benjamin

Für Rudolf Hirsch

1

Aus dem Jahre 1929 stammt eine Reflexion Benjamins
über das Schildern von Städten, die in der Chronologie
seiner Schriften zwischen den Porträts fremder Städte und
dem Erinnerungsbuch über Berlin vielleicht nicht zufällig
am Scheideweg steht. Denn ihr Gegenstand ist kein anderer als der Unterschied zwischen den Städtebildern Fremder und Einheimischer. Auf der Suche nach einer Erklärung, warum diese so viel seltener sind als jene, schreibt
Benjamin: »Der oberflächliche Anlaß, das Exotische, Pit-
toreske wirkt nur auf Fremde. Als Einheimischer zum
Bild einer Stadt zu kommen, erfordert andere, tiefere Motive. Motive dessen, der ins Vergangene statt ins Ferne
reist. Immer wird das Stadtbuch des Einheimischen Verwandtschaft mit Memoiren haben, der Schreiber hat nicht
umsonst seine Kindheit am Ort verlebt.«[1] Nichts liegt näher, als Benjamins Städtebilder gegen das Licht dieser Behauptung zu halten, in der Erwartung, daß sich ihre Konturen dabei schärfer abzeichnen und sie die Frage beantworten, ob in diesen Sätzen, die einer Buchbesprechung
angehören, Benjamin im Grund nicht über das eigene
Werk schreibt: kritisch zurückblickend auf die Schilderun-

---

[1] Walter Benjamin, Die Wiederkehr des Flaneurs. Zu: Franz
Hessel, Spazieren in Berlin. Die literarische Welt, Jg. 5,
Nr. 40 (4. 10. 1929).

gen Neapels (1925), Moskaus (1927), Marseilles (1929)
und planend voraus auf das Buch über die »Berliner
Kindheit um Neunzehnhundert«. Dabei wird zweierlei
deutlich. So genau die Charakteristik für das Berlinbuch
zutrifft, das Bejamin zu schreiben damals vorhatte, so wenig verfallen ihrem Urteil die Bilder, die er von fremden
Städten schon gegeben hat. Denn die Motive unterscheiden sich bei diesen kaum von denen, die das Erinnerungsbuch geprägt haben – keineswegs können die Wörter
»oberflächlich« und »tief« zur Klassifizierung von Benjamins eigenen Schilderungen herhalten. Eher hat es den
Anschein, als habe er in den Porträts fremder Städte gerade die Unterscheidung nach Geburtsorten der Oberflächlichkeit überführen wollen. Zugleich wird klar, daß
nicht bloß die zitierten Sätze die Städtebilder erläutern,
sondern daß sie ihrerseits der Erläuterung bedürfen. Diesen Kommentar stellen Benjamins Städtebilder dar.

2

Wer die eigene Stadt schildert, reise ins Vergangene statt
ins Ferne. Die Frage ist erlaubt, warum die Reise überhaupt nötig ist, warum der Einheimische nicht in der Gegenwart verbleibt. Die »Berliner Kindheit um Neunzehnhundert« zieht aus der These von der Verwandtschaft solcher Bücher mit Memoiren schon im Titel die
Konsequenz. Zugleich zeigt sie, daß auch die Reise ins
Vergangene eine Reise ins Ferne ist. Es gibt keine Schilderung ohne Distanz, es sei denn die Reportage. Dieser Nie-
derung entreißt das Bild der eigenen Stadt der schmerz-
volle Abstand des Erwachsenen von der Stätte seiner
Kindheit. Daß die Stadt noch da ist, jene Zeit aber unwiederbringlich dahin: diese Paradoxie verschärft nicht nur
den Schmerz, sondern auch den Blick. So schwindet die
Vertrautheit mit den Straßen und Häusern, die noch im-

mer uns umgeben mögen; wir sehen uns mit einem zwei-
fach fremden Blick: mit dem Blick des Kindes, das wir
nicht mehr sind, mit dem Blick des Kindes, dem die Stadt
noch nicht vertraut war. Benjamins Berlinbuch zeugt von
der konstitutiven Rolle der Distanz. Es zeugt davon wie
Kellers »Grüner Heinrich«, der nicht in Zürich, sondern
in der Fremde entstand, wie die in Italien geschriebenen
»Buddenbrooks« oder der Roman Dublins, dessen Autor
ihn nur auf dem Kontinent schreiben konnte, weil er der
Ansicht war, der höchste Grad der Gegenwart sei die Abwesenheit. So fiel auch der Name Bovary, als Denkmal
für die kleinbürgerliche Enge der französischen Provinz
gemeint, Flaubert am Fuß einer ägyptischen Pyramide
ein. Indessen unterscheidet sich die »Berliner Kindheit« in
einem wesentlichen Punkt von allen anderen Werken, deren Triebfeder die Erinnerung ist, und so auch von dem
Buch, dem sie am nächsten steht und dessen Übersetzer
Benjamin war: von Prousts »Auf der Suche nach der verlorenen Zeit«. Denn sie ist nicht so sehr der Erinnerung
selbst, als einer ihrer besonderen Gaben gewidmet, die ein
Satz aus Bejamins »Einbahnstraße« in die Worte faßt:
»Wie ultraviolette Strahlen zeigt Erinnerung im Buch des
Lebens jedem eine Schrift, die unsichtbar, als Prophetie,
den Text glossierte.« Der Blick des Erwachsenen sucht
nicht sehnsüchtig mit dem Blick des Kindes zu verschmelzen, er richtet sich auf Augenblicke, in denen dem Kind
zum ersten Mal die Zukunft sich ankündigte. In der »Berliner Kindheit« ist von dem Schock die Rede, »mit dem
ein Wort uns stutzen macht wie ein vergessener Muff in
unserm Zimmer. Wie uns dieser auf eine Fremde schließen
läßt, die da war, so gibt es Worte oder Pausen, die uns auf
jene unsichtbare Fremde schließen lassen: die Zukunft,
welche sie bei uns vergaß.« Solchen Schocks, deren Erinnerung das Kind behielt, bis der Erwachsene sie würde ent-
schlüsseln können, ist das Berlinbuch auch in den Straßen
und Parken der Stadt allenthalben auf der Spur. So wird

der Tiergarten nicht bloß zum Spielplatz, sondern auch zu
dem Ort, wo das Kind »zum ersten Male, und um es nie
mehr zu vergessen, das begriff, was [ihm] als Wort erst
später zufiel: Liebe.« Im Gegensatz zu Proust flieht Benjamin nicht die Zukunft, er sucht sie vielmehr in jenen
Kindheitserlebnissen, in deren Erschütterung sie gleichsam
überwintert hat, während sie in die Gegenwart als in ihr
Grab eingehen mußte. Benjamins »verlorene Zeit« ist
nicht die Vergangenheit, sondern die Zukunft. Sein rückwärts gewandter Blick ist der gebrochener Utopie, die
»den Funken der Hoffnung« nur noch »im Vergangenen«
anfachen kann [2]. Der in den Jahren des heraufkommen-
den Dritten Reichs weder die Augen vor der Wirklichkeit
verschließen, noch von dem Versprechen einer menschen-
würdigen Zeit ablassen konnte, hat Hoffnung und Verzweiflung zum paradoxen Bund geführt. Nur daher ist
sein Plan einer »Urgeschichte der Moderne« zu verstehen,
nur so auch die Briefanthologie »Deutsche Menschen«, ein
Buch über den Ursprung des deutschen Bürgertums, das
dem aus Deutschland vertriebenen Sozialisten, nicht minder paradox, als Arche Noah galt [3].

3

Wie wenig Benjamins Städtebilder jenen qualitativen
Sprung kennen, den die eingangs zitierte Reflexion auf
Kosten der Schilderungen fremder Städte behauptet, zeigt
der frühe Text über die russische Metropole schon in sei-

---

[2] Walter Benjamin, Geschichtsphilosophische Thesen. Schriften,
Frankfurt a. M. 1955, I/497. Vgl. vom Verfasser: Hoffnung im
Vergangenen. Über Walter Benjamin in: Satz und Gegensatz.
Sechs Essays. Frankfurt a. M. 1964.
[3] Nach einer Widmung Benjamins. Vgl. den in Anm. 2 zitier-
ten Aufsatz.

nem ersten Satz. »Schneller als Moskau selber lernt man
Berlin von Moskau aus sehen.« Diese neue Optik, die man
auf die eigene Stadt gewinnt, sei der unzweifelhafteste
Ertrag des russischen Aufenthalts. Der Fremde verführt
also den Besucher nicht zur Selbstvergessenheit; dieser be-
rauscht sich nicht am Pittoresken und Exotischen, er sieht
das Eigene, sieht sich selber mit entfremdetem Blick. Die
Reise ins Ferne bewirkt nichts anderes als die Reise ins
Vergangene, die ja gleichfalls eine Reise ins Ferne ist.
Aber nur weil es dabei nicht bleibt, kann Benjamin über
die fremde Stadt berichten. Und indem er sie erforscht, sind
auch jene Motive am Werk, die später zu der Reise in die
eigene Kindheit führen. Die Stadt werde dem Neuling
Labyrinth, heißt es von den ersten Eindrücken in Moskau, während das Berlinbuch mit dem Satz beginnt: »Sich
in einer Stadt nicht zurechtfinden heißt nicht viel. In einer
Stadt sich aber zu verirren, wie man in einem Walde sich
verirrt, braucht Schulung.« Den seltsamen Wunsch erfüllt
die fremde Stadt leichter als die eigene. Warum dieser
Wunsch? Als die Heimat des Zögerns hat Benjamin einmal das Labyrinth bezeichnet und gesagt, es sei »der richtige Weg für den, der noch immer früh genug am Ziel ankommt« [4]. So ist das Labyrinth im Raum, was in der Zeit
die Erinnerung ist, die im Vergangenen die Vorzeichen der
Zukunft sucht. Denn der Weg, dessen Marksteine jene
Schocks sind, darf zum Ziel getrost die Hoffnung haben:
nie wird er sie erreichen, nie Lügen strafen müssen. In der
»Einbahnstraße« ist die Rede von dem allerersten Anblick
eines Dorfs, einer Stadt in der Landschaft, der »so unvergleichlich und so unwiederbringlich« ist, weil »in ihm die
Ferne in der strengsten Bindung an die Nähe mitschwingt.
Noch hat Gewohnheit ihr Werk nicht getan.« Der Blick,
den der Erwachsene auf die Kindheit wirft, ist nicht zu-

---

[4] Walter Benjamin, Zentralpark. Schriften I/480.

letzt von dem Wunsch bestimmt, dem Gewohnten zu entrinnen. Die Reise aber geht nicht in das ganz Andere, sie
geht in die Zeit, als das Gewohnte es noch nicht war, in
die Erlebnisse des Zum-ersten-Mal. »Haben wir einmal
begonnen, im Ort uns zurechtzufinden, so kann jenes früheste Bild sich nie wiederherstellen.« Dieses früheste Bild,
das ein Versprechen ist, wird dem Erwachsenen nicht nur
von der fernen Kindheit, sondern auch von den fernen
Städten zuteil. Und anderes noch verbindet deren Schilderungen mit dem Berlinbuch. Nicht nur ersetzt die Fremde
dem Erwachsenen die Ferne der Kindheit, sie macht ihn
zum Kind. Manche Stelle zeugt bei Benjamin von diesem
Gefühl. Von San Gimignano heißt es, die Stadt sehe
»nicht danach aus, als solle man ihr je näherkommen. Ist
es aber gelungen, so fällt man in ihren Schoß und kann vor
Grillengesumm und Kinderschreien nicht zu sich finden.«
Während hier das reale Kindergeschrei den Vorgang, den
die Metapher meint, zwar verdeutlicht, aber zugleich auffängt, steht der Schluß des Abschnitts über Moskaus Ver-
kehrsmittel in hellerem Licht. Den niedrigen Schatten, die
keinen Blick von oben herab gewähren, sondern »ein zärt-
liches, geschwindes Streifen an Steinen, Menschen und
Pferden entlang«, gilt der Satz: »Man fühlt sich wie ein
Kind, das auf dem Stühlchen durch die Wohnung rutscht.«
Daß es sich dabei um mehr als eine zufällige Assoziation
handelt, zeigt zu Beginn der Schilderung Moskaus die
Stelle: »Gleich mit der Ankunft setzt das Kinderstadium
ein. Gehen will auf dem dicken Glatteis dieser Straßen neu
erlernt sein.« Welches melancholische Glücksgefühl aber
diese Sätze begleitet, ohne daß es zu Wort kommen dürfte, lehrt erst die Seite der »Berliner Kindheit«, die zu ihnen den späten Kommentar bildet. Von dem Lesekasten
des Kindes schreibt hier der Erwachsene: »Die Sehnsucht,
die er mir erweckt, beweist, wie sehr er eins mit meiner
Kindheit gewesen ist. Was ich in Wahrheit in ihm suche,
ist sie selbst: die ganze Kindheit, wie sie in dem Griff ge-

legen hat, mit dem die Hand die Lettern in die Leiste
schob, in welcher sie sich aneinanderreihten. Die Hand
kann ihn noch träumen, aber nie erwachen, um ihn wirklich zu vollziehn. So mag manch einer davon träumen, wie
er das Gehn gelernt hat. Doch das hilft ihm nichts. Nun
kann er gehen; gehen lernen nie mehr.« Die Wiederholung
des Zum-ersten-Mal, die Rückkehr zum frühesten Bild,
die zu Hause für immer verscherzt zu sein schienen, in der
Fremde werden sie doch noch gewährt.

4

Benjamins Schilderungen der fremden Städte liegen derart nicht weniger persönliche Motive zugrunde als der
»Berliner Kindheit«. Aber das besagt nicht, daß er keinen
Blick für die fremde Wirklichkeit hätte. Denn die geheime
Aufgabe, den Besucher zum Kind zu machen, kann die
fremde Stadt nur erfüllen, wenn sie so exotisch, so pitto-
resk erscheint, wie dem Kind einst die eigene Stadt erschienen war. Gleich dem Kind, das mit aufgerissenen Augen in dem Labyrinth steht, das es nicht übersieht, gibt
sich Benjamin in der Fremde mit Staunen und Neugier all
den Eindrücken hin, die auf ihn einstürmen. Dem verdankt der Leser Bilder, die reicher, farbiger, präziser nicht
sein könnten. Und doch hat es den Anschein, als bezöge
sich nicht nur die Erlebnisweise, sondern auch das Erlebte
selbst auf Benjamins »Suche nach der verlorenen Zeit«.
Anders als die Proustsche wird die Benjamins von histo-
risch-soziologischen Impulsen getragen. Aus dem verhär-
teten, dem Individuationsprinzip hörigen Gesellschaftszu-
stand des Spätbürgertums sucht er den Weg zu den verlorenen Ursprüngen des Sozialen. Der Protest, den der junge Hegel und Hölderlin im Namen des Lebendigen gegen
das Positive erhoben, wird bei Benjamin wieder laut. Das
erklärt seine Teilnahme an der Jugendbewegung, wie sie

der Aufsatz über »Das Leben der Studenten« bezeugt [5].
Unter diesem Gesichtspunkt rücken die Bilder so verschiedener Städte wie Neapels und Moskaus zusammen. Während Benjamin im Süden – in Marseille, Neapel, San Gimignano – auf den Gegensatz jener Vereinzelung stieß, die er am Anfang der »Nordischen See« eisig beschreibt, auf ein Kollektivleben, das sich seinem Ursprung noch nicht entfremdet hat, konnte er im Sowjetrußland des Jahres 1926 eine Gesellschaft in statu nascendi beobachten. Archaisches und Revolutionäres schienen verwandter, als es die gängige Unterscheidung von konservativ und progressiv wahrhaben möchte. Dabei geht es nicht nur um jene Vorstellung vom Urkommunismus, die das Rußland' der dreißiger Jahre auf dem Weg zum Polizeistaat, mit einer Positivität, die der dialektischen Lehre hohnspricht, verraten hat. Mehr als daß »Existieren Kollektivsache ist« [6], verbindet das Alte in Neapel mit dem Neuen in Moskau. »Porös wie dieses Gestein ist die Architektur. Bau und Aktion gehen in Höfen, Arkaden und Treppen ineinander über. In allem wahrt man den Spielraum, der es befähigt, Schauplatz neuer unvorhergesehener Konstellationen zu werden. Man meidet das Definitive, Geprägte. Keine Situation erscheint so, wie sie ist, für immer gedacht, keine Gestalt behauptet ihr ›so und nicht anders‹. So kommt die Architektur, dieses bündigste Stück der Gemeinschaftsrhythmik, hier zustande.« Wie dieses Bild von Neapel seinen Kontrast am Abgezirkelten des Nordens hat (»Das Haus hat noch strenge Grenzen«, heißt es von Bergen), so findet es seine Analogie in der Bewegung, in die in Moskau alles geraten ist. Ausführlich hat Benjamin

---

[5] Walter Benjamin, Illuminationen, Frankfurt a. M. 1961. S. 9 ff.
[6] Walter Benjamin, Neapel, Schriften II/80. Der Erstdruck (Frankfurter Zeitung 1925) nennt als Verfasser Walter Benjamin und Asja Lacis.

die programmatische »Remonte« beschrieben, die gleichfalls nichts Definitives duldet und das Leben gleichsam
»auf den Tisch eines Laboratoriums« legt. »Es steckt in
dieser herrschenden Passion ebensoviel naiver Wille zum
Guten wie uferlose Neugier und Verspieltheit. Weniges
bestimmt heute Rußland stärker. Das Land ist Tag und
Nacht mobilisiert [...]« Das Privatleben, das der Süden
gar nicht sich ausbilden ließ, hat der Bolschewismus »abgeschafft«. Seltsam die Ähnlichkeit der Schilderungen, die
Benjamin von den Wohnungen Moskaus und Neapels
gibt. Auch hier bilden die Kinder den lärmenden Hintergrund. In zahllosen Horden, als gehörten sie nicht einzelnen Familien an, bevölkern sie Straßen und Höfe – auf
ihre Gemeinschaft scheint der einsam in einer Villa des alten Westens als dessen »Gefangener« [7] Aufgewachsene einen sehnsüchtigen Blick zu werfen. Und kindlich sind hier
nicht nur die Kinder. Von den Russen sagt Benjamin, daß
sie sich über allem verspielen: »Wenn auf der Straße eine
Szene für den Film gekurbelt wird, vergessen sie, warum,
wohin sie unterwegs sind, laufen stundenlang mit und
kommen verstört ins Amt.« Erst das letzte Wort dieses
Satzes bringt dem Leser wieder zum Bewußtsein, daß hier
von Erwachsenen, nicht von Kindern die Rede ist. Weil
aber auch die Erwachsenen wie Kinder sind, muß für »Zeit
ist Geld«, »diesen erstaunlichen Satz auf Anschlägen Lenins Autorität beansprucht« werden. Liest man Benjamins
Schilderung des frühen Sowjetrußland, aus dem er – wie
die biographische Notiz von Friedrich Podszus berichtet –
»mit mindestens zwiespältigen Gefühlen heimkehrte«, so
hat man den Eindruck, als wäre ihm die Ahnung nicht
fremd gewesen, daß diese Dynamik in Statik und die
Freiheit in Terror umschlagen würden. Sie scheint ihn zumal beim Anblick der Bilder Lenins berührt zu haben.

---

[7] Walter Benjamin, Berliner Kindheit ... Schriften I/632.

Dem Kult, der mit ihnen getrieben wird, ist der letzte Abschnitt des Aufsatzes gewidmet: »Als Büste steht es in den
Leninecken, als Bronzestatue oder Relief in größeren
Klubs, als lebensgroßes Brustbild in den Büros, als kleines
Photo in Küchen, Wäschekammern, Vorratsräumen.«
Mehr noch als aus dieser Aufzählung geht die Ahnung der
Gefahr, die dem Lebendigen von der neuen Positivität des
toten Bildes droht, aus der Bemerkung hervor, es hießen
die Babys »Oktjabr« »vom Augenblick an, wo sie aufs Le-
nin-Bildnis deuten können«. Und nicht minder verräterisch ist die Metaphorik des Satzes, der die Schilderung
des Marktes an der Sucharewskaja beschließt: »Da der
Verkaufszweig der Ikonen zum Papier- und Bilderhandel
rechnet, so kommen diese Buden mit Heiligenbildern neben die Stände mit Papierwaren zu stehen, so daß sie
überall von Lenin-Bildern flankiert sind, wie ein Verhaf-
teter von zwei Gendarmen.«

5

Erst die Metaphorik macht Benjamins Städtebilder zu
dem, was sie sind. Nicht nur verdanken sie ihr ihren Zauber und, in einem sehr präzisen Sinn, ihre Zugehörigkeit
zur Dichtung. Auch die Intention dieser Texte, die Erfahrung des Entfremdeten und Fremden, erfüllt sich erst im
Medium der Sprache, die eine Sprache von Bildern ist. Die
Suche nach der verlorenen Zeit und nach dem, was an deren Stelle tritt, ist nicht minder an die Sprache gebunden
als der Versuch, das Gefundene sich anzueignen. Name
und Bild sind die beiden Pole dieses Kraftfelds. Im Labyrinth der fremden Stadt wird »ein jeder Schritt und Tritt
[...] auf benanntem Grunde getan. Und wo nun einer dieser Namen fällt, da baut sich Phantasie um diesen Laut im
Handumdrehen ein ganzes Viertel auf. Das wird der späteren Wirklichkeit noch lange trotzen und spröd wie glä-

sernes Gemäuer darin steckenbleiben.« Der Wirklichkeit
geht, ihre Stelle vertretend, in der Erwartung ihr Name
voraus. Der aber erschafft sich eine eigene Wirklichkeit.
Der Wettstreit der beiden mag zwar stets mit dem Sieg
der objektiven Realität enden, doch dieser Sieg wird oft
genug ein Pyrrhussieg sein: sein Name ist Desillusion.
Manche Seite des Proustschen Romans gilt diesem Motiv,
das schon die Romantik kennt; bei Benjamin kehrt es wieder. Sein Gegenstück ist der Vorgang, in dem die Wirklichkeit zum Bild wird. »Worte zu dem zu finden, was
man vor Augen hat – wie schwer kann das sein. Wenn sie
dann aber kommen, stoßen sie mit kleinen Hämmern gegen das Wirkliche, bis sie das Bild aus ihm wie aus einer
kupfernen Platte getrieben haben.« Mit diesen Sätzen beginnt Benjamins Schilderung von San Gimignano, die
nicht ohne Grund dem Andenken an den Dichter des
Chandos-Briefes gewidmet ist, aus dessen Todesjahr sie
stammt. Das Spannungsfeld, in dem die Wirklichkeit zwischen Name und Bild oszilliert, braucht den Abstand,
braucht die Ferne der Zeit oder des Raums. Denn das Gewohnte hat seinen Namen längst aufgesogen, die Erwartung verjagt, nie mehr wird es sich zum Bild verwandeln.
Wer aber in seine Vergangenheit reist, dem treten Wirklichkeit und Name stets wieder auseinander. Sei es, daß
der Name die Wirklichkeit überlebt hat und sie nun in der
Erinnerung als ihr Schemen vertritt, sei es, daß in jenen
Erlebnissen des Zum-ersten-Mal der Name da war, bevor
seine Realität erfahren wurde, oder die Erfahrung da, bevor sie auf einen Namen hörte, so daß sie unverstanden
blieb wie die prophetische Schrift, die im Buch des Lebens
den Text unsichtbar glossiert. Kaum je verläßt Benjamin,
wenn er das Berlin seiner Kindheit oder die fremden
Städte schildert, das Bewußtsein dieses Abstands – schwer
zu sagen, ob es ihm eine Quelle mehr des Glücks oder des
Schmerzes war. Aber nur auf diesem Hintergrund wird
eine Episode aus der Fahrt über die »Nordische See« ver-

ständlich: »Abends, das Herz bleischwer, voller Beklemmung, auf Deck. Lange verfolge ich das Spiel der Möwen [...] Die Sonne ist längst untergegangen, im Osten ist es sehr dunkel. Das Schiff fährt südwärts. Einige Helle ist im Westen geblieben. Was sich nun an den Vögeln vollzog – oder an mir? – das geschah kraft des Platzes, den ich so beherrschend, so einsam in der Mitte des Achterdecks mir aus Schwermütigkeit gewählt hatte. Mit einem Male gab es zwei Möwenvölker, eines die östlichen, eines die westlichen, linke und rechte, so ganz verschieden, daß der Name Möwen von ihnen abfiel.« Der Schwermut wendet alles seine Schattenseite zu. Die Spannung zwischen Name und Wirklichkeit, Ursprung der Dichtung, wird nur noch qualvoll als der Abstand erfahren, der den Menschen von den Dingen trennt. Diesen Schmerz durchbricht das Erlebnis, das Benjamin, ohne darauf zu reflektieren, berichtet. Das Helldunkel des Himmels reißt die Wirklichkeit auseinander und hebt die Identität auf, die das Benennen erst ermöglicht. Von den Möwen fällt ihr Name ab, sie sind nur noch sie selbst, aber als solche dem Menschen vielleicht näher, als wenn er sie in ihrem Namen besäße.

6

Indessen erschöpft sich darin die Bedeutung des Erlebnisses noch nicht. Denn es stellt zugleich die Umkehrung dessen dar, dem bei Proust und auch bei Benjamin die Metapher entspringt. Wie hier der Name von den Möwen abfällt, weil der Himmel sie entzweit und der Unterschied stärker wird als das, was sie eint, so verlieren in der Metapher zwei verschiedene Dinge ihre Identität mit sich selbst, weil sie kraft einer vom Dichter entdeckten Analogie zur Deckung gebracht werden. Bei Proust dient die Metapher, seiner eigenen Einsicht zufolge, der Suche nach der verlorenen Zeit. Wie das Madeleine-Erlebnis soll auch die Metapher durch den Bund, den sie zwischen einem gegenwärtigen und einem vergangenen Augenblick stiftet, den Menschen über die Zeitlichkeit hinausheben. Ähnlich kann bei Benjamin der Vergleich die Erinnerung unterstützen, wenn sie im Vergangenen Vorzeichen des Künftigen sucht. Dann verhalten sich die beiden Glieder des Vergleichs zueinander wie der gelebte Text zu seinem prophetischen Kommentar, den erst die Erinnerung entziffert. So heißt es von dem »Naschenden Kind« der »Einbahnstraße«, das die »Berliner Kindheit« in der ersten Person übernimmt, »im Spalt des kaum geöffneten Speiseschranks« dringe »seine Hand wie ein Liebender durch die Nacht vor«. Doch sowenig wie bei Proust ist die Metapher bei Benjamin an eine einzige Aufgabe gebunden, vielmehr wird sie zum Gesetz der Schilderung selbst. Benjamin scheint die Ansicht Prousts geteilt zu haben, daß die Aufzählung von Gegenständen in einer Beschreibung nie zur Wahrheit führen kann, daß die Wahrheit erst im Augenblick beginnt, da der Schriftsteller zwei verschiedene Gegenstände nimmt und ihr Wesen enthüllt, indem er sie durch eine Eigenschaft, die beiden gemein ist, zu einer Metapher verknüpft[8]. Einzig die Rede vom Wesen scheint Benjamins Intention fremd zu sein; daß er beim Porträtieren der Städte so oft der Metapher und des Vergleichs sich bedient, hat andere Gründe. Die Sprache der Bilder erlaubt, das Fremde zu verstehen, ohne daß es aufhörte, fremd zu sein; der Vergleich bringt das Entfernte nah, und bannt es doch zugleich in ein Bild, welches der verzehrenden Kraft der Gewohnheit entrückt ist. Die Metaphorik hilft Benjamin – ähnlich der Form, die er bevorzugte: der Gliederung in kurze Abschnitte – die Städtebilder als Miniaturen zu malen. Sie gleichen, in ihrer Verbindung von Nähe und Ferne, in ihrer entrückten Lebendigkeit,

---

[8] Marcel Proust, A la Recherche du Temps perdu. Ed. de la Pléiade, III/889.

jenen Glaskugeln, in denen Schnee über eine Landschaft
fällt: sie gehörten zu Benjamins Lieblingsgegenständen.
Seine Bildersprache zeugt von höchstem Kunstverstand.
Benjamin war ein Meister der Doppeldefinitionen in Bildern: »Was wäre Sentimentalität, wenn nicht der erlah-
mende Flügel des Fühlens, das sich irgendwo niederläßt,
weil es nicht weiterkann, und was also ihr Gegensatz,
wenn nicht diese unermüdete Regung, die sich so weise
aufspart, auf kein Erlebnis und Erinnern sich niederläßt,
sondern schwebend eins nach dem andern streift [...]«[9]
Oft hatte er an der einfachen Metapher nicht Genüge, es
entstanden ganze Kompositionen – wie bei der Schilderung von Notre Dame de la Garde in Marseille oder der
Auseinandersetzung dieser Stadt mit der sie umgebenden
Landschaft. Mit jedem neuen Bild, das den Vergleich weiter vorantrieb, wuchs die Gefahr, daß die Brücke das
andere Ufer nicht erreichen würde, und doch wurde das
Band zwischen den beiden Ufern mit jeder neuen Über-
brückung enger. Auch läßt manchmal das Bild die Sprache
nicht unberührt. »Wie die Bewohner entlegener Bergdör-
fer einander bis auf Tod und Siechtum versippt sein können«, heißt es über Bergen, »so haben sich die Häuser ver-
treppt und verwinkelt.« Die neuen Bildungen machen den
Vergleich erst evident, sind aber ihrerseits erst durch den
Vergleich möglich. Zuweilen griff Benjamin auf den meta-
phorischen Conditionalis zurück, der, in seinem Anklang
an das Experiment, die ganze spielerische Bewußtheit und
Zerbrechlichkeit der Metapher verrät: »Wenn dies Meer
die Campagna ist, liegt Bergen im Sabinergebirge.« Trotz
solcher Artistik gerät Benjamins Bildersprache nie ins Un-
verbindliche, sie ist in hohem Maß an der Wirkung beteiligt, die Th. W. Adorno in die Worte gefaßt hat: »Was
Benjamin sagte und schrieb, klang, als käme es aus dem

---

[9] Walter Benjamin, Deutsche Menschen, Frankfurt a. M. 1962,
S. 75 f.

Geheimnis. Seine Macht aber empfing es durch Evidenz.« [10] Weder das Geheimnis noch die Evidenz wären möglich, wenn Hugo Friedrichs Behauptung recht hätte, daß »die Urbestimmung der Metapher nicht darin liegt, vorhandene Ähnlichkeiten zu erkennen, sondern darin, nichtexistierende Ähnlichkeiten zu erfinden.« [11] Die Leistung der Metapher liegt jenseits dieser Alternative. Zwar geht es ihr nicht um Vorhandenes, sie will aber die Ähnlichkeiten auch nicht erfinden, sondern finden. Denn sie entspringt dem Glauben, daß die Welt auf Korrespondenzen aufgebaut ist, die es zu erkennen gilt. In der Schilderung Weimars heißt es: »Im Goethe-Schiller-Archiv sind Treppenhäuser, Säle, Schaukästen, Bibliotheken weiß. [...] Wie Kranke in Hospitälern liegen die Handschriften hingebettet. Aber je länger man diesem barschen Lichte sich aussetzt, desto mehr glaubt man, eine ihrer selbst unbewußte Vernunft auf dem Grunde dieser Anstalten zu erkennen.« Der Blick des Metaphorikers erweist sich als der des Theologen. Benjamin ist ein Schüler der Emblematiker des Barock, die sein Werk über den »Ursprung des deutschen Trauerspiels« behandelt. Wie bei ihnen ist auch bei Benjamin, was Artistik scheint und einst aus Büchern zu lernen war, Exegese der Schöpfung.

7

Die Städtebilder sind in den Jahren zwischen 1925 und 1930 entstanden, nach 1930 entstand die »Berliner Kindheit«. Wer Benjamins Biographie kennt und sein Werk überblickt, wird die Sprache dieser Daten verstehen. Aus

---

[10] Theodor W. Adorno, Einleitung zu: Benjamin, Schriften I/X.
[11] Hugo Friedrich, Nachwort zu: Karl Krolow, Ausgewählte Gedichte, Frankfurt a. M. 1962.

der Zeit vor 1925 stammen unter anderem der Aufsatz über Hölderlin, der, mit 22 Jahren geschrieben, in der Forschung Epoche zu machen vermocht hätte, wäre er nicht erst 1955 bekannt geworden; dann die große Studie über »Goethes Wahlverwandtschaften« und das Hauptwerk, mit dem sich Benjamin 1923 bis 1925 in Frankfurt vergebens zu habilitieren versuchte: das Buch über das deutsche Barockdrama. Erst nachdem Benjamin auf den akademischen Beruf hatte verzichten müssen, weil sein Geist als zu wenig akademisch galt, wurde er Literat und Journalist, mußte er zum Gelderwerb jene Beiträge für Zeitungen und Zeitschriften schreiben, die heute nicht weniger als sein wissenschaftliches Werk seinen Ruhm begründen. Zu ihnen gehören auch die Städtebilder. Nichts hatte früher auf diese Tätigkeit vorausgedeutet; man lese etwa den Brief aus der Berner Studienzeit an Gershom Scholem (vom 22. Okt. 1971), in dem Benjamin von seinen Plänen berichtet. [12] Die Universität, deren Vertreter ihn abwiesen, scheint Benjamin erst zu dem gemacht zu haben, als den sie ihn verdächtigte. Daß aber aus der Zeit nach 1933 keine Städtebilder mehr stammen, erklärt gleichfalls die Jahreszahl. Damals erzählte man sich unter Emigranten die Geschichte von dem Juden, der sich mit der Absicht trug, in ein fernes Land auszuwandern, und der, als seine Freunde in Paris darüber erstaunten, daß er so weit weg wolle, die Frage stellte: »Weit von wo?« Mit dem Verlust der Heimat geht auch die Kategorie der Distanz verloren; ist alles fremd, so gibt es auch jene Spannung von Ferne und Nähe nicht, aus der Benjamins Städtebilder leben. Die Reisen des Emigranten sind keine Reisen, auf die man zurückblickt; einen archimedischen Punkt, von dem aus die Fremde ins Bild käme, kennt seine Landkarte nicht. Zwar widmete Benjamin die letzten

---

[12] In: Deutsche Briefe des 20. Jahrhunderts, München 1962, S. 90 f.

zehn Jahre seines Lebens, nachdem er sein Erinnerungsbuch über Berlin abgeschlossen hatte, einem Werk über
Paris, die Stadt, in der er seit langem heimisch war. Diese
Arbeit indessen hat mit den früheren Städtebildern nichts
mehr gemein. Als er noch in Deutschland lebte, hat Ben-
jamin wiederholt über Paris geschrieben [13], aber nie ver-
sucht, die Züge der Stadt in einer Miniatur zu fixieren
(»Zu nahe« heißt ein kurzer Traumtext über Paris). Und
so ist auch der Weg, auf dem er nun in Paris auf die Suche
nach Paris geht, der gleiche, den jene Reflexion für die
Städteschilderungen von Einheimischen verlangt: eine
Reise ins Vergangene. Das Buch, eine Montage historischer
Texte, als schriebe die Stadt ihre Memoiren selber, sollte
»Paris. Die Hauptstadt des 19. Jahrhunderts« heißen.

(1963)

[13] Vgl. Paris, die Stadt im Spiegel. In: Vogue 30. 1. 1929,
S. 27. Pariser Tagebuch. In: Die literarische Welt Jg. 6, Nr.
16/17, Nr. 18, Nr. 21, Nr. 25 (17. 4., 2. 5., 23. 5. und 20. 6.
1930).

REGISTRATOR JOHNSON

Als im Jahre 1959 Uwe Johnsons Roman *Mutmaßungen über Jakob* erschien, erwies es sich, daß die oft geschmähte Literaturkritik in der Bundesrepublik ihrer in diesem Fall nicht einfachen Aufgabe durchaus gewachsen war: So schwierig und sonderbar das neue Buch sich auch präsentierte – seine Bedeutung wurde sofort erkannt.

Mehrere Rezensenten führten, nach altem Brauch, die Namen der Schriftsteller an, deren Einfluß sich in der Prosa des Debütanten bemerkbar zu machen schien. Gewiß kannte Johnson die Meister des modernen Romans von Joyce bis Faulkner – und er hat viel von ihnen, vor allem in handwerklicher Hinsicht, gelernt. Es fällt jedoch auf, daß in den damaligen Besprechungen – abgesehen von Hinweisen auf Brecht – ausschließlich von westlichen literarischen Einflüssen die Rede war. Die Kritik behandelte den Verfasser der *Mutmaßungen* eigentlich wie einen westdeutschen Autor.

Nun wuchs aber Johnson, der 1934 in Pommern geboren wurde, in der Welt zwischen Elbe und Oder auf. In einer mecklenburgischen Kleinstadt ging er zur Schule. In Rostock und in Leipzig studierte er von 1952 bis 1956 Germanistik. Bis 1959 war er Bürger des Staates, der sich »Deutsche Demokratische Republik« nennt. Dort entstand nicht nur seine erste literarische Arbeit, ein Roman *Ingrid Babendererde*, den der führende Verlag der DDR – der Aufbau-Verlag – aus politischen Gründen abgelehnt hat und der bis heute unveröffentlicht geblieben ist, dort wurde auch der Roman *Mutmaßungen über Jakob* geschrieben.

Mithin scheint es legitim und angebracht zu sein, nicht nur von den westlichen literarischen Vorbildern zu sprechen, unter deren Einfluß Johnson gestanden haben kann, sondern sich auch zu überlegen, ob und inwiefern die *Mutmaßungen* Spuren der offiziellen Kunstdoktrin der kommunistischen Welt und des literarischen Lebens zwischen Elbe und Oder aufweisen. Sollte Johnson etwa die Richtlinien der amtlichen Kulturpolitik gänzlich ignoriert haben?

Im Sinne des sozialistischen Realismus, wie er von den Literaturfunktionären in Ost-Berlin ausgelegt wird, ist es, wenn auch nicht unbedingt erforderlich, so doch sehr erwünscht, daß der Schriftsteller, zumal der Romancier, gesellschaftliche und politische Fragen der unmittelbaren Gegenwart an konkreten Beispielen verdeutlicht, die er vor allem dem Leben in der DDR zu entnehmen hat. In der Tat spielt die Handlung der *Mutmaßungen* in der DDR, im Herbst 1956. In der Tat stehen im Vordergrund Fragen, die durch gesellschaftliche und politische Zustände verursacht werden.

Als Romanhelden sieht der sozialistische Realismus am liebsten einen tüchtigen Vertreter der Arbeiterklasse, einen einfachen »Werktätigen«, der den bedürftigen, in der kapitalistischen Welt benachteiligten Volksschichten entstammt, es aber doch in der sozialistischen Welt zu etwas gebracht hat oder – im Laufe der Handlung – zu etwas bringt. Diesen Forderungen entspricht der Held der *Mutmaßungen*: Jakob Abs, Sohn armer Eltern, ist ein braver, vorbildlich pflichtbewußter Eisenbahner, der seine Laufbahn als gewöhnlicher Rangierer beginnt und mit der Zeit immerhin zum Inspektor der Reichsbahn avanciert.

Zum Personal eines im Sinne des sozialistischen Realismus geschriebenen Romans gehört stets ein unmittelbarer Vertreter des Systems: Es ist in der Regel ein Parteifunk-

tionär, ein hoher Beamter oder ein Offizier. Eine solche
Gestalt zeichnet sich nicht nur durch Intelligenz und Lebenserfahrung, Zielstrebigkeit und Opferbereitschaft aus,
sondern auch durch Güte und Menschenfreundlichkeit und
durch besonderes Verständnis für das Individuum, das
vom rechten Weg abweicht und in heikle Situationen gerät. All dies trifft auf einen der Helden Johnsons zu, den
Hauptmann Rohlfs vom Staatssicherheitsdienst der DDR.
Fast immer gibt es in derartigen Romanen auch den Typ
eines zwar gutwilligen, jedoch mit Komplexen belasteten,
unentschlossenen und schwankenden Intellektuellen. Auch
eine solche Figur fehlt nicht in den *Mutmaßungen* – es ist
Jonas Blach, ein wissenschaftlicher Assistent an der Ostberliner Universität.

Das Problem der Flucht aus der DDR nach Westdeutschland ist in den Romanen des sozialistischen Realismus eindeutig gelöst worden. Abgesehen von dunklen Individuen, die den Staat der Arbeiter und Bauern verlassen, weil sie den Arm der sozialistischen Gerechtigkeit
fürchten, fliehen bisweilen junge Menschen, die den Versuchungen des Kapitalismus nicht widerstehen können. Es
stellt sich meist heraus, daß sie im Westen Spionagedienste
leisten müssen. Die dreiundzwanzig Jahre alte Gesine
Cresspahl, die weibliche Hauptgestalt der *Mutmaßungen,*
ist nach der Bundesrepublik geflohen; sie wird in einem
NATO-Hauptquartier als Dolmetscherin beschäftigt. Just
am ersten Tag des Aufstands in Budapest kommt diese
Gesine illegal nach der DDR. Da sie mit einem Revolver
und mit einer doch nicht ganz alltäglichen Kamera ausgerüstet ist, die als »ein fingerlanges Ding« bezeichnet wird,
liegt es auf der Hand, daß sie diese nicht ungefährliche
Reise im Auftrag ihrer Arbeitgeber angetreten hat.

Wenn sich jedoch der Hauptheld eines derartigen Romans nach dem Westen begibt, so hat er dort – dem üblichen Schema zufolge – sofort eine Enttäuschung zu erleben und schleunigst nach der DDR zurückzukehren. In

der Tat, Johnsons Jakob Abs besucht im Schlußkapitel seine Freundin Gesine, die ihn bittet, bei ihr, also in der Bundesrepublik, zu bleiben. Obwohl Jakobs Mutter ebenfalls im Westen ist und er die Gefühle Gesines offensichtlich erwidert, reagiert er auf ihre Aufforderung »Bleib hier« lediglich mit den Worten: »Komm mit« –und fährt sogleich nach Hause.

Ferner werden die Autoren des sozialistischen Realismus angehalten, der Arbeitswelt ihrer Gestalten viel Aufmerksamkeit zu widmen und den Prozeß der beruflichen Betätigung nicht als etwas Nebensächliches zu behandeln, sondern ihn in seiner ganzen Bedeutung für das Leben des Menschen darzustellen. Mit einer Genauigkeit und Ausführlichkeit, die jedem Buch eines linientreuen DDR-Autors zur Ehre gereichen würde, schildert Johnson die Arbeit des Tischlers Cresspahl, des wissenschaftlichen Assistenten Blach, des Offiziers im Staatssicherheitsdienst Rohlfs und vor allem des Titelhelden, der im Stellwerk einer Großstadt an der Elbe wichtige Schalthebel bedient.

Aber Johnson zeigt auch – und daran ist dem sozialistischen Realismus besonders gelegen – die innere Beziehung des Helden zu seiner beruflichen Tätigkeit, in der er völlig aufgeht. So heißt es einmal: »Die Minuten seiner Arbeit mußte er sparsam ausnutzen und umsichtig bedenken, er kannte jede einzeln. Das Papier an der schrägen Tischplatte vor ihm war eingeteilt nach senkrechten und waagerechten Linien für das zeitliche und räumliche Nacheinander der planmäßigen und der unregelmäßigen Vorkommnisse, er verzeichnete darin mit seinen verschiedenen Stiften die Bewegung der Eisenbahnzüge auf seiner Strecke von Blockstelle zu Blockstelle und von Minute zu Minute, aber eigentlich nahm er von dem berühmten Wechsel der Jahreszeiten nur die unterschiedliche Helligkeit wahr, am Ende machten die Minuten keinen Tag aus, sondern einen Fahrplan.«

Kein Zweifel: verschiedene Motive, Gestalten und Elemente, die typisch sind für die Literatur, die in der DDR gefördert wird, sind von Johnson in den *Mutmaßungen* übernommen worden. Allein, es muß vor allem Trotz gewesen sein, der ihn hierzu veranlaßt hat. Denn zwischen der Konzeption dieses Romans und den Bestrebungen der Partei auf dem Gebiet der Literatur besteht zwar ein unmißverständlicher Zusammenhang, doch macht sich der Einfluß im reziproken Sinne geltend. Der Roman *Mutmaßungen über Jakob* ist als epische Manifestation eines ebenso jugendlichen wie bedächtigen Widerspruchs zu verstehen.

Johnsons Protest richtet sich nicht etwa gegen die dortige Gesellschaftsordnung oder den dortigen Staat schlechthin, sondern verfolgt – zunächst einmal – ein bescheideneres Ziel: Er rebelliert gegen die vereinfachende und verfälschende Darstellung des Lebens der Durchschnittsmenschen in der DDR, gegen die offizielle Auslegung der Phänomene, gegen die ideologisch determinierte und begrenzte Perspektive.

Versucht der Schriftsteller des sozialistischen Realismus, das Bild der Welt mit einer philosophischen Doktrin in Übereinstimmung zu bringen und ein präzises ideologisches Koordinationssystem anzuwenden, so scheint die Johnsonsche Betrachtungsweise einem tiefen Mißtrauen gegen jegliche Denkschemata, gegen philosophische Deutungen und ideologische Interpretationen entsprungen zu sein.

Während der sozialistische Realismus die Parteilichkeit des literarischen Kunstwerks postuliert, sie zum entscheidenden Kriterium erhebt und demzufolge den Autor zwingt, ethische und vor allem moralpolitische Urteile zu fällen, zu tadeln und zu loben, anzuklagen und zu verherrlichen – bekennt sich Johnson in seiner epischen Praxis zur programmatischen Unparteilichkeit. Nicht zu deuten und zu werten, fühlt sich dieser argwöhnische Beobachter berufen, sondern zu zeigen und zu vergegenwärtigen. Ein gerechter Registrator will er sein.

Der sozialistische Realismus empfiehlt, Licht und Schatten säuberlich zu trennen, für klare Konturen der Gestalten und Phänomene zu sorgen und konsequent die Eindeutigkeit des Geschehens anzustreben. Johnson hingegen will das Zwielichtige betonen, dem Vagen und Diffusen gerecht werden, die Vieldeutigkeit der Vorgänge bewußt machen.

Wird der Schriftsteller des sozialistischen Realismus angehalten, ein übersichtliches Bild der Welt zu entwerfen, in der alle Rätsel gelöst und alle Widersprüche überwunden werden, so ist Johnson daran gelegen, ihre Verworrenheit zu demonstrieren, die Rätsel nicht zu verheimlichen und die Widersprüche augenscheinlich zu machen.

Während die Literatur des sozialistischen Realismus Antworten gibt oder, richtiger gesagt, sich müht, die Antworten, welche die Partei bereits erteilt hat, mit künstlerischen Mitteln zu formulieren und zu illustrieren, begegnet Johnson dem Leben als Fragender. Während der Schriftsteller des sozialistischen Realismus behauptet und behaupten muß, er kenne und vermittle die Wahrheit, gibt Johnson seinen Lesern immer wieder zu verstehen, er sei lediglich auf der Suche nach ihr. Nicht mit Thesen kann er aufwarten, wohl aber mit seinem Zweifel, nicht mit Gewißheiten, sondern mit Mutmaßungen.

Die Grundlagen der Johnsonschen Ästhetik, wie er sie in den Romanen *Mutmaßungen über Jakob* und *Das dritte Buch über Achim* praktiziert und in der Skizze *Berliner Stadtbahn* in Umrissen dargestellt hat, sollten also weniger auf westliche Vorbilder zurückgeführt werden als auf seinen Widerstand gegen den sozialistischen Realismus: Viele Eigentümlichkeiten, zumal in den noch jenseits der Elbe geschriebenen *Mutmaßungen über Jakob*, erklären sich also aus der Gegenposition, in die sich Johnson gedrängt fühlte.

In der Skizze *Berliner Stadtbahn* erklärt er: »Der Verfasser ... sollte nicht verschweigen, daß seine Informatio-

nen lückenhaft sind und ungenau... Dies eingestehen
kann er, indem er etwa die schwierige Suche nach der
Wahrheit ausdrücklich vorführt, indem er seine Auffassung des Geschehens mit der seiner Person vergleicht und
relativiert, indem er ausläßt, was er nicht wissen kann, indem er nicht für reine Kunst ausgibt, was noch eine Art
der Wahrheitsfindung ist.«

Diese Sätze deuten die Methode an, die Johnson in den
Mutmaßungen über Jakob angewandt hat. Gesucht wird
die Wahrheit über den Tod des Helden, mit dem der Roman beginnt. Ist Jakob Abs, als er von einer Rangierloko-
motive überfahren wurde, einem gewöhnlichen Betriebs-
unfall zum Opfer gefallen? Ehe der Leser irgend etwas
über Jakob erfahren hat, wird eine solche Auslegung seines Todes bereits in Frage gestellt. Denn der erste Satz des
Romans lautet: »Aber Jakob ist immer quer über die
Gleise gegangen.« Selbstmord also? Indem diese Möglichkeit auftaucht, wird die Frage nach dem Tod des Jakob
Abs zur Frage nach seinem Leben. Um wiederum die Geschichte aufrollen zu können, die Jakobs Tod vorangegangen ist, muß der Autor auf das Leben weiterer Menschen eingehen, die in den letzten Wochen mit seinem Helden zu tun hatten.

Es gelingt Johnson tatsächlich, statt dem Leser die Er-
gebnisse der »schwierigen Suche nach der Wahrheit« mitzuteilen, ihm diese Suche vorzuführen. Neben der Darstellung des Erzählers setzt er die inneren Monologe jener
drei Gestalten, die mit dem Schicksal Jakobs am engsten
verknüpft waren, sowie Fragmente von Gesprächen, die
um die Person des Helden kreisen und von nicht genannten und nicht immer identifizierbaren Personen geführt
werden. Den objektiven, jedoch höchst lückenhaften Bericht des Erzählers ergänzen also Bekenntnisse, die zu
Darstellungen desselben Geschehens aus anderen Perspektiven werden, sowie bruchstückhafte Wahrnehmungen
und Spekulationen.

Die Auskünfte, die der Leser auf diese Weise im Laufe der Handlung erhält, vermögen manches aufzuhellen und lassen vieles ahnen – aber die Gestalten müssen verschwommen bleiben, da die vom Autor gebotenen Elemente, die psychologische Porträts ergeben können, von ihm meist wieder in Frage gestellt werden. Dennoch geht von diesen Gestalten eine eigentümliche Anziehungskraft aus.

Die Diskrepanz zwischen der Unklarheit der Johnsonschen Helden und der Intensität, mit der die zwischen ihnen bestehenden mannigfaltigen Spannungen spürbar gemacht werden, hat keinen mysteriösen Grund. Sie ist eine logische Folge der generellen Absicht Johnsons. Er vergegenwärtigt die Infiltration der Politik in das Leben eines jeden Individuums im totalitären Staat von heute und zeigt das Resultat: Der Mensch tarnt sich; nicht nur für die Machthaber, auch für seine Umgebung wird er undurchschaubar. Daher ist er für den Romanautor ebenfalls nicht durchschaubar – nur die Art der Beziehungen zu den Mitmenschen kann angedeutet werden und auch dies mit allerlei Vorbehalten. »Jedermann ist eine Möglichkeit« – heißt es einmal in den *Mutmaßungen.* Und etwas weiter: »... er wußte, daß die Lebensumstände nichts zu tun haben mit einer Person (während Herr Rohlfs zu meinen schien, daß der Lebenslauf oder die Biographie einen Menschen hinlänglich und jedenfalls bis zur Verständlichkeit erkläre: als ob der Staubstreifen hinter einem fortgerückten Schrank und ein nutzloser Nagel in einer leeren Wand und die alberne Traulichkeit eines Blumentopfes auf dem Fensterbrett eines ausgeräumten Zimmers noch verläßliche Nachrichten wären).«

Hier zeigt sich abermals Johnsons Gegenposition: Er widersetzt sich dem jenseits der Elbe üblichen primitiven Biographismus, der sich ebenso im täglichen Leben bemerkbar macht wie in der Literatur des sozialistischen Realismus und der darauf hinausläuft, daß das Bild des

Menschen aus biographischen Umständen mechanisch abgeleitet wird – vornehmlich aus seiner sozialen Herkunft, seiner politischen Vergangenheit und seiner gesellschaftlichen Stellung.

Aber eben weil Johnson keinerlei »verläßliche Nachrichten« sieht, stürzt er sich in jenem »ausgeräumten Zimmer« – um bei dem soeben zitierten Vergleich zu bleiben – auf die wenigen greifbaren, unzweifelhaften Spuren: den Nagel in der leeren Wand, den Blumentopf auf dem Fensterbrett, den Staubstreifen. Das sind die in beiden Romanen immer wieder auftauchenden exakten Beschreibungen. Sie haben nichts gemeinsam mit der Detailbesessenheit, die für Martin Walsers *Halbzeit* charakteristisch ist. Walser inventarisiert Einzelheiten, weil er vorerst keine Möglichkeit sieht, mit anderen Mitteln der Welt, die er zeigen möchte, beizukommen. Bei Johnson hingegen haben die Beschreibungen eine geradezu pädagogische Funktion.

Die Organisation einer Post, das Funktionieren einer Signalanlage oder einer automatischen Telephonzentrale, die Betriebsordnung für Eisenbahner – all das wird minuziös geschildert, doch mit jenem unmißverständlichen Spott, der andeutet, daß eben nur derartige Vorgänge und Phänomene erfaßt und dargestellt werden können, während sich die Empfindungen und Gedanken der Menschen nie gänzlich erkennen, sondern bestenfalls ahnen lassen. Anders ausgedrückt: die Existenz dieser Inseln der Präzision und der Klarheit im nicht auslotbaren Meer der Johnsonschen Mutmaßungen macht dem Leser den Unterschied zwischen dem Durchschaubaren und dem Undurchdringlichen bewußt: zwischen dem Beschreibbaren und dem Nicht-Beschreibbaren. Die exakten Schilderungen technischer Prozesse und gegenständlicher Einzelheiten dienen als ironisch-didaktische Kontrastmotive. Durch die provozierende Überbelichtung des einen wird die hoffnungslose Dunkelheit des anderen betont.

Es erweist sich, daß der Nebel, in dem Jakob an jenem

Novembermorgen überfahren wurde, ebenso real wie zugleich metaphorisch ist. Aber so konsequent in diesem Roman die Verdunkelung angestrebt und die Verworrenheit realisiert wird, sooft Johnson auch die Fäden bis zur Unkenntlichkeit verschlingt – die im Mittelpunkt stehende Geschichte zeichnet sich durch die überwältigende Einfachheit großer Parabeln aus. Es ist das Gleichnis vom gerechten Mann in einer ungerechten Zeit, vom trotzigen Einzelgänger im heutigen Deutschland.

Jakob will nichts anderes als in Ruhe leben, seine Pflicht erfüllen und seine moralische Integrität bewahren. Er will weder der Spionageabwehr dienen, die seine Hilfe sucht, noch fliehen. Unheimlich wird ihm der Staat, in dem er lebt – fremd bleibt ihm der andere deutsche Staat. Er versucht, quer über die Gleise zu gehen. Eine Lokomotive fährt ihm entgegen, er weicht ihr aus, wird jedoch von einer anderen Lokomotive erfaßt. Die Richtungen, aus denen diese beiden Lokomotiven kommen, sind zwar nicht angegeben, aber wir können sie vermuten: Ost und West.

Die Frage, ob es Selbstmord oder ein Unfall war, wird nicht gelöst und braucht nicht gelöst zu werden, denn Bedeutung kommt lediglich dem Endergebnis zu: daß er, der Gerechte, auf einem ihm wohlvertrauten Gelände zwischen zwei Lokomotiven geraten ist. Und die diskrete Schlußpointe: Der Mann des östlichen Spionagedienstes und das Mädchen aus dem Westen, das dort für eine ähnliche Organisation arbeitet, treffen sich, um den Toten zu betrauern.

Die Umrisse des Lebens der Durchschnittsmenschen in der DDR hatte Johnson in den *Mutmaßungen* aus der Nahsicht angedeutet. Dieser Perspektive verdanken viele Teile des Buches ihren merkwürdigen Reiz. Indes konnte man sich des Eindrucks nicht ganz erwehren, daß Johnson in manchen Abschnitten vor lauter Bäumen den Wald nicht sah, daß ihn also die geringe Distanz mitunter an dem Überblick hinderte.

Im *Dritten Buch über Achim* (1961), das im Unterschied zu den *Mutmaßunge*n im Westen geschrieben wurde, ist er wiederum bestrebt, die Atmosphäre in der Welt zwischen der Elbe und der Oder einzufangen. Aber die Perspektive hat sich grundlegend geändert. In den zwei Jahren, die zwischen diesen beiden Romanen liegen, hat Johnson jenen Abstand gewonnen, den man in den *Mutmaßungen* noch vermissen mußte.

Auch für dieses Buch ist jedoch etwas Trotziges charakteristisch, es läßt ebenfalls eine Gegenposition erkennen. Gewiß, hier wird nicht mehr gegen den sozialistischen Realismus Widerstand geleistet, wohl aber gegen westliche Denkschablonen, gegen oberflächliche und klischeehafte Vorstellungen vom Leben jenseits der Elbe, gegen die »handelsüblichen Namen« der Phänomene. Auf die neugewonnene Distanz des Verfassers muß auch der Umstand zurückgeführt werden, daß jetzt nicht mehr ein Bewohner der DDR im Mittelpunkt steht, sondern ein Besucher aus der Bundesrepublik.

Freilich hat dieser Journalist Karsch aus Hamburg, der im Jahre 1960 aus privaten Gründen eine Großstadt in der DDR aufsucht, doch etwas mit dem Eisenbahner Jakob gemeinsam. Über Karsch heißt es: »Sah von der Galerie hinunter auf den dichten Strom nachmittäglicher Fußgänger und war sicher, daß er nichts verstehen werde mit Vergleichen . . .: dies war etwas für sich allein und zu erfassen nur von sich aus; er kannte es nicht.« Und: »Er war kaum je vorher so unsicher gewesen in einem fremden Land: in diesem war ihm der Rückhalt seiner Lebensweise gänzlich abgegangen . . .«

Dieser Satz hätte auch über Jakob Abs in der Bundesrepublik gesagt werden können. Nur, daß dem Helden der *Mutmaßungen* schon vorher der »Rückhalt seiner Lebensweise« auch in seiner östlichen Heimat verlorengegangen war. Die Erkenntnis der Entfremdung im anderen Teil Deutschlands hatte daher für Jakob katastrophale Folgen.

Dieselbe Erkenntnis verursacht bei Karsch lediglich den Entschluß, die Entfremdung zu überwinden oder zumindest ihre Ursachen zu begreifen. *Das dritte Buch über Achim* beginnt also da, wo die *Mutmaßungen über Jakob* aufhörten.

Beide Helden lassen sich von ihrer Umwelt nicht beirren und versuchen – unpathetisch und still –, ihren eigenen Weg zu finden: Auch Karsch aus Hamburg ist ein verkappter Trotzkopf, der quer über die Gleise gehen will. Ein programmatisch unvoreingenommener Intellektueller, der jegliche Vergleiche östlicher und westlicher Phänomene für sinnlos hält, wird also mit der ihm fremden Realität konfrontiert.

Wie in den *Mutmaßungen* ergibt sich auch in diesem Fall die Handlung aus der Initiative einer DDR-Instanz: Der Staat wendet sich an das Individuum mit einem Ansuchen oder einem Vorschlag – und das Individuum gerät bald in schwierige Situationen und Konflikte. Der Staatssicherheitsdienst brauchte Jakobs Hilfe, weil Gesine für Spionagezwecke gewonnen werden sollte; ein staatlicher Verlag tritt an Karsch heran, weil die Partei ein neues Buch über den gefeierten Radrennfahrer Achim wünscht.

Die Bemühungen Karschs, den Werdegang dieses Achim kennenzulernen und die erlangten Informationen in einer Lebensbeschreibung zu verarbeiten, und die Auseinandersetzungen mit den Funktionären, welche die Arbeit des Biographen überwachen, bilden einen Handlungsfaden, den die eigentliche Geschichte des Rennfahrers als zweiter Bestandteil des Romans ergänzt.

Auch die Klarheit dieser Komposition ist eine Folge der neugewonnenen Distanz Johnsons: Seine schriftstellerische Ausgangsposition, der Versuch also, der Verworrenheit und Undurchschaubarkeit der Welt mit einem ebenso verworrenen und undurchschaubaren epischen Gebilde zu begegnen, scheint mit dem *Buch über Achim* schon überwunden zu sein. Die Kunstgriffe und Mittel des modernen Ro-

mans, derer sich Johnson in den *Mutmaßungen* bedient
hat, werden jetzt in der Regel sparsamer und sicherer angewandt, weswegen formale Extravaganzen nur selten
stören. In vielen Kapiteln ist die Technik zur Selbstverständlichkeit geworden. Es dominieren: der sachliche Bericht, die ironisch-feierliche Chronik, die herkömmliche
Er-Erzählung.

Dadurch wurde Johnsons Prosa keinesfalls ärmer, denn
ihre Originalität wird nicht so sehr – wie manche meinten
– durch diese Mittel und ihre Montage bewirkt, sondern
durch die sprachliche Kraft, durch die herbe und spröde
Diktion, die sich offensichtlich von norddeutschen Mund-
arten prägen ließ. *Das dritte Buch über Achim* zeichnet
sich durch jene scheinbare epische Gleichgültigkeit aus, jene
Gelassenheit, die ebenso von Leidenschaft wie von Skepsis
zeugt, jene Nüchternheit, hinter der sich die Gefühle verbergen, jene Ruhe, die die Erregung des Lesers provoziert.

Indem jedoch Johnson wenigstens teilweise auf den
dichten Nebel verzichtet, der ein nicht wegzudenkendes
Element der Geschichte über Jakob war, setzt er die Gestalten und Motive des *Dritten Buches über Achim* einer
rationalen Kritik aus, die in den *Mutmaßungen* oft unmöglich gemacht wurde. So erscheinen Ausgangspunkt
und Basis der Handlung recht fragwürdig. Johnson und
Karsch interessieren sich für den Rennfahrer, weil er –
von den Machthabern gern gesehen und zugleich von den
Massen bewundert – »eine sehr vermittelnde Figur« ist.
Das leuchtet ein, nur hat Johnson keine Möglichkeit gefunden, die beiden Gestalten auf überzeugende Weise in
Beziehung zu setzen. Die bereits existierenden zwei Bio-
graphien über Achim mißfallen der Partei, weil sie unpo-
litisch sind. Klar wird gesagt, was die erforderliche dritte
Biographie bieten soll: »Das Buch, in dem ein Durchrei-
sender namens Karsch beschreiben wollte, wie Achim zum
Ruhm kam und lebte mit dem Ruhm, sollte enden mit der
Wahl Achims in das Parlament des Landes, das war die

Zusammenarbeit von Sport und Macht der Gesellschaft in einer Person ... auf dies Ende zu sollte der Anfang laufen und sein Ziel schon wissen.« Es widerspricht der Logik, daß Instanzen der DDR eine derartige, rein propagandistische Aufgabe, die zwei einheimische Autoren nicht lösen konnten, gerade einem Neuankömmling anvertrauen, dessen politische Ahnungslosigkeit ins Auge springen muß.

Auch die Gestalten überzeugen diesmal weniger als in dem Erstling. Die Profile von Jakob, Rohlfs und Gesine lassen sich in dem Nebel der *Mutmaßunge*n nur ahnen, sind aber dennoch unverwechselbar. Karsch hingegen ist ein Medium ohne individuelle Züge. Die weibliche Hauptgestalt, Karin, wurde von Johnson allzu spärlich beleuchtet. Und schließlich und vor allem: Achim mag ein Typ sein, als Individuum kann er schwerlich gelten; daher wirkt er als »vermittelnde Figur« kaum glaubhaft. Offenbar liegt dem Verfasser des *Dritten Buchs über Achim* weniger an den Charakteren als an der Darstellung der Verhältnisse; nicht um Aktionen geht es ihm, sondern um den Hintergrund. Wichtiger als die Gedanken, die geäußert werden, sind für Johnson die Umstände, die sie verursacht haben. Wie Walser in der *Halbzeit,* strebt auch er die zeitgeschichtliche Bestandsaufnahme an. Die psychologische Analyse hingegen interessiert ihn nur gelegentlich.

Während sich aber die Geschichte vom Eisenbahner Jakob als eine epische Struktur erwies, die alles zu umfassen vermochte, was der Autor sagen wollte, ist die Fabel um Achim im Grunde nur eine Hilfskonstruktion. Der Geschichte vom westlichen Journalisten und östlichen Radrennfahrer geht das Gleichnishafte an. Mögen manche Abschnitte der *Mutmaßunge*n weniger gelungen sein – das Ganze zeichnet sich doch durch innere Geschlossenheit und Einheitlichkeit der Stimmung aus. Dem *Dritten Buch über Achim* fehlt indes eine Achse, ein Zentrum: Oft hat man den Eindruck, als sei der Roman aus einzelnen Bestandteilen zusammengefügt worden.

Im Gedächtnis des Lesers bleiben daher nicht Gestalten, sondern Situationen, nicht Handlungsfäden, sondern Episoden, nicht Ereignisse sondern Zustandsschilderungen: der Kauf einer Schreibmaschine, ein FDJ-Umzug, ein Wahllokal in der DDR, eine Szene in einem Westberliner Laden, die Beschreibung eines Bahnhofs. Aber in diesen – meist in sich abgeschlossenen – Situationen, Episoden und Zustandsschilderungen wird der Zeitgeist augenscheinlich. In ihnen vermag Johnson die Beziehungen zwischen dem totalitären Staat und dem Individuum in ihrer Vielschichtigkeit und Fragwürdigkeit konkreter und präziser zu vergegenwärtigen als in den *Mutmaßungen*.

Im Mittelpunkt steht die Diskrepanz zwischen den Vorstellungen, die sich die Funktionäre von der Vergangenheit des jungen Achim und somit von der Biographie eines vorbildlichen DDR-Bürgers machen – und dem wirklichen Entwicklungsweg des Star-Sportlers. Wenn Johnson diesen Gegensatz am Beispiel verschiedener Episoden aus der Kriegs- und Nachkriegszeit verdeutlicht und ihn über die Ereignisse vom 17. Juni 1953 bis in die Gegenwart verfolgt, so ist hier die Bloßstellung von Propagandamethoden gewiß das wenigste. Johnson greift tiefer. Seine Geschichte vom primitiven Rennfahrer, dessen Leben doch weit komplizierter war, als es die Partei wahrhaben will, richtet sich im Grunde gegen eine Theorie, die das Dasein unentwegt vereinfacht, gegen eine Welt, in welcher der Mensch als restlos deutbare, berechenbare und daher stets auswechselbare Größe behandelt wird.

Achim selbst jedoch, der Vertreter einer Generation, die kurz nach dem braunen Hemd der HJ das blaue Hemd der FDJ erhielt, möchte sich – und das ist das ironische Leitmotiv des Romans – eben als vereinfachtes und restlos deutbares Wesen sehen. Auch er wünscht sich eine möglichst schematische Darstellung, denn zum Starsportler, der »gern mit Notwendigkeit gekommen sein wollte

durch die Zeit hierher aber nicht durch Zufall und bloß
überredet dazu ... paßte nun nicht mehr der vergangene
Tag«.

Johnson betonte, er wolle Geschichten erzählen, die »interessant wegen ihrer Neuheit« seien, »wegen der in ihnen
enthaltenen Erfahrungen und Kenntnisse.« In der Skizze
Berliner Stadtbahn sagte er: »Von einem Erzähler werden
Nachrichten über die Lage erwartet, soll er sie berichten
mit Mitteln, über die sie hinausgewachsen ist?« So und
nicht anders sollten die beiden Romane verstanden werden: als Bemühungen, die Gegenwart mit epischen Mitteln zu erfassen. Johnsons Avantgardismus dient einer
eindeutigen Aufgabe: Er will »Nachrichten über die Lage« bieten, »Erfahrungen und Kenntnisse« auf die der
Kunst gemäße Weise zugänglich machen. Seine formalen
Experimente sollen lediglich die »Wahrheitsfindung« ermöglichen und erleichtern.

Die Suche nach dem adäquaten Ausdruck kann nicht ge-
radlinig verlaufen und frei sein von Irrtümern und Miß-
verständnissen. Vorerst konnte Johnson Manieriertheiten
und Primitivismen sowie Schwankungen vom allzu Ver-
schlüsselten bis zur störenden Direktheit nicht vermeiden.
Dies ändert jedoch nichts an der Tatsache, daß es heutzu-
tage nur wenige deutsche Schriftsteller gibt, deren Bücher
es verdienen, so aufmerksam gelesen zu werden wie die
Prosa des Uwe Johnson.

(1962)

HELMUT HEISSENBÜTTEL

ANNÄHERUNG AN ARNO SCHMIDT

1

Es scheint heute vergessen, daß er schon einmal berühmter war, als er es heute ist. Sein erstes Auftreten fand nicht im Verborgenen statt. Sein erstes Buch machte den Namen Arno Schmidt zu der Kennmarke, die heute noch gilt, nur eben ohne rechtes Vertrauen in seine Zugkraft gebraucht wird.

Dies erste Buch, der *Leviathan*, erschien bei Rowohlt. Es wurde enthusiastisch begrüßt. Neben Wolfgang Borcherts Erzählungen und *Draußen vor der Tür,* Wolfgang Weyrauchs Gedichtband *An die Wand geschrieben* und den ersten beiden Bändchen von Ernst Kreuder war es der damals als exemplarisch empfundene Beitrag des Verlages zur neu erwachten deutschen Literatur. Zusammen mit *Das unauslöschliche Siegel* von Elisabeth Langgässer, den (heute völlig vergessenen) ersten Nachkriegspublikationen von Alfred Döblin, dem *Ptolemäer* von Benn und den *Versuchen 20/21* (enthaltend *Mutter Courage* und die *Fünf Schwierigkeiten beim Schreiben der Wahrheit*) von Brecht öffneten diese Bücher eine literarische Perspektive, die nicht eingehalten worden ist. Selbst der Ruhm Benns und Brechts, soweit man noch davon sprechen kann, läuft auf anderen Bahnen.

Das Merkwürdige, an das man sich 1963 erst mit historischem Bewußtsein erinnern muß, besteht darin, daß diese neue Literatur nicht Sache von Gruppen war, sondern in aller Öffentlichkeit stattfand. Für den *Leviathan* erhielt Arno Schmidt 1950 zusammen mit Oda Schaefer, Werner Helwig, Hans Hennecke und Heinrich Schirmbeck den großen Literaturpreis der Akademie der Wissenschaften und der Literatur in Mainz (der freilich nur noch einmal wieder, 1954, an Döblin verliehen wurde). Kommentar Schmidts in *Seelandschaft mit Pocahontas.*

»Ich preßte das Kinn auf den rauhen Pfahl und knäulte verächtlich die Finger durch meine kalten Taschen: öde Gesichter, rübiges Gemüt, Gedankensteppe, Seelentundra. Die Verleihung der Mainzer Literaturpreise in der Mainzer Akademie hat der Südwestfunk nicht übertragen: aber der Vater der Fußballspieler Walter wurde eine halbe Stunde interviewt.«

Die Skepsis dieser mürrischen Diagnose, die 1954 vielleicht als Attitüde erschien, wirkt heute eher sachlich. Zwar klingt das Echo einer Diskussion in dem 1961 erschienenen *Lexikon der Weltliteratur* des Herder-Verlags noch nach: »Der aus Schlesien stammende, nach abgebrochenem Studium (Mathematik) seit 1933 in einer Textilfabrik tätige und nach Kriegsende als freier Schriftsteller lebende Schmidt gilt, heftig umstritten, den einen als ›originellster Experimentator‹ ... während andere in ihm nur einen ... schwächeren Nachfahren sehen, dessen ›rabiater Antichristianismus und Antiplatonismus ... einem naiven Lästerungsdrang die Zügel schießen läßt‹ (Hans Egon Holthusen).«

Aber die Diskussion findet heute nicht mehr statt. Wenn der *Spiegel* eine Titelstory verfassen läßt, fixiert er nur eine Situation, in der Schriftsteller wie Arno Schmidt allein in ihrer Position als Außenseiter wahrgenommen werden, nicht aber nach Inhalt und Idee ihrer Literatur. Das gleiche gilt im Grunde auch für die Rundfunksendungen. Wahrgenommen wurde die Exzentrik ihrer Themen und ihrer Argumentation, nicht aber deren Absicht. Obwohl diese Dialoge in mehreren Büchern vorliegen, ist niemals der Versuch gemacht worden, eine solche Absicht zu erkennen.

Das öffentliche Gespräch, das Interesse der Kritiker, ja, wie es scheint, sogar die Neugier der nachfolgenden Generationen sind zu anderen Gegenständen übergegangen. Was folgt daraus? Daß er, nach so kurzer Zeit, zum Anachronismus geworden ist? Oder, wie eine Reihe anderer, die bei lebendigem Leibe für »historisch« erklärt werden, ein »Opfer« jener Jahre nach 1945?

2

Es gibt heute Versuche, jenem halben Jahrzehnt von 1945 bis 1951 einen Glanz zu verleihen, der dem gleicht, den die zwanziger Jahre im Klischee besitzen. Ansätze zur Legendenbildung sind erkennbar. War etwas an dieser Zeit, das heute Legende sein könnte? Und was wäre das?

Rekapituliert man, so sieht man zwei Begegnungen. Einmal die Neuentdeckung dessen, was bis Kriegsende verboten war. Gleichzeitig eine Reihe von neuen Namen, als Versprechen für Weiterleben und neue Blüte. Ruft man sich Einzelheiten ins Gedächtnis, Buchtitel wie die *Abgelegenen Gehöfte* von Günter Eich, *Tauben im Gras* von Wolfgang Koeppen, *Interview mit dem Tode* von Erich Nossack, *Wanderer, kommst du nach Spa . . .* von Heinrich Böll, so erinnert man sich eines Gefühls der Solidarität, das diese Literatur hervorrief, einer Solidarität, die auch etwas für Schmidts *Brand's Haide* galt.

Worin begründete sich dieses Gefühl? Deutschland befand sich nach Kriegsende in einer Situation, in der das äußere Geschehen, sei es gesellschaftlicher, wirtschaftlicher oder politischer Art, fast unmittelbar als Ausdruck einer verborgenen inneren Problematik erschien. Fragwürdigkeit und Unsicherheit von Überzeugungen und Entscheidungen waren, so schien es, ohne Zwischeninstanz in den

Alltag projizierbar. Dem Schlagwort von der »Kahl-
schlagliteratur« antwortete von konservativer Seite das
vom »Unbehausten Menschen« (den Hans Egon Holthusen, damals poetischer Repräsentant, beschrieb).

In dieser Situation machten die Fragen nach den Themen der Literatur und nach der Form dieser Literatur offenbar keine Schwierigkeit. Man konnte abschreiben, was
jedermann erlebt hatte und noch erlebte. Dem kritischen
Realismus der Thematik schien nur eine Form und Sprache angemessen, die jedermann sprach, in derselben Gebrochenheit und Verstümmelung, wie sie im alltäglichen
Gespräch zu beobachten war. »Litérature engagée« und
»litérature pure« schienen keine echten Gegensätze. Es gab
weder Reaktion noch Avantgarde, es gab noch keine »Experimente«. Die ideologischen Gegensätze, christlich auf
der einen, marxistisch auf der anderen Seite, wirkten nicht
frontbildend, ja überdeckten sich an einzelnen Stellen, etwa bei Böll.

Das, was heute die Lobredner der »Vorwährungsjahre«
meinen, wenn sie dieser Zeit nachtrauern, fußt auf der
Überzeugung, der Schriftsteller habe sich damals noch einmal quasi naiv verhalten können. Er habe weder die Anstrengung der literarischen Stilisierung noch die Konzentration der Erkenntnis auf sich nehmen brauchen. Literatur schien etwas Selbstverständliches, endlich, nach den
dogmatischen Irrlehren von Goebbels und Rosenberg, an
ihrem Platz. Heute läßt sich paradoxerweise (oder selbstverständlich?) in dieser Überzeugung eher die Ausgangs-
basis für die literarische Situation der DDR erkennen als
für die der Bundesrepublik. Denn hier, in Westdeutschland, wurde der scheinbaren Naivität des Schriftstellers
durch die politische, wirtschaftliche und (nach außen hin)
gesellschaftliche Festigung der Boden entzogen. Der literarische Übersetzungsprozeß wurde erneut problematisch.
Hier setzte der Ruhm Benns ein mit seiner Lehre vom rigorosen Formalismus.

Die Schlagworte, die jetzt auftauchten, hießen Konformismus, Nonkonformismus, Wirtschaftswunder und unbewältigte Vergangenheit. Die Lager schieden sich. Auf Benn folgte die Thematik der Egozentrik und des Experiments, wie es seitdem leicht abwertend heißt. Auf der anderen Seite, durch Brecht angeregt, begann die bewußte Rückbesinnung auf Gesellschaftskritik und Utopie. Dazwischen entstanden Mischungen, teils unentschieden, teils fatal.

3

In gewisser Weise war die Erzählung *Brand's Haide* von Arno Schmidt der Prototyp jener Art Literatur um 1950. Ein Heimkehrer aus der Kriegsgefangenschaft erzählt. Hinter ihm liegt eine Vergangenheit, die er nur stückweise und widerwillig anerkennen kann. Die Lehren, die er aus ihr zieht, sind zynisch. Was gilt, ist das unmittelbare Überleben, einige private Interessen, die man sich über die Mißgunst der Zeit hinweggerettet hat, Skepsis gegenüber der Öffentlichkeit, Gefühle, Liebe, Natur als Spiegel der eigenen Verlorenheit.

Dieser Heimkehrer wird in ein ländliches Quartier eingewiesen, wo er mit der eingesessenen konservativen Bevölkerung zusammenstößt, der er, aus seinem persönlichen Interesse heraus, kritisch gegenübersteht, die er gleichzeitig wegen ihrer unbeirrbaren Überlebensfähigkeit bewundert. Zwei junge Flüchtlingsfrauen sind seine nächsten Nachbarn, fremd, auf sich selbst angewiesen, aber entschlossen, weiterzumachen, wie er. Die unvermeidliche Romanze entspinnt sich. Liebe ist in dieser Situation nichts Problematisches. Man trifft sich, ist sich sympathisch und steigt nach kurzem Geplänkel miteinander ins Bett.

Am Ende aber folgt die Geliebte einem Heiratsangebot, das sie aus Deutschland herausbringt und ihr ein Leben ohne Geld- und Nahrungssorgen verspricht. Der Erzählende bringt sie an die Bahn. Der Zurückbleibende lebt weiter.

»Ich stieß den Lappen gleichgültig vorbei und ging rasch und geschäftig entlang, ersprang Treppen, probierte Geländer mit der Hand, holzbelegte, gab die Bahnsteigkarte in zangenbewehrte Finger: schön war draußen der leere hellgraue Platz (wie meine Seele: leer und hellgrau!), auf dem der hohe Wind mich mit Staubgebärden umtanzte; wir waren allein, hellgrau und frei, ni Dieu, ni Maitresse. Ich hatte große Lust, die Windschwünge mit den Armen nachzuahmen, unterließ es aber, der Schuljugend wegen. Dafür hing an der Post im Zeitungskasten ein Bild: in der Baseball-Ruhmeshalle Amerikas zeigte man einem kid den Dreß Babe Ruth's: sollte man nicht doch Kommunist werden?! (Aber die ließen ja auch Wielands Osmannstädt zerfallen: also auch nicht!)«

Das Schema dieser Erzählung zeigt einen Grundtypus, der wenig konturiert und offen bleibt. Der Held, der die Kontinuität wahrt, erleidet und beobachtet mehr als er eingreift oder tut. Seine stärkste Aktivität entwickelt er in der Kritik. Die Welt, in die er sich hineinversetzt sieht, ist fremd, es gibt in ihr Gegner, Kollegen und Kumpels, aber keine Freunde. Der Zustand, in dem diese Welt sich befindet, ist mitbestimmt durch eine Vergangenheit, deren Spuren sich nicht auslöschen lassen wollen. Die Zukunft bleibt ungewiß, das Naheliegende gilt. Das höhere Element wird durch persönliche Interessen gestellt, die, da sie an das einzige zuverlässige Kontinuum der Erzählung gebunden sind, eine Gültigkeit vortäuschen, die nicht standhält. Die Kritik richtet sich gegen einzelne Vertreter des unbehaglichen Zustands und gegen die Allgemeinheit, die für diesen Zustand verantwortlich gemacht wird. Der Schauplatz ist ländlich oder vorstädtisch, merkwürdigerweise tritt in jener Zeit die Großstadt nur in Zuständen der Zerstörung oder der Entvölkerung auf. Der soziologische Bereich liegt

im Grenzgebiet von ländlichem Proletariat und Kleinbürgertum, ein intellektuelles Element schiebt sich in einer
oberflächlichen Assimilation mit ein.

Vielleicht vereinfacht dies Schema allzusehr und läßt
für die tatsächliche Variationsbreite zuwenig Raum. Doch
darauf kommt es gar nicht so sehr an. Es kommt in diesem
Fall nicht auf die statistisch subsumierbare Genauigkeit
an, sondern auf die Richtung, die ungefähre Auswahl der
Bestandteile, die jenen Erzählraum, man könnte fast sagen, Reproduktionsraum, bestimmten. Ein Raum, über
dem sprungbandhaft immer das Pathos, ein freilich ganz
verfremdetes Pathos, des »So-ist-das-Leben« steht. Dies
scheint es auch zu sein, was heute noch, und sei man sich
zehnmal über den literarischen Rang im unklaren (oder
vielleicht allzuklar), jenes merkwürdige Heimwehgefühl
der Solidarität hervorruft.

Diese Welt ist gewöhnlich, unverbesserlich und kritisier-
bar, aber sie ist die einzige, in der man leben kann, denn
nur in ihr kann der unverhoffte Kontakt einspringen, der
den Motor der auf sich zurückverwiesenen Subjektivität
in Gang hält. Kontakt in der fremdartigen Metaphorik
der Natur, in der Überraschung durch etwas, was Kunst
nahekommt, im Bett mit der Frau oder, wenn die Vereinzelung plötzlich übermächtig wird, im Rückfall auf sich
selbst. So gibt dies Bewegende, innerlich und äußerlich Bewegende, gleichsam ein letztes Positivum, einen unab-
wischbaren Rest von Farbigkeit, um so leuchtender, um so
unwiderruflicher, je umfassender die Vernichtung, der
Tod, das Nichts einzudringen scheint.

4

An diesem Punkt muß man Arno Schmidt wiederum sepa-
rieren. Man muß es vor allem deshalb, weil er sich in der
Methode seines Erzählens grundlegend und von vornher-

ein von seinen damaligen Kollegen Kreuder, Nossack, Böll, Richter, Schroers, Jens und anderen unterschied. Der einzige, den man in gewisser Hinsicht vergleichen könnte, wäre Koeppen mit den *Tauben im Gras*. Arno Schmidts Erzählung läuft nämlich nicht plan ab. Sie ist vielmehr unterteilt in viele, je neu ansetzende Einzelabläufe von oft sehr geringem Umfang. Diese stellen so etwas wie Augenblicksbilder des Tagesablaufs dar, kräftig durchsetzt mit Reflexionen und Kommentaren. Schmidt kannte, als er *Brand's Haide* schrieb, Joyce nicht. Seine Absicht war nicht, einen inneren Monolog oder einen Bewußtseinsstrom darzustellen, war nicht auf formale Veränderung und Destruktion des Romans gerichtet. Er suchte vielmehr für seine Erzählung die höhere Objektivität und fand sie in der Rückführung des Berichts auf die Spiegelung der Welt in der Vorstellung seines Helden. Seine Methode ist eher vom Perspektivismus Joseph Conrads als von Joyce abzuleiten. Schmidt hat sich zu dieser Methode auch theoretisch geäußert, ausdrücklich erklärend und innerhalb der Erzählung. In den zuerst in *Texte und Zeichen* abgedruckten *Berechnungen 1* heißt es in Paragraph 5:

»Die Ereignisse unseres Lebens springen vielmehr. Auf dem Bindfaden der Bedeutungslosigkeit, der allgegenwärtigen langen Weile, ist die Perlenkette kleiner Erlebniseinheiten, innerer und äußerer, aufgereiht. Von Mitternacht zu Mitternacht ist gar nicht ›1 Tag‹, sondern 1440 Minuten (und von diesen wiederum sind höchstens fünfzig belangvoll!).«

Und im *Lebens eines Fauns*:

»Mein Leben?!: ist kein Kontinuum! (nicht bloß durch Tag und Nacht in weiß und schwarze Stücke zerschnitten! Denn auch am Tage ist bei mir ein anderer, der zur Bahn geht; im Amt sitzt; büchert; durch Haine stelzt, begattet; schwatzt, schreibt; Tausenddenker; auseinanderfallender Fächer; der rennt; raucht; kotet; radiohört; Herr Landrat sagt: that's me!): ein Tablett voll glitzender snapshots.«

Diese Methode nun erlaubte Arno Schmidt, in gleichbleibender Weise, von *Brand's Haide* bis zum *Kaff* jenen Grad von erzählerischer Naivität und Unmittelbarkeit, den etwa Nossack, Böll oder Schnurre nach ihren ersten Büchern nicht recht mehr durchhalten konnten. Schmidt ließ die fabulösen Fiktionen, die seine Kollegen dann noch nicht entbehren konnten, links liegen. Seine Handlungsgerüste haben etwas beiläufig Altmodisches, sie leben vom antiquarischen Anachronismus ihres Erfinders, der sich in diesem und in manchen anderen Punkten noch heute eher als ein Zeitgenosse Wielands, Herders, Moritz' oder Tiecks fühlt. Die Fabel ist etwas Überliefertes, sie steht nicht im Brennpunkt des Interesses und der Konzentration.

Hier wird eine weitere Eigentümlichkeit erkennbar. Die Fabel, das sinntragende, ja symbolträchtige Gerüst, die gestalthafte Kurve, die die Kontur abgibt, hat nur eine, mitunter fragwürdige Nebenrolle. Aber sie wird nicht destruiert. Daß ihre Beispielhaftigkeit, ihre Aussagekraft sich entleert hat, kann der objektiven Situation zugeschrieben werden. Mit dieser Situation muß man fertig werden. Die Umkehrung ins enzyklopädisch-phänomenologische Welttheater wie bei Joyce oder Proust stellt nur einen letzten abschließenden und noch einmal konstituierenden Schritt dar. Wenn man weiter erzählen will, und das will und kann man, kommt es darauf an, praktikable Methoden (und vielleicht Kompromisse) zu erfinden.

Der Irrtum der deutschen Literatur unmittelbar nach 1945 war es, aufs Ganze gesehen, wahrscheinlich, daß sie der Vertrauenswürdigkeit der Fabel in einer Zeit, die unerschöpflich Exempelstories zu produzieren schien, noch einmal und fast blindlings glaubte. Sie glaubte, daß in einer verstörten Zeit das Wahre passiert, das das ohnehin verstörte Gemüt zu erhellen vermag. Sie mußte mit zunehmender Stabilisierung erkennen, daß es so einfach nicht war und daß das Leben in Wohlstand und Sicherheit nicht ohne weiteres solche Geschichten mehr lieferte. Ein anderes, vielleicht das einzige ganz instruktive Beispiel neben Schmidt zeigt das Werk Koeppens. Seine erzählerischen Verlagerungsversuche endeten in der verdeckten Problematik der Subjektivität, wie er sie in seine Reiseberichte eingeschmuggelt hat. Seine Rede (man ist versucht zu sagen: Antirede) zur Verleihung des Büchner-Preises zeigte in beispielhafter und ergreifender Weise, wie er sich der Situation bewußt ist.

Die Methode Arno Schmidts erwies sich für die verschiedenen Situationen als praktikabel. Sie hat bestimmte Momente, die sie Methoden des neuen französischen Romans (Nathalie Sarraute, Claude Mauriac) vergleichbar erscheinen lassen. Hier wie dort siedelt sich das Erzählwerk im Brechungsgürtel der Subjektivität an, in jener Zone, in der Ich und Welt ineinander übergehn, in der sie beide nicht mehr ganz sie selbst und immer schon ein wenig anders sind. In der Methode (und niemals in der gewiß oft begrenzten personalen Sphäre der Ansichten und Meinungen und Kommentare) findet sich ein Generalnenner, auf den sich sowohl die Zeitgenossen aus Adolf Hitlers tausendjährigem Reich wie die der Jahre danach wie die des Wirtschaftswunders beziehen lassen. Daß die Methode einen solchen Generalnenner zu bilden vermochte, macht sie praktikabel. Ihre Grenze findet sie dort, wo es um die Opfer, die unwillentlichen wie die wissentlichen, geht. Ihnen kann vermutlich allein die Allegorie gerecht werden. Die Unausmeßbarkeit ihres Schicksals entzieht sich nun wörtlich jeder Direktheit und Unmittelbarkeit.

5

Praktikabel bleibt die Methode, das sei der Vollständigkeit halber hinzugefügt, auch in einer ganz anderen Art von Erzählungen, wie Arno Schmidt sie seit dem *Levia-*

than ebenfalls pflegte. Es handelt sich dabei um utopische oder pseudohistorische Sujets, teils in der Antike, teils in der nahen, post-atomaren Zukunft spielend. Schmidt nennt diese Erzählungen Gedankenspiele. Sie dienen, nach dieser Erklärung, als Ventil in ausweglosen Lagen. Ein uneigentliches allegorisches Element ist ihnen eingeschrieben. Schmidts Lieblingsmodelle sind die Notizhefte der jugendlichen Geschwister Brontë, in denen sie die Fabelreiche Angria und Gondal erdichteten. Aber auch *Gullivers Reisen* zählt er dazu.

Die teilobjektivierte Spiegelräumlichkeit dieser Gedankenspiele läßt vor allem die thesenhaften Elemente, die auch sonst das Werk Arno Schmidts durchsetzen, in den Vordergrund treten. Charakteristischerweise entsteht da, wo die Phantasie frei schalten kann, eher der Eindruck des Autobiographischen. Die Erzählweise fällt streckenweise in objektive Berichte zurück und wird in manchen Stellen (wie im zweiten Teil der *Gelehrtenrepublik)* leer und abstrus.

6

Was aber bedeutet das alles wirklich? Läuft nicht auch Arno Schmidt nach einem, zugegebenermaßen genialen, Entwurf leer, in manisch wiederholenden Varianten? Tatsächlich ist ihm der Vorwurf der Selbstkopie und der tickhaften Besessenheit von der Kritik gemacht worden, seit *Aus dem Leben eines Fauns* erschien, jedem Buch, in dem sich eben die Praktizierbarkeit der Methode erwies. In diesem Vorwurf ist nicht bloßes Übelwollen erkennbar, es ist die instinktive Abwehr von Betroffenen.

Diese Betroffenheit aber hat ihre Ursache dort, wo nicht die konstruktive Seite der Erzählweise, wohl aber deren Gestik und Tonfall mit allgemeinen Erfahrungsmustern und sprachlichen Mitteilungsgewohnheiten verknüpfbar und vergleichbar erscheint. Ähnelt nicht der Duktus des Schmidtschen Erzählens einem Vorgang, den man allerorten, tagtäglich beobachten kann? Jener Erzählweise nämlich, wie sie einfache Menschen an sich haben, besessen von bestimmten Erlebnismustern, von bestimmten Manien, ausschweifend in kaum abzusehende Bezugsketten und zurückkehrend zu immer denselben Meinungen, zu bestimmten Klischees der Interpretation von Umwelt und Mitmenschen? Dieses Eisenbahn- oder Straßenbahngeschwätz, diese Küchen- und Kneipenhistorien kann man mit einer gewissen Berechtigung der Methode Schmidts unterlegen.

Wo aber haben solche Erzählungen von »Frau Müller«, die morgens über den Gasherd gebeugt und später an die Kante des Küchentisches gelehnt die immer gleichen schrecklichen Ereignisse aus ihrer näheren Verwandtschaft rekapituliert, vermischt mit Allerweltsweisheiten und frisch aus der Zeitung Angelesenem oder dem Fernsehen Abgegucktem – wo haben sie ihren Ort? Sie bilden zunächst ein Modell für eine bestimmte Art der Tatsachenverarbeitung. Dieses Modell zeigt vor allem Merkmale der soziologischen und bildungsmäßigen Zugehörigkeit. Weiterhin gibt es gewisse psychologische Aufschlüsse, die aber auch eher dem konventionell-moralischen Standard zugehören, als daß sie analytisch erfaßbare Tiefenschichten aufdecken. Die Erzählung wäre ein zwar beschränktes, aber durchaus lokalisierbares Muster für den Zustand eines undurchschaubaren menschlichen Selbstverständnisses. Das Aufschlußreiche für die Erzählweise Arno Schmidts liegt in dieser Unfähigkeit, das Erzählte zu durchschauen. Die Stilisierung eines personal gefilterten Allerweltsrepertoires erhält allein durch den Grad, die Intensität, die verbissene Wut, mit der sie durchgeführt wird, die Chance, das Selbstverständnis einer menschlichen Spezies überhöht und stellvertretend darzustellen oder zu erfinden.

7

Man muß also eine literarische Situation klarmachen, in
der es nicht darauf ankommt, etwas Allgemeines zu lösen,
Welträtsel zu raten, aber auch nicht darauf, Typen und
Personen zu erfinden, sie deutlich zu machen und voneinander abzugrenzen, sie in sich, was ihre gesellschaftliche
und psychologische Fixierbarkeit betrifft, einheitlich zu
halten, ihre Begegnungen, Verschränkungen und Beein-
flussungen quasi kontrapunktisch zu entwerfen und den
Gang der Handlung überhaupt so zu wählen, daß dies
alles plausibel, ohne allzu gewaltsame Kunstgriffe, darin
unterzubringen ist. Auf all dies muß verzichtet werden.
Muß es? Offenbar gibt es nur schwer noch etwas her, offenbar hat es die Neigung, zum kunstgewerblichen Spiel
zu erstarren. Die »runden Figuren«, die »plastischen Schilderungen«, die »klassischen Entwicklungen«, die ein Teil
der Kritik seit vielen Jahren entbehrt, sie sind ja in einer
abgeleiteten, mehr unterhaltenden Art von Literatur zu
Hunderten vorhanden (und es gibt »seriöse« Kritiker, die
in letzter Zeit schon versuchsweise wagen, einem solchen
Unterhaltungsautor zuzugestehen, daß er »erzählen könne«), aber sie tragen nichts dazu bei, die Fragen zu beantworten, die uns beunruhigen. Als Hemingway eine bestimmte Art des Erzählens erfand, mit der er Sentimentalität und Todesfurcht sowohl darzustellen wie zu verdek-
ken verstand, war er aktuell. Der Typus, in den hinein er
das projizierte, wurde exemplarisch. Als er etwa fünfundzwanzig Jahre später dasselbe noch einmal, und objektiv
gesehen, genauer, zu machen versucht, scheitert er. Der
Typus, der einst in der Lage war, die Problematik in sich
zu konstruieren, verweigert den Dienst, er ist lediglich alt
geworden. Der neue Ruhm, die nachgeholte Aktualität
eines ganz anderen, späteren (wenn auch dem Lebensalter
nach älteren) Pariser Amerikaners, Henry Millers, bezeugt offenbar, daß es überhaupt nicht mehr darauf an-

kommt, einen solchen Typus zu erfinden (dieses Geschäft scheint auf die mechanisch und statistisch funktionierenden Unterhaltungsindustrien übergegangen), sondern auf etwas anderes. Auf was?

8

Was bedeutet das, daß ein Autor in der literarischen Stilisierung seines eigenen Bewußtseinsrepertoires das erzählerische Selbstverständnis repräsentiert? Es bedeutet, daß der Aspekt der Welt, der literarisch zu vermitteln ist, der interessant genug ist, daß ihn Leser lesen, daß dieser Aspekt nicht einen Phantasieraum mehr darstellt, der mit abbildhaften, quasirealen Spielfiguren und Modellhandlungen zu füllen ist. Vielmehr muß der Autor seine eigene Lebenserfahrung, die Unmittelbarkeit des ihm einmalig Begegneten einsetzen, seine eigenen Eindrücke und Interpretationen, seien sie originell oder markiert durch Gruppenzugehörigkeit, unverblümt in die Geschichte einführen, den Zustand seiner Geistigkeit, seiner Intelligenz, seiner Bildung, seiner Vorurteile, seiner Animositäten als Basis benutzen, nicht nur als Basis, sondern als Baustoff, der unvermittelt durch formale Fiktionen, Mosaikstein für Mosaikstein, das literarische Gebilde ergibt, um das es ihm geht. Um das es, und das ist gerade hier wichtig zu sagen, eben auch jenem Leser geht, der liest, um zu erfahren, was los ist, nicht um sich zu unterhalten.

Im Werk Arno Schmidts läßt sich diese Situation wie in einem Grundriß ablesen. Dies um so mehr, als sozusagen gewisse »Unreinheiten« die Elemente unterscheidbarer machen. Weil manche Dinge, die Schmidt äußert, unmittelbar dem eingeengten Gerede gleichen, das man in der Straßenbahn oder unter Kollegen oder an jedem Ort, an dem Erfahrungen und Ansichten ausgetauscht werden, hören kann. Er hat Vorurteile. Solche zum Beispiel eines bil-

dungshungrigen Autodidakten. In ironischer Brechung
heißt es in *Kaff:*
    ». . . jaja; die Auto-die-dacktn.) – Und sie nicht gemes-
sen: genau-das. (›Affe plus Genius durch 3‹ hatte sie einmal, früher, ohne damals noch Jemand Besonderes anzu-
sehen, in einer größeren Gesellschaft gemurmelt . . .)«
    Schmidt hat Vorurteile des positivistisch Aufgeklärten
aus dem 19. Jahrhundert, er vertritt in dieser Hinsicht einen bürgerlichen Typus, der heute dem lax und gleichgül-
tig-schematisch christlichen gewichen ist. Dieser wird kritisch kontrastiert. Er neigt politisch zum Sozialismus, zeigt
aber konservativ-nationalistische Rückstände. Zur Aufklärung gehört auch die Behandlung der sexuellen Thematik, die in der Form, in der er sie darstellt, eine volkstüm-
lich weit verbreitete Auffassung reproduziert. Das Mißtrauen gegen Behörden ist generell und entspricht der Anschauung von Dorfbewohnern und Kleinstädtern.
    Man könnte in dieser Analyse noch fortfahren. Das Er-
gebnis legt die Umrisse eines Typus frei, wie er, als Misch-
typus häufig und durchaus stellvertretend in der heutigen
Gesellschaft vorhanden ist. Das Bewußtseins- und Sprach-
repertoire dieses Typus ist das Baumaterial, aus dem sich
alle Erzählungen Arno Schmidts zusammensetzen. Er ist
es, zu einem bestimmten Teil, selbst. Doch nicht allein.
Denn hinzu treten einmal die personalen Unregelmäßigkeiten, von der reinen Okkupiertheit (»– . . . ich habe die
Gabe, über Statistiken wahnsinnig werden zu können!«)
bis zu den erstaunlichen Erfindungen einer an scharfer Be-
obachtungsgabe und untrüglichem Gedächtnis geschulten
Sprachkunst. Diese personalen Unregelmäßigkeiten, das,
was man dem Mann in der Straßenbahn im äußersten
Falle als anschauliches Schildern bestätigen würde, sind es
aber, was das literarische Opus erst organisiert. Die Stilisierung des schwatzhaften Alltagsgeredes besteht in der
Organisation durch die Fähigkeiten der vorstellenden, ein-
bildenden und sprachgebenden Phantasie.

9

Das Selbstbewußtsein, das Arno Schmidt reproduziert, ist das einer Schicht, die in der heutigen Gesellschaft einen großen Raum einnimmt. Das ist um so erstaunlicher, als diese Schicht dazu neigt, sich mit angenommenen Fassaden zu tarnen. (Auch davon hat Schmidt eine Spielart, nämlich die Pose des Genialen.) Die Wirksamkeit dieser Reproduktion ist dadurch gehindert, daß dieser Typus dem Selbstverständnis abgeneigt ist und sich, sei es auch polemisch oder zynisch, lieber heroisieren läßt. Das ist in letzter Zeit versucht worden und hat Erfolg gehabt. Dennoch ist Schmidt der einzige, der, nach Fallada, vermocht hat, Modellsituationen für das Verhalten und »Funktionieren« dieses großwerdenden »kleinen Mannes« zu schildern. Im Gegensatz zu Fallada aber hindert ihn alles übrige, von Angehörigen dieses Typus gelesen zu werden. Obwohl er in gewisser Weise etwas Änliches leistet wie Gotthelf, wird ihm die Repräsentanz nicht zugebilligt, weil er die Schutzfassaden nicht berücksichtigt und weil er in der literarischen Organisationsfähigkeit zu weit geht; weil er, trotz allem, literarisch Ernst macht. Er ist ein Volksschriftsteller, aber ein verhinderter. Die Intellektuellen, bei denen die gesellschaftlich-typologische Zugehörigkeit verwischt ist, lesen ihn eher. Was sie stört, ist das, was Schmidt der Klasse zugehörig macht, so etwa die Pose des Besserwissers und Rechthabers. Dabei ist immer wieder zu beobachten, wie sich die Pose mischt und auflöst in die wahren Schwierigkeiten, die er beim Schreiben hat. In einem Brief heißt es:

».. . daß ich – ich schrieb es schon – eben mitten in einem, eigenen, umfangreichen Buch bin. Gewiß, es ist ›fertig‹, das heißt im ersten 400-Seiten-Entwurf. Aber die ›Reinschrift‹, während der sich immer noch, wenn auch sehr wenig umfangreiche, Korrekturen ergeben, dürfte sich noch tief bis in den März hineinziehen ...: ein Buch von vierhundert Seiten zu verzapfen ist fürchterlich anstrengend: und ich weiß noch nicht, wie ich, rein gesundheitlich, aus der Aktion hervorgehen werde.«

Hier spricht, über das hinaus, was als Tenor sonst Schmidts Dialoge über Wieland, Herder, Johannes von Müller, Moritz und andere bestimmt, das mit, was diese objektive Schwierigkeit, seine Art von Literatur zu machen, bezeugt. Diese Ehrlichkeit aber, die sich mit dem Anspruch auf Exklusivität verbindet, verträgt der Typus, der repräsentiert wird, am wenigsten. Sein Maßstab ist allein der Erfolg der größten Zustimmung. Diese aber produziert er selbst. Er ist unduldsam wie alle Diktatoren. Eine gewisse Abwandlung findet sich im letzten Roman *Kaff, auch Mare Crisium*. In ihm erscheint der Erzähler zum erstenmal ironisch gebrochen. Eine gewisse Rückwendung zur objektivierenden Erzählweise (vor allem in den eingestreuten irdischen und außerirdischen Episoden) mischt sich mit einer neuen, wütenderen Aufsplitterung und Umorganisation der syntaktischen und vokabularen Mittel. Die Einsicht in die Zustände des heutigen menschlichen Zusammenlebens weicht dabei zum Teil einer gewissen feierlich-ironischen Symbolhaftigkeit, die fest als Zäsur im bisherigen Werk Schmidts erscheint.

10

Man könnte wieder einwenden, Schmidt mache nichts anderes, als was vor ihm so bedeutende Leute wie Proust, Céline oder Joyce getan haben. Schmidt ist objektiv fortgeschrittener. Er hat nicht die Stützen jener Großen mehr. Wir haben sie nicht mehr. Deshalb helfen sie uns nicht, wohl aber Schmidt. Er ist, neben Beckett oder Nathalie Sarraute, das wahre Gleichnis und Paradoxon der heutigen literarischen Situation. Wir haben, denke ich, zur Zeit in Deutschland kein instruktiveres. Dies allein macht seine Bücher lesenswert.

Er ist kein Opfer der goldenen Jahre nach 1945. Aber er gehört auch nicht zu denen, denen die objektive Entwicklung davongelaufen ist, oder zu denen, die unter der Warenmarke des Nonkonformismus dem Publikum liefern, was es lesen will. Er gehört zu den wenigen, die durchgehalten haben. Und das heißt viel. Das allein genügte, ihn in den obersten Rang der deutschen Literatur zu versetzen.

(1963)

HELMUT HEISSENBÜTTEL

SPIELREGELN DES KRIMINALROMANS

1

Ich habe sechs- bis siebenhundert Kriminalromane gelesen
und bin weiter ein ziemlich regelmäßiger Leser dessen,
was neu auf den Markt kommt oder was mir bisher entgangen ist. Die Übersicht ist nicht leicht zu gewinnen, und
Nuancen und Varianten sind zahlreich. Manches hat sich
von selbst ausgeschieden. So kann ich, nach einigen Versuchen, nur schlecht Edgar Wallace oder Ellery Queen lesen. Ebenso habe ich allmählich den Geschmack verloren
an Erzählungen, die nichts als den Ruhm und die Clever-
ness ihrer Helden verkünden, also etwa die des Detektivs
Lemmy Caution von Peter Cheyney oder des Polizei-
leutnants Al Wheeler (von Carter Brown). Auch Mickey
Spillanes Mik Hammer gehört dazu. Diese Sparte hat
zwar eine starke Verbreitung gefunden, steht aber an der
Grenze.

Es gibt bei den Detektiven ein klassisches Gegensatz-
paar, den einen, der im rauhen bis rüden Einsatz so lange
Gegner zusammendrischt (und natürlich zwischendurch
auch selber zusammengedroschen wird), bis er heraus hat,
wer es gewesen ist, und den anderen, der durch eine Mischung aus Faktenermittlung und kombinatorischer Rät-
selraterei das zunächst Verworrene und Undurchschau-
bare in plausible Zusammenhänge bringt und durchschaubar macht.

Diese beiden Typen spielen bereits in der historischen

Entwicklung der Gattung eine Rolle. Mit dem Auguste Dupin von Edgar Allan Poe tritt der Detektiv auf, der den Fall allein durch logische Schlußfolgerung zu lösen vermag. Dupin hat einen positivistischen Zug. Er vertraut auf die allmächtige Aufklärungsfähigkeit der menschlichen Ratio. Allerdings ist das, was er aufklärt, Grauen und Unmenschlichkeit schlechthin. Der Täter ist ein Affe. In dieser extremen Polarisierung von Ratio und Unmenschlichkeit erscheint der *Doppelmord in der Rue Morgue* wie ein Programm, das in so reiner Ausprägung nie wieder eingeholt werden sollte. Auch der berühmteste und sprichwörtlichste Nachfolger Dupins, Sherlock Holmes, besitzt diese Zuversicht in die Lösbarkeit von Problemen. Anders sind die Gewichte bei Chestertons Father Brown verteilt. Liberale Christlichkeit fängt den Enthüllungsdrang des geistlichen Detektivs auf. Die späteren Nachfolger Dupins und Sherlock Holmes werden dann immer stärker soziologisch typisiert. Inspektor French, Hercule Poirot, Lord Peter Wimsey, Dr. Gideon Fell, Albert Campion, Chefinspektor Alleyn, John Appleby, Nigel Stangeways, Professor Gervase Fen, Roger Crammond, Nero Wolfe, Dr. Martin Buell, Hildegard Withers, Inspektor Napoleon Bonaparte (und eine Reihe anderer) sind gegenüber ihren Urvätern gleichsam bürgerlich-konventionell getarnt. Ihr neuer Prototyp ist der berühmteste, Georges Simenons Pariser Polizeikommissar Maigret. Mit ihm scheint sich, worauf ich noch zurückkomme, ein neuer Stamm zu begründen.

Die andere Spezies des Detektivberufs, die »hard boiled«, hartgesottene Sorte, tritt nicht so prononciert ins Leben der Literatur wie Dupin und Sherlock Holmes. Ihr Ursprung ist zu einem Teil aus Geschichten abzuleiten wie denen von Bret Harte, Mark Twain oder Ambrose Bierce. Frühformen finden sich in Europa etwa im Detektiv Sven Elvestads, Asbjörn Krag, der in Deutschland in den zwanziger Jahren berühmt war. Als eigentliche Prototypen aber gelten die Detektive Dashiell Hammetts, etwa Samuel Spade und Nick Charles (sie sind wie ihr Erfinder meist kleine, unscheinbare Angestellte einer Agentur), und Raymond Chandlers Philip Marlow. Vor allem Marlow, der Verlorene aus puritanischer Traktatliteratur, der dennoch, in all seiner Verkommenheit, das Recht verkörpert, das er in den Repräsentanten einer großstädtischen und mondänen Oberschicht korrumpiert sieht, hat reichliche Nachfolge gefunden. Die eigentümlichsten Varianten hat vielleicht James Hadley Chase beschrieben, weil bei ihm die Zwischenstellung zwischen Recht und Unrecht ernst genommen wird. Die Fronten scheinen von Fall zu Fall vertauscht, die Tätigkeit des »Aufklärers« sind zweideutig. Eine eindrucksvolle, groteske Variante findet sich in den Negerdetektiven Grabschaufler Jones und Sargfüller Johnson von Chester Himes.

2

Betrachtet man diese beiden Stammbäume literarischer Detektive genauer, so kann man sich bei aller Variationsbreite der Typen doch des Verdachts nicht erwehren, daß diese Unterscheidung etwas Äußerliches, vielleicht nur Regionales darstellt. Der Unterschied besteht grob gesagt in einer Verschiedenheit der Methoden: hier logisches Denken, dort rauhe Gewalt. Zugleich jedoch sieht man, daß auch der Logiker nicht ohne Gewalttat auskommt und daß auch der Hartgesottene seinerseits auf die logische Lösung seines Fakten-Puzzles angewiesen ist.

Man kann sie durchaus als ein und dieselbe Person ansehen. Ihre Verschiedenheit ist interner Art, sie beruht mehr in Gradunterschieden der Fähigkeit. Fähigkeit wozu? Um das zu beantworten, muß man sich darüber klar werden, wie weit dieser Kriminalroman eigentlich als realistische Erzählung in real fixierbaren Milieus, real fixierbaren

Chronologien, mit fiktiven, aber menschlichen Figuren an-
zusehen ist. Der Anschein spricht dafür. Seit jeher ist aber
auch bemerkt und eingewendet worden, daß die Darstellung des Verbrechens im Kriminalroman jeder statisti-
schen und sonstigen kriminalistischen Bestandsaufnahme
widerspreche.

Mary Hottinger, die verdienstvolle Herausgeberin von
Kriminalstories und streitbare Verfechterin der Gattung,
hat dazu bemerkt:

»Diese seltsame Stellung der Detektivgeschichten
kommt auch zum Vorschein, wenn wir sie mit der ausgezeichneten Reihe der *Notable British Trials* oder mit den
Famous Trials vergleichen. Beide haben eine sehr große
und sehr kultivierte Leserschaft, die nicht nur aus Krimi-
nalanwälten besteht. Sie enthalten die wörtliche Wider-
gabe von großen Prozessen, mit einer Einleitung und einem Nachwort von einem zuständigen Rechtsgelehrten.
Hier aber gilt das Interesse immer dem Angeklagten,
während in der Detektivgeschichte der Verbrecher selten
interessant und fast nie sympathisch ist. Das Interesse
konzentriert sich auf den Detektiv. Diese Spaltung zwischen Prozeßbericht und Detektivgeschichte wirft auch
Licht auf die Gattung.«

Das Licht, das diese Spaltung auf die Gattung wirft, erhellt vor allem eins: daß nämlich die Fälle, um die es sich
im Kriminalroman handelt, erfunden, ja konstruiert sind.
Die Beispiele etwa, die Erle Stanley Gardner aus der realen Praxis seines *Court of the Last Report* berichtet, erweisen sich als völlig ungeeignet für einen seiner Perry-
Mason-Romane. Sie müssen frisiert werden. Der Unterschied des Falles, wie ihn der literarische Detektiv löst, zu
dem der juristischen Praxis irgendeines Landes besteht vor
allem darin, daß der reale Fall sich aus Verwicklungen ergibt, die nur gewaltsame Lösungen zuließen, der Fall des
Romans jedoch auf die plausible Auflösung hin angelegt
sein muß. Das heißt, alle realistischen Elemente, seien sie

psychologischer, wirtschaftlicher oder sozialer Art, müssen von vornherein so eingerichtet sein, daß sie zu verschlüsselbaren wie auch auflösbaren Musterspielen zusammengefügt werden können. Es ergeben sich zwei Stilisierungsmöglichkeiten, die ins Abnorme und die Reduktion. In der Abnormität finden sich die Nachkommen von Poes Orang-Utan. Hier geht der Kriminalroman über in den Thriller, die Gruselgeschichte. Die Reduktion führt zu einer weiteren Einsicht. Es zeigt sich, daß es dem Kriminalroman gerade auf das nicht ankommt, auf was es dem Roman der sogenannten seriösen Literatur ankommt: auf Menschendarstellung und auf die Ergründung menschlicher Motive in Reflexion und Handlung. Was wie Ergründung von Motiven aussieht, erweist sich als ein bloßes Aufdecken vorgegebener Spielmarken. Der Kriminalroman ist eine Exempelgeschichte, die nach einem bestimmten Schema etwas einübt.

3

An dieser Stelle muß noch etwas nachgeholt werden, was ebenfalls im allgemeinen nicht deutlich unterschieden wird. Der Kriminalroman ist nicht eine Erzählung, die von verbrecherischen Taten schlechthin berichtet. Die wenigen Beispiele, die von Diebstählen, Schmuggeleien, Hochstapeleien oder ähnlichem erzählen, sind beiläufig. Ebensowenig läßt sich die Unterteilung (die immer wieder getroffen wird) in Verbrechergeschichten und Detektivromane aufrechterhalten: sie wird vor allem in England und Amerika gemacht, wo man zwischen Crime stories und Detective stories unterscheidet. Der Kriminalroman, so wie er sich historisch entwickelt hat und wie er heute eine bestimmte und nicht wegzudiskutierende Rolle spielt, ist immer ein Detektivroman. Ihm zugrunde liegt ein festes Schema, das zunächst drei Faktoren enthält: die Leiche, den Detektiv und die Verdächtigen. Der Ermordete, der entweder vor Beginn der Erzählung oder auf den ersten Seiten sein Ende findet, bringt alles in Gang. Die Leiche ist gleichsam der Hebel, der der Story den Anstoß liefert. Ihr gegenüber steht der Entdecker, der sich bemüht, die Verwicklung des Mordfalls aufzulösen. Alle anderen Figuren, die vorgeführt werden, sind entweder Gehilfen des Detektivs (oder auch bösartige Verzögerer seines Tuns) oder Verdächtige. Keine Person wird um ihrer selbst willen geschildert. Die ganze Statisterie ist fest ins Schema eingebunden.

Ernst Bloch hat dargestellt, wie der Kriminalroman aus der »Rekonstruktion des Unerzählten«, bei dem keiner dabeigewesen sein will, seine erzählerische Bewegung erhält: »Geschehen dagegen im Lauf der Detektivgeschichte selbst neue Morde, so sind auch sie noch ein schwarzer Fleck, mit dem Dunkel von Anfang zusammenhängend, es vermehrend, oft gar die Lösung erschwerend. Hauptsache bleibt dabei stets: das Alpha, bei dem keine der nacheinander aufgetretenen Figuren eingestanden dabei war, und der Leser am wenigsten, es geschieht – wie der Sündenfall, gar Engelssturz (um allzu mythisches Couleur nicht zu scheuen) – exul der Geschichte.«

Man braucht nicht, wie Bloch, die Perspektive zu Ödipus auszuziehen, um das Exemplarische und Grundlegende dieser Erzählungsart zu erkennen. Es ist immer ein und dieselbe Geschichte, die erzählt wird. Es gibt nur die eine Geschichte von der Leiche, die gefunden wird, und von der Rekonstruktion der Tat, wobei die Rekonstruktion die scheinbar willkürlich durcheinandergeworfenen Figuren der Verdächtigen immer mehr in ein bestimmtes Muster einordnet. Welches Muster? Zunächst kann man nur sagen, daß dies Muster gerade das als eigentliches und einziges Ziel aufscheinen läßt, das im »seriösen« Roman nur beiläufig auf den letzten Seiten vorkommt, wenn dort noch rasch die ferneren Schicksale der Personen aufgezeichnet werden, mit denen man während der Lektüre mitgelitten und mitgebangt hat.

In der einen Geschichte, die in fast unendlicher Variabilität immer wieder erzählt wird, geht es nicht um die Rehabilitierung des Ermordeten. Als rekonstruierte Person hat die Leiche am Schluß des Exempels den geringsten personalen Stellenwert. Ihr Tod wird gerächt, nicht, um personale Schuld zu sühnen, sondern um eine Gruppe von exemplarischen Figuren so ordnen zu können, daß man am Ende jenen herausgreifen kann, der die Sühne, nicht für die Tat, sondern für die potentielle Täterschaft der anderen Verdächtigen auf sich nehmen kann oder dem sie aufgeladen wird, weil er am Schluß das notwendige Ausfallmuster repräsentiert.

Eine entscheidende Rolle spielt in jedem Kriminalroman der Weg, den die Überführung nimmt. Das klassische Schema der Erzählung von Agatha Christie setzt an den Anfang eine Situation, die offenbar eine Lösung ausschließt (*Der rote Kimono, Tod in Mesopotamien* und andere). Die Ermordung wird so dargestellt, daß plausiblerweise keiner der Dabeigewesenen die Tat hat ausführen können. Dann tauchen Fakten auf, die eine Lösung möglich scheinen lassen. Diese Fakten stehen in unlösbarem Widerspruch zueinander. Hier tritt dann Hercule Poirot auf. Um das unzureichende Material ergänzen zu können, prüft er ein paar Dinge nach, die noch nicht nachgeprüft worden sind, diese baut er aus durch eine kleine Provokation, er stellt hypothetische Fragen, deren Beantwortung die vorhandenen Fakten in eine neue Beziehung zueinander bringen usw. Eine bestimmte Rolle spielt in diesem sich allmählich aufsummierenden Komplex von Indizien immer das Tatmotiv. Dies aber wird nicht als etwas subjektiv-psychologisch zu Ergründendes aufgefaßt, sondern erscheint ebenfalls in faktischer Form. Die Tätigkeit des Detektivs hat in einem solchen klassischen Fall (für den neben Agatha Christie etwa auch John Dickson Carr, Anthony Berkeley, Father Ronald A. Knox, Dorothy Sayers, Margery Allingham, Michael Innes, Nicholas Blake, Ngaio Marsh, Edmund Crispin, Thomas Muir, aber eben auch Dashiell Hammett, Raymond Chandler, Erle Stanley Gardner, Rex Stout oder das Ehepaar F. R. Lockridge stehen könnten) etwas ganz Materielles zum Ziel. Der Detektiv versucht aus einzelnen zufälligen Abdrücken eine Spur zu rekonstruieren. Er gleicht jemandem, der aus einzelnen Strichen zunächst eine Schrift und dann einen Text erschließt. Dabei kommt es vor allem, wenn man im Bild bleiben will, auf die Schrift an. Es kommt darauf an, in der Vervollständigung der Spur ein kombinatorisches Geschick zu üben. Charakteristisch für viele Kriminalromane des klassischen Typus ist es, daß am Ende die Nacherzählung der Mordtat selbst nur oberflächlich und stichwortartig, mitunter sogar unvollständig geschieht. Hier kann man Blochs Unterscheidung noch stärker differenzieren: Es kommt nicht auf die Rekonstruktion des Unerzählten an, sondern auf die Rekonstruktion der Spur des Unerzählten.

Damit zeigt sich, daß die Erzählung des Kriminalromans grundsätzlich in einem abstrakt funktionierenden Schematismus befangen ist, der seine eigenen rigorosen Gesetzmäßigkeiten hat. Die Geschichte, die erzählt wird, stimmt oder stimmt nicht, je nachdem, wie diese Gesetzmäßigkeiten befolgt oder übergangen werden. Der Schematismus ist quasi formaler Art. Er bewirkt nicht, aber er garantiert die unendliche Variabilität der einen Geschichte. Die Rekonstruktion der Spur des Unerzählten läßt im Gerüst ihres rigoros auskalkulierten Schemas eine immer neue Kombinatorik der möglichen Füllungen zu.

4

Nun kann natürlich auch eine solche gleichsam abstrakte Erzählung nicht ohne das auskommen, was man ihren Inhalt nennt. Dieser Inhalt, so kann man zunächst sagen, besteht in der immer neuen Angleichung an reale Schauplätze und Milieus. Die Geschichte zieht sozusagen immer neu zugeschnittene Kleider aus Schauplatz und Milieu an. Das geschieht wiederum nicht in einer nur psychologischen, soziologischen oder gar ethnologischen Vermenschlichung, es geschieht merkwürdigerweise topographisch. Die Konstanz einer Variante stellt sich her aus der topographischen Verankerung der Geschichte. Das hat, für den älteren Kriminalroman, schon Walter Benjamin deutlich gemacht. In *Einbahnstraße* sagt er:

»Vom Möbelstil der zweiten Hälfte des 19. Jahrhunderts gibt die einzige zulängliche Darstellung und Analysis zugleich eine gewisse Art von Kriminalromanen, in deren dynamischem Zentrum der Schrecken der Wohnung steht. Die Anordnung der Möbel ist zugleich der Lageplan der tödlichen Fallen, und die Zimmerflucht schreibt dem Opfer die Fluchtbahn vor ... Dieser Charakter der bürgerlichen Wohnung, die nach dem namenlosen Mörder zittert wie eine geile Greisin nach dem Galan, ist von einigen Autoren durchdrungen worden, die als ›Kriminalschriftsteller‹ – vielleicht auch, weil in ihren Schriften sich ein Stück des bürgerlichen Pandämonismus ausprägt – um ihre gerechten Ehren gekommen sind.«

Was Benjamin hier »bürgerliches Pandämonium« nennt, kommt im Modell des älteren Kriminalromans als reine Darstellung einer Polarisierung von Gut und Böse, Ratio und Unnatur zum Vorschein. Das wird nach Doyle und Chesterton anders. Was gleich bleibt, ist die topographische Verankerung. Während noch auf den Londoner Club von Anthony Berkeley die Diagnose Benjamins unmittelbar anwendbar scheint, ist der Bellona Club Dorothy Sayers' und Lord Peters ein allgemeiner Ort, der in der Stadtlandschaft bestimmter Londoner Bezirke aufgeht. Ähnlich ist es bei John Dickson Carr.

Merkwürdig bleibt die Zwischenstellung in vielen Romanen Agatha Christies: Interieurs, die strenggenommen keine sind (das Innere eines Flugzeugs, eines Schlafwagens, das Zwischendeck eines Nildampfers), Interieurs, die gleichsam Fühler ausstrecken, ohne daß die Umgebung ganz zur Landschaft wird, Landschaftsausschnitte, die interieurhaften Charakter bekommen dadurch, daß sie wie Zimmer behandelt werden.

Das Besondere der Benjaminschen Analyse hat sich gewandelt, das Allgemeine, die topographische Verflechtung, erweist sich bis heute als eins der hervorragenden Charakteristika der Gattung. Dabei muß allerdings beachtet werden, daß es sich nicht um Schilderung von Orten und Gegenden im Sinne der seriösen Literatur handelt. Interieur und Landschaft werden nicht um ihrer selbst willen sprachlich verwandelt, erscheinen nicht in der Sprache als sie selbst. Wenn ich bei Hammett unverwechselbar etwas über die Topographie von San Francisco erfahre, bei Chandler über die von Abbruchvierteln und Luxusstraßen in Los Angeles, bei Gardner etwas über Landsitze und Motels in Kalifornien, bei F. R. Lockridge und Margaret Scherf über bestimmte, ausgeschnittene Stadtteile von New York, bei Margot Neville über Sydney, bei Arthur W. Upfield über australische Kleinstädte und Farmhöfe, immer ist dieses Vertrautwerden mit Schauplätzen ein Vertrautwerden mit Tatorten. Ich erfahre, nicht in sprachlicher Verwandlung, sondern in der Summierung von Fakten zur Physiognomie des Tatorts, etwas über die Örtlichkeit. Die Rekonstruktion der Spur des Unerzählten geschieht mit Hilfe der topographischen Durchdringung. Der Schauplatz, der sich als Tatort identifiziert, erscheint nicht als Landschaft im malerischen oder romantischen Sinne. Er erscheint als typologisch geprägter Lebensraum. Das Modell, das der Kriminalroman aufbaut, erscheint zuerst als Örtlichkeit, die die Spur der typischen menschlichen Aktivität bewahrt hat; die Örtlichkeit erscheint als etwas, was aus den Spuren dieser Aktivität besteht. Umgekehrt hat die Örtlichkeit unmittelbarer Menschliches (Spuren von Psychologie, Emotionen, »Glück und Leid«, Gemeinschaftlichkeit usw.) in sich bewahrt als die Spielfiguren des Exempelfalles selber. Das Menschliche erscheint in den Schauplatz versachlicht. Was etwa Robbe-Grillet theoretisch verficht, hat der Kriminalroman lange vor ihm auf eigene Weise realisiert.

Benjamin spricht davon, daß es sich um »die einzig zulängliche Darstellung und Analysis zugleich« handle. Darin deutet sich an, daß die Rekonstruktion des Tatorts im Namen eines der Beteiligten geschieht (nämlich dessen, der die Analyse durchführt), und das ist der Detektiv. Er rekonstruiert. Er kann dies kraft seiner Sonderstellung, in der er mit der Leiche allein ist. Er rekonstruiert, weil er, wenn man näher zusieht, mit Eigenschaften begabt ist, die ihn als außermenschliches Wesen kennzeichnen. Er ist unsterblich und mit höherem Wissen, mit Omnipotenz begabt. Beide Eigenschaften dürfen nicht als etwas Zufälliges, als übersteigerter Subjektivismus oder als geheime Selbstglorifizierung des Autors interpretiert, sie müssen wörtlich genommen werden. Der Detektiv weiß von Anfang an, wohin ihn sein Weg führen wird. Die Schwierigkeiten, die er hat, betreffen den Weg, den er gehen muß. Für ihn gilt der Satz von Kafka: »Es gibt ein Ziel, aber keinen Weg; was wir Weg nennen, ist Zögern.« Wenn er am Schluß mit seiner anfänglichen Unwissenheit renommiert, so ist das nur eine augenzwinkernd ironisch vorgebundene Maske. In Hammetts *Dünnem Mann* heißt es gegen Ende: »›Du meinst, du hast das von Anfang an gedacht?‹ fragte Nora, indem sie mich mit strengen Augen fixierte. – ›Nein, Liebling. Allerdings – eigentlich müßte ich mich schämen, daß ich das nicht gleich gesehen habe...‹«

5

Ich war früher der Ansicht, man müsse, wie das auch bei Gilbert Keith Chesterton oder Dorothy Sayers geschehen ist, den Detektiv als eine theologische Figur, als eine Art bürgerlich getarnten Erzengels, interpretieren. Ich meine heute, daß eine solche Interpretation das Problem zu sehr vereinfacht. Gewiß hat der Detektiv etwas von einem solchen »Abgesandten«, gewiß ist der Kriminalroman eher im Erzählraum einer säkularisierten Legenden- und Allegorienliteratur angesiedelt als in der Nachbarschaft des realistischen, psychologischen oder nachrealistischen Romans. Dennoch läßt sich die Rekonstruktion der Spur im Tatort nicht als ein Akt theologischer Einsicht deuten. Als was aber?

Wenn sich die Rekonstruktion der Spur am Ende als etwas erweist, das auch aufgefaßt werden kann als allmähliche Enthüllung eines Musters, so bezieht sich diese Enthüllung nicht auf den Tatort, sondern auf die mitspielenden Figuren, genauer gesagt, auf die Gruppe der Verdächtigen (nicht auf die Helfer oder Widersacher des Detektivs). Die Gruppe der Verdächtigen erfährt ihr erstes Kriterium als eine definierbare Gruppierung dadurch, daß sie beschränkt ist auf Figuren, die in Beziehung zur Leiche standen. Diese Beziehungen beschränken sich auf emotionale, verwandtschaftliche und wirtschaftliche Bindungen. Der Gangster tritt nur als Randerscheinung oder, in einer besonderen Funktion, in der neuesten Phase der Gattung auf. Die Bindungen der Figuren an die Leiche erweisen sich als dieselben, die die Figuren untereinander als Gruppe erkennbar machen. Sie lassen sich auch als die molekularen Affinitäten bezeichnen, die die spätbürgerliche Gesellschaft strukturieren; die sich als der letzte soziologische Kitt zwischen den einzelnen Personen erweisen in einer Situation, in der standesmäßige Gliederungen nicht mehr und gewaltherrschaftliche Mittel noch nicht bindend ge-

nug sind. Das Muster, zu dem sich am Schluß die Gruppe
der Verdächtigen zusammenschließt, wird bestimmt durch
dieses letzte Bindemittel der spätbürgerlichen Gesellschaft.
Die Gruppe erweist sich als Muster spätbürgerlicher soziol-
logischer Verbundenheit. Diese Konstituierung der Gruppe wird erkauft durch den Tod des Ermordeten. Das
Trennende hat sich quasi rein ausgeschieden. Die Bindung
aber kann erst zutage treten, wenn sich der andere, der
Täter, entlarvt hat als derjenige, der geopfert werden
muß. Leiche und Täter sind unlösbar aneinander gebunden. In gewissen Fällen, nämlich da, wo die Gruppe selbst
als Täter erscheint (wie im *Roten Kimono* von Agatha
Christie), werden Leiche und Täter identisch. Denn die
Gruppe ist, im Gegensatz zur realen Rechtsprechung, niemals fähig, schuldig zu werden. Die Schuld fällt dann rein
auf die Leiche zurück.

6

Das Schema gilt offenbar nicht mehr ganz für die Entwicklung der Gattung in den letzten fünfzehn bis zwanzig Jahren. Die entscheidende Übergangsposition scheint
sich dabei in den Erzählungen von den Taten des Polizei-
kommissars Maigret zu finden, wie sie Georges Simenon
geschildert hat. Maigret ist einer von jenen Detektiven,
die gleichzeitig eine einflußreiche offizielle Stellung innehaben. Ihm steht außer seinen übernatürlichen Eigenschaften ein großer Hilfsapparat zur Verfügung. Bezeichnenderweise macht ihn das jedoch nicht zum Repräsentanten
staatlicher Gewalt, er befindet sich im Gegenteil in einem
ständigen Kleinkrieg gegen deren Vertreter. Zur Unsterblichkeit und übernatürlichen Einsicht tritt die Fähigkeit,
sich in den staatlichen Apparat einzunisten und sich dort
zu halten (die Drohung der Entlassung erscheint immer
wirksamer als die des Todes; ernstlich verwundet wird er

nur, wo er mit besonders rückständigen Formen staatlicher Macht zusammentrifft, so in *Maigret und der Verrückte).* Schon immer war die Tendenz, den Detektiv zu tarnen, groß gewesen. »Ein lächerlicher kleiner Mann, den sicher niemand ernst nahm«, heißt es von Hercule Poirot. »Die fähigsten Detektive sehen aus wie Geistliche und die gerissensten Hassardspieler wie Bankprokuristen«, stellt Rechtsanwalt Mason bei Gardner fest. In der Figur Maigrets erreicht diese Tarnung sozusagen ihre Perfektion. Maigret ist das Urbild des vom Lande stammenden großstädtischen Kleinbürgers. Mit Raffinesse und schriftstellerischer Ökonomie hat Simenon das Repertoire dieser kleinbürgerlichen Existenz eingerichtet und ausgebaut. Der »Abgesandte« wird vollkommen in einem soziologisch eindeutig bestimmbaren Typus verkörpert.

Diese Verkörperung aber hat nun zur Folge, daß Maigret gleichsam ohne Umwege in die Verbindungsmöglichkeiten der Verdächtigen hineinschleicht. Seine menschlich-psychologische Anteilnahme scheint unmittelbarer. Mehr als seine Vorgänger und Kollegen lebt er gleichberechtigt in der Gruppe der Verdächtigen. Zugleich wird der Charakter des gesellschaftlichen Musters offener gezeichnet. Jeder Maigret-Roman erscheint als Ausschnitt aus einem größeren Zusammenhang. Man hat tatsächlich die Vorstellung, alle die einzeln geschilderten Gruppen könnten sich zu einem übergreifenden Gesellschaftskörper zusammenschließen. Die Analyse bekommt in der stärkeren realistischen Einfärbung (und Tarnung) den Charakter des Entwurfs. Man kann jedoch diesen Eindruck nicht beim Wort nehmen, er hält nicht stand und erweist sich eher als eine neue, raffinierte Tarnung. Etwas anderes scheint wichtiger. Die größere Nähe Maigrets zur Gruppe der Verdächtigen nähert ihn gleichzeitig dem Täter, dem Opfer an. Stärker als im früheren Typus des Kriminalromans tritt die leitende Verbundenheit des Entdeckers mit seinem Opfer hervor. Sie findet sich auch anderswo, etwa bei

Margery Allingham, Phyllis Hambledon, Helen Nielsen
oder Thomas Muir. Niemals jedoch so ausgeprägt und
grundsätzlich. Maigret ist immer auf dem Wege, sich mit
dem Täter zu identifizieren. Am wenigsten dort, wo die
Gruppierung der Verdächtigen sich als ganz rudimentär
oder exotisch erweist. Dort zieht er sich zurück (so in *Maigret und die Gangster, Maigret in Arizona*). Am stärksten
identifiziert er sich da, wo der Täter gleichsam in offener
Stellvertreterschaft für die Gruppe gehandelt hat. Dort
kann es geschehen, daß er den Täter deckt oder ihn
sich selbst richten läßt. Er nimmt einen Teil der Last
auf sich. Nicht, wie es scheinen könnte, aus Anteilnahme mit dem Schuldigen, nicht aus Mitleid, sondern
weil er (beziehungsweise der Autor) erkennt, daß etwas
diese stärkere Identifizierung des Entdeckers mit dem Täter verlangt, daß etwas objektiv Wirksames die Funktion
des Detektivs verändert. Diese Veränderung kann durchaus Beiklänge von Kritik und Bitterkeit haben, wie in
Maigret und der faule Dieb; sie ist in der über dreißigjährigen schriftstellerischen Tätigkeit Simenons so deutlich
geworden wie in keiner Provinz des Kriminalromans
sonst.

Tatsächlich entspricht diese Veränderung einer Entwicklung, die auch an anderen Stellen abzulesen ist. Äußerlich gesehen werden Schauplatz und Personal des Kriminalromans alltäglicher, sozusagen familiärer. Hierfür
sind etwa die Erzählungen des Ehepaares F. R. Lockridge,
Helen Nielsens (die in ihren Büchern die vielleicht eindrucksvollste Parallele zu Simenon zeigt), Margaret
Scherfs, Thomas Muirs, Guy Collingfords, Margot Nevil-
les, aber auch die Ben Bensons, des Ehepaars Gordon, Ivan
T. Ross' oder P. J. Merrills charakteristisch. Kennzeichnen-
derweise kehrt in den Romanen dieser Gruppe eine stereo-
type Überlegung wieder. Eine Figur aus der Gruppe der
Verdächtigen ruft gegen den Schematismus des Entdeckt-
werdens die Gewohnheit ihres Alltags auf, sie sagt sich,

daß so schreckliche Dinge doch in diesem normalen Leben nicht vorkommen könnten, denn sie lebe doch nicht in einem Kriminalroman. Hier wird die Reflexion auf die Fiktivität des Exempelspiels zu einem halluzinatorischen Trick umgebogen, so als handle es sich tatsächlich nur um einen harmlosen Tatsachenbericht.

Diese Vorgabe gehört zu dem neuen Arsenal von Tarnungen, mit dem die Geschichte versteckt wird. Die Zunahme an plausibler Realistik führt auch zur Diskussion des Verbrechens und des Verbrechers selbst. So in den Erzählungen des Ehepaars Gordon und Ben Bensons. Der Verbrecher wird als potentiell zu Rettender, als Verführter gesehen, so bei Ivan T. Ross. Diesen Charakter aber hat er nicht als Angehöriger einer abzugrenzenden Gruppe, sondern als eine Art Jedermann. Die Gruppierung wird allmählich immer unschärfer. Die Molekularbindungen der klassischen Gruppierung werden lockerer, allgemeine Relationen treten an ihre Stelle. Der Modellcharakter selbst tritt in den Gesichtskreis der Erzählung. Die Möglichkeit, das Exempelspiel in den eigenen Erfahrungsbereich zu übertragen, wird größer. Die Distanz verringert sich. Es passiert hier und jetzt, mitten unter uns.

In dieser Situation geschieht das Merwürdige, daß Detektiv und Täter zu einer Person verschmelzen. So in den beiden erstaunlichen Romanen von Stanley Ellin *Im achten Kreis der Hölle* und *Befehl des Bösen*. Jedenfalls ist der Detektiv der Schuldige. Eine andere Variante hat Margaret Millar in ihren Romanen ausgebildet. Auch bei Helen Nielsen finden sich Beispiele dafür, P. J. Merrills *Woher kommst du* und Fletscher Floras *Der Schuß kam zu schnell* zeigen etwas Ähnliches. Der Täter wird sich gleichsam seiner Rolle als notwendiges Opfer bewußt und daher gezwungen, beide Aufgaben zu übernehmen. Die Rekonstruktion der Spur wird zur Selbstentlarvung. Diese Selbstentlarvung aber dient nicht der konstitutionellen Gruppierung, die Gruppe erweist sich als etwas von Anfang an Gegebenes. Was sich herausstellt, ist ihre Unveränderbarkeit. In der Unveränderbarkeit erscheinen die internen Bindungen als bloße Floskeln. Die Möglichkeit zur breitesten Verallgemeinerung wird in der Waage gehalten von immanenter, aber nicht auf fixierbare Objekte gerichteter gesellschaftlicher Kritik. Gleichzeitig verändert sich auch der Charakter der topographischen Verankerung. Der Tatort wird zu einer typischen, topographisch nicht mehr eindeutig bezüglichen Örtlichkeit. Allgemeine Großstadtviertel, anonyme Kleinstädte und Dörfer, technische, touristische Landschaft.

Es scheint, als ob bei diesem Vorgang vor allem die Leiche an Beweiskraft verliert. Sie bekommt etwas Irreales. Sie verschwindet, etwa bei Margaret Millar und Stanley Ellin, als ob etwas in der Luft läge, das auflöst, immaterialisiert. Das wirft noch einmal die Frage auf, warum es im Kriminalroman immer und unter allen Umständen ein Mord sein mußte, der als Hebel, als Büchsenöffner sozusagen, diente. Die Antwort auf eine solche Frage könnte etwa lauten, daß der Zwang zur Konstituierung einer Gruppe in der spätbürgerlichen Gesellschaft offenbar nur unter einer Drohung wirksam werden konnte, der Drohung der Vernichtung. Die Leiche erscheint nicht als ein zu Recht oder zu Unrecht Verfolgter, als zufälliges Opfer einer Affekthandlung oder verbrecherischer Besitzgier. Sie ist stellvertretendes Objekt der Drohung. Die Drohung ist dem Charakter der molekularen Bindungen der Gruppe immanent. Um aber die Bindungen als etwas zu Konstruierendes positiv zu offenbaren, muß der Kurzschluß des Mordes stattfinden, an den dann der Täter, als postumer Garant der Gruppierung, ebenso gefesselt ist wie die Leiche des Ermordeten.

Dies Schema hat sich aufgelöst, ohne daß der Spielcharakter der Exempelerzählung verschwunden wäre. Es scheint im Gegenteil so, als ob er deutlicher und seiner selbst bewußter geworden ist. Was das schließlich zu bedeuten hat, ist vorerst kaum zu sagen. Möglich wäre, daß die zunehmende Polarisierung von realistischer Plausibilität in Inventar und Statisterie zur wachsenden Irrealität der Leiche den Charakter des bloß hypothetischen Spiels absolut macht. Die unendliche Variabilität der einen Geschichte erwiese sich dann als gleichrangig mit der des Schach- oder Kartenspiels.

7

Wider Erwarten erscheint der Kriminalroman so als eine der offensten Formen der heutigen Literatur. Er tut das, weil er gleichzeitig einen der wenigen in sich abgeschlossenen Bereiche der neueren Literatur ausgebildet hat. Das, was viele Kritiker an ihm stört, die sprachliche Lakonik und Anonymität, die schematische Reduktion der Psychologie, »unkünstlerische« Beschreibung, all das gehört zu seinen internen Kennzeichen. Er hat seine eigene sprachliche Tradition, die nur punktweise mit der der übrigen Literatur in Verbindung tritt, er hat auch, was oft übersehen wird, seine eigenen sprachlichen und stilistischen Kriterien, die ganz auf die Erfordernisse des sozusagen allegorischen Erzählens zugeschnitten sind.

Überdies handelt es sich beim Kriminalroman um etwas, was so viele Kritiker der modernen Literatur vermissen: nämlich um legitimen Lesestoff für alle. Jeder kann sich in ihm wiederfinden. Den Kritikern allerdings scheint gerade dies nicht recht zu sein.

(1963)

PETER WEISS

ANMERKUNGEN ZUM GESCHICHTLICHEN HINTERGRUND UNSERES STÜCKES

(Marat/de Sade)

Schon vor seiner Gefangenschaft in der Zwingburg von Vincennes und der Pariser Bastille leitete Sade Theateraufführungen in seinem Schloß La Coste. Während der dreizehnjährigen Einkerkerung (zwischen seinem dreiunddreißigsten und sechsundvierzigsten Lebensjahr) schrieb er, neben seinen großen Prosawerken, siebzehn Dramen. In späteren Jahren kam noch etwa ein Dutzend von Tragödien, Komödien, Opern, Pantomimen und gereimten Einaktern hinzu. Von all diesen Stücken wurde während der Zeit, die er zwischen 1790 und 1801 in Freiheit verbrachte, nur *Oxstiern ou les malheurs du libertinage* in einem Theater zur Aufführung gebracht und gleich wieder, nach einem Skandal, abgesetzt. Von 1801 bis zu seinem Tod 1814 war er in der Irrenanstalt Charenton interniert, wo er einige Jahre lang Gelegenheit hatte, im Kreis der Patienten Schauspiele zu inszenieren und selbst als Schauspieler auf der Bühne zu stehen. Charenton war (nach der Beschreibung von J. L. Caspar, *Charakteristik der französischen Medizin,* Leipzig 1822) eine Anstalt, in die man diejenigen brachte, die sich durch ihr Verhalten in der Gesellschaft unmöglich gemacht hatten, auch ohne daß sie geisteskrank waren. Hier waren Menschen eingesperrt, »die Laster geübt hatten, deren Offenbarung sich nicht für das öffentliche Gerichtsverfahren schickte, sowie andere, die wegen grober politischer Vergehen verhaftet worden waren, oder solche, die sich als schlechte Werkzeuge hoher Kabalen hatten brauchen lassen«. In den höheren Pariser Kreisen galt es als ein exklusives Vergnügen, Sades Vorstellungen in dem »Schlupfwinkel für den moralischen Auswurf der bürgerlichen Gesellschaft« zu besuchen. Es ist allerdings anzunehmen, daß diese Amateurvorstellungen zumeist aus Deklamationen im herkömmlichen Stil bestanden, wie überhaupt der größte Teil von Sades dramatischer Arbeit nicht an die Kühnheit und Konsequenz seiner Prosa heranreicht. Im *Dialogue entre un prêtre et un Moribond* und vor allem in *La philosophie dans le Boudoir* wird jedoch seine dramatische Auffassung deutlich, in der analysierende und philosophische Dialoge gegen Szenerien körperlicher Exzesse gestellt werden, auch zeigt sich in seinen Romanen, durch die außerordentlich konkrete Beschreibung aller Vorgänge, immer wieder sein bildhaftes Denken.

Seine Auseinandersetzung mit Marat, die wir hier darstellen, ist jedoch völlig imaginär und schließt sich nur an die Tatsache an, daß Sade es war, der die Gedenkrede auf Marat zu dessen Totenfeier hielt, und auch in dieser Rede ist seine Beziehung zu Marat noch zweifelhaft, da er sie vor allem hielt, um seinen eigenen Kopf zu retten, denn er war damals wieder gefährdet und stand schon auf der Liste der Guillotineopfer.

Was uns in der Konfrontation von Sade und Marat interessiert, ist der Konflikt zwischen dem bis zum Äußersten geführten Individualismus und dem Gedanken an eine politische und soziale Umwälzung. Auch Sade war von der Notwendigkeit der Revolution überzeugt und seine Werke sind ein einziger Angriff auf eine korrumpierte herrschende Klasse, jedoch schreckt er auch vor den Gewaltmaßnahmen der Neuordner zurück und sitzt, wie der moderne Vertreter des dritten Standpunkts, zwischen zwei Stühlen. Er stellt sich zwar nach seiner Freilassung 1790 dem Nationalkonvent zur Verfügung, wird Sekretär in der Sektion des Piques, wo er mit der Verwaltung

der Spitäler beauftragt wird und auch einen Posten als
Richter bekommt, bleibt aber ein Einzelgänger und ist
von der langen Kerkerhaft so geprägt, daß ihm der Umgang mit Menschen oft schwerfällt. Und wenn er sagt,
er sei von den Maßnahmen des alten Regimes geschädigt
worden, so kann er sich damit nicht heroisieren, denn es
waren nicht politische Gründe, die zu seiner Verhaftung
führten, sondern die Anklagen sexueller Ausschweifun-
gen, und in Gestalt seiner ungeheuerlichen Schriften
brachten ihn diese dann im neuen Regime auch wieder
zu Fall.

Auf welche Weise er sich als Revolteur betrachtete,
geht aus folgendem Brief hervor, den er 1783 aus dem
Gefängnis an seine Frau schrieb:

»Meine Denkungsart könne man nicht billigen, sagen
Sie. Und was macht das? Der ist schön verrückt, der anderen eine Denkungsart vorschreibt! Meine Denkungsart ist die Frucht meiner Überlegungen, sie gehört zu
meinem Leben, zu meiner Beschaffenheit. Es steht nicht
in meiner Macht, sie zu ändern, und wenn es in meiner
Macht stünde, würde ich es nicht tun. Diese Denkungsart,
die Sie tadeln, ist der einzige Trost in meinem Leben, sie
erleichtert alle meine Leiden im Gefängnis, sie schafft alle
meine Freuden auf der Welt, und mir liegt mehr an ihr
als an meinem Leben. Nicht meine Denkungsart hat mein
Unglück verursacht, sondern die Denkungsart der andern.«

Wir können uns Sade schwer vorstellen in einer Tätigkeit für das öffentliche Wohl. Er sah sich zu einem Dop-
pelspiel gezwungen, befürwortete einerseits Marats radikale Argumente, sah aber andrerseits die Gefahren eines
totalitären Systems, auch gingen seine Ansichten zu einer
gerechten Verteilung der Güter nicht so weit, daß er sein
Schloß und seinen Grundbesitz hergeben wollte, und er
fügte sich nicht gleichmütig, als er auf La Coste verzichten mußte, nachdem es geplündert und niedergebrannt

worden war. In seinen Theaterspielen äußern sich seine
letzten Versuche, menschlichen Umgang zu erreichen, doch
bei zunehmendem Alter gerät er ganz in Vereinsamung
und Abgeschlossenheit. Ein Arzt der Heilanstalt Charenton beschreibt ihn folgendermaßen:

»Ich begegnete ihm häufig, wenn er allein, mit schweren schleppenden Schritten, sehr nachlässig gekleidet,
durch die Gänge neben seiner Wohnung ging. Ich habe nie
gesehn, daß er mit jemandem sprach. Wenn ich an ihm
vorüberging, grüßte ich, und er beantwortete meinen
Gruß mit jener kalten Höflichkeit, die jeden Gedanken,
ein Gespräch anzuknüpfen, fernhält.«

Wenn es unsere Erfindung ist, ihn Marat in dessen
letzter Stunde gegenüberzustellen, so entspricht die ge-
schilderte Lage Marats der Wirklichkeit. Die psychoso-
matische Hautkrankheit, die dieser sich während der Ent-
behrungen in seinen Kellerverstecken zugezogen hatte und
an der er während der letzten Lebensjahre litt, zwang
ihn, zur Milderung des Juckreizes viele Stunden in der
Badewanne zu verbringen. Hier hielt er sich auch auf, als
am Sonnabend, dem 13. Juli 1793, Charlotte Corday
dreimal an seiner Tür war, ehe sie eingelassen wurde und
ihn erstach.

Die Äußerungen Marats im Lauf der Handlung entsprechen ihrem Inhalt nach, oft fast wortgetreu, seinen
hinterlassenen Schriften. Auch was über seinen Werdegang erwähnt wird, hält sich ans Authentische. Als Sech-
zehnjähriger verließ er das Elternhaus, studierte Medizin,
lebte einige Jahre in England, war berühmt als Arzt, verkannt als Wissenschaftler, kam zu gesellschaftlichen Ehren, stellte sich dann aber, nachdem er die Gesellschaft
schon lange seiner Kritik unterworfen hatte, ganz in den
Dienst der Revolution und wurde, seines heftigen, unversöhnlichen Temperaments wegen, zum Sündenbock für
viele Greuel gemacht. Erst Autoren wie Rosbroj, Bax und
Gottschalk begannen, am Anfang unseres Jahrhunderts,

das einseitige Bild Marats zu revidieren und die Scharf-
sinnigkeit seiner politischen und wissenschaftlichen Argumente zu erkennen. Kaum eine der Gestalten der französischen Revolution wurde von der bürgerlichen Geschichtsschreibung des 19. Jahrhunderts so abschreckend
und blutdürstig dargestellt wie Marat, und dies wundert
uns nicht, da seine Tendenzen in direkter Linie zum Marxismus führen.

In unserem heutigen Rückblick müssen wir bedenken,
daß Marat zu denen gehörte, die dabei waren, den Begriff des Sozialismus zu prägen, und daß in seinen ge-
waltsamen Umsturztheorien vieles noch unausgegoren
war oder übers Ziel schoß. Wir stellen ihm in unserm
Drama den ehemaligen Priester Jacques Roux zur Seite,
der in seiner Agitation und in seinem leidenschaftlichen
Pazifismus Marat noch übertrifft. Wir nehmen keine
Rücksicht darauf, daß Marat sich noch in den letzten
Tagen vor seinem Tod von ihm abwandte und auch ihn,
vielleicht unterm Anflug des Verfolgungswahns, verurteilte. Roux, eine der fesselndsten Persönlichkeiten der
Revolution, erhält hier die Funktion eines Ansporners
und Zuspitzers, eines Alter Ego, an dem Marats Thesen
sich messen lassen.

Ebenso gestatten wir uns Freiheiten in der Schilderung
Duperrets, dem girondistischen Abgeordneten. Er ist hier
der konservative Patriot, wie es tausende seinesgleichen
gab, und er muß dazu herhalten, als Geliebter der Corday zu gelten, während wir ihren wirklichen Bewunderer,
einen Herrn Tournelis, der sich von Caen aus zu den
landsflüchtigen Royalisten in Koblenz begab, unbeachtet
lassen. In diesem Punkt handeln wir ganz im Geist der
Revolutionswirren, in denen man mit Verdächtigungen
und Urteilen nicht so genau war, und in denen der arme
Duperret, dem die Corday von der Gruppe der Aufstän-
dischen in Caen anempfohlen worden war, mit seinem
Kopf für diese Begegnung zu zahlen hatte.

Charlotte Corday hatte jedoch niemanden in ihre Pläne eingeweiht. Geschult an der ekstatischen Versunkenheit ihres Klosterlebens brach sie allein auf, und Jeanne d'Arcs und der biblischen Judith gedenkend, machte sie sich selbst zu einer Heiligen.

1. Niederschrift des Stückes Februar – April 1963.
Weiterarbeit November 1963 – März 1964.

Martin Walser

HAMLET ALS AUTOR

Wann man den *Ulysses* zum erstenmal zu lesen versuchte,
weiß man ungefähr. Aber mit Shakespeare wächst man
auf, wie man in einer Landschaft aufwächst; erst nachträglich stellt man fest, in welcher Art Landschaft man
da aufgewachsen ist. Es ist vielleicht ähnlich wie mit Mo-
zart: bis man Genaueres über ihn erfährt, hat man ihn
schon tief im Ohr. Was man als Schriftsteller etwa bei
Joyce lernen kann oder lernen muß, das spürt man schon
während der ersten Lektüre. Shakespeare gegenüber ist
man angewiesen auf unbewußte Erfahrung. Ich zumindest hatte nie die Freiheit und Distanz, Shakespeares
Techniken zu studieren. Als sein Leser und Zuschauer bin
ich ziemlich willenlos, erlebe, mache Erfahrungen und
komme nicht dazu, ans Metier zu denken. Diese Art Erfahrungen macht man sonst nur in der Wirklichkeit selber. Wer in die Badeanstalt geht, um Strandleben zu beobachten, sieht nichts. Wer zehn Jahre lang gern in die
Badeanstalt ging, kann nach zehn Jahren plötzlich feststellen, daß er eine ganze Menge Erfahrungen hat mit
badenden Menschen. So könnte es einem mit Shakespeare
gehen. Man wird ein Kenner, aber man weiß nicht recht,
ob sich diese Kennerschaft je auswirken wird.

Nun sagte kürzlich einer meiner Freunde, als er mein
letztes Stück gelesen hatte: »Daß es an Hamlet erinnert,
kümmert dich nicht?« Ich erschrak. Mir war zwar beim
Überarbeiten des Stückes aufgefallen, daß da Hamlet-
Situationen passierten. Aber daß das ganze Stück jenen

übermächtigen Schatten herbeschwören würde, hatte ich
nicht befürchtet. Ich bat mich selber um Auskunft. Das
Stück stellt einen jungen Mann vor, der wissen will, was
sein Vater zwischen 1933 und 1945 getan hat; also provoziert er seinen Vater; um den Vater zum Sprechen zu
bringen, spielt der Sohn als Rolle, was der Vater vermutlich in Wirklichkeit getan hat. Der Sohn spielt sich
auf als Schuldiger, um seinen Vater darauf aufmerksam
zu machen, daß da Schuld ist, die verschwiegen wurde.
Offenbar hat dieser Sohn hamletische Mittel und Praktiken der Provokation gewählt.

Einmal darauf aufmerksam gemacht, wollte ich mich
nicht länger unbedacht in der Atmosphäre des größten
Stückes der Theaterliteratur aufhalten. Deshalb versuchte
ich, mir klarzumachen, daß weder Größenwahnsinn noch
die gegenteilige Art von Blindheit mich in diese Atmosphäre brachten, sondern ein zeitgeschichtlicher Umstand.

Jetzt fiel mir auf, daß Hamlet tatsächlich der intime
Bundesgenosse jener Generation genannt werden kann,
die zwischen 1933 und 1945 in Deutschland aufwuchs.
Hamlet ist universal, ich weiß. Und daß man ihn bei uns
schon immer gern zu einem Landsmann gemacht hätte,
weiß ich auch. »Deutschland ist Hamlet«, dieser Satz aus
dem vergangenen Jahrhundert ist natürlich im Shake-
speare-Jahr wieder auf das feinste untersucht worden.
Trotzdem glaube ich eigensinnig, daß jene Generation
eine besondere Intimität zu Hamlet hat. Die gründet sich
auf die schlimmsten geschichtlichen Umstände.

Die Erinnerung ist nicht davon abzubringen, daß die
Jugend das Beste gewesen sei. Auch wenn diese Jugend
stattfand zwischen 1933 und 1945 in Deutschland. Nachträglich erfährt man, was gleichzeitig stattfand in diesem
Land. Während ich das Proustsche Törtchen zum erstenmal
in die Schokolade tunkte, rauchten die Kamine in
Auschwitz. Das erste Fahrrad, das ich hatte, nimmt in
der Erinnerung mit jedem Jahr zu an Glanz und Voll-

kommenheit, aber der Mai, in den ich damit fuhr, stellt
sich heraus als der Mai, den andere nur durch den Stacheldraht von Dachau erlebten, etwa als ihren letzten Mai
überhaupt. Und doch gelingt es mir nicht, das üblichprächtige Bilderbuch der Jugend mit jenen Farben zu
überziehen, die mir nachträglich geliefert wurden. Unvereinbar nebeneinander existieren mein erstes Erlebnis
des »Sommernachtstraums« und die Verhaftungen, die
gleichzeitig stattgefunden haben müssen. Das Unvereinbare bleibt unvereinbar, aber man sieht es jetzt andauernd
nebeneinander. So wird die Jugend eine Groteske.

Nun hat man auch noch einen Vater. Wurde der nicht
umgebracht zwischen 1933 und 1945, was hat er dann
wohl getan in dieser Zeit? Was alle Väter miteinander
getan haben, ist jetzt bekannt. Besieht man sich das, kann
man sich am eigenen Geburtsdatum wieder freuen. Man
hat einfach Glück gehabt. Nicht mehr sattsehen kann man
sich an seinem eigenen Geburtsdatum. Und wenn man vor
sich den Parolenschwall aufbranden läßt aus jener Zeit,
dann spürt man einen Abstand zur Generation der Väter,
der von Freud noch nicht formuliert werden konnte.
Ohne alle Mühe ist man schon besser als fast alle Väter
zusammen. Man hat nichts verbrochen damals. Was aber
hat der eigene Vater getan? Genügt es, immerfort bloß an
das zu denken, was alle Väter miteinander getan haben?
Muß man nicht, um seiner selbst willen, so genau als möglich erfahren, wozu der eigene Vater imstande war? Ich,
immerhin aus seinem Feisch und Blut, hätte vielleicht ähnlich gehandelt, wenn es an mir gewesen wäre, damals zu
handeln. Oder hätte ich wirklich anders gehandelt? Dazu
müßte ich zuerst einmal wissen, was mein Vater getan
hat. Die Väter sprechen aber nicht gern über jene Zeit.
Vor allem sprechen sie nicht genau. Für alles haben sie
nachträgliche Namen. Was soll also der Sohn tun? Er
fängt an, seinen Vater zu beobachten. Er stellt Fangfragen. Er versucht, sich seinen Vater als Mörder vorzu

stellen. Das gelingt nicht. Er liebt seinen Vater: das gibt
es doch auch. Auf jeden Fall, mit Freud kann er sich nicht
erklären, was zwischen ihm und seinem Vater steht.
Manchmal kommt sich der Sohn sehr gewissenhaft vor,
weil ihm die Vergangenheit seines Vaters so wichtig ist.
Manchmal ist er bereit, alle pauschal zu verurteilen,
manchmal will er es pauschal billigen. Es schüttelt ihn hin
und her zwischen Verurteilung und Verständnis. Gewissen, sonst eine eher seltene Begabung, wird so möglich für
eine ganze Generation. Normalerweise gibt es Gewissen
sicher nicht häufiger als etwa absolutes Musikgehör, und
auch diese Generation ist mit Gewissen nicht reicher gesegnet als eine andere, aber durch die Handlungen der
Väter ist sie unfreiwillig in einen Konflikt gekommen,
der Gewissen anstößt. Wer damit konkret zu tun hat,
denkt dabei nicht gleich an Hamlet. Und wer die Schul-
terstücke oder Kragenspiegel seines Vaters in der Schublade findet und dadurch erfährt, daß sein Vater bei der
SS war, fängt nun nicht gleich an, den Hamlet zu spielen.
Es fehlt ihm dazu die große Leichtigkeit, Elsinore, der
ganze ungeheure Text. Vielleicht sieht er einmal eine
Hamlet-Vorstellung, dann beneidet er den schwankenden Prinzen. Das läßt sich vermuten. Er muß ihn benei-
den, weil Hamlets Vater auf der Seite der Opfer ist. Das
gibt dem Schmerz eine schönere Richtung. Daß unser Sohn
trotzdem Hamlet besser zu verstehen glaubt als irgend
jemand sonst, das liegt wohl an Hamlets Mutter, die auf
der Seite des Täters ist. Der Anteil, den die Mutter an
Hamlets Zögern hat, macht Hamlet zu einer besonders
verständlichen Figur für die, deren Väter zwischen 1933
und 1945 in Deutschland handelten. Wer damals geboren
wurde und jetzt seinen Vater sucht in den Handlungen
von damals, der ist auf eine traurige Weise prädestiniert
für das Verständnis aller Hamlet-Einfälle. Wie der Vater
das Stück begreift, sieht der Sohn, der neben dem Vater
im Theater sitzt. Für den Vater ist es ein prächtiger

Theaterabend. Der Sohn hört Wort für Wort und muß sich nichts übersetzen in das Vokabular der Gegenwart. Das Ballett des Gewissens, das Hamlet da droben tanzt, macht er mit, Schritt für Schritt. So möchte er, denkt der Sohn, morgen und übermorgen und so lange seinen Vater umlauern, umtanzen und vor dem hinphantasieren, beziehungsreich und anzüglich und provozierend, bis der plötzlich gestände. Aber gleich nach dem Theater, auf dem Heimweg, wird er völlig verstummen, wenn der Vater kenntnisreich die Aufführung rühmt, wenn der behauptet, eine solche Ophelia habe er noch nie gesehen, so gut balanciert zwischen Liebreiz und Wahnsinn; und der König sei klüger kaum darzustellen als Verkörperung persönlicher Triebhaftigkeit und notwendiger Staatsraison. Und wenn sie heimkommen, ist da kein Schloß Elsinore, es fehlt der zum vielsinnigen Spaß reizende Polonius, vor allem aber ist der Vater kein König Claudius, er ist kein Onkel, sondern ein Vater.

Da sagt unser Hamlet nur noch insgeheim seinen Text auf. Nur noch heimlich probiert er die schönen und scharfen Tanzschritte des Prinzen. Er genießt seine innige Verwandtschaft mit dem großen Hamlet. Am liebsten würde er in einen Winkel des inzwischen von allen Lichtern verlassenen Bühnenschlosses Elsinore flüchten und im Schatten irgendeiner Hamletbewegung sein Leben verbringen, so anziehend sind die Hamlet-Bewegungen, so einladend zum Verschwinden aus der unversöhnlichen Gegenwart. In Elsinore wäre schon alles gelöst. Er setzt sich auf den Bettvorleger und legt den Kopf auf die Bettkante, wie Hamlet seinen Kopf auf die Schenkel Ophelias legte. Was geht es mich an, denkt er? Warum mir selber lästig werden? Hekuba hin oder her, ich gehöre einer anderen Generation an, ich bin das Gras, das darüber wächst. Wenn die Täter wieder schlafen können, warum soll ich nicht noch viel besser schlafen können. Aus und Amen.

Und dann holt er wieder seinen Geburtsschein aus der

Schublade und liest ihn und liest ihn und kann sich nicht
sattsehen daran. Es ist aber möglich, daß ihm plötzlich
wieder ein Hamlet-Vers unterkommt. Einer von den un-
glücklich nagenden Versen. Aber mehr als Hamlet kann
seinem Vater doch gar nicht vorgespielt werden, denkt er.
Wenn Hamlet ihn nicht dazubringt, daß er spricht mit
mir, wer soll ihn dann dazubringen? Und er erinnert sich,
wie glücklich sein Vater applaudiert, wenn Nathan der
Weise seine elfenbeinerne Toleranz predigt; wie seines
Vaters Gesicht sich verklärt, wenn Goethes Iphigenie die
anstrengende Läuterungsgymnastik bis zum Salto ins pure
Humane erlernt und gleich auch noch lehrt. Wie befriedigt sieht der Vater auch dann noch zu, wenn Schillers
realistischere Balance zwischen idealistischem Soll und
weltlichem Haben zelebriert wird. So möchte sein Vater
seine Sache dargestellt sehen. So schön allgemein. Aber
selbst dem viel wahrhaftigeren Personal Shakespeares
klatscht der Vater seinen Beifall. Und man kann nicht
sagen, daß er Richard Gloucester herzlicher applaudiert
als dem armen Clarence.

Natürlich steht am nächsten Tag in der einen Zeitung,
die Inszenierung des *Hamlet* habe herausgearbeitet, was
für uns zur Zeit besonders wichtig sei. In der anderen
Zeitung steht, die Inszenierung habe zu sehr betont, was
zur Zeit wichtig sei; dadurch habe die Inszenierung den
Hamlet beschädigt. Der Vater liest die Zeitungen und
gibt den Zeitungen recht. Einerseits, anderseits. Zitate
gibt's für alles.

Und plötzlich fällt es dem Sohn ein: wie hat denn
Hamlet seinen König zum Sieden gebracht? Doch dadurch, daß er ihm einen anderen König vorspielen ließ.
Und einen Mord, der dem dort gehabten Mord ähnlich
war. Einen Zwilling von einem Mord ließ Hamlet spielen. Da blieb der Kunstsinn auf der Strecke. Vorbeisehen
wurde unmöglich gemacht. Für den Sohn wirkt diese Einsicht wie eine Befreiung. Er gibt es auf, den Hamlet in

der Vorstadtvilla zu spielen und beziehungsreich daher-
zureden. Seinem Vater, was er argwöhnt, fast weiß, ins
Gesicht zu sagen, dafür gibt es keine Sprache. Leben können sie miteinander nur, wenn der Vater das erste Wort
sagt. Dann könnte man alles zur Sprache bringen. Und
dieses erste Wort, hofft der Sohn, wird der Vater sagen
müssen, wenn er Zeuge wird der Darstellung seines eigenen Falles auf der Bühne. Eine Darstellung, die den Fall
so erkennbar werden läßt, wie Hamlets Schauspieler ihn
erkennbar werden ließen auf Schloß Elsinore.

Also wird der Sohn, sich an Hamlets Methode er-
innernd, keinen König darstellen, sondern einen Mann,
der nicht mehr der Jüngste ist, der aber arbeitet, als wäre
er der Jüngste. Dieser Mann baut eine Wirtschaft wieder
auf, an deren Zerstörung er eben noch beteiligt war. Bei
aller Mühe bleibt er unverdrossen. Bemerkenswert unverdrossen. Und der Sohn wird die Frage stellen: woher
diese Ausdauer, diese Ruhelosigkeit, diese Hingabe an die
kleinste Pflicht? Immer ist dieser Vater in Bewegung. Von
der Dusche zum Tennisplatz, vom Tennisplatz nach
Frankfurt, in die Klinik, in die Redaktion, ins Büro! Und
wieviel Nachsicht für den Sohn, der bloß zuschaut! Was
muß man hinter sich haben, um so nachsichtig zu werden?
Und an Weihnachten christlich, am Wahltag demokratisch, am Karfreitag nachdenklich, und fröhlich summend
wie eine Hummel an Pfingsten. Aber am ersten Werktag
funktioniert er wieder, als hätte er keine Sekunde ausgesetzt. Was muß man hinter sich haben, um so besinnungslos arbeiten zu können, fragt da der Sohn. Was soll da
vergessen werden? Die Antworten werden die Väter geben. Aus dem Fundus der Handlungen aller Väter seiner
Generation wird sich der Sohn die Handlungen seines
Vaters erdenken. Das wird er aufschreiben als ein Theaterstück. Die Väter und die Söhne sollen es miteinander
anschauen. Da fällt ihm wieder Hamlet ein. Er nimmt
sich vor, während der Vorstellung nicht auf die Bühne zu

schauen, sondern ins Publikum. Er wird aufpassen, ob der
Vater links neben ihm und der Vater rechts neben ihm,
ob sie die Handlung als ihre Handlung erkennen, ob sie
lächeln werden oder die Lippen zerbeißen. Und auf dem
Heimweg, hofft er, wird nicht nur davon die Rede sein,
daß diese Ophelia besser war. Davon wird überhaupt
nicht die Rede sein, weil keine Ophelia mitspielen wird
und weil die Schauspieler die Rollen zum erstenmal spielen. Man wird also nur darüber sprechen, wie der und
der Schauspieler den ehemaligen SS-Funktionär spielte.
Und man wird fragen können: waren SS-Funktionäre
so? Oder: wie sind sie jetzt? Und damit wäre das erste
Wort gefallen.

So etwa, denke ich, spielt Hamlet zur Zeit bei uns seine
Rolle. Er regt an, die Bühne zu benützen zur Darstellung
des gerade Geschehenen, daß alle miteinander Zeugen
werden; daß öffentlich wird, was geschehen ist; daß zur
Sprache gebracht wird, was verschwiegen wurde. Hamlet
als Autor holt sich das Beispiel, das er seiner Umwelt
vorspielt, aus dem Stoff dieser Umwelt. Aber er läßt keinen Augenblick vergessen, daß die Handlungen gespielt
werden. Er imitiert nicht bloß, er spielt und läßt spielen.

Hamlet sah offenbar kein anderes Mittel, sich zu helfen. Die in einer verwandten Situation sind, die zum
Beispiel in einer Familie leben, in der gerade noch gemordet wurde, werden dieses Mittel immer benutzen.

Es ist sowieso schwer zu verstehen, daß wir so viele
Stücke haben über Iphigenie, Amphitryon oder Faust und
nur ein nennenswertes über Hamlet. Mag sein, das liegt
daran, daß dieses eine gleich das denkbar Vollkommenste
ist. Wie anders sollte man begreifen, warum Hamlet nicht
zum immer wieder auftauchenden Motiv der europäischen Literatur wurde, wo uns doch die Geschichte ein
ums andere Mal mit Ereignissen konfrontiert, denen gegenüber wir Hamlet sind.

(1964)

MAX FRISCH

DER AUTOR UND DAS THEATER 1964

Um also vom Theater zu sprechen, nehmen wir einmal
an: das Theater, das Sie als Intendant betreuen, als Dramaturg beraten, als Kritiker überwachen, nicht das Theater als Begriff, sondern ganz konkret und lokal: Ihr
Theater, das vertraute Haus an der Sowiesostraße, genau
dieses eine Theater, das Sie im Grunde meinen, wenn Sie
im Lauf dieser Tagung sprechen von Ihren grundsätz-
lichen Erfahrungen und Forderungen und von jenem
Theater schlechthin, das es solang wie unser Menschen-
geschlecht geben wird, ist über Nacht geschlossen worden.
Außer Betrieb. Sie wissen's nur noch nicht. Gestern noch
eine ausverkaufte Vorstellung, ich glaub's; die Schauspieler haben sich verneigt, später abgeschminkt, später wurden Türen und Tore geschlossen wie üblich, und heute
vormittag, während Sie hier festlich in der Paulskirche
sitzen, hat niemand einen Schlüssel mehr. Und was noch
erstaunlicher ist: man teilt es Ihnen nicht einmal mit. So
außer Betrieb ist plötzlich das Theater. Und nicht nur das
Ihre; auch die Kollegen, die hier neben Ihnen sitzen, wissen es nur noch nicht ... Sie würden es einfach nicht glauben, ich weiß, und gerade das lockt mich zu dieser Vorstellung: Ihr Haus, sei es ein altes mit Glanz der zwanziger Jahre im Kronleuchter oder ein neues, eben erst erbaut in Stahl-Beton-Glas mit Ausmaßen, die dem Auf-
schwung auf anderen Gebieten entsprechen, das Haus
steht unversehrt, brauchbar wie das Theater von Epidau-
ros, ebenso still. Nicht einmal ein Pförtner ist mehr da,

wenn Sie von dieser, wie wir hoffen, lebendigen Tagung heimkehren. Ein Passant vielleicht, den Sie um Auskunft bitten, kann sich erinnern, daß hier einmal Theater gespielt worden ist, und geht freundlich weiter, als wären die Zeiten des Theaters vorbei. Nur Sie glauben noch daran und stehen da, Intendant eines Denkmals, von Tauben umgurrt. Denken Sie jetzt nicht: Der Staat hat seine Zuschüsse gestrichen. Das ist es nicht. Das kann der Staat sich gar nicht leisten, solange er unsere Steuern braucht auch für Tanks und Düsenbomber; auch diese werden manchmal fehlgesteuert. Machen Sie sich keine persönlichen Gewissensbisse, daß Sie in letzter Zeit vielleicht (ich weiß ja nicht) allzuviel auf Gast-Regie reisten. Das ist es auch nicht. Ein Theater, das an seiner Intendanz eingeht, bewiese damit nur, daß es nicht lebensfähig war. Daß Sie Hochhuth spielen, daß Sie Hochhuth nicht spielen, das eine wie das andere ist es nicht. Der Spielplan, auf einem vergilbenden Plakat noch zu lesen, darf sich sehen lassen: eben wurde hier noch Brecht gespielt, Shakespeare – Schiller – Kleist – Büchner – Tschechow, dazu Walser – Albee – Dürrenmatt – Beckett usw. Weiss war angekündigt; eine Werkraumbühne, intim und weltoffen, war auch in Betrieb, allzeit bereit für Kühnes. Was konnten Sie mehr *tun*? Und nun sitzen Sie auf dieser Treppe vor dem Theater und füttern die Tauben, und der da des Weges kommt, nehmen wir an, das sei ich, ein Autor. Unser Handschlag sei herzlich, wenn auch ernst. Wie geht's? frage ich. Kein Theater mehr in Deutschland, ich weiß, drum meine Frage: Wie geht's? Ich muß gestehen: die Vorstellung, daß alle Theater plötzlich außer Betrieb sind, finde ich belebend. Was unser Theater bedeutete oder nicht, nun wird es sich ja zeigen. Sollte unsere Gesellschaft sich irgendwie verändern, sei's auch nur, daß sie sich rapider auf die Restauration hinbewegt, weil da kein Theater mehr ist, so wäre immerhin bewiesen, daß das Theater tatsächlich eine politische Anstalt ist, war, hätte sein können. Ich bin gespannt. – Der Ausfall unsrer Tantiemen, ja, das ist bitter, und ich denke auch sofort an meine Freunde, die Schauspieler, die bei Fernsehen und Film spielend ein Vielfaches verdienen, und doch, so vermute ich, wird es bitter sein auch für sie, daß sie fortan auf der Bühne keine Opfer mehr bringen können; die Bühne war halt doch etwas. Nicht zu vergessen die Damen und Herren von der Kritik: was die nun machen ohne unsere Fehler, das weiß ich nicht. Das alles ist bitter, aber kein Grund, um das Theater wieder aufzuschließen, wenn es lebenswichtig ist nur für uns, die es machen, unentbehrlich nur für unsere Prominenz.

Also: auf der Treppe zwei Prominente außer Betrieb, umgurrt von Tauben, frage ich uns, ob wir nicht vielleicht das Theater überschätzt haben – Theater als moralische Anstalt, Theater als politische Anstalt, Theater als Tribunal oder wie immer wir's etikettieren mögen, um es von Zirkus und night-club zu unterscheiden ... Fragen wir uns ohne Sorge um die Rechtfertigung staatlicher Zuschüsse: Was war dran? nicht für uns, sondern für die Gesellschaft. Gemeinschaftserlebens? Im Zuschauerraum zu sitzen Schulter an Schulter, zuweilen verdutzt, wenn der Nachbar lacht oder nicht lacht, aufmerksam über Räuspernde hinweg, zuweilen in Begeisterung vereinsamt, gelegentlich angewidert von einem Schauspieler, der links und rechts meine Nachbarn hinreißt, traurig und nervös und dann, kaum fällt der Vorhang, zurechtgewiesen von donnerndem Beifall, und dann im Foyer zu stehen, einsam rauchend oder Schulter an Schulter im Kampf um Kaffee, beflissen um Palaver, um niemand zu verdrießen, oder höflich verstummt vor der Eloquenz eines Urteilenden, ich denke: Gemeinschaftserlebnis ist nicht der Ausdruck. Und doch findet etwas statt, anders als wenn wir Bücher lesen; etwas Öffentliches. Eine allabendliche Kundgebung. Zumindest zeigt sich, was die Mitbürger wissen wollen, was nicht, was sie für heilig halten, was sie em-

pört und womit sie zu trösten sind. Indem sie beispielsweise ein Vorgang, den sie in der Wirklichkeit jahrein
jahraus hinnehmen, auf dem Theater entrüstet, zeigt sich
(im Dunkel des Zuschauerraumes deutlicher als im hellich-
ten Alltag) ihr Verhältnis zur Wirklichkeit außerhalb des
Theaters. Sagen wir so: Theater als Prüfstand. Das ist es
schon. Als Politiker würde ich öfter in der vordersten
Loge sitzen, Blick ins Parkett und in die Ränge, um meine
Polis zu erkennen. Selbst die Poesie des Absurden, das
sich ihm zu entziehen scheint, bestätigt das Politische des
Theaters; das Publikum, das sich im Absurden befriedigt,
müßte einen Diktator entzücken: es will keine Aufklärung von Ursachen, sondern genießen, was es ängstigt,
Urlaub in apokalyptischer Gartenlaube ... Aber was vermögen denn die andern Stücke, die Stücke der Aufklä-
rer?

Das ist meine Frage.

Suche ich nach klassischen Beispielen dafür, daß das
Theater einen Effekt hat über den Kunstgenuß hinaus,
so denke ich mit Vorliebe an Hamlet: wie da der Mörder-König, als die fahrenden Schauspieler ihm sein Verbrechen vorspielen, die Kunst nicht aushält, aufspringt,
davonstürzt, ein Entlarvter. Ein tröstliches Beispiel fürwahr, aber Theater im Theater. »Das Schauspiel sei die
Schlinge«, programmiert Hamlet als Intendant, »in die
ihn sein Gewissen bringe«. Nur setzt das voraus, daß der
Mörder ein Gewissen habe; in der Wirklichkeit, beispielsweise im Gallus-Saal zu Frankfurt, ist eine solche Wirkung nicht zu erwarten. Nun meinen wir allerdings, wenn
wir dem Theater eine politische Funktion zutrauen, nicht
jenen direkten Hamlet-Effekt; es würde uns schon genügen, wenn es dem Zuschauer, Staatsbürger am Feier-
abend, unterhaltsam die Augen öffnete, so daß er gelegentlich den Mörder-König stürzt, mindestens nicht
wiederwählt. Das wiederum setzt voraus, daß Menschen
aus Einsicht heraus handeln. Ohne ihn, so hoffte Brecht,

säßen die Herrschenden sicherer. Eine bescheidene Hoffnung, eine sehr kühne Hoffnung. Millionen von Zuschauern haben Brecht gesehen und werden ihn wieder und wieder sehen; daß einer dadurch seine politische Denkweise geändert hat oder auch nur einer Prüfung unterzieht, wage ich zu bezweifeln. Ich erinnere mich an nicht allzu ferne Zeiten, als Literarhistoriker, die jetzt über Brecht schreiben, eine Verblendung darin sahen, wenn man diesen Agitator für einen Dichter hielt; heute ist er das Genie, wir wissen es, und hat die durchschlagende Wirkungslosigkeit eines Klassikers. Die Kunst, sofern sie nicht miserabel ist, hat nun einmal etwas Kulinarisches. Guernica, Name einer spanischen Stadt, die als erste bombardiert worden ist, begeistert uns für Picasso. Was bleibt, ist Kunst. Und Franco. Um beim Theater zu bleiben: Gibt es (wenn wir nicht eine Potenz wie Genet dazu rechnen) ein faschistisches Stück von Rang? Ich wüßte keines; aber es gibt Faschismus, wenn auch im Vokabular modernisiert. Was heißt das? Das Theater, fürchte ich, täuscht uns über die ideologische Weltlage. Die Linke ist einfach begabter: auf dem Theater, das nicht die Welt bedeutet. Daher meine Frage, ob wir das Theater nicht überschätzen.

Nehmen wir an:

während wir uns also unterhalten und auf der Treppe sitzen, während ich eben bemerke, daß der Schlüssel, der märchenhafterweise alle Theater geschlossen hat, sich unversehens in meiner linken Hosentasche befindet – ich brauchte ihn nur herauszugeben, und wir hätten wieder unser Theater: Theater morgen wie gestern – erscheint eine dritte Person, ein Mann von Ernst, er entsteigt einem schwarzen Wagen mit staatlichem Emblem und kommt geradenwegs auf uns zu. Ein Kultusminister. Er ist bestürzter als wir, und mein Vorschlag, die Staatstheater vermoosen zu lassen, damit Theater vielleicht anderswo entstehe, dürfte ihn kaum überzeugen. Es geht um Kultur.

Und ich brauche nicht zu schildern, daß wir nicht länger
sitzen, sondern uns erhoben haben, gleichermaßen geehrt wie erschrocken. Theater als eine Ehrensache des
Staates. Nun wissen wir: jeder Staat (zumindest in Europa) hat das strikte Bedürfnis, Kultur zu haben, und wenn
wir Leute vom Theater auch davon leben, also dankbar
sein wollen für dieses Bedürfnis nach Kultur, sollte es uns
doch nicht betören, daß der Staat die so erforderliche
Kultur so fordert und fördert, wo sie verhältnismäßig
billig ist, nämlich auf dem Theater. Hoffentlich mißver-
steht der Minister mich nicht! Wir sind ja für diesen Staat,
denke ich, und dafür, daß er seine Verfassung mehr und
mehr verwirkliche; dafür sogar sehr. Wie soll ich's bloß
sagen? Der kollektive Trieb, als Kulturvolk dazusitzen,
und der individuelle Trieb, zu schreiben oder zu spielen
oder zu malen oder zu tanzen, sind zweierlei. Als Demo-
krat gesprochen: Kunst ist kein Ersatz für politische Kultur. Oder rundheraus: der Staat soll Kultur zeigen, wo
er selbst die Regie führt, vom Kabinett bis zur Kaserne.
Wir wollen ihm als Staatsbürger dabei helfen, aber die
Kunst kann ihm das nicht abnehmen. Und was den
Schlüssel betrifft, den ich märchenhafterweise in meiner
linken Hosentasche verwahre: ich würde diesen Schlüssel
nicht herausgeben, nur weil der Staat sich großherzig
zeigt. Und dies, wie gesagt, nicht aus Staatsfeindlichkeit;
im Gegenteil. Ich hoffe ernstlich, daß der Minister mich
verstehe, mein Achselzucken über das Theater der Kul-
tur-Manifestationen, und daß wir scheiden in Einigkeit
darüber, daß die Kultur, die wir unserm Volk und allen
Völkern wünschen, nicht eine Rubrik sei abseits von Politik und Wirtschaft.

Wir wollen uns nicht überschätzen.

Um vom Theater als Theater zu sprechen:
(nachdem der Minister uns verlassen hat)
unterhalten wir uns über die Frage, ob die heutige Welt
denn auf dem Theater noch abbildbar sei; es war Dürren-

matt, der diese Frage formulierte, und Sie kennen die
ebenso bekannte Antwort von Brecht, daß die heutige
Welt auch auf dem Theater wiedergegeben werden könne,
aber nur wenn sie als veränderbar aufgefaßt werde. Die
Frage ist bestürzender als die Antwort, bestürzend durch
die Unterstellung, daß die Welt einmal abbildbar gewesen
sei. Wann? Was Aischylos und Sophokles auf die Bühne
brachten, war nicht Abbildung der griechischen Gesellschaft, sondern ein mythologischer Entwurf. Bei Aristophanes könnte man schon eher von einer Abbildung der
vorhandenen Welt sprechen; auch er kann es nur machen,
indem er sie spiegelt in einer entworfenen Welt, von der
Groteske her; sie hebt die Menschen aus der vorhandenen
Welt in eine erdichtete, und sei's auch, um sie fallen zu
lassen, um die Fallhöhe zu zeigen. Abbildung? Man
möchte es doch anders benennen. Calderon? Ich vermute,
daß das Theater niemals die vorhandene Welt abgebildet
hat; es hat sie immer verändert. Shakespeare? Sein Werk
ist universal; aber ist es eine Abbildung der vorhandenen
Welt seiner Zeit? Schon sie, könnte ich mir denken, war
pluralistischer, als irgendeines seiner Stücke sie zeigt; seine
Stücke sind uns geblieben, nicht die vorhandene Welt seiner Zeit, und daß wir die Stücke nachträglich für eine
Abbildung dessen halten, was nicht mehr vorhanden ist,
das ist eine Täuschung, die naheliegt, aber eine Täuschung.
Schiller? Kleist? Büchner? Tschechow? Strindberg? Je
näher wir der Gegenwart kommen, je mehr wir die vorhandene Welt kennen, desto deutlicher wird uns, wie un-
abbildbar sie ist, die komplexe Realität; ein Stück, selbst
ein großes, ist immer nur ein Stück: eine Engführung,
eben dadurch eine Erlösung für Stunden. Wie imer das
Theater sich gibt, ist es Kunst: Spiel als Antwort auf die
Unabbildbarkeit der Welt. Was abbildbar wird, ist Poesie.
Auch Brecht zeigt nicht die vorhandene Welt. Zwar tut
sein Theater, als zeige es, und Brecht hat immer neue
Mittel gefunden, um zu zeigen, daß es zeigt. Aber außer

der Gebärde des Zeigens: was wird gezeigt? Sehr viel, aber nicht die vorhandene Welt, sondern Modelle der brecht-marxistischen These, die Wünschbarkeit einer anderen und nichtvorhandenen Welt: Poesie. Es ist kein Zufall, daß seine Stücke, ausgenommen die fragmentarischen Szenen von *Furcht und Elend im Dritten Reich,* nicht im heutigen Deutschland spielen, sondern in China, im Kaukasus, in Chicago, im Dreißigjährigen Krieg, im Italien des Galilei; keines in Ost-Deutschland. Warum nicht? Shakespeare tat dasselbe; seine Stücke spielen im antiken Rom oder im fernen Dänemark oder in Illyrien, und wenn in England, dann in der Historie. Wegen der Zensur? Das mag hinzukommen, aber es ist nicht der einzige und nicht der eigentliche Grund für die Ansiedlung jenseits der jeweils vorhandenen Welt. Wer selber schreibt, erfährt den Grund sehr bald; man muß verändern, um darstellen zu können, und was sich darstellen läßt, ist immer schon Utopie. »Sie werden sich nicht verwundern«, schreibt Brecht in jener Antwort, »von mir zu hören, daß die Frage der Beschreibbarkeit der Welt eine gesellschaftliche Frage ist«, und wir wissen ja, was Brecht damit sagen möchte; nur läßt sich das auch umgekehrt lesen, nämlich so: daß das politische Credo, das Veränderung der Welt fordert, sekundär ist, Auslegung des darstellerischen Problems. Selbst wenn ein Stückeschreiber sich politisch nicht engagiert, nicht meint, daß das Theater zur Veränderung der Gesellschaft beitrage, selbst dann also, wenn wir die Frage der Beschreibbarkeit der Welt nicht zur gesellschaftlichen Frage ummünzen, gilt, daß wir auf die Unabbildbarkeit der vorhandenen Welt nur mit Utopie antworten können, daß jede Szene, indem sie spielbar ist, über die vorhandene Welt hinausgeht und im glücklichen Fall abbildet, was man eine Vision nennt. Das größte Stück deutscher Sprache seit Brecht basiert nicht auf einer politischen Ideologie, seine Vision gibt sich nicht als Programm, es zeigt die Gesellschaft nicht als veränderbar; trotzdem ist es ein großes Stück. Ich spreche vom *Besuch der alten Dame*. Es gibt nicht nur Sezuan, sondern auch Güllen; beide nur auf der Bühne, beide meinen unsere Welt, aber sie bilden sie nicht ab, sie deuten sie, wobei die Frage, ob dadurch die Welt zu verändern ist, sich bei Dürrenmatt nicht stellt... Ich weiß nicht, wieweit Brecht an die erzieherische Wirkung seines Theaters tatsächlich glaubte; sein Ja, wenn man ihn danach fragte, war gewiß, und wir kennen es aus seinen Schriften; sahen wir ihn in den Proben, hatte ich den Eindruck: auch der Nachweis, daß das Theater nichts beiträgt zur Veränderung der Gesellschaft, änderte nichts an seinem Bedürfnis nach Theater. Dies meine ich nicht als Verdächtigung seiner politischen Haltung, sondern als Frage nach den produktiven Impulsen. Was treibt uns denn zu der schwierigen Arbeit, ein Stück zu schreiben, und zu allen daraus folgenden Arbeiten, das Stück auf die Bühne zu bringen? Wir erstellen auf der Bühne nicht eine bessere Welt, aber eine spielbare, eine durchschaubare, eine Welt, die Varianten zuläßt, insofern eine veränderbare, veränderbar wenigstens im Kunst-Raum. Brecht, man weiß es, war ein unermüdlicher Probierer, das heißt: ein Veränderer, dabei voller Lust und dann alles andere als ein Dogmatiker, kein Welt-Erzieher. Öfter als ich es erwartete, brauchte er das Wort: schön. Oder: unschön. Sogar den Ausdruck: die elegantere Lösung. Und in einem Brief die Wendung: Schönheit produzieren. Als ginge es nur um Lösungen im Kunst-Raum. Jede Szene, jede Erzählung, jedes Bild, jeder Satz bedeutet Veränderung: nicht der Welt, aber des Materials, das wir der Welt entnehmen; Veränderung um der Darstellbarkeit willen. Die Meinung von Brecht: »daß die heutige Welt auch auf dem Theater wiedergegeben werden kann, aber nur wenn sie als veränderbar aufgefaßt wird«, erscheint wie die Übersetzung einer schlichten Kunst-Erfahrung in ein politisches Programm über den Kunst-Akt hinaus. Der Wille, die Welt zu verändern, als eine Verlängerung des künstlerischen Gestaltungsdranges? Unser Spiel, verstanden als Antwort auf die Unabbildbarkeit der Welt, ändert diese Welt noch nicht, aber unser Verhältnis zu ihr: es entsteht immerhin ein Vergnügen sogar an tragischen Gegenständen, und dieses Vergnügen bedarf keiner Rechtfertigung daraus, daß unser Spiel didaktisch sei; es ist eine Selbstbehauptung des Menschen gegen die Geschichtlichkeit. Aber dabei bleibt es nicht immer; allein dadurch, daß wir ein Stück-Leben in ein Theater-Stück umzubauen versuchen, kommt Veränderbares zum Vorschein, Veränderbares auch in der geschichtlichen Welt, die unser Material ist: dies als Befund, ungesucht, aber fortan unumgänglich. Peter Suhrkamp, der noch den vor-marxistischen Brecht kannte, meinte möglicherweise dasselbe, als er einmal sagte: Brecht sei Marxist geworden durch Kunst-Erfahrung. Das würde bedeuten, daß das politische Engagement nicht der Impuls ist, sondern ein Ergebnis der Produktion, sekundär, aber nicht irrelevant, sofern eine Produktion überhaupt genuin ist, und daß der landläufige Versuch, Brecht als Dichter zu kultivieren, indem man den Marxisten subtrahiert, nicht nur müßig ist, sondern banausisch.

Lassen wir Bertolt Brecht. –

Unsere Frage, ob das Theater einen Beitrag liefere zur Gestaltung der Gesellschaft, ist damit nicht beantwortet; immerhin wird verständlich, daß diese Frage (manchen stellt sie sich nicht, Benn zum Beispiel) sich stellen kann, und zwar nicht bloß für Heilsarmisten, die ihrer künstlerischen Impotenz aufhelfen möchten durch »Aussage« ... Ich spreche hier, laut Ankündigung, über Autor und Theater, und Sie könnten mich fragen: Wollen Sie denn als Autor, daß das Theater etwas bewirke? Das wäre ja eigentlich die erste Frage. Will ich, wenn ich Stücke schreibe, die Gesellschaft verändern? Will ich es (fragen wir so:) um der Gesellschaft willen oder um des Stückes willen? Die Frage enthält einen Verdacht, der

nicht zu überhören ist. Will ich, als Stückeschreiber, wirklich beitragen zur Verwirklichung einer politischen Utopie, oder aber (dies der Verdacht) lieben wir die Utopie,
weil das für uns offenbar die produktivere Position ist?
Was man Nonkonformismus nennt, kann auch nur eine
Geste sein, nicht unwahr, aber eine Geste zum Wohl unsrer Arbeit. Verhält es sich so? Ein Engagement ist da;
kommt es in die Kunst, weil es uns um die Welt geht,
oder umgekehrt? Ich befrage mich selbst. Nicht daß das
politische Engagement nicht ernsthaft wäre, o nein; wir
sind bereit, denke ich, auch außerhalb des Theaters uns zu
stellen, oder wir werden gestellt, eines Tages vielleicht
hart; das sind die Folgen auch dann, wenn wir nicht als
Agitatoren schreiben und uns bewußt sind: wir brauchen
unser Engagement für die Produktion. Zwar lieben wir
Schriftsteller es zuweilen, vom Schreibtisch aufzuspringen
und sozusagen im Stehen ein aktuelles Manifest zu unterzeichnen, unbekümmert um Opportunität und auf diese
Unbekümmertheit stolz, sozusagen draufgängerisch, als
wöge das persönliche Rühmlein, das da ein jeder unterschriftlich verpfändet, die Mühseligkeit politischer Tätigkeit auf, die wir dann, ein jeder an seine Schreibmaschine
zurückgekehrt, andern Zeitgenossen überlassen. Wohl ist
mir nicht dabei. Wir denken wohl an Emile Zola mit
seinem *J'accuse,* das die Nation in Bewegung brachte; das
kann es geben. Voraussetzung dafür ist nicht der Ruhm
von Zola; das ist ein Irrtum: man könne schriftstellerischen Ruhm einsetzen wie einen Handfeuerlöscher im politischen Alarmfall. Voraussetzung ist die Autorität des
Intellektuellen als Citoyen, Opposition aus Staatsbewußtsein, nicht aus Staatsverachtung oder literarischer Witzigkeit – Schriftsteller und Politik ... Die Frage, ob man
wirklich etwas beitragen will zur Gestalung der Gesellschaft oder ob das, was im Werk als politisches Engagement erscheint, lediglich eine produktive Geste ist, hat
jeder für sich selbst zu klären. Selbst wenn unsereiner eine

politische Idee vorzulegen hat: Bundesrepublik helfe
Deutscher Demokratischer Republik so und so! bleibt die
Frage noch offen; das ist eine Idee, die dem Redner zur
Ehre gereicht, auch wenn sie nie verwirklicht wird und
wenn er selbst zu ihrer Verwirklichung nichts weiter unternimmt. Nichts gegen das Vortragen von Ideen! Ich
frage mich bloß: bin ich dadurch, daß ich mich vor andern
Mitbürgern auszeichne am Schreibtisch, berufen oder auch
nur befugt, Staatsmännern schreibend die Aufgabe zu
stellen, der ich mich dann selbst entziehe? Natürlich bin
ich befugt, wenn auch nicht berufen; befugt ist jedermann.
Aber was kommt dabei heraus? Literatur, im besten Fall,
indem es sich von einer Stammtischrede unterscheidet
durch Qualität der Formulierung und damit des Gedankens; aber zu meinen, der Schriftsteller mache Politik,
indem er sich ausspricht zur Politik, wäre eine Selbsttäu-
schung. Politik ist eine Sisyphus-Arbeit. Wer von uns hat
sich ihr je unterzogen? Ich nicht; einmal ein knappes Jahr
lang, und dann wollte ich halt wieder schreiben, zu faul
für Macht, die zu haben wäre, befriedigt schon mit der
Formulierung meiner Idee; ein Schreiber. Ein Mann
namens Henri Dunant hatte auch einmal eine Idee, das
Rote Kreuz, er opferte seinen Beruf und seine Zeit und
seine Kraft dafür, sein Leben. Uns (den meisten von uns)
genügt der schriftstellerische Erfolg, der leichter zu haben
ist als die bescheidenste Veränderung der Welt – und
dann wundere ich mich über diese Welt, die Zeitung
lesend: Unruhen in Harlem, Explosionen in Südtirol,
Bomben auf Zypern, und wo ich hinlese, alles schußbereit
für den Frieden; dazwischen Sportberichte: die Sprache
des Chauvinismus, der sich die Minister, ausgenommen
einer, noch enthalten, hier schon wieder in voller Blüte,
das Völkische vorerst sportlich; dazwischen Erfreuliches
auch: Maunz, manchmal ist einer nach sieben Jahren doch
nicht zu halten; auf der gleichen Seite: Schweizer Industrie, abseits von der EWG, beliefert Nasser mit

Kriegsnotwendigem gegen Israel; ich wechsle die Sparte: Literatur, Deutschland wieder Weltklasse, Literatur als Sandkasten für die Opposition; Franz Josef Strauß an der Arbeit; Goldwater. Ist es schon wieder zu spät? Die Leitartikel: wie sich da lautlos ändert, was zwischen den Zeilen steht; und Leserbriefe: ein Gewimmel von unvermuteten Maden, wie wenn man ein faules Brett umdreht, und das ist das Brett, worauf wir stehen und gehen. Ich habe Angst. Ja. Manchmal habe ich Angst: – daß wir das Theater vielleicht überschätzen . . .

Nun können wir auch sagen:

(die Tauben fütternd)

wir machen Theater aus Lust am Theater, nichts weiter, und Artisten, die wir sind, lassen wir uns vom Tag nicht verwirren, Kunst ist absolut, und was dann die Welt anfängt mit unserm Theater, was nicht, sei ihre Sache, nicht unsere, und die Gesellschaft sei unser Stoff, aber nicht unser Partner, wir sind keine Volkserzieher, wir spielen aus Lust (solange die Gesellschaft das gestattet) partnerlos im Bewußtsein von der Nichtanwendbarkeit der Kunst. Das kann man sagen. Und im Grund stimmt es sogar; aber nur im Grund. Wir spielen in der Öffentlichkeit und werden diese Öffentlichkeit, die wir zu unserer Lust offenbar brauchen, nicht mehr ganz los – auch wenn man die zudringliche Interview-Frage: Warum schreiben Sie? nicht allzu ernsthaft beantwortet, es ist schon so: die Öffentlichkeit meldet sich als Partner, ob ich das will oder nicht. Sehe ich die Leute im Foyer, bin ich jedesmal, offen gestanden, ziemlich bestürzt, als habe ich, trotz meiner Hoffnung auf ein volles Haus, mit etwas nicht gerechnet, mit Öffentlichkeit. Warum schreibe ich? Ich möchte antworten: aus Trieb, aus Spieltrieb, aus Lust. Ferner aus Eitelkeit; man ist ja auch eitel. Aber das reicht nicht für eine Lebensarbeit; das verbraucht sich an Mißerfolgen, und wenn es zum Erfolg kommt, verbraucht es sich an der Einsicht, wie unzulänglich vieles ist. Warum schreibe ich dennoch weiter? Was sich nicht verbraucht, ist das Bedürfnis (ebenso ursprünglich wie der Spieltrieb) nach Kommunikation; sonst könnte man ja seine Versuche in der Schublade lassen. Also, ich schreibe aus Bedürfnissen nicht der Gesellschaft, sondern meiner Person. Möglicherweise aus jener Angst, die schon die Höhlenbewohner zu Bildnern machte: man malt die Dämonen an die Wand seiner Höhle, um mit ihnen leben zu können, es brauchen nicht Büffel zu sein, oder man malt an die Wand (wie in den Gräbern von Tarquinia) die Freude, die sonst so sterbliche Freude. Dies alles, auch wenn Kunstverstand sich dabei entwickelt, beginnt durchaus naiv. Ich gestehe: Eine Verantwortung des Schriftstellers gegenüber der Gesellschaft war nicht vorgesehen; sie pflegt sich einzuschleichen von einem gewissen Erfolg an, und einige mögen sie rundweg ablehnen, anderen gelingt das nicht. Das spätere Selbstmißverständnis, daß ich aus Verantwortung heraus schreibe, hat mir manchen Entwurf verdorben; aber die Einsicht, daß dies ein Mißverständnis gewesen ist, ändert wiederum nichts daran, daß eine Verantwortlichkeit, wenn auch eine nachträgliche, sich eingestellt hat als unlustiges Bewußtsein; es hat mit »Auftrag« nichts zu tun, wenn ein Schriftsteller sich die mögliche Wirkung überlegt von seiner Gesinnung her. Dabei ist Gesinnung kein Vorsatz beim Schreiben, sondern eine Konstitution, die beim Schreiben weitgehend unbewußt bleibt. Es gehe beim Schreiben, sagten wir, um anderes. Aber daraus abzuleiten, daß das schriftstellerische Produkt, in seinem Ursprung ohne didaktische Absicht, deswegen ohne Folgen auf die Gesellschaft bleibe, wäre nicht naiv, sondern unrealistisch. Unversehens, spätestens bei der Konfrontation mit dem Publikum, wie das Theater sie bietet, nicht am Schreibtisch, wo man allein ist, aber wenn ich in der Beleuchter-Loge sitze und die Gesichter im Parkett sehe, bin ich doch nicht mehr sicher, daß wir in unsrer Arbeit verantwortungsfrei sind; sie könnte zumindest einen verhängnisvollen Beitrag leisten, indem sie zur Untat aufstachelt oder einschläfert zur Zeit der Untat; das letztere ist das häufigere, das übliche ... Also glaube ich plötzlich doch, daß das Theater so etwas wie eine politische Funktion habe? – ich glaube, das ist kein Postulat, sondern eine Wahrnehmung: sozusagen von der Beleuchter-Loge aus; eine Erfahrung, die dann auch am Schreibtisch nicht mehr ganz zu vergessen ist. Ich spreche als Stückschreiber; selbstverständlich gilt es auch für Regisseur und Schauspieler. Ich kenne niemand, der Regisseur oder Schauspieler geworden ist aus Verantwortung gegenüber der Gesellschaft. Indem er es aber geworden ist, hat Verantwortung ihn eingeholt, denke ich, nicht anders als den Stückschreiber, und wir haben von einer verantwortlichen oder unverantwortlichen Darstellung zu sprechen. Ich meine jetzt nicht die Verantwortung gegenüber dem Werk, die Kunst-Verantwortung, sondern die gesellschaftliche. Da ist die Klassiker-Aufführung kein Urlaub. Nehmen wir Hamlet zum Beispiel. Wie apolitisch man dieses Stück auch einzustreichen pflegt, Hamlet ist ein junger Prinz im prunkenden Haus eines Mörders, und ob dies durch die Darstellung evident wird oder der Gesellschaft im Parkett zuliebe verwischt, ist wohl mehr als eine Frage des Geschmacks, Stil mehr als eine ästhetische Entscheidung. Warum handelt Hamlet nicht im Haus eines Mörders? Mutterbindung ist das eine; der Onkel, den er als Mörder erkennt, hat ihm die Ödipus-Tat abgenommen, und unbewußt fühlt Hamlet sich als Komplize; er sieht die Blutschuld einer Machtwelt, der aber sein Vater (und das ist das andere) auch schon angehört hat; was Hamlet tun kann, soll das Verbrechen ein Ende nehmen, wäre nur ein Selbstmord en famille, wovor man begreiflicherweise zögert, und so kommt es denn trotzdem, während Jung-Fortinbras mit seinen Fanfaren keineswegs eine Ordnung höherer Sittlichkeit vertritt; der ist nur stramm genug, um die Tragödie von vorne zu beginnen. Muß uns das, wenn der Darstellungsstil es nicht verschleiert, nicht betreffen? Den Auftrag zur Tat hört Hamlet von der vierten Szene des ersten Aktes an, aber er vergeistigt sich in der unfaßbaren oder nur als Ekel und Schwermut faßbaren Mitschuld des Untätigen. Zeigt unser Regisseur, und vielleicht gelingt's ihm als Aufführung des Jahres, einen Hamlet, der darum nicht handeln kann, weil der Geistmensch dafür stets zu vornehm sei, ja, auch dann noch gilt der Slogan: Deutschland ist Hamlet! aber in einem sarkastischen Sinn ... Ich spreche vom Darstellungsstil. Hamlet nur als Beispiel. Ich fordere natürlich nicht Aktualisierung des klassischen Textes, sondern umgekehrt: daß uns das Allzunahe durchsichtig werde auf klassische Distanz. Das Versprechen, das der Spielplan plakatiert, ist einzig und allein durch den Darstellungsstil einzulösen – ist das nicht der Fall, wäre es tatsächlich besser, wir bleiben auf der Treppe sitzen, während das Spielplan-Plakat vergilbt, und füttern die Tauben ...

Was ist die Bilanz unsres Treppen-Gesprächs?

Ein Dilemma – das Ihnen bekannt ist, das uns aber bewußt bleiben muß: als Dilemma, nicht aufzuheben durch dieses oder jenes Postulat; eine Frage: Gibt es das Theater um des Theaters willen oder werden wir, Spieler aus Lust, haftbar für die Gesellschaft, die wir unterhalten? – die Frage schien mir gestellt durch den Ort unsrer heutigen Versammlung. Die Paulskirche zu Frankfurt ist ein Ort in der deutschen Geschichte. Daß wir, Leute vom Theater, hier begrüßt worden sind, ist eine Ehrung, möglicherweise sogar ein Auftrag, zumindest eine Herausforderung zu der Frage, ob das Theater einen Beitrag leisten kann zur Gestaltung der Gesellschaft und somit der Geschichte. Erst die spielerische Hypothese, alle Theater seien außer Betrieb, macht mich auch meiner Skepsis gegenüber skeptisch. Gäbe es die Literatur nicht, liefe die Welt vielleicht nicht anders, aber sie würde anders gesehen, nämlich so wie die jeweiligen Nutznießer sie gesehen haben möchten: nicht in Frage gestellt. Die Umwertung im Wort, die jede Literatur um ihrer selbst willen leistet, nämlich um der Lebendigkeit des Wortes willen, ist schon ein Beitrag, eine produktive Opposition. Gewisse Haltungen von gestern, obschon noch immer vorhanden, sind heute nicht mehr vertretbar, weil die Literatur sie umgetauft hat auf ihren Wirklichkeitsgehalt hin, und das verändert nicht bloß das Bewußtsein der kleinen Schicht von Literatur-Konsumenten; der Umbau des Vokabulars erreicht alle, die sich einer geliehenen Sprache bedienen, also auch die Politiker. Wer heute gewisse Wörter braucht, wäre entlarvt: dank der Literatur, die den Kurswert der Wörter bestimmt. Ich weiß: was einmal Karl Kraus geleistet hat in diesem Sinn, hat Wien vor nichts bewahrt. Aber vielleicht ist man zu unbescheiden; vielleicht wäre es der Literatur schon anzurechnen, daß beispielsweise ein Wort wie *Krieg* (um nur eins herauszugreifen) zumindest in Europa sich als Lockwort nicht mehr eignet. Kriegsminister heißen Verteidigungsminister. Auch dies, versteht sich, wird wieder Phrase; drum muß die Literatur an der Zeit bleiben; sie bringt, sofern sie lebendig ist, die Sprache immer und immer wieder auf den Stand der Realität, auch die Literatur, die nicht programmatisch eingreift, vielleicht vor allem die Literatur, die nicht programmatisch eingreift. »Geht einmal euren Phrasen nach bis zu dem Punkt, wo sie verkörpert werden!« sagt Büchner im *Danton:* »Blickt um euch, das alles habt ihr gesprochen.« Das sagt die Literatur, sofern sie ihren Namen verdient; der Rest ist Belletristik. Allein die Tatsache, daß die Hitler-Herrschaft, angewiesen auf leidenschaftliche Verdummung, die Literatur der Zeit nicht dulden konnte, wäre Beweis genug, wieviel die Sprache offenbar vermag; wenn auch ein negativer Beweis. Meine Frage, ob wir das Theater nicht überschätzen, wenn wir von ihm einen Beitrag zur immerwährenden Gestaltung der Gesellschaft erwarten, scheint sich zu erübrigen, und ich könnte schließen

mit der Hoffnung, das Theater übernehme die Innere
Führung – wären wir nicht eben in dieser Paulskirche,
also an einer Stätte deutscher Geschichte, die, nehmt alles
nur in allem, sich von Schiller bis Brecht sehr wenig hat
führen lassen von Deutschlands großer Literatur.

Also wieder Skepsis?

Ja.

Also Resignation?

Nein.

Was den Theater-Schlüssel betrifft, meine Damen und
Herren, ich gebe ihn heraus; ich wage nicht, ihn zu vergraben; ich lege ihn feierlich auf den Tisch dieser Ihrer
beginnenden Tagung.

(1964)

Heinrich Böll

ÜBER KONRAD ADENAUER:

»Erinnerungen 1945–1953«

Sich zu erinnern ist eine Kunst, Schreiben eine andere; treffen beide Künste in einem Autor aufeinander, so begibt sich einer auf die »Suche nach der verlorenen Zeit«, erhebt sich zu nächtlicher Stunde aus dem geliebten Bett, wirft sich in eine Droschke, weckt Herzoginnen auf, um sich zu vergewissern, wer welches Kleid an jenem Nachmittag vor 25 Jahren gegen vier Uhr getragen habe.

Von dieser Art ist Konrad Adenauer nicht, ihn plagt nicht der Dämon der Genauigkeit. Er hat nach 1945 keine Zeit verloren, und so sucht er sie nicht; es war seine Stunde, er hat die Zeit gewonnen, sie zu seiner gemacht, er hat unsere Zeit in seine Hand genommen. Seit 1945 war er immer vor, mit, an, in, über und auf der Zeit; sie war ihm günstig, er hat die Epoche geprägt, und so leben wir alle nicht in unserer, wir leben in seiner Zeit.

Vielleicht wäre damit das meiste bundesdeutsche Unbehagen zu erklären, das des Herrn Bundeskanzlers Erhard sowohl wie des allerletzten unbekannten Intellektuellen. Die Bundesrepublik und ihre Macht, die jetzt als arg zerfledderte Leiche auf der Staße liegt, ist ganz auf Adenauer zugeschnitten. Es wird viel Mühe kosten, sie für andere passend zu machen.

Herauszufinden, wie es zu dieser Misere hat kommen können, dazu ist Konrad Adenauers Erstling für den historischen Laien gar keine so schlechte Quelle. Ich bezweifle nur, daß viele Käufer des Buches des Rezensenten

(freiwillige) Mühsal, es ganz zu lesen, auf sich nehmen
werden.

Das Buch ist nicht spannend, gut ein Drittel, vielleicht
die Hälfte hätte gestrichen werden müssen; es ist sinnlos,
Konferenzergebnisse, Protokolle etc. strohtrocken zu re-
ferieren, wenn in einem angekündigten Dokumentenband
unmittelbar Einblick in diese Protokolle geboten werden
soll. Da hätte ein energischer Lektor mit Schere und ro-
tem Tintenkuli drübergemußt. Konrad Adenauer sind die
Denkmäler sicher, warum mußte er, dessen Stärke eine
gewisse kölsche Mundfertigkeit ist, sich aufs Schreiben
verlegen? Warum mußte ein so unpoetischer Politiker, der
sich in einem Staat, in einer ganzen Epoche ausdrücken
konnte, auch noch versuchen, sich in Sprache auszudrücken? Er hat keine guten Berater gehabt, wenn er
überhaupt außer Herrn Globke Berater je gehabt hat.

Wer wird das vorliegende Buch wirklich lesen? Ich
hoffe, nicht nur die Historiker, denen sich ein paar Haare
sträuben mögen. Sogar mir als historischem Laien fallen
die Lücken auf, die hier beängstigend hurtig übersprungen worden sind: Ahlener Programm, Währungsreform,
Berliner Blockade, Wehrdebatte, Fall Globke. Ich weiß
nicht, was sonst noch übersprungen worden ist, mögen
die Archive sich öffnen, mag die Kontroverse beginnen.
Ich hoffe, auch Philologen und Philosophen, vor allem
aber Hirten und Oberhirten aller Konfessionen werden
sich spornstreichs zu dieser Quelle begeben, um unmittelbar zu schmecken, welcher Sprache, wes Geistes Kind er
ist, den zu wählen, wieder- und wiederzuwählen sie uns
so eifrig aufgefordert haben.

Ich weiß nicht, ob die Hirten und Oberhirten der verschiedenen Konfessionen noch an ethischen Fragen interessiert sind, aber sein könnte es ja, und dann könnte der
Fall eintreten, daß Konrad Adenauers Erstling in die
Kategorie der jugendgefährdenden Schriften eingereiht
würde. Es sei denn, eine solche Einübung in Materialis-

mus, Opportunismus, Pragmatismus und Zynismus werde
der Jugend sogar zur moralischen Aufrüstung empfohlen,
denn natürlich rollen da im trägen Fluß dieser nicht etwa
trockenen, sondern ganz und gar vertrockneten, armseli-
gen Prosa Vokabeln mit wie »christlichabendländisch«
und »christliche Ideale«; versuchte aber ein jugendlicher
Leser herauszubekommen, worin denn dieses ›christliche
Abendland‹, woraus diese ›christlichen Ideale‹ bestehen,
er würde nicht viel mehr finden als: Privatbesitz, eine
starke Armee, jenen zu verteidigen, und: nicht nur nicht
Kommunist, sondern auch kein Sozialist zu sein. Mag
sein, daß manchem diese Magermilch der frommen Denkungsart genügt.

Es lernt einer doch nie aus und erstrebt sich von müh-
seliger Lektüre Gewinn. Nun, gelernt habe ich etwas:
Der einzige, der Adenauer nach 1945 gewachsen war und
ihm weiter entgegengewachsen wäre, war Kurt Schumacher; er starb. Karl Arnold war zu weich, Gustav
Heinemann zu redlich, zu protestantisch, er kam gegen
diese kölschkatholisch-linksrheinische Chuzpe nicht an.
Auch Hermann Ehlers starb. Übriggeblieben sind die
Synchronisierten, von denen ich noch sprechen werde, und
die Fascinierten, und was sie betrifft, so schlage nur einer
nach, was das lateinische *fascinum* bedeutet, und er wird
wissen.

Wer das Buch ganz liest, wird manches mehr wissen. Er
findet zum Beispiel schon auf Seite 13 der Einführung den
bemerkenswerten Satz: »Erfahrung kann eine Führerin
des Handelns und des Denkens sein, die durch nichts zu
ersetzen ist, auch nicht durch angeborenen Intellekt. Das
gilt besonders für das Gebiet der Politik.«

Dieser Satz ist nicht nur in dem, was man seine ›Aussage‹ nennen könnte, durch einen politisch völlig uner-
fahrenen Intellektuellen namens Wladimir Iljitsch Ulja-
now, der im Jahre 1917 in Petrograd Politik und Geschichte machte, nachdrücklich widerlegt; der Satz ist auch

in einem so ärmlichen Deutsch geschrieben, jeder Deutschlehrer würde lange zögern, ob dieser ›Ausdruck‹ für eine
5 + noch reichen könnte.

Und ein solcher Satz steht da als eine der Hauptweisheiten in des Autors Einführung. Wenn Adenauer dann
auf den Seiten 44 und 45 so umständlicher- wie unzutreffenderweise Marxismus und Nationalsozialismus in
einen, den materialistischen Topf wirft, wenn er der
Sowjetunion ankreidet, sie habe kein Ethos, so ist das
einfach bourgeoise Blindheit. Gerade sozialethisches
Pathos macht ja der Sowjetwirtschaft zu schaffen, und die
wahnwitzige Rassen-Ideologie der Nazis hat ihren Ursprung nicht im Materialismus, sondern in einem trüben
Idealismus.

Er, Adenauer, ist es, der nicht den geringsten Sinn für
Ethos hat, und das ist bei *dem* Musterchristen *of the
western world* immerhin erstaunlich.

Sinn fürs Politisch-Pragmatische und für die Materialisierung ethisch angekränkelter Probleme hat er schon.
Kein Zweifel ist möglich: Er war ein verflucht unbequemer Verhandlungspartner für die West-Alliierten, er
wußte deren Angst vor Stalin geschickt zu nutzen, und
außerdem war ihre Angst auch seine. Er hatte bei den
harten Verhandlungen nicht nur kein schlechtes, sondern,
wenn er es für richtig hielt, gar kein Gewissen, zum Beispiel wenn er McCloy und François-Poncet schon 1950
die Frage, ob denn wohl westdeutsche Polizisten gegen
ostdeutsche kämpfen würden, »aus voller Überzeugung
mit einem ›Ja‹« beantwortete. Das war die vorweggenommene Verwandlung des Kriegszustands in den Bürgerkriegszustand, und darin liegt, materialistisch gesehen,
eine verfluchte Logik.

Dem Deutschland, das sich nie zwischen Ost und West
entscheiden konnte, ist durch die Teilung diese Entscheidung abgenommen worden. Stellt sich einer die inzwischen
hochgerüstete Volksarmee neben der inzwischen hochge-

rüsteten Bundeswehr vor, dann sollte er sich, bevor er
das Wort »Wiedervereinigung« ausspricht, erst einmal
vorstellen, wer diese beiden Armeen je wieder abrüsten
soll und wer sie gar ›wiedervereinigen‹ möchte. Das ist
doch der zur Dauer erhobene Bürgerkriegswaffenstillstand
für ein Land, dem auch die Entscheidung zwischen Kapitalismus und Sozialismus abgenommen wurde. Entdeckt
einer dieses Adenauersche »aus voller Überzeugung« aus-
gesprochene »Ja«, dann wird er wohl wissen, wie schön
es ist, Soldat zu sein, noch schöner: ein deutscher Soldat
zu sein; am allerschönsten: überhaupt ein Deutscher zu
sein.

Gute Freunde hätten Adenauer abraten sollen, sich so
zu publizieren. Seine Prosa eignet sich zwar für Auslassungen, aber nicht als Gedankenversteck. Allen Verschweigungen zum Trotz: mir offenbart sich in diesem
Buch genug. Ich lese auf Seite 60: »Ein großer Teil meiner Parteifreunde war mit mir gegen eine zu starke Sozialisierung.« Wie hübsch blüht doch so ein ›zu‹ in dieser
Sprachwüste; das ist, als fände einer in der Wüste Gobi
plötzlich ein Gänseblümchen.

Ich lese eine Seite weiter, zitiert aus Punkt 10 des Wirt-
schaftsprogramms von Neheim-Hüsten (hat Neheim-Hüsten Ahlen inzwischen eingemeindet?): »Mäßiger Besitz
ist eine wesentliche Sicherung des demokratischen Staates.
Der Erwerb mäßigen Besitzes für alle ehrlich Schaffenden
ist zu fördern.« Oh, seliger Hermann Josef, was machen
wir da bloß mit dem unmäßigen Besitz der unehrlich
Schaffenden? Vielleicht muß Adenauer in der Beurteilung
wirtschafts- und sozialpolitischer Fragen ein gut Teil bürgerlicher Blindheit und Naivität zugebilligt werden, die
Frage wäre nur, ob es die Stunde bürgerlicher Blindheit
und Naivität war, als die bundesdeutsche Wirtschaft auf
ihre Schienen gesetzt wurde.

Wenn ich (Seite 207) lese, die Sozialisierung der Ruhr-
industrie habe auch deshalb verhindert werden müssen,

weil Millionen Kleinaktionäre ihre Ersparnisse im Wert
von 4000 bis 5000 Mark in Aktien angelegt hatten, so
muß ich wiederum den seligen Hermann Josef, der auf
dem Waidmarkt zu Köln ein so rührendes Denkmal hat,
um Erleuchtung bitten, weil mir nicht klar wird, wieso
die Millionen Inhaber von Sparkonten gleicher oder gar
geringerer Höhe geschröpft werden mußten, und ich bitte
ihn, den seligen Hermann Josef, doch ein wirksames *bles-
sing* für seinen Namensvetter Abs zu erflehen, damit er
uns nicht vor Lachen vorzeitig sterbe.

Wer Sinn für eine bestimmte Art Humor hat, der
mundfertig manchmal ganz amüsant wirkt, geschrieben
aber zu spießiger Nichtigkeit vertrocknet, findet auf Seite
228 Gelegenheit, jene Art Lachreiz zu verspüren, der sich
unversehens in Brechreiz verwandelt. Ort der Handlung:
Adenauers Wohnung in Rhöndorf; Zeit: Sonntag, 21.
August 1949, Tauftag der ersten Bundesregierung nach
der knapp gewonnenen ersten Bundestagswahl, bei der
die CDU/CSU 139 von 402 Sitzen gewann. »Ich schnitt«,
steht da zu lesen, »dann die Frage der Besetzung der
Ämter des Bundespräsidenten und des Bundeskanzlers an.
Ich war überrascht, als einer der Anwesenden meine Aus-
führungen unterbrach und sagte, daß er mich als Bundeskanzler vorschlage. Ich sah mir die Gesichter an und
meinte dann: ›Wenn die Anwesenden alle dieser Meinung
sind, nehme ich an!‹«

Immerhin, so ganz überrascht kann der also Über-
raschte denn doch nicht gewesen sein, denn weiter geht es:
»›Ich habe mit Professor Martini, meinem Arzt, gesprochen, ob ich in meinem Alter dieses Amt wenigstens noch
für ein Jahr übernehmen könne. Professor Martini hat
keine Bedenken. Er meint, auch für zwei Jahre könne ich
das Amt ausführen.‹ Keiner erhob Widerspruch. Damit
war die Sache beschlossen.«

Hier wäre nicht nur jenes unvermeidliche Ha, Ha, Ha
angebracht, auf daß der Zeitgenosse auch wisse, wo er zu

lachen habe, hier müßte auch jeder Deutschlehrer zum
Rotstift greifen, denn man führt zwar Befehle aus, Ämter
aber übt man aus. Doch des Lachens Ende ist noch nicht
gekommen, in pausenloser Witzigkeit geht es weiter: »Ich
ging dann zur Frage der Wahl des Bundespräsidenten
über. Da die zweitstärkste Fraktion in der Regierung die
FDP sein würde, schlug ich vor, Professor Heuss das Amt
des Bundespräsidenten zu übertragen. Jemand fragte:
›Weiß denn Professor Heuss überhaupt schon von solchen
Gedankengängen?‹ Ich mußte erwidern, daß ich leider
bisher noch keine Zeit gehabt hätte, mit Professor Heuss
zu sprechen. Wie mir Professor Heuss später berichtete,
hatte er erst aus der Presse von diesem Vorhaben erfahren. Jemand brachte als Argument gegen Professor Heuss
vor, es sei bekannt, daß er nicht gerade kirchenfreundlich
sei. Ich erwiderte diesem Herrn: ›Er hat eine sehr christlich denkende Frau, das genügt.‹«

Schon in der Differenz zwischen »ein Amt antragen«,
was der angebrachte Ausdruck wäre, und »ein Amt übertragen« verbirgt sich Adenauers Vorstellung von einer
Demokratie, die ganz auf ihn zugeschnitten war. Dieser
miese Unernst, der kaum einem Kegelklub anstünde, der
das Pöstchen des zweiten Schriftführers besetzt, wird ma-
kaber, wenn ich mir das Foto ansehe, das diesem Bericht
vorangesetzt ist: Adenauer empfängt aus der Hand dessen, dem er in diesem Stil das Amt des Bundespräsidenten
›übertrug‹, seine eigene Ernennungsurkunde zum Bundeskanzler. Da ist die Zeremonie zur Klamotte erniedrigt,
und es fehlt im Hintergrund nur noch der Kölner Män-
nergesangverein. Wohl dem, der wenigstens noch eine
»christlich denkende« Frau hat. Seht euch nach »christlich
denkenden« Frauen um, ihr jungen Leute, ihr könnt immer noch Bundespräsident werden.

Offenbar ist dieser Stil mauziger Grielächerei erhalten
geblieben, diese unernste Art, mit Macht umzugehen, solche zu vergeben. Ehrenwerte Minister wie Lemmer erfah-

ren nicht aus dem Mund ihres Kabinettschefs, sie erfahren
am Fernsehschirm, daß sie nicht mehr Minister sein werden.

Es ist viel von Adenauers Menschenverachtung gesprochen, und von gar manchem ist sie als ein Kompositum
seiner Größe angesehen worden. Aber große Menschen
haben immer nur die verachtet, die *über*, niemals die, die
unter ihnen standen. Wer's wie Adenauer zu machen versucht, trägt zur Nihilisierung der Demokratie bei. Man
sehe sich nur an, wie die Menschenverachtung bei denen
aussieht, die ganz auf Adenauer synchronisiert sind, bei
unseren vier großen Grinsern: Barzel, Strauß, Dufhues
und Jaeger. Es ist das Grinsen derer, denen die Leiche
Macht, die Adenauer hinterließ, zu schmecken beginnt;
dieses neue Deutschland, das zu einem guten Teil aus
Neudeutschland besteht, hat Appetit auf mehr.

Zwei wichtige, durchs ganze Buch sich hindurchschlep-
pende Motive: die Diffamierung jeglicher Form des Sozialismus, oft gegen ›Parteifreunde‹, die, wie schon bei
der ersten Regierungsbildung, versuchten, die Sozialdemokraten mit in die Regierung zu nehmen; hartnäckig,
böswillig hat Adenauer das zu verhindern gewußt, und
er hat damit nicht nur die Gegenkräfte in seiner eigenen
Partei gelähmt, entmannt, entwürdigt, er hat auch die
Sozialdemokratie auf eine fürchterliche Weise zerstört.

Das zweite Motiv: die mit Hinterlist und Niedertracht,
gegen den Willen und gegen die Einsicht eines damals
friedfertigen Deutschland nicht nur betriebene, sondern
hochgetriebene Wiederaufrüstung. Mag er nicht verstanden haben, wie das mit der Währungsreform so vor sich
ging, das Geschäft der Wiederaufrüstung verstand er.
Gewiß, es mag das gute Recht eines Politikers sein, seine
Konzeption mit all seiner Macht durchzusetzen; fürchterlich ist, daß er in dieser Sache keine Gegner fand: weder
innerhalb der Gewerkschaften noch innerhalb seiner eigenen Partei. Das einzige nicht Adenauersche Argument für

eine relative Popularität der Wiederaufrüstung in seinem
Buch ist denn auch das Rundfrage-Ergebnis auf die recht
pythisch formulierte Frage eines Meinungsforschungsinsti-
tuts.

Kein Zweifel ist möglich: Adenauer nahm seine Stunde
wahr; er bewies Mut, etwa in seiner Berner Rede, er bewies Hartnäckigkeit, er hatte weder vor Churchill noch
vor Dulles, nicht vor Schuman noch vor den Hochkom-
missaren Angst und er hatte nicht die geringsten Komplexe. Sie zwangen ihm nicht ihre Konzeption auf, diese
entsprach genau der seinigen, es war die Konzeption alter
Konservativer, und so war Adenauer ihr Mann. Er nutz-
te, wie es eines Politikers Recht ist, jede Situation, ließ sich
die Angst vor Stalin teuer bezahlen, bekam das Saarge-
biet ›geschenkt‹, er handelte die unpopuläre Wiederaufrüstung, die auch er wollte, gegen die große Freiheit für
die Großindustrie ein; immer zwei Fliegen mit einer
Klappe. Er bekam die Kriegsverbrecher frei, und er
wurde mitschuldig an der moralischen Fäulnis, die alles
zu befallen droht, was in diesem Land offiziell unter »Bewältigung der Vergangenheit« läuft.

Da können junge Deutsche unschuldigen Herzens und
allerbesten Willens nach Israel fahren, solange sie nur
nicht wissen, daß Himmler am 25. Januar 1944 im
Posener Theater 250 Wehrmachtsgenerale über die Endlösung der Judenfrage informierte, ihnen offenbarte, daß
alle Juden, auch Frauen und Kinder, ausgemerzt würden,
und nur fünf von 250 Generalen klatschten *nicht* Beifall
(siehe Kunrat Frh. v. Hammerstein: ›*Spähtrupp*‹; Seite
193).

Wie viele von diesen 250 Mitwissern mögen unter denen
gewesen sein, die Adenauer Zug um Zug, schon von 1950
an freizuhandeln suchte, zuletzt mit dem zynischen Rat,
den er Dulles und Conant gab: »Ich erklärte, ich verriete
in diesem Kreis wohl kein Geheimnis, wenn ich mitteilte,
der britische Hohe Kommissar habe mir versichert, daß

niemand, der wegen Krankheit vorübergehend entlassen
worden sei, wieder in Haft genommen werde. Die Amerikaner könnten sich ja diesem System anschließen, Leute
aus Krankheitsgründen entlassen und sie dann einfach
nicht wieder gesund werden lassen.«

Es kommt also gar nicht drauf an, ob einer und wie
schuldig er sein mag, es kommt drauf an, ob einer noch
gebraucht wird, ob seine Schuld oder Unschuld politisch
gerade opportun ist, und natürlich waren die Herren
Kaduk und Klehr politisch inopportun und für nichts
mehr zu gebrauchen. Es ist halt gut, nicht Klehr oder
Kaduk, sondern Globke zu heißen.

Es ist viel Niedertracht in diesem Buch, und es be-
durfte wohl des letzten Restes von Menschenverachtung,
auch der allerletzten Verachtung unserer Sprache, es zu
publizieren, nicht ahnend, wieviel Sprache verraten kann.
Die Lektüre ist niederschmetternd, sie ist verderblich, weil
sie lähmt, und sie verblüfft, weil das Geschäft der Selbst-
offenbarung trotz aller Verschweigeversuche mit solcher
Ahnungslosigkeit betrieben wird. Da wundere sich noch
einer über die Auflösung der bundesdeutschen Gesellschaft, über die Tatsache, daß ›Emigrant‹ ein Schimpfwort blieb, oder darüber, daß ein dummer Junge, der in
Bamberg Hakenkreuze malt, monatelang Polizeischutz
für alle Synagogen bewirken kann.

Auch für Legendenstoff ist in diesem Buch gesorgt: die
Granate, die da zwölf Meter von Adenauer entfernt in
seinem Rhöndorfer Garten explodierte. Das wird in die
Lesebücher eingehen wie Washingtons Kirschkerne, und
doch, nach Auschwitz, nach der Bombardierung War-
schaus, Rotterdams und Dresdens, nach Stalingrad und
Leningrad klingt's doch nur wie peinliches Bramarbasieren
am Stammtisch.

Auch das Unrecht, das dem von Briten abgesetzten
Oberbürgermeister Adenauer geschah, fehlt nicht: hier
wird es zum labourrot gefärbten Dolch, der ihm von dem

deutschen Sozialdemokraten Robert Görlinger in den
Rücken gestoßen wurde; und er sollte doch dankbar sein:
dieses Abgesetztwerden machte ihn doch frei für mehr.
Ihm gelang doch alles, was er im Sinn hatte, sogar das
eine, die SPD so lange zu verhöhnen, bis sie sich selbst
aufgab, zur ES-PE-DE wurde, die so gern dieses nackte S
loswürde, während die neudeutschen Nihilisten sich immer fest an ihr C klammern können. »Christlich denkende Frauen« werden die ja haben.

Was ich begreife: daß Adenauer in der BRD so viele
Anhänger hat. Dieses alles auf eine, die westliche, Karte
setzen hat sich bisher gelohnt: der Gewinn wird schon
ausbezahlt, obwohl der Einsatz noch nicht gefordert ist.
Es läuft wohl alles noch eine Weile so weiter. *Wie,* das
weiß keiner so recht, aber weiterlaufen tut's. Das erinnert
mich an einen Wahlspruch aus den letzten Kriegsmonaten:
»Genieße den Krieg, der Friede wird fürchterlich.« Für
die Bundesrepublik könnte einer den Spruch erfinden:
»Amüsiert euch, Kinder, wer weiß, wie lange es noch
dauert.«

Was ich nicht begreife: daß Adenauer in der DDR so
viele (heimliche) Anhänger hat. Was kann irgendeiner
dort von einer Politik erhoffen, welcher der Osten Europas vollkommen gleichgültig ist, von einer Politik, die
den Preis für die Wiedervereinigung so hochgeschraubt
hat? Was hat es genutzt, die Angst Westeuropas vor den
Deutschen mit nicht einmal so großem Erfolg zu be-
schwichtigen, indem man die Angst vor den Russen
schürte? Was hat es genutzt, die Angst Osteuropas vor
den Deutschen für kommunistisch und deshalb böse zu
erklären? Es lag eine wahnwitzige Blindheit darin – und
ich erkenne in dieser Blindheit etwas sehr linksrheinisch
Kölsches (»in Köln-Deutz fängt Sibirien an«) –, zu verleugnen, daß die Angst Osteuropas nicht die Angst von
Kreml-Ideologen ist. Es ist die Angst von Menschen (von
denen ein guter Teil übrigens so katholisch ist wie

Adenauer), die wissen, was es bedeutet, wenn Deutsche gegen Slawen Krieg führen. Wie kann irgendeinem Bewohner der DDR aus den Folgen dieser wahnwitzigen Blindheit Hoffnung erwachsen?

Was ich am allerwenigsten begreife: daß je irgendeiner irgend etwas an Adenauers Gedanken ›christlich‹ finden und als solches empfehlen konnte. Ich begreife es nicht, und das mag an mir liegen. Mag sein, das Christentum hat eine bürgerliche Variante, die ich nie begriffen habe, obwohl ich ringsum keine andere als diese Variante erblicke. Es mag sogar sein, daß wir uns noch nach Adenauer sehnen werden. Er ist ein Autokrat, er konnte es sich leisten, manchmal gnädig zu sein. Die Nachdrängenden würden nicht nur ungnädig, sie würden gnadenlos sein.

(1969)

INGEBORG BACHMANN

Bald nach dem Zweiten Weltkrieg ist ein Gedicht be-
kanntgeworden, das einen eher ungewöhnlichen Titel hat:
»Latrine«. Das Gedicht ist von Günter Eich; es steht in
dem Band »Abgelegene Gehöfte«. Die Schlußstrophen
lauten:

Irr mir im Ohre schallen
Verse von Hölderlin.
In schneeiger Reinheit spiegeln
Wolken sich im Urin.

»Geh aber nun und grüße
die schöne Garonne –«
Unter den schwankenden Füßen
schwimmen die Wolken davon.

Hat man das Zitat aus Hölderlin bemerkt? »Geh aber
nun und grüße / Die schöne Garonne.« Man könnte sich
damit zufrieden geben. Man kann aber auch fragen:
Woher, aus welchem Gedicht Hölderlins sind die Verse
herbeigeholt worden? Vielleicht würde dann auch deutlich, warum das geschehen ist. Die zitierten Verse stehen
in Hölderlins »Andenken«, in dem Gedicht also, das mit
den Worten endet: »Was bleibet aber, stiften die Dichter.«
Im Augenblick, da wir das gegenwärtig haben, verwandelt sich, wenn ich so sagen darf, das Antlitz der
Strophen von Günter Eich, es ist nun gezeichnet von der
schlimmen Frage, die sticht: Bleibt denn wirklich, was

der Dichter stiftet? Liegt in dem, was er tut, so viel
Trost? Darauf kommt kein Ja, und darauf fällt kein
Nein. Aber die Frage, der Zweifel ist da unter trockenem
Weinen, von dem nicht zu sagen ist, ob es aus Wut, aus
Verzweiflung oder aus gereizter Resignation herkomme.
Unter dieser Frage, unter solchem Zweifel steht das
deutsche Gedicht seit 1945 — nicht zum erstenmal; aber
vielleicht sind Frage und Zweifel vordem nie ebenso
total gewesen, denn nie zuvor ist die Erfahrung der Möglichkeit von Einsturz und endgültigem Untergang ebenso
total gewesen. Das ist der Ort, an welchem [neben an-
dern] Ingeborg Bachmann ihre Arbeit tut: indem sie sich
der Fragwürdigkeit des Werks aussetzt, den Zweifel darüber erträgt und den Durchgang sucht, den Ausgang in
eine Sprache, die, zwar von Frage und Zweifel geschunden,
doch im Lebenstag des Menschen so viel Verläßlichkeit
stiftet, daß uns das Dasein möglich wird.

In Ingeborg Bachmanns Erzählung »Das dreißigste Jahr«
wird an einer Stelle auffällig von der Energie des Denkens gesprochen, vom Entzücken, vom Glück des Denkens
und vom Ende des Denkens; von Flug und Sturz des
Ikarus. Flug und Sturz werden uns mit diesen Worten
berichtet: »Ein Glücksgefühl wie nie zuvor hatte ihn erfaßt, weil er in diesem Augenblick daran war, etwas,
das sich auf alles und aufs Letzte bezog, zu begreifen. Er
würde durchstoßen mit dem nächsten Gedanken! Da geschah es. Da traf und rührte ihn ein Schlag, inwendig im
Kopf; ein Schmerz entstand, der ihn ablassen hieß, er
verlangsamte sein Denken . . . Er hatte seine Kapazität
zu denken überschritten, oder vielleicht konnte dort kein
Mensch weiterdenken, wo er gewesen war.« Was ist hier
zurückgewiesen worden? Was für ein Begehren wurde
dem Menschen abgeschlagen? Die folgenden Worte sagen
es deutlich: » . . . Was hier vernichtet worden war, . . .
war ein Flügelwesen, das durch blaudämmernde Gänge

einem Lichtquell zustrebte, und, genaugenommen, ein
Mensch, nicht mehr als ein Widerpart, sondern als der
mögliche Mitwisser der Schöpfung. Er wurde vernichtet
als möglicher Mitwisser ...« Es ist die alte Leidenschaft
des denkenden Menschen, in welcher Eros und Thanatos
die Energie des Denkens begleiten. Es ist darin die be-
geisterte Verzweiflung beteiligt, welche den Empedokles
in die Glutmasse trieb.

Als Mitwisser verworfen: das ist die Erfahrung, mit
welcher sich das Dichten der Ingeborg Bachmann abzu-
finden versucht. Wie? In der Erzählung »Alles« wird
plötzlich eine Öffnung sichtbar – mit dem einen Satz:
»Alles ist eine Frage der Sprache.« Das Denken, wir
sahen es, wurde an der Schwelle zurückgeworfen, wo das
Letzte, das Äußerste sich ergeben hätte, wo das Mitwissen
mit Gott dagewesen wäre. Was ist aber das Denken anderes als Sprache? So kommt es zum Neusatz – statt:
Alles ist eine Frage des Denkens, kann jetzt gelten:
Alles ist eine Frage der Sprache. Was heißt das? Darf ich
sagen, die Sprache Ingeborg Bachmanns erstrebe die Mitwisserschaft mit Gott? Das tut dichterische Sprache überhaupt. Hat sie es immer schon getan? Wir wollen uns
hierin nicht mit einem schnellfertigen Ja aus der Frage
wegstehlen. Gewiß hat dichterische Sprache es getan, seit
es den Dichter im Freien des eigenen Erlebnisses gibt, in
der deutschen Literatur, wenn wir einen Namen behelfs-
weise brauchen wollten, seit Günther. Mitwisserschaft in
der Sprache – fast formelhaft hat sie Novalis benannt
mit der Anweisung, mit dem Versprechen, daß mit dem
einen richtigen Wort das ganze verkehrte Wesen verfliege.
Dieses eine Wort: es wäre das Flügelwesen, welches den
Lichtkern nicht nur erreicht, sondern selber Lichtkern ist.
Das rechte Wort. Ingeborg Bachmann sagt dafür einmal:
»ein Stück Klang, das meine Handschrift trägt«; oder:
eine neue Sprache, welche dem Geheimnis gewachsen
wäre.

Was steht als Hindernis dagegen? Dagegen steht, was Ingeborg Bachmann »die Gaunersprache« nennt. Es ist die Sprache, die wir übernehmen, ohne Deckung im Goldvorrat unserer Erlebnisse. Es ist die Sprache der Vorläufigkeit, des Ungefähren, des Bequemen: Sprache wie vorgefundenes Mobiliar; Sprache als Lüge. Von einer Figur in der Erzählung »Das dreißigste Jahr« heißt es: »... Moll ist ironisch geworden, bezieht die höchsten Honorare, eilt von Kongreß zu Kongreß, Moll, über den man sich lustig macht und der sich über sich selbst lustig macht, Moll, der jetzt bei Round-table-Gesprächen vom einstigen Vermögen zehrt und die Welt keines neuen Einfalls für wert erachtet. Moll, der abends zum französischen Botschafter muß und am nächsten Tag früh den Beirat bei einer Konferenz abgibt, Moll, noch immer der Jüngsten einer, aalglatt, meinungslos Meinungen vertretend ...« – Meinungslos Meinungen vertretend: das gehört zur Gaunersprache, zur Sprache als Verrat des Wesens, nicht als Erfüllung desselben. »Nur wer an der goldenen Brücke für die Karfunkelfee / das Wort noch weiß, hat gewonnen«, heißt es in Ingeborg Bachmanns Gedicht »Das Spiel ist aus«. Ist das frühromantisches magisches Sprachewünschen, nach Friedrich Schlegel, nach Novalis? Oder ist darin das Formrigorosum, beispielsweise aus der Nachbargegend von Oskar Loerke oder Gottfried Benn? Wir haben Loerke im Ohr: »Es gibt in der Lyrik keine anderen Probleme als Probleme der Form.« Wir haben Benn im Ohr: »... das Gedicht ohne Glauben, das Gedicht ohne Hoffnung, das Gedicht, an niemanden gerichtet, das Gedicht aus Worten« – das Gedicht, vom Gedichtemacher »faszinierend montiert«. Dahinter steht das Formdenken Poes, Baudelaires, Mallarmés, Valérys. Gehört das, so frage ich, in den ironisch, in den polemisch gefärbten poetologischen Grenzbereich, welchen, beispielsweise, Benns Gedicht »Satzbau« als ein Zentrum behauptet? – »Satzbau«:

Alle haben den Himmel, die Liebe und das Grab,
damit wollen wir uns nicht befassen,
das ist für den Kulturkreis besprochen
    und durchgearbeitet.
Was aber neu ist, ist die Frage nach dem Satzbau
und die ist dringend:
Warum drücken wir etwas aus?

Warum reimen wir oder zeichnen ein Mädchen
direkt oder als Spiegelbild
oder stricheln auf eine Handbreit Büttenpapier
unzählige Pflanzen, Baumkronen, Mauern,
letztere als dicke Raupen mit Schildkrötenkopf
sich unheimlich niedrig hinziehend
in bestimmter Anordnung?

Überwältigend unbeantwortbar!
Honoraraussicht ist es nicht,
viele verhungern darüber. Nein,
es ist ein Antrieb in der Hand,
ferngesteuert, eine Gehirnlage,
vielleicht ein verspäteter Heilbringer oder Totemtier,
auf Kosten des Inhalts ein formaler Priapismus,
er wird vorübergehen,
aber heute ist der Satzbau
das Primäre.

»Die wenigen, die was davon erkannt« – [Goethe] –
wovon eigentlich?
Ich nehme an: vom Satzbau.

Ja, »aber heute ist der Satzbau das Primäre«: die Generation der Ingeborg Bachmann weiß, wieviel daran wahr
oder, sagen wir es praktischer: wieviel davon brauchbar
ist. Sie schaut auf diesen geschehensfeindlichen, erlebnis-
feindlichen, geschichtsfeindlichen Raum des totalen
Ästhetizismus, versteht ihn, betritt ihn aber nicht: denn
für diese Generation ist die Geschichte ein wenig zu deut-

lich, zu aufdringlich geworden. Was sage ich? »Ein wenig
zu deutlich«, »ein wenig zu aufdringlich«? Ich schäme
mich der Ironie, mit der ich mir das Benennen des Schau-
derhaften möglich machen wollte. Man müßte jetzt in
Paul Celans Todesfuge lesen, zum Beispiel dies:

Schwarze Milch der Frühe wir trinken sie abends
wir trinken sie mittags und morgens
    wir trinken sie nachts
wir trinken und trinken
wir schaufeln ein Grab in den Lüften da liegt man
    nicht eng
Ein Mann wohnt im Haus der spielt mit den Schlangen
    der schreibt
der schreibt wenn es dunkelt nach Deutschland
    dein goldenes Haar Margarete
er schreibt es und tritt vor das Haus und es blitzen
    die Sterne er pfeift seine Rüden herbei
er pfeift seine Juden hervor läßt schaufeln ein Grab
    in der Erde
er befiehlt uns spielt auf nun zum Tanz

Solches müßte man lesen, sich anhören, um zu begreifen,
warum diese Generation den geschichtsfeindlichen Raum
des totalen Ästhetizismus nicht hat betreten können – und
um zu sehen, wie sie die Sprache durch den Erfahrungs-
raum des Ästhetizismus hindurchführte in die Offenheit,
zur Geschichte. Damit ist auch gesagt, was groß ist an der
Arbeit Ingeborg Bachmanns. Sie kennt die Krise eines
»Chandos-Briefes«, sie sah und sieht das an seiner Reizbarkeit leidende Sprachgewissen eines Karl Kraus. Ja,
»Satzbau«! Aber Satzbau nicht als Sinn, sondern als
Mittel zum Sinn.
    Ich sagte: als Mitwisser verworfen. Das heißt – und
so nimmt die Erzählung »Ein Wildermuth« den Gedanken wieder auf: als Wisser der Wahrheit verworfen. Ich
habe dort das Denken gleichgesetzt der Sprache; Denken

sei Sprache. Ist jetzt Sprache auch Wahrheit? Welche
Sprache? Es wäre wieder jenes *eine* Wort, vor welchem
alles verkehrte Wesen verfliegt; es wäre wieder der
Klang, der unverstellt nur dem einen gehört. Aber die
Gaunersprache schiebt sich in solches Vermögen hinein;
die unreine Sprache des Menschen müht sich wund an der
Wahrheit, müht sich wund in der Sehnsucht nach ihr.
Menschensprache ist selber diese Sehnsucht, immer unterwegs, nie am Ziel. »Ein Wildermuth wählt immer die
Wahrheit« – so setzt die Erzählerin ein; und bald heißt
es von einem Wildermuth: »Ich bin dieser Spiele und
dieser Sprachen müde. Hoch oben habe ich die Wahrheit
gesucht, zuallerhöchst, in den großen gewaltigen Worten,
von denen es heißt, daß sie geradewegs von Gott kommen oder von einigen, die ihm ihr Ohr geliehen haben,
aber der großen Worte müssen zu viele und zu wider-
sprüchliche sein, weil einem das große Wort vor lauter
verschiedenen großen Worten nicht auffällt. An viele
große Worte habe ich mich zu halten versucht, an alle
gleichzeitig und an jedes einzeln, und bin doch abge-
stürzt und habe mich zerschunden wieder aufgerichtet
...« Hört man hier das Echo aus der Erzählung »Das
dreißigste Jahr«? [»Er hatte seine Kapazität zu denken
überschritten, oder vielleicht konnte dort kein Mensch
weiterdenken, wo er gewesen war.«]
Jetzt sind wir bei unserem Umgang im Werk der Ingeborg Bachmann an die Stelle gelangt, wo ein Wort Ludwig Wittgensteins den innersten Bezirk dieser Kunst auf-
schließt – ein herrliches Wort, ausgezeichnet mit der Deut-
lichkeit von Worten, die am Ende eines Denkwegs stehen,
im Siegen resignierend –, ein Wort, das so schön ist, daß
es bei Nachrednern ein Gemeinplatz wird; wir wollen es
so betroffen und mit der Scheu des Erstmaligen nach-
sprechen, wie es Ingeborg Bachmann für sich nachge-
sprochen hat – das Wort: »Wovon man nicht sprechen
kann, darüber muß man schweigen.« Schweigen. Darum

herum sind Ingeborg Bachmanns Worte gelegt. Und ich
denke sogleich an die Nachbarn in dieser Zeit, bei denen
es ebenso ist – denke an Nelly Sachs, an Paul Celan. Vom
Schweigen aus lernt Ingeborg Bachmann die Sprache des
Menschenmöglichen. Vom Schweigen her wächst ihr die
Kraft zu für den so quälenden wie beseligenden Schwe-
begang zwischen dem unerreichbaren, die volle Wahrheit
bildenden Wort und der zu leicht erreichbaren Versatz-
welt der Gaunersprache. Vielleicht hat sie davon nirgends
schöner gesprochen als in dem Gedicht »Ihr Worte«:

Ihr Worte, auf, mir nach!,
und sind wir auch schon weiter,
zu weit gegangen, geht's noch einmal
weiter, zu keinem Ende geht's.

Es hellt nicht auf.

Das Wort
wird doch nur
andre Worte nach sich ziehn,
Satz den Satz.
So möchte Welt,
endgültig,
sich aufdrängen,
schon gesagt sein.
Sagt sie nicht.

Worte, mir nach,
daß nicht endgültig wird
– nicht diese Wortbegier
und Spruch auf Widerspruch!

Laßt eine Weile jetzt
keins der Gefühle sprechen,
den Muskel Herz
sich anders üben.

Laßt, sag ich, laßt,
ins höchste Ohr nicht,
nichts, sag ich, geflüstert,
zum Tod fall dir nichts ein,
laß, und mir nach, nicht mild
noch bitterlich,
nicht trostreich,
ohne Trost
bezeichnend nicht,
so auch nicht zeichenlos –

Und nur nicht dies: das Bild
im Staubgespinst, leeres Geroll
von Silben, Sterbenswörter.

Kein Sterbenswort,
Ihr Worte!

In solchem Stillhalten schwindet das Zeitliche hin, und die Zeit wird mächtig – einer habe die Stunden zu sich hergebogen, steht in der Erzählung »Das dreißigste Jahr«; er habe an den Stunden gerochen. »Er kam in den Genuß der Zeit; ihr Geschmack war rein und gut.« Aber durch solches Heraustreten aus der Zeitlichkeit im Genuß der Zeit wird das Wesen fähig, demütig von der Welt zu denken. »Er forderte nichts mehr«, heißt es, »trug die Wunschgebäude ab, gab seine Hoffnungen auf und wurde einfacher von Tag zu Tag. Er fing an, demütig von der Welt zu denken. Er suchte nach einer Pflicht, er wollte dienen.«

Das ist eine Gegenwelt zum totalen Ästhetizismus. Ist es christliches Verhalten? Ich sehe in Ingeborg Bachmanns Dichtungen bald deutlich, bald versteckt die Fühlung mit Biblischem. Und kann denn nicht das Hörspiel »Der gute Gott von Manhattan« fast als Gleichnis für alles gelten: diese Stufengeschichte, geformt unter dem mythischen Zeichen des Läuterungsberges?

Das Spiel beginnt in einem Gerichtssaal; New York in einem Hochsommer. Der Richter schickt das Hilfspersonal weg. Die beiden Herren, Richter und Angeklagter, kommen gleich zur Sache. Angeklagter: »Sollten Sie auch wissen, wer ich bin?« Richter: »Der gute Gott von Manhattan. Manche sagen auch: der gute Gott der Eichhörnchen.« Der Angeklagte wird demnach zum guten Gott und gibt über seine Arbeit Auskunft. Er hat Eichhörnchen als Kundschafter, Melder, Agenten; unter den Tieren sind zwei besonders zuverlässig, Billy und Frankie mit Namen. Er habe, sagt der gute Gott, nie eine Bombe gelegt, ehe die beiden nicht den Ort gefunden und die Zeit errechnet hatten, wo es diejenigen todsicher treffen mußte, die gemeint waren. Der Richter macht weniger Umschweife und hält einfach fest: »Ich sah eine Kette von Attentaten gegen Menschen, die niemand bekümmert hatten, ausgeführt von einem unauffindbaren Wahnsinnigen.« Unter vielen Fällen ist noch einer abzuklären: Ein junger Mann ist mit dem Schiff nach Cherbourg entkommen; eine junge Frau, zurückbleibend, ist gestorben [»er nahm das Schiff, und er hat sich nicht einmal die Zeit genommen, sie zu begraben, und geht dort an Land und vergißt, daß er beim Anblick ihres zerrissenen Körpers weniger Boden unter sich fühlte als beim Anblick des Atlantik«]. Da sagt der gute Gott, er werde jetzt darüber Auskunft geben, »wie es kam«. Diese Auskunft macht den Inhalt der Dichtung »Der gute Gott von Manhattan« aus.

Wer ist der Richter, wer der gute Gott — und die Eichhörnchen? Die Instanzen schwimmen ineinander hinein, Richter ist Angeklagter und umgekehrt. Es wird angeklagt, es wird verantwortet, und aus dem Widerspiel geht die neue Macht hervor: der Zeuge, der obere Beobachter, der Raum- und Zeitraffer, unbeschränkt anwesend. Er berichtet über das, was der Richter »den letzten Fall« nennt. Es ist eine Vierstufengeschichte. Der Ansatz dazu liegt im Gewöhnlichen. Ingeborg Bachmann

notiert es; aber unter ihrer Hand wird das Banale geheimnisverdächtig; im Gleichgültigen schimmert die
Fügung; sie kann bedeutungsvoll werden, ohne einen
Finger auffällig zu heben; sie beherrscht die Kunst des
selbstverständlichen Wunderrucks, durch den sich Wörter
in neuer Nachbarschaft frisch entzünden und auf der geheimeren Seite zu strahlen beginnen: Meisterschaft der
Verwandlung ohne Verrenkung. Aber bleiben wir bei der
Geschichte: Auf dem Grand-Central-Bahnhof spricht
eine junge Frau einen jungen Mann an: »Sie suchen den
Ausgang?« Alles weitere bleibt beiläufig. Der junge Mann,
Jan, sagt unter anderem, er habe Hunger und müsse zuerst etwas essen, ehe er weiterdenke. Die junge Frau, Jennifer, geht zu einem Automaten, läßt Nüsse heraus. Jan
darauf, heiter: »Wissen Sie, Jennifer, was ich gesehen
habe? Ein Eichhörnchen.« Und geheimnisvoll: »Es hat
mir einen Brief zugesteckt.« Darin steht: »Sag es niemand! Du wirst diesen Abend mit Jennifer auf der himmlischen Erde verbringen.« Ingeborg Bachmann hält sich
jetzt erzählend gleich nahe ans Symbol wie an den nichts
weiter meinenden Gegenstand. Nüchtern und magisch.
Es sind Spiele der Einbildungskraft, in denen nichts auf
einen Übersinn hin gedehnt und nichts auf Kernsätze zusammengepreßt werden soll; es ist Bildkunst musikalischen Herkommens. Die Zuneigung entspringt aus einer
geringen Zärtlichkeit – Nüssekaufen. Die Zärtlichkeit,
der anmutig blitzschnelle Hin- und Widerlauf des Liebesgefühls wird ein Bild – Eichhörnchen. Und doch ist nichts
huschend Hübsches zwischen den beiden. Schon die erste
Berührung hat Opfergeschmack. Ingeborg Bachmann
hängt verstohlen Gewichte ins gewöhnliche Gespräch, so
daß die größte Erinnerung an Opferliebe darin plötzlich
erlaubt und richtig ist: Jennifer trägt die Wundmale in
den Händen. »Er hat seine Nägel hineingeschlagen. Es
tut noch sehr weh.« Und jetzt ist die Liebesgeschichte
zwischen Jan und Jennifer auf dem Rang, wo die Liebe

überhaupt erzählt wird, »l'amor che muove il sole e l'altre stelle«. Hier an Dante zu erinnern ist nicht äußerlich. Wenn Jennifer und Jan die Bar, ihren ersten Rastplatz, verlassen, sagt ein Bettler auf die Frage, ob er Schauspieler sei: »Eingegangen in die schmerzensreiche Stadt und in die immerwährende Qual, verloren unter Verlorenen.« Das ist ein Echo auf den Text über der Höllenpforte: »Per me si va nella città dolente, Per me si va nell'eterno dolore, Per me si va tra la perduta gente.«

Ich sagte, »Der gute Gott von Manhatten« sei eine Stufengeschichte. Sie ist erlebt, bedacht, geformt unter dem mythischen Zeichen des Läuterungsberges. Ingeborg Bachmann macht aus einem touristischen Motiv ein Leidenschaftsgleichnis: Ein junger Mann und eine junge Frau langen in New York an; sie suchen gemeinsam eine Unterkunft. Fürs erste ist ein lichtloses schmutziges Loch im Untergeschoß zu haben. Man kann da nicht bleiben, sucht eine bessere Wohnung und findet sie im siebenten Stock des Atlantic Hotel; später wird etwas im dreißigsten Stockwerk frei; schließlich hat man Unterkunft zuoberst; Licht, Ruhe. Diese Umzüge, Auffahrten, Touristenschwierigkeiten erzählen in verwunschener Überblendung den Anstieg aus dem Ereignis einer Zärtlichkeit durch das Lichtgefälle der Leidenschaft bis an den Ort der Zerstörung. Und am Ende liegt das Thema frei: Widerstreit von Zeit und Gegenzeit; oder Maske und Wesen. In der Zeit ist der Mensch versteckt unter seinen Geschichten; durch Liebe gründet er die Gegenzeit, wo er aus seinen Geschichten ausgeklammert da ist. Jan: »Ich weiß nichts weiter, nur daß ich hier leben und sterben will mit dir und zu dir reden in einer neuen Sprache; daß ich keinen Beruf mehr haben und keinem Geschäft nachgehen kann, nie mehr nützlich sein und brechen werde mit allem, und daß ich geschieden sein will von allen andern ... Und in der neuen Sprache, denn es ist ein alter Brauch, werde ich dir meine Liebe erklären und dich ›meine Seele‹ nen-

nen. Das ist ein Wort, das ich noch nie gehört und jetzt
gefunden habe, und es ist ohne Beleidigung für dich.«

Es gibt in dieser Dichtung Wendestellen, wo die Wörter
den Atem anhalten, so als wollte jeden Augenblick zwischen ihnen hervor, sprachlos, das Wunder sich nach dem
Gesetz des urbestimmten Einverständnisses mitteilen.
Ingeborg Bachmanns Sprache selbst bildet Zeit und Gegenzeit ab, Maske und Wesen, und in großer Bewegung,
aber ohne die flackernde Süchtigkeit kleiner Begeisterter
lobt sie die Glut aus dem Gegenbereich des Kalten, das
Sein aus dem Gegenlicht des Todes. Jan, flüchtend aus
der Gegenzeit, gibt sich am Ende rechtschaffen wie ein
Mann, der »aus seinem Ohr das Geflüster einer Geliebten
und aus seinen Nüstern den hinreißenden Geruch ver-
scheucht hat«. Jennifer ist allein auf der schrecklichen
Höhe verbrannt, wo sich das Wesen hinter keiner Maske verbirgt. Der Richter, der gute Gott – der Zeuge hat
alles erzählt. Schuld? Ingeborg Bachmann fühlt, denkt,
gestaltet in diesem Spiel auf dem Mythenboden, wo nicht
Rechnung und nicht Wägen herrschen, sondern Sein im
ältesten Verhältnis. Sie legt ein Gewebe weiter Erfahrungen in mühelosem Ernste hin, Hohelied-Tod in die
Trockenheit alltäglichen Vortrags gemischt, eine mystische
Aussprache seliger Sehnsucht.

Ich meine, wir haben die Einsichten beisammen, die nötig
sind, um die Werksprache Ingeborg Bachmanns in ihrer
Eigenart erkennen und verstehen zu können. Ihr Wort,
ihr Satz lebt aus zwei extremen Sphären: aus einer
oberen, aus einer unteren; aus einer [wenn ich so sagen
darf] reinen und aus einer verbrauchten. Es ist im Material dieser Sprache, in seiner Qualität noch einmal abgebildet, was wir einerseits als Sehnsucht nach dem Mitwissen mit Gott und was wir anderseits als Verhängnis
in der Gaunersphäre des Vorläufigen erkannten. Aber
wenn ich es so sage, um es handgreiflich zu machen, dann

droht ein falscher Eindruck: so, als ob in der Werksprache
Ingeborg Bachmanns die Sphären nebeneinander wären,
einander fremd; statt in Kunst in Künstlichkeit gebildet;
statt notwendig nur angestrengt zueinander hin behauptet. Die Beispiele, die ich gab, werden die Einheit spürbar gemacht haben. Aber erst der Leser des Gesamtwerks
wird diese Einheit deutlich erleben – die Einheit, für
welche unsere Wissenschaft ein paar Namen hat; Namen
für die *eine* merkwürdige Kraft, welche im Werk jede
Faser anfüllt und durch solche Füllung das Zusammenge-
hörige, das Richtige herstellt oder: das Unaustauschbare,
Unverwechselbare einer geformten Lebendigkeit. Für dieses merkwürdige Ereignis brauchen wir zum Beispiel die
Bezeichnung »Stil«. Es ist etwas Wortloses, das im Wort
erscheint. Vielleicht darf ich eine mir liebe Prägung Klop-
stocks zu Hilfe nehmen, um bildlich zu sagen, was unbild-
lich so schwierig bleibt. In einem Lehrgespräch, betitelt
»Von der Darstellung«, sagt Klopstock: »Überhaupt
wandelt das Wortlose in einem guten Gedicht umher wie
in Homers Schlachten die nur von wenigen gesehenen
Götter.« Die nur von wenigen gesehenen, aber von allen
durch ihr Wirken erfahrenen Götter! Das ist, aufs Dicht-
werk übertragen, ein Gleichnisbild für »Stil«. Oder sollen
wir es Rhythmus nennen? Einmalige Art, den Stoff zu bewegen? Lassen wir's. Behalten wir das Bild der unsichtbaren und doch allgegenwärtigen Götter im Feld der
Sprache. Nicht überall ist ihnen bei Ingeborg Bachmann
gleich wohl. In der Prosa, so meine ich zu beobachten,
drängen sie auf das musikalische Zeichengebiet der Lyrik
hinüber. Aber Ingeborg Bachmann gibt dann nicht einfach
nach: mit denkerischer Hartnäckigkeit, die so tut, als ob
sie zart sei, läßt sie die Götter ein wenig seufzen; und nun
gehört es zum Packenden: zuzusehen, *wie* lange sie solche
Widersetzlichkeit treibt – um plötzlich wieder mit ihren
Göttern zu gehen, sich und sie im Rhythmus zu erlösen.
Wir haben in Ingeborg Bachmanns Werk einen Bericht

über den Menschen, der in die Falle des Lebens getreten
und durch Schmerz für die Erfahrung der Wahrheit empfindlich geworden ist. Als Ingeborg Bachmann 1959 für
ihre Dichtung »Der gute Gott von Manhattan« den Hör-
spielpreis der Kriegsblinden entgegennahm, sagte sie unter
anderem: »... Wir sagen sehr einfach und richtig, wenn
wir in diesen Zustand kommen, den hellen, wehen, in
dem der Schmerz fruchtbar wird: mir sind die Augen aufgegangen. Wir sagen das nicht, weil wir eine Sache oder
einen Vorfall äußerlich wahrgenommen haben, sondern
weil wir begreifen, was wir doch nicht sehen können. Und
das sollte die Kunst zuwege bringen: daß uns, in diesem
Sinne, die Augen aufgehen.«

Theodor W. Adorno

SITTLICHKEIT UND KRIMINALITÄT

Zum elften Band der Werke von Karl Kraus

Für Lotte von Tobisch

Der Herausgeber der neuen Edition von ›Sittlichkeit und Kriminalität‹, Heinrich Fischer, sagt im Nachwort, kein Buch von Karl Kraus sei aktueller als dies vor bald sechzig Jahren publizierte. Das ist die pure Wahrheit. Trotz allem Geschwätz vom Gegenteil hat in der Grundschicht der bürgerlichen Gesellschaft nichts sich geändert. Böse hat sie sich vermauert, als wäre sie so naturgesetzlich-ewig, wie sie es ehedem in ihrer Ideologie positiv behauptete. Sie läßt die Verhärtung des Herzens, ohne welche die Nationalsozialisten nicht unbehelligt Millionen hätten morden können, so wenig sich abmarkten wie die Herrschaft des Tauschprinzips über die Menschen, den Grund jener subjektiven Verhärtung. Flagrant wird das am Bedürfnis, zu bestrafen, was nicht zu bestrafen wäre. Die Judikatur maßt, nach der Diagnose von Kraus, mit der Verstocktheit des gesunden Volksempfindens das Recht zur Verteidigung nicht-existenter Rechtsgüter sich an, selbst wo nachgerade sogar die offizielle Wissenschaft in der Majorität ihrer Vertreter nicht länger zu dem sich hergibt, wogegen in den ersten Jahren des Jahrhunderts nur wenige, damals von Kraus gerühmte Psychologen wie Freud und William Stern anzugehen wagten. Je geschickter das fortdauernde soziale Unrecht unter der unfreien Gleichheit der Zwangskonsumenten sich versteckt, desto lieber zeigt es im Bereich nicht-sanktionierter Sexualität

seine Zähne und bedeutet den erfolgreich Nivellierten,
daß die Ordnung im Ernst nicht mit sich spaßen läßt. Ge-
duldetes Freiluftvergnügen und ein paar Wochen mit ein-
teiligem Bikini haben womöglich nur eine Wut gesteigert,
die, hemmungsloser als je die von ihr verfolgten sogenannten Laster, sich zum Selbstzweck wird, seitdem sie auf die
theologischen Rechtfertigungen verzichten muß, die zu-
zeiten auch für Selbstbesinnung und Duldung, Raum ge-
währten.

Der Titel ›Sittlichkeit und Kriminalität‹ wollte ursprünglich nichts, als zwei Zonen auseinanderhalten, von
denen Kraus wußte, daß sie nicht bruchlos ineinander aufgehen; die der privaten Ethik, in der kein Mensch über
einen anderen richten dürfe, und die der Legalität, welche
Eigentum, Freiheit, Unmündigkeit zu schützen habe. »Wir
können uns nicht daran gewöhnen, Sittlichkeit und Kriminalität, die wir so lange für siamesische Begriffszwillinge
hielten, voneinander getrennt zu sehen.«[1] Denn: »die
schönste Entfaltung meiner persönlichen Ethik kann das
materielle, leibliche, moralische Wohl meines Nebenmen-
schen, kann ein Rechtsgut gefährden. Das Strafgesetz ist
eine soziale Schutzvorrichtung. Je kulturvoller der Staat
ist, um so mehr werden sich seine Gesetze der Kontrolle
sozialer Güter nähern, um so weiter werden sie sich aber
auch von der Kontrolle individuellen Gemütslebens entfernen.«[2] Diesem Gegensatz genügt jedoch nicht einfach
die Trennung verschiedener Gebiete. Er drückt den Antagonismus eines Ganzen aus, welches nach wie vor die Versöhnung des Allgemeinen und des Besonderen beiden verweigert. Zur Dialektik wird Kraus allmählich von der
Gewalt der Sache gedrängt, und ihr Fortgang schafft die
innere Form des Buches. Sittlichkeit, die herrschende, jetzt

---

[1] Karl Kraus, Sittlichkeit und Kriminalität, Elfter Band der
Werke, München, Wien (1963), S. 66.
[2] a.a.O.

und hier geltende, produzierte Kriminalität, werde kriminell. Berühmt wurde der Satz: »Ein Sittlichkeitsprozeß ist die zielbewußte Entwicklung einer individuellen zur allgemeinen Unsittlichkeit, von deren düsterem Grunde sich die erwiesene Schuld des Angeklagten leuchtend abhebt.«[3]

Die Befreiung des Sexus von seiner juristischen Bevormundung möchte tilgen, wozu ihn der soziale Druck macht, der in der Psyche der Menschen als Hämischkeit, Zote, grinsendes Behagen und schmierige Lüsternheit sich fortsetzt. Die Libertinage des Amüsierbetriebes, die Anführungszeichen, in die ein Gerichtsreporter das Wort Dame setzt, wenn er ihr Privatleben betasten will, und die offizielle Entrüstung sind von gleichem Blute. Kraus wußte alles über die Rolle des Sexualneids, der Verdrängung und der Projektion in den Tabus. Mag er darin bloß für sich wiederentdeckt haben, was nachsichtige Skepsis von je vorbrachte – und der Parodist Kraus ist einer der wenigen in der Geschichte, der nicht, als Freund alter Sitten, ins Gezeter über Verderbnis einstimmte; quo usque tandem abutere, Cato, patientia nostra?, fragte er –: der antipsychologische Psychologe verfügt auch über Einsichten recentester Art wie die in die Gereiztheit des Glaubens, sobald er seiner selbst nicht mehr sicher ist: »Man muß die leichte Reizbarkeit des katholischen Gefühls kennen. Es gerät immer in Wallung, wenn der andere es nicht hat. Die Heiligkeit einer religiösen Handlung hält den Religiösen nicht so ganz gefangen, daß er nicht die Geistesgegenwart hätte, zu kontrollieren, ob sie den andern gefangenhält, und die von wachsamen Kooperatoren geführte Menge hat sich daran gewöhnt, die eigentliche Andacht nicht so sehr im Abnehmen des Hutes wie im Herunterschlagen des Hutes zu betätigen.«[4] Das ver-

---

[3] a.a.O., S. 173.
[4] a.a.O., S. 223 f.

dichtet er zur Sentenz: »Gewissensbisse sind die sadisti-
schen Regungen des Christentums. So hatte Er's nicht gemeint.« [5] Nicht nur den Zusammenhang der Tabus mit
einem in sich selbst unsicheren religiösen Eifer hat er
gewahrt, sondern auch jenen mit völkischer Ideologie, den
die Sozialpsychologen erst ein Menschenalter später erhär-
ten konnten. Wo er gleichwohl gegen die Wissenschaft, zumal die Psychologie, seine Pointen kehrt, bekämpft er
nicht die Humanität von Aufklärung, sondern ihre Inhumanität, das Einverständnis mit dem herrschenden Vorurteil, den Hang zum Schnüffeln, zum Einbruch in die
Privatsphäre, die zumindest in ihren Anfängen die Psy-
choanalyse vor gesellschaftlicher Zensur retten wollte.
Wissenschaft so wenig wie irgendeine isolierte Kategorie
ist ihm als solche gut oder schlecht. Das Bewußtsein von
der unseligen Verkettung des Ganzen hebt die Position
von Kraus scharf von der einer Toleranz im schmählichen
Ganzen ab, die auch es toleriert und ihrerseits, geschäftlichen Interessen hörig, den Puritanismus als dessen Re-
versbild ergänzt. Kraus hütet sich, gegen das herrschende
Unwesen Freiheit frisch-fröhlich zu entwerfen. Der für
Philosophie, trotz des unvergleichlichen Gedichts über
Kant, schwerlich allzuviel Neigung hegte, hat auf eigene
Faust das Prinzip der immanenten Kritik entdeckt. Hegel zufolge der allein fruchtbaren. Er akzeptiert es im
Programm einer »rein dogmatische(n) Analyse eines straf-
rechtlichen Begriffes, die die bestehende Rechtsordnung
nicht negiert, sondern interpretiert.« [6] Immanente Kritik
ist bei Kraus mehr als Methode. Sie bedingt die Wahl des
Gegenstands seiner Fehde mit dem bürgerlichen Kommerzialismus. Nicht bloß um der glanzvollen Antithese willen verhöhnt er die Käuflichkeit der Presse und verteidigt
die der Prostitution: »So hoch das Freimädchen moralisch

---

[5] a.a.O., S. 249.
[6] a.a.O., S. 52, Fußnote.

über dem Mitarbeiter des volkswirtschaftlichen Teiles steht, so hoch steht die Gelegenheitsmacherin über dem Herausgeber. Sie hat nie gleich diesem vorgeschützt, die Ideale hochzuhalten, aber der von der geistigen Prostitution seiner Angestellten lebende Meinungsvermittler pfuscht oft genug der Kupplerin auf ihrem eigensten Gebiet ins Handwerk. Nicht in puritanischem Entsetzen habe ich hin und wieder auf die Sexualinserate der Wiener Tagespresse hingewiesen. Unsittlich sind sie bloß im Zusammenhang mit der vorgeblich ethischen Mission der Presse, geradeso wie Inserate einer Sittlichkeitsliga in Blättern, die für die Sexualfreiheit kämpfen, in höchstem Grade anstößig wären. Und wie die moralistische Anwandlung einer Kupplerin auch nicht an und für sich, sondern nur im Zusammenhang mit ihrer Mission unsittlich ist.« [7]

Der Haß von Kraus gegen die Presse ist gezeitigt von seiner Besessenheit von der Forderung nach Diskretion. Auch in dieser manifestiert sich der bürgerliche Antagonismus. Der Begriff des Privaten, den Kraus ohne Kritik ehrt, wird vom Bürgertum fetischisiert zum My home is my castle. Andererseits ist nichts, das Heiligste nicht und nicht das Privateste, sicher vorm Tausch. Nie zögert die Gesellschaft, die Geheimnisse, in deren Irrationalität ihre eigene sich verschanzt, auf dem Markt auszubieten, sobald verdrückte Lust am Verbotenen dem Kapital in der Sphäre der Publizität neue Investitionschancen gewährt. Erspart blieb Kraus noch der Schwindel, der heute mit dem Wort Kommunikation getrieben wird; das wissenschaftlich wertneutrale air für das, was einer dem anderen mitteilt, um zu verschleiern, daß zentrale Stellen, die zusammengeballte wirtschaftliche Macht und ihre administrativen Handlanger, die Masse durch Anpassung an sie dupieren. Das Wort Kommunikation täuscht vor, das quid

---

[7] a.a.O., S. 33.

pro quo wäre die natürliche Folge der elektrischen Erfindungen, die es bloß für den direkten oder indirekten Profit mißbraucht. In den Kommunikationen ist zum Gesetz des Geistes geworden, was Kraus als dessen Auswuchs vor einem Menschenalter wegschneiden wollte. Verhaßt ist ihm nicht der Kommerzialismus als solcher – das wäre nur einer Gesellschaftskritik möglich, deren Kraus sich enthielt – sondern der Kommerzialismus, der sich nicht einbekennt. Er ist Kritiker der Ideologie im genauen Sinn: er konfrontiert das Bewußtsein, und die Gestalt seines Ausdrucks, mit der Realität, die es verzerrt. Bis zu den großen Polemiken der reifen Zeit gegen Erpresserfiguren benutzte er die Prämisse, die Herrschaften sollten treiben, was sie mochten; nur sollten sie es zugeben. Ihn leitete die tiefe, wie immer auch unbewußte Einsicht, das Böse und Zerstörende höre, sobald es sich nicht mehr rationalisiert, auf, ganz böse zu sein, und möchte durch Selbsterkenntnis etwas wie zweite Unschuld gewinnen. Die Moralität von Kraus ist Rechthaberei, gesteigert bis zu dem Punkt, wo sie umschlägt in den Angriff aufs Recht selber; advokatorischer Gestus, der den Advokaten das Wort in der Kehle erstickt. Juristisches Denken nimmt er bis in die Kasuistik hinein so streng, daß das Unrecht des Rechts darüber sichtbar wird; dazu hat sich bei ihm das Erbteil des verfolgten und plädierenden Juden vergeistigt, und durch diese Vergeistigung hat zugleich das Rechthaben seine Mauern durchstoßen. Kraus ist der Shylock, der das eigene Herzblut hergibt, wo der Shakespearesche das Herz des Bürgen herausschneiden möchte. Er verbarg nicht, was er von der Jurisdiktion hielt: »›Der Richter verurteilte die Angeklagte zu einer Woche strengen Arrests.‹ Den Richter hat man.«[8] Mit desto größerem Bedacht fügte er in das Buch den Exkurs über den Begriff der Erpressung[9] ein, dem

---

[8] a.a.O., S. 337.
[9] Vgl. a.a.O., S. 52 ff.

schwerlich Fachleute die Kompetenz juristischen Denkens
bestritten. Der Verächter der offiziellen Wissenschaft qua-
lifiziert sich als Wissenschaftler. Die Spur des Juridischen
reicht tief bis in die Kraus'sche Sprachtheorie und -praxis
hinein: er führt Prozesse in Sachen der Sprache gegen die
Sprechenden, mit dem Pathos der Wahrheit wider die subjektive Vernunft. Archaisch die Kräfte, die dabei ihm zu-
wachsen. Sind alle Kategorien der Erkenntnis, einer wis-
senssoziologischen Hypothese zufolge, aus solchen der
Rechtsfindung entsprungen, so desavouiert Kraus die Intelligenz, Verfallsform von Erkenntnis, ihrer Dummheit
wegen, indem er sie zurückübersetzt in jene Rechtsver-
hältnisse, welche sie, zum formalen Prinzip ausgeartet,
verleugnet. Dieser Prozeß reißt das geltende Recht in sich
hinein. Kraus konstatiert: »Das Charakteristische der
österreichischen Strafrechtspflege ist, daß sie Zweifel
schafft, ob man mehr die richtige oder die falsche Anwendung des Gesetzes beklagen soll.«[10] Schließlich zog er die
extreme Konsequenz, als er wahrhaft das Recht in die
eigene Hand nahm und 1925 in einer Vorlesung, die keiner vergessen wird, der zugegen war, den Herrn der
›Stunde‹, Imre Bekessy, mit den Worten »hinaus mit dem
Schuft aus Wien« von der Stätte seines Wirkens endgültig
vertrieb. Seit Kierkegaards Kampf gegen die Christenheit
hat kein Einzelner so eingreifend das Interesse des Ganzen gegen das Ganze wahrgenommen.

Titel und fabula docet des Shakespeareschen ›Maß für
Maß‹, das vor dem einleitenden Aufsatz ausführlich zitiert wird, sind für den immanenten Kritiker kanonisch.
Als Künstler nährt ihn die Goethesche Tradition, daß eine
Sache, die selber redet, unvergleichlich viel mehr Gewalt
hat als hinzugefügte Meinung und Reflexion. Die Sensibilität des »Bilde Künstler, rede nicht« ist verfeinert bis
zum Unbehagen am Bilden herkömmlichen Sinnes. Kraus

---

[10] a.a.O., S. 71.

argwöhnt noch in der sublimen ästhetischen Fiktion das
schlechte Ornament. Gegenüber dem Schrecken der nackten, ohne Zusatz hingestellten Sache erniedrigt selbst das
dichterische Wort sich zur Beschönigung. Für Kraus wird
die ungestalte Sache zum Ziel der Gestaltung, Kunst so
geschärft, daß sie sich kaum mehr erträgt. Dadurch assi-
miliert seine Prosa, die sich primär als ästhetisch empfand,
sich der Erkenntnis. Wie diese darf sie keinen richtigen
Zustand ausmalen, der notwendig die Schmach des falschen mitschleppte, aus dem er extrapoliert ward. Lieber
überantwortet verzweifelte Sehnsucht sich einer Vergangenheit, deren eigenes Grauen durch Vergängnis versöhnt
erscheint, als daß Kraus für den »Einbruch einer traditi-
onslosen Horde« einträte: mit Grund hat er »zuweilen
selbst die gute Sache aus Abscheu gegen ihre Verfechter im
Stich gelassen« [11]. Halbe und ängstliche Apologie der Freiheit ist ihm womöglich noch verhaßter als die plane Reaktion. Eine Schauspielerin hat »vor Gericht ihr Verhalten
mit den freieren Sitten der Theatermenschheit entschuldigt«. Kraus sagt gegen sie: »Ihre Unwahrhaftigkeit lag
darin, daß sie zu ihrer Rechtfertigung sich erst auf eine
Konvention, auf die Konvention der Freiheit, berufen zu
müssen glaubte.« [12] So frei war Kraus auch der Freiheit
gegenüber, daß er über dieselbe Frau von Hervay, die er
vor den Leobener Richtern beschützt hatte, einen vernich-
tenden Aufsatz schrieb, als sie ihre Memoiren veröffentlichte. Nicht nur deshalb, weil sie darin eine bündige Zu-
sicherung brach: die Unselige hatte zu schreiben begonnen,
und vor Gedrucktem hörte die Solidarität von Kraus mit
der verfolgten Schuld jäh auf. Die ethischen Deklamationen der Skribentin decouvrierten sie als artverwandt mit
ihren Peinigern. Wenige Erfahrungen müssen für Kraus
so bitter gewesen sein wie die, daß die Frauen, die perma-

---

[11] a.a.O., S. 12.
[12] a.a.O., S. 157.

nenten Opfer patriarchalischer Barbarei, diese sich einverleibt haben und sie proklamieren, noch wo sie sich zur Wehr setzen: »Aber sogar die Protokolle der Mädchen – man sehe, wie lebensecht Protokolle sind – enthielten in allen erdenklichen Variationen die Erklärung: ›Ich habe keinen Schandlohn bekommen‹« [13]. Man kann erraten, wie danach die Frauenrechtlerinnen abschneiden, nämlich wie bei Frank. Wedekind, mit dem Kraus befreundet war: »Und die Frauenrechtlerinnen? Anstatt für die Naturrechte des Weibes zu kämpfen, erhitzen sie sich für die Verpflichtung des Weibes zur Unnatur.« [14] Die wahrhaft emanzipierte Intelligenz von Kraus hebt einen Konflikt ins Bewußtsein, der seit der beruflichen Emanzipation der Frauen sich formierte, welche sie nur desto gründlicher als Geschlechtswesen unterdrückte. Unter den St. Simonisten, zwischen Bazard und Enfantin, wurde mit der Naivität stur behaupteter Standpunkte ausgefochten, worüber erst Kraus sich erhob, indem er es als Antinomie bestimmte. Solche Zweideutigkeit des Fortschritts ist universal. Sie veranlaßt ihn dazu, manchmal nicht Milderung, sondern Verschärfung von Strafgesetzen zu fordern. Die Sachverhalte, die das motivierten, begegnen stereotyp dem wieder, der mit jenem bösen Blick, in dem heute wie damals Güte sich zusammenzieht, die Gerichtsspalten der Zeitungen liest: »Vor einem galizischen Schwurgericht wird eine Frau, die ihr Kind totgeprügelt hat, von der Anklage des Mordes, beziehungsweise Totschlags freigesprochen und wegen ›Überschreitung des häuslichen Züchtigungsrechtes‹ zur Strafe des Verweises verurteilt. ›Sie Angeklagte, Sie haben Ihr Kind getötet. Daß mir so etwas nicht wieder vorkommt!‹... Und man erfährt nicht einmal, ob die Angeklagte für den Beweis ihrer Besserungsfähigkeit ein

---

[13] a.a.O., S. 241.
[14] a.a.O., S. 252.

zweites Kind vorrätig hat.«[15] Das sind die wahren anthropologischen Invarianten, kein ewiges Menschenbild.
Auch ›Volltrunkenheit‹ ist nach wie vor als mildernder
Umstand bei denen beliebt, die sonst gar zu gern Exempel
statuieren; Kraus mußte das erleben, nachdem er von
einem antisemitischen Rüpel der Unterhaltungsbranche
mißhandelt worden war[16].

Des Antisemitismus zeiht man ihn, den Juden, selbst.
Verlogen trachtet die restaurative deutsche Nachkriegsgesellschaft den intransigenten Kritiker unter Berufung
darauf loszuwerden. Das drastische Gegenteil steht in ›Sittlichkeit und Kriminalität‹: »Und ist nicht auch der Kreti-
nismus, der die Parteinahme für eine Mißhandelte der
›jüdischen Solidarität‹ zuschreibt, seines Lacherfolges sicher? Ich allein könnte mit Leichtigkeit hundert ›Arier‹ –
ohne Anführungszeichen sollte das dumme Wort gar nicht
mehr gebraucht werden – aufzählen, die in und nach den
Prozeßtagen ihrem Entsetzen über jeden Satz, der in Leo-
ben gesprochen wurde, beinahe ekstatischen Ausdruck gegeben haben.«[17] Vielfach trifft das Buch jüdische Richter,
Anwälte und Experten; aber nicht darum, weil sie Juden
sind, sondern weil die von Kraus Inkriminierten aus assi-
milatorischem Eifer der Gesinnung jener sich gleichgeschal-
tet haben, für die im Deutschen der Sammelbegriff Pa-
chulke existiert, während der Österreicher Kraus sie Kas-
mader taufte. Polemik, die zwischen ihren Objekten aus-
wählte, Christen angriffe und Juden schonte, eignete
damit bereits das antisemitische Kriterium eines wesen-
haften Unterschieds beider Gruppen sich zu. Was Kraus
den Juden nicht verzieh, gegen die er schrieb, war, daß sie
den Geist an die Sphäre des zirkulierenden Kapitals ze-
dierten; den Verrat, den sie begingen, indem sie, auf de-

---

[15] a.a.O., S. 328 f.
[16] Vgl. a.a.O., S. 211 ff.
[17] a.a.O., S. 118.

nen das Odium lastet und die insgeheim als Opfer aus-
erkoren sind, nach dem Prinzip handelten, das als allgemeines das Unrecht gegen sie meint und auf ihre Vernichtung hinauslief. Wer diesen Aspekt des Abscheus von
Kraus vor der liberalen Presse verschweigt, verfälscht ihn,
damit das Bestehende, dessen Physiognomiker er war wie
keiner sonst, ungestört weiter sein Geschäft verrichte. Denen, die gleichzeitig die Todesstrafe wieder einführen und
die Folterknechte von Auschwitz freisprechen möchten,
wäre es nur allzu willkommen, wenn sie, Antisemiten im
Herzen, Kraus als einen solchen unschädlich machen könnten. In ›Sittlichkeit und Kriminalität‹ duldet er keinen
Zweifel daran, warum er die Wiener jüdische Presse vor
der nationalistischen und völkischen anprangert: »Das
muß gegenüber dem Toben einer antisemitischen Presse
ausgesprochen werden, die sonst schärferer Kontrolle nicht
bedarf, weil sie – neben der jüdischen – einen geringeren
Grad von Gefährlichkeit dem höheren Grad von Talent-
losigkeit dankt.« [18] Nichts anderes wäre gegen ihn einzuwenden, als daß er über die Grade von Gefährlichkeit
sich täuschte wie vermutlich die meisten Intellektuellen
seiner Epoche. Er konnte nicht voraussehen, daß gerade
das Moment des unterkitschig Apokryphen, das nicht weniger als den Streicherschen ›Stürmer‹ ein Wort wie ›Völkischer Beobachter‹ auszeichnet, am Ende der Ubiquität
einer Wirkung half, deren Provinzialismus Kraus mit
räumlicher Begrenzung gleichsetzte. Der Geist von Kraus,
der einen Bann um sich legt, war auch seinerseits gebannt:
auf Geist verhext. Nur als Bannender vermochte er inmitten des Verstrickten von dessen Bann zu lösen. Der Preis
dafür war seine eigene Verstricktheit. Alles antizipierte er,
ahndete jede Schandtat, die durch den Geist hindurch geschieht. Nicht jedoch konnte er den Begriff einer Welt fassen, in der der Geist schlechthin entmächtigt ist zugunsten

[18] a.a.O., S. 116 f.

jener Macht, an die er zuvor wenigstens sich verkaufen durfte. Das ist die Wahrheit des Wortes aus den letzten Lebensjahren von Kraus, ihm falle zu Hitler nichts ein.

Die bürgerliche Gesellschaft lehrt den Unterschied des öffentlichen und beruflichen Lebens vom privaten und verspricht dem Individuum, als der Keimzelle ihrer Wirtschaftsweise, Schutz. Die Methode von Kraus fragt, ironisch bescheiden, eigentlich nicht mehr, als wie weit die Gesellschaft, in der Praxis ihrer Strafgerichtsbarkeit, dies Prinzip anwende, dem Individuum den versprochenen Schutz gewähre und nicht vielmehr, im Namen fadenscheiniger Ideale, auf dem Sprung stehe, auf es sich zu stürzen, sobald es wirklich von der verheißenen Freiheit Gebrauch macht. Mit Scheuklappen als Brille insistiert Kraus auf dieser einen Frage. Darüber wird der gesellschaftliche Zustand insgesamt verdächtig. Die Verteidigung der privaten Freiheit des einzelnen gewinnt paradoxen Vorrang vor der einer politischen, die er wegen ihrer Unfähigkeit, privat sich zu realisieren, als in weitem Maße ideologisch verachtet. Weil es ihm um die ganze Freiheit geht, nicht um die partikulare, nimmt er sich der partikularen der verlassensten einzelnen an. Eingeschworenen Progressiven war er kein zuverlässiger Bundesgenosse. Bei Gelegenheit der Affäre der Prinzessin Coburg schrieb er: »Was wiegt – selbst dem Dreyfusgläubigen – das von einem Weltlamento beweinte Unrecht der ›Affäre‹ neben dem Fall Mattassich? Das Opfer des Staatsinteresses neben dem Staatsmartyrium privater Rache! Die scheinheilige Niedertracht, die aus jeder ›Maßnahme‹ gegen das unbequeme Liebespaar in die Nasen anständiger Menschen drang, hat dem Begriff ›Funktionär‹ für alle Zeiten eine penetrante Bedeutung verschafft, die unabänderlicher ist als das Gutachten einer psychiatrischen Kommission und als das Urteil eines Militärgerichts.« [19] Am

---

[19] a.a.O., S. 86 f.

Ende hielt er es eher noch mit Dollfuss, von dem er glaubte, daß er den Hitler hätte aufhalten können, als mit den Sozialdemokraten, denen er es nicht zutraute. Schlechthin unerträglich war ihm die Perspektive einer Ordnung, in der man ein schönes Mädchen mit kahlgeschorenem Kopf wegen Rassenschande durch die Straßen hetzt. Der Polemiker bezieht den Standpunkt des ritterlichen Feudalen, gehorsam der einfachsten und darum vergessenen Selbstverständlichkeit, daß einer, der in glücklicher Kindheit gut erzogen ward, die Normen guter Erziehung in der Welt respektiert, auf die jene vorbereiten soll und mit deren Normen sie doch zwangsläufig zusammenprallt. Das reifte in Kraus zur schrankenlosen männlichen Dankbarkeit für das Glück, das die Frau gewährt, das sinnliche, das den Geist in seiner Verlassenheit und Bedürftigkeit tröstet. Unausgesprochen wird das davon motiviert, daß die Freigabe des Glücks Bedingung richtigen Lebens ist; die intelligible Sphäre geht auf an der sinnlichen Erfüllung, nicht an Versagung. Solche Dankbarkeit steigert die idiosynkratische Diskretion von Kraus zum moralischen Prinzip. »Es ist ein Gefühl, an einer unaussprechlichen Schmach teilzuhaben, wenn man Tag für Tag Möglichkeiten und Chancen, Art und Intensität eines Liebesverhältnisses mit der Sachlichkeit einer politischen Diskussion erörtert sieht.« [20] Für ihn ist die schwerste Schuld, »mit der ein Mann und Arzt sein Gewissen belasten kann: die Verletzung der Verschwiegenheitspflicht gegen eine Frau« [21]. Als Gentleman möchte er im bürgerlichen Zeitalter wiedergutmachen, was die patriarchale Ordnung, gleichgültig fast welchen politischen Systems, an den Frauen frevelt. Mag ihm den Widerspruch zwischen Freiheitsbewußtsein und aristokratischer Sympathie vorrechnen, wer Teilhabe am Allerweltsgeblök mit autonomem Urteil verwechselt

---

[20] a.a.O., S. 140.
[21] a.a.O., S. 173.

und es sich nicht beikommen läßt, daß ein Feudaler immer noch eher die Freiheit der eigenen Lebensführung als allgemeine Maxime wünschen kann denn ein dem Tauschprinzip verschriebener Bürger, der keinem anderen den Genuß gönnt, weil er ihn sich selbst nicht gönnt. Kraus überführt die Männer der Bestialität, die dort am abscheulichsten ist, wo sie im Namen jener Ehre agieren, die sie selber für die Frauen ersonnen haben und in der nur deren Unterdrückung ideologisch sich fortsetzt. Den Geist, der als naturbeherrschendes Prinzip an der Frau sich verging, will Kraus zur Integrität restituieren. Möchte er aber das Privatleben einer Frau vor der Öffentlichkeit beschützen, auch wenn sie es ihrerseits um der Öffentlichkeit willen führt, so ahnt er das Einverständnis von kochender Volksseele und Gewaltherrschaft, von plebiszitärem und totalitärem Prinzip. Der, dem die Richter Henker waren, zittert vor dem Schrecken, den der »Unfug(s) ›Volksjustiz‹« noch deren liberalstem Verteidiger einflößen müsse[22].

Er hält der Gesellschaft nicht die Moral entgegen; bloß ihre eigene. Das Medium aber, in dem sie sich überführt, ist die Dummheit. Zu deren empirischem Nachweis wird bei Kraus Kants reine praktische Vernunft, jener Sokratischen Lehre gemäß, welche Tugend und Einsicht als identisch ansieht und kulminiert im Theorem, das Sittengesetz, der kategorische Imperativ sei nichts anderes als die ihrer heteronomen Schranken ledige Vernunft an sich. An Dummheit erweist Kraus, wie wenig die Gesellschaft es vermochte, in ihren Mitgliedern den Begriff des autonomen und mündigen Individuums zu verwirklichen, den sie voraussetzt. Die Kritik des in den Entstehungsjahren des Buches noch konservativen Kraus am Liberalismus war eine an dessen Borniertheit. Dies Stichwort fällt in den großartigen Entwürfen zum ›Kapital‹, die Marx in der

---

[22] a.a.O., S. 41.

endgültigen Fassung, wohl als allzu philosophisch, zugunsten der strikt ökonomischen Beweisführung ausschied. Das falsche Bewußtsein des Kapitalismus verschandle die ihm mögliche Erkenntnis; freie Konkurrenz sei »eben nur die freie Entwicklung auf einer borniertten Grundlage der Herrschaft des Kapitals«[23]. Kraus, der jene Notiz kaum kannte, hat von Borniertheit dort geredet, wo es wehtut: angesichts des konkreten bürgerlichen Bewußtseins, das sich wunder wie aufgeklärt dünkt. Er spießt die unreflektierte, mit dem Zustand einige Intelligenz auf. Sie widerspricht ihrem eigenen Anspruch auf Urteilsfähigkeit und Erfahrung von der Welt. Konformistisch fügt sie sich einer Gesamtverfassung, vor deren Convenus sie innehält und die sie unverdrossen wiederkäut. Hofmannsthal, dem Kraus zürnte, vermerkt im ›Buch der Freunde‹, wohl als eigenen Einfall: »Die gefährlichste Sorte von Dummheit ist ein scharfer Verstand.«[24] Das ist nicht plump wörtlich zu nehmen; logische Denkkraft und Subtilität sind unentbehrliche Momente des Geistes, und es mangelte Kraus wahrhaftig nicht daran. Gleichwohl enthält das Aperçu mehr als bloß irrationalistische Rancune. Dummheit ist keine von außen zugefügte Beschädigung der Intelligenz zumal jenes Wienerischen Typus, an dem Hofmannsthal wie sein Widersacher sich ärgerten. In sie geht die verselbständigte instrumentelle Vernunft aus eigener Konsequenz über, formales Denken, das die eigene Allgemeinheit, und damit seine Verwendbarkeit für beliebige Zwecke, der Absage an die inhaltliche Bestimmung durch seine Gegenstände verdankt. Der törichte Scharfsinn verfügt über die Allgemeinheit der logischen Apparatur als einsatzbereite Spezialität. Der Fortschritt jener Intelligenz

[23] Karl Marx, Grundrisse der Kritik der politischen Ökonomie (Rohentwurf), 1857–58, Berlin 1953, S. 545.
[24] Hugo von Hofmannsthal, Aufzeichnungen, Frankfurt 1959, S. 44.

hat die Triumphe der positiven Wissenschaft, vermutlich
auch die rationalen Rechtssysteme erst ermöglicht; die
Scharfsinnigen besorgen nicht nur ihre Selbsterhaltung
durch aggressives Rechtbehalten, sondern leisten überdies,
was Marx, mit höchster Ironie, gesellschaftlich nützliche
Arbeit nannte. Aber indem sie die Qualitäten subsumie-
rend ausschalten, verkümmern ihnen die Organe von Erfahrung. Je ungestörter von Unterbrechungen ihr Denk-
mechanismus sich dem zu Denkenden gegenüber etabliert,
desto mehr entfernt er zugleich sich von der Sache und
substituiert sie naiv durch die abgespaltene fetischisierte
Methode. Die an ihr bis in ihre Reaktionsweisen hinein
sich orientieren, tun es ihr allmählich gleich. Sie kommen
zu sich selbst als das gescheite Rindvieh, dem das Wie, der
Modus, etwas herauszufinden und nach vorgegebenen
Klassen der Begriffsbildung zu organisieren, jegliches Interesse an der sei's auch subjektiv vermittelten Sache verdrängt. Ihre Urteile und Ordnungen werden schließlich so
irrelevant wie die angehäuften Fakten, die mit Methode
gut sich vertragen. Die Beziehungslosigkeit zur Sache neu-
tralisiert diese. Nichts geht ihr mehr auf; aus nichts vermöchte der sich selbst genügende Scharfsinn mehr zu lesen, daß, was ist, anders sein sollte. Der geistige Defekt
wird zum moralischen unmittelbar; die herrschende Gemeinheit, der Gedanke und Sprache sich anbequemen,
frißt deren Gehalt an, sie wirken bewußtlos mit am Geflecht des totalen Unrechts. Vom Moralisieren ist Kraus
entbunden. Er kann darauf deuten, wie jegliche Perfidie
als Schwachsinn anständiger, auch intelligenter Leute sich
durchsetzt, Index seiner eigenen Unwahrheit. Darum die
Witze; sie konfrontieren den herrschenden Geist mit seiner Dummheit so unversehens, daß ihm das Argumentieren vergeht, und er geständig wird als das, was er ist. Der
Witz hält Gericht jenseits möglicher Diskussion. Verführte
je einer, wie Kierkegaard, der Schutzpatron von Kraus,
es wollte, zur Wahrheit, dann Kraus durch die Witze.

Die großartigsten sind verstreut über den Aufsatz ›Die Kinderfreunde‹, ein Zentralstück des Buchs, geschrieben nach einem Prozeß, in dem ein Wiener Universitätsprofessor beschuldigt worden war, »in seinem photographischen Atelier zwei Knaben, Söhne zweier Advokaten, über geschlechtliche Dinge aufgeklärt, zur Onanie aufgefordert und ›unzüchtig berührt‹ zu haben«[25]. Der Essay verteidigt nicht den Angeklagten, sondern klagt die Ankläger, Nebenkläger und Experten an. Über den Kronzeugen, den einen jener Knaben, äußert sich Kraus: »Dies Kind – kein Engel ist so rein, aber auch keiner so ahnungsvoll – spricht von den Gefahren, die seiner Jugend drohen, etwa so, wie jener Possenfriedrich von dem siebenjährigen Krieg, in den er zu ziehen beschließt. Um im perversen Milieu des Prozesses zu bleiben: Diese kleinen Historiker sind wirklich rückwärts gekehrte Propheten . . .«[26]

Das stärkste Mittel jedoch, mit dem Kraus die Richter richtet, ist das strafende Zitat, nicht zu vergleichen landläufigen Belegen für irgendwelche Vorwürfe. Das Kapitel ›Ein österreichischer Mordprozeß‹ reiht auf vier Seiten wörtlich, kommentarlos Stellen aus der Verhandlung gegen eine wegen Totschlags Bezichtigte aneinander. Sie übertreffen jede Invektive. Sein Sensorium muß so früh wie 1906 vorausgefühlt haben, daß vorm Massiv der unmenschlichen Welt das subjektive Zeugnis wider sie versagt; nicht minder aber auch der Glaube, die Tatsachen sprächen rein gegen sich in einer Gesamtverfassung, der die Organe lebendiger Erfahrung abstarben. Kraus ist mit dem Dilemma genial fertig geworden. Seine Sprachtechnik hat einen Raum geschaffen, in dem er, ohne etwas hinzuzutun, Blindes, Intentionsloses und Chaotisches strukteriert wie ein Magnet eisernen Abfall, der in seine

---

[25] Kraus, a.a.O., S. 164, Fußnote.
[26] a.a.O., S. 178.

Nähe gerät. Ganz konnte diese Fähigkeit von Kraus, für
die es kaum ein anderes Wort gibt als das peinliche ›dä-
monisch‹[27], nur ermessen, wer noch die originalen roten
Hefte der Fackel las. Doch ist im Buch etwas davon übrig-
geblieben. Wenn heute die Scham des Wortes vor einem
Entsetzen, das alles überbietet, was Kraus aus trivialen
Sprachfiguren prophezeite, in literarischer Darstellung
zum Verfahren der Montage sich gedrängt sieht, anstatt
Unsagbares vergebens zu erzählen, so tastet das nach der
Konsequenz dessen, was Kraus bereits gelang. Er ist vom
Schlimmeren nicht überholt, weil er im Mäßigen das
Schlimmste erkannte, und indem er es spiegelte, es ent-
hüllte. Unterdessen hat sich das Mäßige als das Schlimmste deklariert, der Spießer als Eichmann, der Erzieher,
welcher die Jugend anhärtet, als Boger. Was alle die befremdet, welche Kraus von sich abwehren möchten, nicht
weil er unaktuell, sondern weil er aktuell ist, hängt mit
seiner Unwiderstehlichkeit zusammen. Gleich Kafka
macht er potentiell den Leser zum Schuldigen: nämlich
wenn er nicht jedes Wort von Kraus gelesen hat. Denn
nur die Totalität seiner Worte erzeugt den Raum, in dem
er durch Schweigen redet. Wer jedoch nicht den Mut hat,
in den Höllenkreis sich hineinzustürzen, der verfällt ohne
Gnade dem Bann, den jener um sich verbreitet; Freiheit
von Kraus kann nur der erlangen, der gewaltlos seiner
Gewalt sich ausliefert. Was das ethische Mittelmaß ihm
als Mitleidlosigkeit vorwirft, ist die Mitleidlosigkeit der
Gesellschaft, die heute wie damals auf menschliches Verständnis dort sich herausredet, wo Menschlichkeit gebietet,
daß das Verständnis aufhört.

Das Moment mythischer Unwiderstehlichkeit zeitigt
die Widerstände gegen Kraus so heftig wie vor dreißig

---

[27] Vgl. dazu Walter Benjamin, Schriften II, Frankfurt 1955,
S. 159 ff. Das zweite Kapitel der Kraus-Arbeit ist ›Dämon‹ betitelt.

Jahren, als er noch lebte; ungenierter, weil er starb. Wer mit schnöseliger Superiorität ihn kritisiert, braucht nicht mehr zu fürchten, sich in der Fackel zu lesen. Die Widerstände haben, wie stets, ihre Angriffspunkte im oeuvre. Wiederholungen beeinträchtigen ›Sittlichkeit und Kriminalität‹. Mythos und Wiederholung stehen in Konstellation, der des Zwanges von Immergleichem im Naturzusammenhang, aus dem nichts herausführt[28]. Soweit Kraus die Gesellschaft als Fortsetzung der verruchten Naturgeschichte diagnostiziert, werden ihm die Wiederholungen vom schuldhaften Gegenstand abverlangt, den unansprechbar stereotypen Situationen. Kraus hat sich darüber nicht getäuscht; er wiederholt auch das Motiv, man müsse wiederholen, solange das kritische Wort nicht abschafft, was doch das Wort allein nicht abzuschaffen vermag: »Es ist immer wieder, als ob man's zum erstenmal sagte: Die Zudringlichkeit einer Justiz, die den Verkehr der Geschlechter reglementieren möchte, hat stets noch die ärgste Unmoral gezeitigt; kriminelle Belastung des Sexualtriebs ist staatliche Vorschubleistung zu Verbrechen.«[29] Trotzdem nimmt es wunder, daß ein Schriftsteller, der in der sprachlichen Kraft der Einzelformulierung, der Prägnanz der Details, auch dem Reichtum an syntaktischen Formen von keinem seiner deutschen und österreichischen Zeitgenossen übertroffen ward, einigermaßen gleichgültig sich zu dem verhielt, was man, mit musikalischer Analogie, als die große Form der Prosa bezeichnen könnte. Zu erklären ist das allenfalls aus der Methode der immanenten Kritik und dem juridischen Habitus. Sein Ingenium entzündet sich überall dort, wo die Sprache feste Regeln kennt, die der Schmock verletzt, dem dann ganze Völkerschaften nachplappern. Noch jene Erhebungen seiner Pro-

---

[28] Vgl. Max Horkheimer und Theodor W. Adorno, Dialektik der Aufklärung, Amsterdam 1947, S. 23.
[29] Kraus, a.a.O., S. 180.

sa, die umschlagend bedeutenden, aber nach dem Schulverstand mit den Regeln unvereinbaren Werken beistehen, erreicht Kraus in Fühlung mit den Regeln. Dialektik ist der Äther, in dem, wie eine Galaxis geheimer Gegenbeispiele, die autonome Sprachkunst von Kraus gedieh. Große Prosaformen indessen verfügen über keinen Kanon, der mit den Normen der Formenlehre, der Grammatik und der Syntax irgend vergleichbar wäre; die Entscheidung über richtig und falsch im Bau umfangreicher Prosastücke oder gar Bücher vollzieht sich allein in den Gesetzen, die jeweils das Werk, aus immanenter Notwendigkeit, sich selbst auferlegt. Diesem Sachverhalt gegenüber hatte Kraus seinen blinden Fleck, den gleichen wie in seiner freilich erbittlichen Aversion gegen den Expressionismus, vielleicht auch in seinem Verhältnis zu Musik von emphatischem Anspruch. Wiederholt er gar, wider allen billigen Rat, Witze, so vollstreckt sich an ihm ein Verhängnis wie jenes, daß wir, Proust zufolge, nicht Taktlosigkeiten begehen, sondern daß diese darauf warten, begangen zu werden. So zudringlich sind, auf Kosten der eigenen Wirkung, Witze; Freud, der diesen wie den Fehlleistungen seine Aufmerksamkeit widmete, wäre um die Theorie nicht verlegen gewesen. In ihnen kristallisiert sich jäh die Sprache wider ihre Intention. Stets sind sie in der Sprache schon angelegt, und der Witzige ihr Exekutor. Er ruft die Sprache gegen die Intention zum Zeugen auf. Prästabilisiert, ist die Mannigfaltigkeit der Wortwitze zählbar. Darum verdoppeln sie sich so gern; verschiedenen Autoren fallen, ohne daß sie voneinander wüßten, dieselben ein. Die Zimperlichkeit, die an den Kraus'schen Wiederholungen leidet, mag sich entschädigen an der unerschöpflichen Fülle des Neuen, das ihm dazwischen einfällt.

Diese Qualität – in der Musik heißt sie Gestaltenreichtum – teilt sich der großen Prosaform mit als Kunst der Verknüpfung. Am Ende eines Absatzes aus den ›Kinderfreunden‹ schreibt Kraus in Anführungszeichen: »»Eine

Verurteilung zweier erwachsener Personen wegen homosexuellen Verkehrs ist zu bedauern; ein Mensch, der Knaben mißbraucht hat, die noch nicht das gesetzliche Alter erreicht haben, soll verurteilt werden.‹« Der nächste Absatz beginnt: »Aber die Väter sollen ihn nicht anzeigen.« [30] Die komische Kraft, Äquivalent eines Witzes, ist kaum rein auf die Gedankenführung zu bringen, die in der Anwendung des zuvor ausgesprochenen allgemeinen Grundsatzes auf den besonderen Fall die Allgemeinheit des Grundsatzes zum Wackeln bringt und verhöhnt. Vielmehr ist der Ort der vis comica der Hiatus. Er erweckt, mit unbewegtem Gesicht, den Schein bedächtigen Neubeginnens, während durch seine Gewalt das Vorausgegangene zusammenstürzt. Die pure Form des Hiatus ist die Pointe: eine des Vortrags. Die Anmut des Sprechers Kraus, zärtlich zu seinen Monstren, steckte in solchen Augenblicken mit Lachen an. Es waren die der Geburt der Operette aus dem Geist der Prosa; so müßten Operetten sein, so Musik in ihnen triumphieren wie seine Witze dort, wo er auf den Witz verzichtet. Insgesamt wirft das Buch Licht auf seine Beziehung zur Operette; Stücke wie das über Ankläger und Opfer im Falle Beer, oder das über den Prozeß gegen die Bordellwirtin Riehl sind fast schon Textbücher Wienerischer Offenbachiaden, denen in Wien der Budapester Import die Möglichkeit, geschrieben und aufgeführt zu werden, gestohlen hatte. Kraus errettete die abgetriebene Operette. In ihrem Unsinn, den er liebte, verklärt sich überweltlich der Unsinn der Welt, den der Unnachsichtige innerweltlich anprangerte. Ein Paradigma dessen, wie eine Operette auszusehen hätte, um der Gattung zurückzuerstatten, was der rationalisierte Betrieb des Schwachsinns ihr entzog, wäre etwa: »Ein Gericht also wird künftig die Frage zu entscheiden haben, ob ein Mädchen das ›Schandgewerbe‹ ergreifen darf! Freuen wir uns, daß die

---

[30] a.a.O., S. 183.

öffentliche Vertrottelung in sexuellen Dingen bis zu dieser Kristallform gediehen ist, in der sie auch der Trottel erkennt. Und daß der ›Beweis der völligen sittlichen Verkommenheit‹ erbracht werden muß. Szene in einem Kommissariat: ›Ja, was wollns denn?‹ ›Ich möchte das Schandgewerbe anmelden!‹ ›Ja, könnens denn (hochdeutsch) den Beweis der völligen sittlichen Verkommenheit erbringen?‹ (Verlegen:) ›Nein.‹ ›Nachher schauns, daß S'weiter kommen! – So a Schlampen!‹ Ein humaner Kommissär, der mit sich reden läßt, wird der Partei den Rat geben, vorerst ein wenig verbotene Prostitution zu treiben. Aber die ist doch gerade verboten? Natürlich ist sie verboten! Aber sie muß bewiesen sein, um das Recht auf ihre ›Ausübung‹ zu gewährleisten. Protektion hilft natürlich auch da, und der Beweis völliger sittlicher Verkommenheit wird manchmal als erbracht angesehen werden, wenn einer Petentin sogar nachgewiesen werden könnte, daß an ihr noch etwas zu verderben sei. Dagegen wird streng darauf gesehen werden, daß kein Fall von ›clandestiner Prostitution‹ der behördlichen Kenntnis entzogen bleibe, auch wenn er als Befähigungsnachweis für die Ausübung des Schandgewerbes gar nicht in Betracht kommen sollte. Die Erteilung des Büchls aber ist eine Art Prämie auf die Selbstanzeige wegen geheimer Prostitution.«[31]

Die Stimme des lebendigen Kraus hat sich in der Prosa verewigt: sie verleiht dieser die mimische Qualität. Seine schriftstellerische Gewalt ist nah an der des Schauspielers. Das und der juridische Aspekt seines Werkes verbindet sich im forensischen. Das ungehemmte Pathos der gesprochenen Rede, jener ältere Burgtheaterstil, den Kraus gegen das sprachfremde, sinnlich anschauliche Theater der Regisseure der neuromantischen Ära verteidigte, verschwand von der Bühne nicht bloß, wie er dachte, weil es an sprachlicher Kultur gebrach, sondern auch, weil die

---

[31] a.a.O., S. 262 f.

tönende Stimme des Mimen nicht mehr trägt. Die verurteilte fand Unterschlupf im Geschriebenen, in eben
jener objektivierten und durchkonstruierten Sprache, die
ihrerseits das mimetische Moment beschämte und, bis zu
Kraus, dessen Feind war. Vor der Deklamation jedoch
bewahrte er das Pathos, indem er es herausbrach aus einem ästhetischen Schein, der zur unpathetischen Realität
kontrastierte, und es der Realität zuwendete, die schon
vor gar nichts mehr sich scheut und darum nur vom
Pathos mit Namen gerufen werden kann, über das sie
sich mokiert. Die aufsteigende Kurve des Buches fällt zusammen mit dem Fortschritt seines Pathos. Im Archaismus
der rollenden Perioden und weitgebauten Hypotaxen von
Kraus hallen die des Schauspielers nach. – Die Sympathie,
die Kraus manchen Dialektdichtern und Komödianten
vor der sogenannten hohen Literatur, und als Einspruch
gegen diese, zollte, wird beseelt vom Einverständnis mit
dem undomestizierten mimetischen Moment. Es ist auch
die Wurzel der Kraus'schen Witze: in ihnen macht
Sprache die Gesten von Sprache nach wie die Grimassen
des Komikers das Gesicht des Parodierten. Die konstruktive Durchbildung der Sprache von Kraus ist, bei all
ihrer Rationalität und Kraft, ihre Rückübersetzung in
Gestik, in ein Medium, das älter ist als das des Urteils.
Ihm gegenüber wird Argumentation leicht zur hilflosen
Ausrede. Daraus wächst Kraus zu, wogegen die blöken-
den Weltfreunde vergebens aufmucken mit der Beteue-
rung, es sei altmodisch. Immanente Kritik ist bei ihm
stets die Rache des Alten an dem, was daraus wurde, stellvertretend für ein Besseres, das noch nicht ist. Deswegen
sind die Passagen, in denen seine Stimme donnert, so
frisch wie am ersten Tag. In dem Aufsatz ›Ein Unhold‹,
über Johann Feigl, Hofrat und Vizepräsidenten des
Wiener Landesgerichts, schließt ein Absatz: »Wenn Herr
Feigl einst sein tatenreiches Leben endet, das etwa zehn-
tausend Jahre, die andere im Kerker verbrachten, um-

faßt hat, so mag sich ihm in schwerer Stunde, vor der Entscheidung einer höhern Instanz, die Beichte seiner schwersten Sünde entringen: ›Ich habe mein ganzes Leben hindurch das österreichische Strafgesetz angewendet!‹« [32]
Von umständlichen Beweisführungen für die Aktualität von ›Sittlichkeit und Kriminalität‹ dispensieren die Schlußabsätze eines Artikels »Alle jagen ›gute Onkels‹«, die 1964 im Lokalblatt einer großen Tageszeitung standen. In ihnen kehren, gewiß ohne daß der Reporter im Verdacht stünde, Kraus gelesen und plagiiert zu haben, wörtlich und bar aller Ironie Motive wieder, welche dieser in den Operettenpartien des Aufsatzes über die Kinderfreunde polemisch erfand: »Wie beschlagen die Kinder geworden sind, hat vor kurzem ein zwölfjähriger Junge bewiesen. Nachdem er mit Freunden das Jugendkino im Zoo besucht hatte, schlenderte er noch durch den Tierpark. In einer Ecke des Affenhauses entblößte sich vor ihm plötzlich ein Mann, der sich dem Kind schon vorher genähert hatte. Als der Fremde den Zwölfjährigen zu unsittlichen Handlungen bewegen wollte, antwortete ihm der Bub: ›Sie sind wohl ein Sittlichkeitsverbrecher!‹ Daraufhin suchte der Unhold eilig das Weite. Die Eltern des Jungen informierten die Kriminalpolizei; auf einer Karte des Verbrecheralbums im Polizeipräsidium erkannte das Kind den Täter wieder, der einschlägig vorbestraft ist. Er wurde noch am gleichen Tag an seinem Arbeitsplatz festgenommen und legte ein Geständnis ab. – In diesen Tagen ist ein 35 Jahre alter Schriftsetzer im Hauptbahnhof in eine Falle gegangen, die ihm ein erst zwölf Jahre alter Schüler gestellt hatte. Der Homosexuelle hatte sich im Aktualitätenkino neben den Jungen gesetzt und ihm ein Eis gegeben. Aus Furcht von dem Fremden nahm das Kind das Geschenk an, warf es aber gleich unauffällig unter seinen Sitz. Später vereinbarte der Schüler auf

---

[32] a.a.O., S. 45.

Drängen des Mannes für den nächsten Morgen einen Treffpunkt. Dort nahmen ihn Kriminalisten in Empfang.« Angesichts der Gefahr, zu der sich ihre präsumtiven Opfer ausgewachsen haben, wird für die, welche die Sprache des nach-Hitlerschen Deutschland, fortgeschritten über die von Kraus gegeißelte, zu Sittenstrolchen erklärte, nichts übrigbleiben, als sich zu organisieren und die Gefahr für ihre Opfer wiederum zu vermehren, eine Schraube ohne Ende. Über die unfreiwillig nachgedichteten Zitate von Zitaten der Fackel hinaus sind nicht wenige Sätze des Buches auf Ereignisse des jüngsten Deutschland anzuwenden. 1905 hat Kraus den Fall Vera Brühne resümiert: »Und siehe, der Mangel an Beweisen dafür, daß Frau Klein gemordet hat, ward reichlich wettgemacht durch den Überfluß an Beweisen für ihren unsittlichen Lebenswandel.«[33] Unterdessen sind allerdings die Fachmenschen weitsichtiger geworden. Sind sie schon vom menschlichen Recht der Paragraphen nicht mehr durchdrungen, so haben sie es desto besser gelernt, die von den aufs Privatleben gemünzten Paragraphen Anbetroffenen aus dem öffentlichen auszuschalten; im Syndrom jener totalen Lust des verwalteten Deutschland, durch formalrechtliche Reflexionen und Geschäftsordnungsdenken alles dem Inhalt nach Bessere fernzuhalten, ohne dabei mit den abstrakten Spielregeln der Demokratie in Konflikte zu geraten, die ihrerseits juristisch zu greifen wären. »Ob das neue Strafgesetz solche Siege unmöglich machen wird?«[34]

(1964)

---

[33] a.a.O., S. 160.
[34] a.a.O., S. 315.

WALTER JENS

DER RHETOR THOMAS MANN

»Ein Stern ist untergegangen, und das Auge des Jahrhunderts wird sich schließen, bevor er wieder erscheint«: so vernahm man es, am 2. Dezember 1825, aus dem Munde eines Frankfurter Polizeiaktuars, so eröffnete Ludwig Börne im Museum seiner Vaterstadt die Rede auf Jean Paul, und so möchte auch ich, zu Ehren des Redners Thomas Mann, beginnen, wohl wissend, was es bedeutet, eines hanseatischen Rhetors zu gedenken, der sich auf die Sainte-Beuvesche Kunst kritischer Seligpreisung nicht minder gut als der ehemalige Frankfurter Beamte verstand.

»Ein Stern ist untergegangen«, das heißt in unserem Fall: Mit Thomas Mann endete das große, von der romantischen Trinität, der Wissenschaftslehre Fichtes, dem Wilhelm Meister und der französischen Revolution eingeleitete Jahrhundert, dessen letzter und bedeutender Anwalt er war. Wie der kleine Hanno mit einem Strich: »Ich dachte, nach mir käme nichts mehr«, die Familienchronik abschließt, so zog der Autor des ›Faustus‹ das Fazit eines Säkulums, als dessen Repräsentanten er sich immer empfand: ein deutscher Schriftsteller, der, ungeachtet aller Weltbürgerlichkeit, noch als Siebzigjähriger mit seinem Vaterland so sehr verbunden war, daß er Deutschlands Ende mit der Endzeit einer Epoche und die politische Apokalypse einer Nation mit der Apokalypse der Kunst schlechthin identifizierte. Der Blick war rückwärtsgewandt, Nietzsche, Schopenhauer und Wagner hatten die

Muster geschaffen, mit deren Hilfe der Erbe die Forderung des Tages bewältigen konnte. Das Vergangene zitathaft ins Präsens geleitend, dem Abgestorbenen im Akt der spielerischen Identifikation neue Lebenskräfte verleihend, das Gestern auf sich selbst, sich selbst aufs Gestern beziehend, hat Thomas Mann die Kluft zwischen der Gegenwart und dem Perfekt zeitlebens geleugnet, die Klassiker zu Kon-Autoren gemacht und die Totenbeschwörung in Gespräche verwandelt, die Altersgefährten betrafen. Goethe war ihm kein Olympier, sondern ein intim vertrauter Verwandter: ein Zeitgenosse jenes Johann M. Buddenbrook, der anno 1813, um Getreide aufzukaufen, nach Süddeutschland fuhr. Die Atmosphäre des Hirschgraben-Hauses entsprach, wie die Rede ›Goethe als Repräsentant des bürgerlichen Zeitalters‹ lehrt, dem Stil der lübischen Mengstraßen-Villa bis ins Detail; Familiarität war im Spiel: Weltgröße als Kind der Bürgerlichkeit; man hatte ein gemeinsames Schicksal, man lebte, hier präludierend, dort das post mortem anstimmend, in der gleichen Epoche, und beschwor einen Zeitabschnitt, der durch die Zukunftsvisionen der ›Wanderjahre‹ und Serenus Zeitbloms Rückschau begrenzt wird ... jene hundertjährige Phase, die mit einem Donnerschlag (dem zweiten Donnerschlag) zu Ende ging, als die Elternhäuser in Frankfurt und Lübeck unter ähnlichen Zeichen in Schutt und Asche versanken. Vergessen wir nie, daß der zeitliche Abstand zwischen der Etude ›Gefallen‹ und dem zweiten ›Faust‹ nicht sehr viel größer als die Distanz ist, die uns vom frühen Expressionismus, dem Beginn der eigentlichen Moderne, von Else Lasker-Schüler und Ernst Stadler trennt!

Im Jahre 1898, als Thomas Mann dem Publikum seinen Novellenband ›Der kleine Herr Friedemann‹ vorlegte, hatte Theodor Fontane den ›Stechlin‹ gerade beendet, Nietzsche war noch am Leben, Wilhelm Raabe publizierte die Erzählung ›Hastenbeck‹: diese Konstellation

muß man im Auge behalten, um die Manier der Rückschau, des Spurenjagens, der Nachfolge-Spiele und des
parodistischen Zitierens recht zu verstehen. Es ist Thomas
Manns Schicksal gewesen, in einem Augenblick beginnen
zu müssen, als die von ihm bewunderten Riesen ver-
stummten ... jene Schriftsteller, auf deren Schultern er,
weiter sehend als sie, die Konturen einer zu Ende gehenden Epoche beschrieb, das Antlitz einer Welt, die nach
1930 nicht mehr seine Welt war: ›Krull‹, ›Buddenbrooks‹
und ›Zauberberg‹ spielen vor 1914, die ›Betrogene‹ und
der ›Mario‹ in den zwanziger Jahren; was danach kam,
entzog sich dem direkten Zugriff und konnte, vom ›Faustus‹ abgesehen, nur mit Hilfe mythischer Analogien und
historischer Parallelen, auf einem Umweg also, anschaulich werden. Von Lübeck ging es nach Weimar, von Davos nach Ägypten, von München ins fiktive Flandern;
seit früher Jugend am Typisch-Repräsentativen interessiert, verließ der Romancier um 1930, 100 Jahre nachdem Goethe gestorben war, die Bezirke einer Gesellschaft,
die sich nicht mehr in ausgezeichneten Individuen stellvertretend zu manifestieren verstand. Die Novelle ›Mario und der Zauberer‹ bezeichnet die Grenze; vor der politischen Emigration begann die Emigration aus der
fremdgewordenen Realität: Joseph und Goethe traten an
die Stelle Thomas Buddenbrooks und Frau Chauchats;
dem Exemplarischen und Immerwährenden gilt von nun
an der mehr und mehr auf Verweise, Relationen und
Spiegelungen achtende Blick; kommt man auf Wilhelmi-
nisches oder Republikanisches zurück, dann bleibt es bei
der Wiederholung vorgebildeter Muster: Krull, Schönredner und liebenswerter Ganove in einer Person, transponiert das plappermäulige Hochstaplerchen Joseph ins
Komisch-Legere; Rosalie von Tümmler läßt an Aschenbach, Ken Keaton an Tadzio denken; das Marienbader
Grundmodell – ein alternder Mensch, dem Zauber schöner Jugend verfallen – schimmert ein zweites Mal durch.

»Ein Stern ist untergegangen«, das heißt: Thomas Mann war wahrscheinlich der letzte europäische Autor, dem es gelang, eine Zeit, deren einzige Wirklichkeit aus einer Summe von Möglichkeiten zu bestehen scheint, wenigstens mittelbar, durch die Umfigurierung klassischer Exempel, zu beleuchten. Im klaren Bewußtsein, daß enface-Analysen in Augenblicken gewaltiger sozialer Veränderungen problematisch sind, entschloß sich Thomas Mann, die literarische Evokation zum Fundament eines schwebend-indirekten Erzählens zu machen ... und dies bei gleichzeitigem Verzicht auf die kreative Erfindung, die ohnehin seine Sache nicht war, und dies, indem er, seit eh und je ein Meister der höheren Abschreibekunst, dem realistischen Zitat zeitliche Tiefenschärfe verlieh und, von Fontane zu Joyce gehend, die Vorbilder nicht mehr aus dem Leben, sondern aus den Arsenalen der Historie, des Mythos und der Literaturgeschichte entlieh. Kein Wunder also, daß ihm die Parodie allmählich als die einzig mögliche Kunstform erschien: Bekanntes kühn variierend, wiederholte er die Praktiken glanzvoller Epochen der Dichtung, die Praktiken Shakespeares und der griechischen Tragiker, deren Kunst ja in eben jener spielerischen Verwandlung der als vertraut vorausgesetzten Vorlage bestand, die Thomas Mann so meisterlich beherrschte. Dabei ist freilich zu bedenken, daß ein solches Spiel mit Autoritäten: daß dieser alchimistische Zauber, dieser Nachfolge-Spaß nur dann gelingen kann, wenn ein Publikum da ist, das den Allusionen, Abbreviaturen und eleganten Ausschmückungen wirklich zu folgen versteht: ein Publikum von Kennern, die begreifen, daß der Text – als Kommentar gelesen werden will. Wer hingegen nicht versteht, daß, um den ›Joseph‹ zu zitieren, der Erörterung des »Wie?« soviel Lebenswürde und -wichtigkeit zukommt wie der Überlieferung des »Was«, wer in Settembrinis Positur, dem Stock und den gekreuzten Füßen, nicht unverzüglich die Pose des hermetischen Totengelei-

ters und kundigen Mittlers erkennt, wird die Bezugs- und
Durchblickstechnik der ›Lotte‹, des ›Joseph‹ oder des
›Zauberberg‹ nicht aufschlüsseln können.

Thomas Mann, es sei in aller Schlichtheit gesagt, ist ein
Autor für gebildete Leute. Mag man den Reiz der Grün-
lich-Episode auch ohne Schopenhauer-Lektüre ermessen
– dem Verständnis des Lesers, der, von Nietzsche, Lou
und Rée nichts ahnend, die Werbungs-Passage im ›Faustus‹ wie einen Kriminalroman liest, sind denn doch
Grenzen gesetzt ... und gerade diese zum Genuß der
Werke erforderlichen Prämissen lassen Thomas Mann den
jungen Schriftstellern unserer Tage so fremd sein. Man
müsse zuviel wissen, heißt es, müsse eine alexandrinische
Geheimsprache lernen und bei der Lektüre Lexika wälzen,
um die Beziehungen und die Beziehungen der Beziehungen richtig zu deuten; überdies sei dieser Schriftsteller gerade dank der ihm eigenen Gabe, alles ordnen und etikettieren zu können, einer Generation suspekt, die, im Un-
gereimten lebend, des Sinns für Kontinuität und feste
Literatur-Traditionen durchaus entbehre. Nun, daran
mag etwas Richtiges sein, doch scheinen mir die Kritiker
nicht zu bedenken, daß die gegen Thomas Mann erhobenen Vorwürfe genausogut für Joyce oder Pound gelten ... und was die angeblich nicht existente Kontinuität
angeht, so beweisen Werke wie die ›Blechtrommel‹, daß
erlauchte Formen, wie der Schelmen- und Erziehungs-
roman, jedenfalls dann, auch heute noch, lebensfrisch sind,
wenn man das zugrunde liegende Muster in parodisti-
scher Weise verändert ... womit denn Oskar, der Zwerg
und musenbeflügelte Trommler, sich unversehens als Krull
redivivus erweist. Was für den einen Schimmelpreester
und Madame Houpflé, sind für den anderen Frau Greff
und Matzeraths zweite Gemahlin: Rousseau in jedem Fall
wird auf den Kopf gestellt. Das erzählende Ich, hier wie
dort ein omnipotenter Tausendsassa, stellt augenzwinkernd Beziehungen zu seinen illustren Vorfahren her; am

Rhein spricht man von Phidias, von Parzival in Danzig; der Marquis de Venosta, Rasputin und Goethe fungieren als Säulenheilige eines makabren Erziehungs-Prozesses, der, statt zur Überreichung des Lehrbriefs, zur Inhaftierung im Kerker und in der Heilanstalt führt.

Man sieht, ganz so voraussetzungslos läßt sich auch die Poesie der Jüngsten nicht lesen: wobei nicht vergessen sein soll, daß ihr, bei manchen Parallelen im Detail, eben jener Aspekt des Stellvertretend-Überindividuellen fehlt, das dem Thomas Mannschen Stil, diesem schalkhaften Rühmen und ironisch beredten Zitieren, Pathos und Würde verleiht. Erst das Gefühl der Repräsentanz in Goethes Sinn gab seiner Prosa den rhetorischen, sich mit Hilfe einer festen Topologie entfaltenden *effort* und machte ihn zu einem Redner in vielfältigem Sinn. Ein Meister der Laudatio ist er gewesen und ein Kenner der Aischrologie, groß im Schelten, größer im Rühmen, einer der wenigen noblen Demagogen unserer Nation, bei der es sonst, nach Goethes in ›Dichtung und Wahrheit‹ zitiertem Wort, nicht viel zu reden gibt, so daß der Rhetor, um nicht zu verstummen, sich des Vehikels der Dichtung zu bedienen hat. Ein Schriftsteller war Thomas Mann, der die Techniken der klassischen Rhetorik, von der Dreistillehre und deren parodistisch-verfremdender Umkehr bis zur Dialog-Nuancierung, mit einer Kennerschaft ohnegleichen beherrschte, ein Rhetor höchsten Ranges, ein Rhetor wie Schiller, den Adam Müller in seiner Schrift über die Beredsamkeit und deren Verfall in Deutschland als den größten Orator der deutschen Nation etikettierte. –

Der Rhetor Thomas Mann, der Schöpfer wohlartikulierter Sentenzen, kunstvoller Formeln, erlesener Figuren und nach klassischen Mustern entworfener Perioden, der Anwalt einer Sprache, die um ihre soziale Verantwortung weiß, der Meister des heiter-sittigenden Worts: es ist fraglich, ob der »Zauberer« sich über diese Bezeichnung sonderlich erfreut gezeigt hätte. In seiner Jugend zumin-

dest empfand er der Rhetorik gegenüber allenfalls Haß-
liebe-Gefühle. Der ›Versuch über das Theater‹, ein 1908
publizierter Essay, der mit großer Hellsicht die episch-
undramatischen Elemente, die Handlungs-Armut des
klassischen Dramas analysierte und damit Brechts anti-
aristotelische Poetik dreißig Jahre vor ihrem Entstehen
als problematisch erwies: diese Studie pries zwar das rhetorische Zeremoniell des antiken und französischen Theaters, lobte den luziden Dialog, den geistigen Vortrag und
die hochstilisierte Rede, pries, zuungunsten naturalisti-
scher Buntheit und kruder Schausteller-Handlung, das
Oratorisch-Erzählende der alten Bühne, doch diese Hoch-
schätzung artistischer Valeurs der Rhetorik paarte sich
mit einem tiefen Mißtrauen, einer moralischen Skepsis
gegenüber den demagogischen Zügen der Rede. Mochte
Poliziano im Drama ›Fiorenza‹ künstlerisch angeordnete
Zitate, bedeutende Sentenzen, die Reinheit und Eleganz
der Sprache, den meisterhaften Bau der Perioden und den
harmonischen Silbenfall als Vorzüge der beredten Predigt
bezeichnen: Thomas Mann, der sich, wie der Humanist,
einbilden durfte, ein wenig von Beredsamkeit zu verstehen (wie sehr, das zeigen Imma Spoelmanns »geschlif-
fene Redensarten« in Anführungszeichen!) – Thomas
Mann kannte auch den Standpunkt Savonarolas, jenen
ethischen Rigorismus, der alle Redner-Floskeln als Lari-
fari verdammte ... und dennoch Florenz durch das Wort
unterwarf.

Später, in den Jahren, als der ›Fiorenza‹-Verfasser die
›Betrachtungen‹ schrieb, schienen ihm beide Positionen in
gleicher Weise suspekt, die Jakobiner so verachtenswert
wie die – ihnen wesensgleichen – Humanisten mit der
rhetorischen Suada. Im Zivilisationsliteraten, so glaubte
er damals, feierten Polizian und Savonarola (friedlich
vereint) fröhliche Urständ ... und das Ergebnis dieser
Vereinigung, das Produkt einer makabren Symbiose von
Ästhetizismus und Aufklärung, war jener Pakt zwischen

dem Aufwieglertum und der Wohlredenheit, gegen den
Thomas Mann, in Deutschlands Namen, im Namen von
Tiefe und Wortlosigkeit polemisierte. Rhetorik, das war
die Unität von sprachlich-artikuliertem Geist und mörde-
rischer Doktrin, von scholastisch-literarischer Formel und
brutalem Jakobinismus. Rhetorik war Zivilisation, gallische Pose, soziale Verbindlichkeit, kommunikable Manier und unverbindliches Geplapper. Rhetorik war Eleganz, entleerte Konvention und Oberflächlichkeit, war
Advokaten-Sprache, unpersönliches Operieren mit vorge-
prägten Formen und gesellige Konversation. Rhetorik,
mit einem Wort, war der stilistische Ausdruck seichten
Tugend-Gewäschs, war der Punkt jenes politisierenden
Rhetor-Bourgeois', in dem Thomas Mann zur Zeit des
Ersten Weltkriegs seinen Erzfeind erblickte, einen Gegner, den er nicht zuletzt deshalb so vorzüglich darstellen
konnte, weil er selbst schon auf dem Wege war, ein Rhetor-Bourgeois, im positiven Sinne des Wortes, zu werden.

Zu werden? In der Republik von Weimar: als Mahner,
Citoyen und Tugendanwalt, als politischer Redner – ein
Versöhner und Werber in vielfachem Sinn? Zu werden?
Oder, als Nietzsches Erbe, schon immer zu sein? »Over-
beck«, heißt es in den ›Betrachtungen‹, »nannte seinen
großen Freund im Vergleich mit Pascal und Schopenhauer einen Rhetor im üblen Sinn; und es ist wahr: eine
gewaltige Verstärkung, ja eigentlich erst die Legitimie-
rung des prosaistisch-rhetorischen Elementes in Deutschland stammt von Nietzsche – wir erkannten das Hauptelement der Demokratie darin, und wir sehen wohl, daß
Nietzsches Rhetorentum der Punkt ist, an dem der west-
lich-politisierende Literat mit deutschem Geistesleben sich
allenfalls berührt.« Politisch ausmünzbar war ferner
Nietzsches genialer Hang zur Satire – vor allem aber,
was damit zusammenhängt, sein karikaturistischer Spät-
stil in *psychologicis:* Nietzsche als Kritiker war zuletzt
durchaus Karikaturist und »Groteskkünstler« – nun,

wenn das kein Selbstzitat, kein ironischer Hieb gegen die
eigene Rhetorenbrust ist: was sollte dann wohl ein Selbstzitat sein? Thomas Mann, so will mir scheinen, hat Nietzsches Meister-Prosa, den Rhythmus der scheinbar unge-
bundenen Rede, wie es 1924 im Vorspruch zu einer musikalischen Nietzsche-Feier heißt, zu oft enkomiastisch ge-
priesen, als daß man ihm die Vokabel rhetorisch, auch in
den ›Betrachtungen‹, unbesehen als ein Schimpfwort abnehmen könnte, das ganz frei von ironischem Hintersinn
ist.

So sehr ihm, gerade im Fall des späten Nietzsche, das
Marktschreierisch-Laute, die schrille Possenreißerei der
Rhetorik, das Zarathustra-Pathos, zeitlebens mißfiel: so
früh hatte er doch, anfangs noch scheel und den Roman-
tikertraum von deutscher Innerlichkeit träumend, die offizielle Rolle der Rhetorik erkannt, ihr soziales Element,
das ihn zu beschäftigen anfing, als er, unter dem Aspekt
der Pädagogik, den Weg antrat, der ihn von Rousseau zu
Goethe führte, vom Autobiographischen zum Objektiven:
als er erkannte, daß auch das Politisch-Soziale einen Teil-
bezirk des Humanen darstelle — als ihm bewußt wurde,
wie absurd die Trennungen von ästhetisierender Spekula-
tion und gesellschaftlicher Verantwortung, von Marx und
Hölderlin sei. Totalität hieß das Stichwort der zwanziger
Jahre, Ausgleich der Extreme in einer ordnenden Mitte:
weder Vereinzelung noch würdeloses Aufgehen der Persönlichkeit im Allgemeinen; Totalität des Humanen; nicht
Verabsolutierung des Individuums oder des Staats, sondern, wie es in der Rathenau-Ansprache heißt, »organische und unfehlbare Zusammengehörigkeit von Bekenntnis und Erziehung, von Selbst- und Menschenbildung«.

Kein Wunder also, daß, im Zeichen solcher, der Sphäre
des Sozialen geltender Meditationen, sich auch Thomas
Manns Bewertung jenes vielgeschmähten Rhetor-Bourgeois verändern mußte, der, von Leo Tolstois antihuma-
nistischer, antiliterarischer, antirhetorischer Auffassung

in gleicher Weise wie vom Idealbild des soldatischen Typs abgehoben, sich noch anno 22 als Spottgeburt aus Dreck und Feuer präsentierte: »Ich schwöre, es gibt nichts Komischeres als seinen Advokaten-Jargon, seine klassische Tugend-Suada – man sollte es ausprobieren in einem Drama, einem Roman, worin man ihn etwa gar mit einer Sphäre lasterhafter Romantik kontrastierte. Man sollte ihn auf die Szene stellen, den Mann der Zivilisation, den mediterranen Freimaurer, Illuminaten, Positivisten, librepenseur und Propheten der bürgerlichen Weltrepublik . . .; man sollte ihn ›reden‹ . . . lassen – und vielleicht würde es gelingen, diesem Petrefakt ein wenig von der lebendigen Liebenswürdigkeit mitzuteilen, mit der Goethe den Famulus Wagner auszustatten wußte.« Man sollte ihn auf die Szene stellen – das heißt, man war bereits kräftig dabei, und der Illuminat und Rhetor-Bourgeois war unter dem Namen Ludovico Settembrini längst eine Figur aus Fleisch und Blut.

Doch als dann der ›Zauberberg‹ zwei Jahre später erschien, hatte sich Famulus Wagner entschieden zu seinem Vorteil gewandelt; denn statt des schellenlauten Toren betrat ein janusköpfiger Redner die Bühne, der zwar die Attitüde eines bourgeoisen *grandparleur* niemals verleugnete, aber auf der anderen Seite, ein hermetischer Mittler und gewinnender Bote, doch auch als früher Vorfahr Josephs und Krulls, als kunstreicher Dosierer jener Ironie erschien, die, als klares und gerades Mittel der Beredsamkeit, das Pathos der Mitte besaß: ein Cicerone also, dem sich Hans Castorp leichteren Herzens als dem suspekten Romantiker Naphta anvertrauen konnte, jenem Terroristen, der im Roman die Thesen vertritt, die Thomas Mann in der Rathenau-Rede als gefährlichen Obskurantismus entlarvte. Kurzum, der eloquente Advokat verdeutlichte die politische Wandlung seines Verfassers nicht ohne Charme: ursprünglich nach dem Bild des Zola-Essayisten geformt, ein Rhetor-Bourgeois vom Scheitel bis zum Fuß,

vertrat er nachgerade Thesen, die Thomas Mann in den
zwanziger Jahren durchaus als die seinen, des Autors
Thesen, ausgab: ein Propagandist der Republik und des
schönen Stils jedenfalls war er um 1924 gewiß. Mit einem
Wort, Naphtas Repliken, so entschieden sie in einer Hinsicht auf den Essay ›Goethe und Tolstoi‹ pochen durften,
warfen den hermetischen Drehorgelmann beileibe nicht
um; Spenglersche, in ›Preußentum und Sozialismus‹ zitierte Gedanken reichten auch in jesuitischer Suada nicht
aus, um die humanistische Position zu erschüttern . . . denn
mochte an Settembrini, diesem vergilianischen Weltstadt-
literaten und Prunkrhetor noch soviel Komisches, noch
soviel Flitter aus der Zeit des Rückzuggefechts haften;
mochte der Schüler des lübischen Katharineums, im Sinn
der Tolstoi-Studie, den rhetorisch-literarischen Geist des
europäischen Schul- und Erziehungswesens und seinen
grammatisch-formalen Spleen tatsächlich wenig goutieren:
als einen Hanswurst des *estilo culto,* wie Naphta sich auszudrücken beliebte, hat er Herrn Settembrini im Jahre
1924 gewiß nicht gesehen, eher schon als einen Windbeutel und Schönredner . . . doch Windbeutel und Schönredner sind auch die liebenswerten Glückskinder Joseph und
Krull.

  Nein, es kann kein Zweifel bestehen, daß Thomas
Mann, beim Kampf zwischen rednerischem Humanismus
und analphabetischer Barbarei auf seiten desjenigen stand,
der redend das Knie vor dem humanistischen Hermes,
dem Meister des Palästra, beugte, jenem Gott, dem die
Menschheit das Hochgeschenk des literarischen Wortes,
der agonalen Rhetorik verdankte . . . der agonalen, wie es
im ›Zauberberg‹, der demokratischen Rhetorik, wie es in
dem Essay ›Meine Zeit‹ heißt – an einer Stelle, wo Thomas Mann im Zusammenhang mit jener Beredsamkeit, im
Zusammenhang mit dem politischen Belcanto Herrn Settembrinis den Ausdruck ›humoristische Distanzierung‹
verwendet – und das klingt in der Tat viel freundlicher

als die frühe, vom Geist der ›Betrachtungen‹ getragene
Deutung, von der allein die drei Wörtchen rührend, liebenswert und lebendig Herrn Naphtas tapferen Antipoden angemessen bezeichnen; nur sie werden einem Rhetor
gerecht, der weniger Wagner als Hermes gleicht. In einer
Haltung verharrend, die Lessings Schrift ›Wie die Alten
den Tod gebildet‹ dem freundlichen Thanatos zuweist,
erinnert er mit seinen Gesten an den Possenreißer aus dem
›Tod in Venedig‹ – und das läßt ihn gewiß etwas zweideutig sein; auf der anderen Seite aber ist es nicht nur
ein Schlapphut-Bettler, sondern eben doch ein Zwilling
der hermetisch-bevorzugten Kinder: ein Plastiker nach
Goethes Art, ein Ausgezeichneter wie Gregorius, der spätere Papst ...

Schaut man genauer hin, dann ergeben sich die Beziehungen ganz wie von selbst, und zumal die Rhetorik erscheint, unter humanen und sozialen Aspekten, in einem
Glanz, den kein antizivilisatorisches Mäkeln mehr trübt.
Welch eine Wandlung von den ›Betrachtungen‹ bis zur
Tetralogie! »Spricht die Seele, so spricht, ach, schon die
Seele nicht mehr«: dieses, von dem Traumbild eines unartikulierbaren Gedankenreichs ausgehende Schillersche
Diktum könnte als Motto über den ›Betrachtungen‹ und
auch noch über dem in französischer Sprache geführten
Karneval-Gespräch des ›Zauberberg‹ stehen, der Kommentar hingegen, den Adam Müller, im Vorwort seiner
zwölf Reden, dem oft als typisch deutsch zitierten Satz
anfügt, liest sich wie eine Interpretation der politischen
Sinnesänderung Thomas Manns, in deren Folge sich auch
die Einschätzung der Beredsamkeit notwendig veränderte:
»›Spricht die Seele‹ sagt Schiller, ›so spricht, ach, schon die
Seele nicht mehr.‹ – Das ist in wenigen Silben das Unglück einer Nation wie der deutschen, die, lange in sich
und auf ernste und ewige Dinge gekehrt, nun auf einmal
gewahr wird, daß sie das äußere Leben, Vaterland und
Gesellschaft, versäumt hat; daß ihre Gedanken weiter

reichen als ihre Sprache; daß die Fähigkeit, ihn auszusprechen, den Gedanken erst zum Gedanken macht und
die eigentliche Ewigkeit des Sinnes nur darin liegt, daß er
sich mit dem bürgerlichen und gesellschaftlichen Leben
verträgt«.

In der Tat, das nimmt sich fast wie eine Exegese jose-
phinischer Beredsamkeit aus; denn was einst für Thomas
Mann das Verpönteste war, geläufige Artikulation und
rednerisches Engagement, elegante Suada und politisches
Plädoyer – Joseph beherrscht diese höhere, dem Sozialen
in angemessener Form dienende Rhetorik auf vollendete
Weise, ist witzig und mitteilsam, weiß die Worte zu fügen und – als luxuriöser Spätling, der er nun einmal ist –
jene Kunst des Blümelns, Gottfried von Straßburgs Technik, zu meistern, deren Geheimnis der elegante Ornat ist,
der vor dem Hintergrund der Strenge und Würde des
sterbenden Jaakob um so aparter erscheint ... wobei man
nicht vergessen darf, daß auch der Patriarch in seiner
Jugend die gebildete und blumige, in Satz und Gegensatz, Gedankenreim und mythischer Anspielung sich bewegende Rede beherrschte. Mit dem Instrumentarium der
Rhetorik zu spielen, das heißt im Sinn der Tetralogie soviel wie wahrhaft menschlich, dem Politischen verpflichtet
und sozial im höchsten Sinn zu sein. Nur der Rhetor
kennt die Geheimnisse jener höheren Verständigungswei-
se, die mit dem Eigentlichen zugleich das Metaphorische
meint, genau und zweideutig ist und, als Mittlerin, die
Beziehungen regelt, die zwischen krudem Verständigungs-
streben und einem Zitieren auf den oberen Rängen, zwischen dem Wortwörtlich-Nehmen und jenem magischen
Parlieren bestehen, das sich nur im Geiste einer ironischen
Konzession auf die Alltagswirklichkeit einläßt. Kein Wunder also, daß Joseph, der gegenüber Potiphars Weib den
schönen Überfluß der Rede unseres Mundes preist, sich
beim Vorlesen von Schriftwerken vorzüglich bewährt,
deren Schwergewicht auf den Reizen des Stils, der Selten-

heit und Eleganz der Redeform liegt ... und was für Joseph zutrifft, gilt in gleichem Maße auch für Krull: beide, zwischen Schein und Sein beheimatet, sind Akrobaten des Worts, plaudernde Improvisierer, die dem Geheimnis sorgfältig disponierter Sätze nachsinnen. Beide beherrschen die reine und heitere Rede *(wohlgewählt und in reizendem Tonfall)*, beide, mit Witz und Weisheit gesegnet, schreiben eine *schmuckhafte Hand*; beide sind polyglotte Naturen, die – der eine vor den Ägyptern, der andere vor Herrn Stürzli – ihre abenteuerliche Begabung in barer Münze realisieren: Krull schwadroniert auf italienisch, französisch und englisch, Joseph verliert sehr schnell seine *sandige Intonation.* Nun, auch das Süßholzraspeln, das Papperlapapp und Nach-dem-Munde-Reden gehört schließlich seit alters her zur Kunst der Rhetorik. Ein wenig Hochstaplerisches ist immer dabei; und in so leuchtenden Farben Thomas Mann das Rednerisch-Elegante des Krullschen Briefstils, die gefällige Flüssigkeit seiner Rede oder Josephs polierten Ausdruck auch ausmalt, so nachdrücklich er, mit den Worten des Abtes, Gregorius' Suada als *wahrhaft erstaunlich* hinstellt, so liebenswert er den Silbenstecher Shridaman, in den ›Vertauschten Köpfen‹, oder das Schwätzerchen Castorp mitsamt der *Artigkeit seines kleinen Wortes* auch sein läßt und so selbstironisch er Krull als *Zauberer* apostrophiert: ganz geheuer scheinen ihm diese Spätlinge nicht, auf die das mosaisch Bündig-Bindende so herzlich wenig paßt.

Die Rhetoren sind feine Vermittler, Meldegänger des Geistes, Diminutiv-Träger, Hochstaplerchen, unsichere Komplizen, deren Charakter mit ihrer Eloquenz – *parla benissimo* heißt es im ›Mario‹ – nicht in jedem Fall übereinstimmt. Aus der Perspektive einer Persönlichkeit jedenfalls, die gegen Wasserfälle anzusprechen versteht, bleiben sie Schönredner, *maîtres grandparleurs,* wie Madame Chauchat auf französisch bemerkt. Und dennoch sind sie es – und nicht der in Abbreviaturen stammelnde

Peeperkorn –, die der höheren Gesittung dienlich sind
und eine Humanisierung zwischenmenschlicher Beziehungen bewirken, die sich nun einmal nur im Zeichen der
janusgesichtigen Zweideutigkeit zu entfalten versteht,
während die krude Einsinnigkeit mit den Nuancen auch
das Wechselspiel von Metaphorik und Eigentlichkeit unterdrückt, das insonderheit den Reiz der Thomas Mannschen Rhetorik ausmacht. Sehr zu Recht haben neuere
Untersuchungen, vor allem Reinhard Baumgarts Arbeit,
erwiesen, daß die Genauigkeit, die den Beschreibungen
des großen Romanciers und Essayisten angeblich zukommt, in Wahrheit die Exaktheit der Durchblicke, Verweise, Vorbehalte und Relativitäten ist; nicht die Ein-
helligkeit, sondern die polysemantische Vielfalt: die Luzi-
dität einer Bezugssumme, die Sicherung möglichst vieler
Aspekte in einer einzigen Formel, verleiht der Prosa den
Reiz; deshalb die Herrschaft der Oxymora, die Koppelung zweier Adjektive, die ein Bindestrich aus Wechsel-
mördern zu Mitstreitern macht: quälend-beglückend, ge-
segnet-mühsam. Beziehung heißt das Schlüsselwort: die
rhetorische Zweideutigkeit, eine Art von wechselseitiger
Erhellung, fungiert als Prinzip ... und es bedarf vielfacher Lektüre, um dem Autor auf die Schliche zu kommen, die Zitate zu verifizieren, den Symbolwert von Partien zu bestimmen, die auf den ersten Blick vordergründig
erscheinen, und die Struktur-Relationen richtig zu deuten:
wer schließlich denkt schon daran, wenn er liest, Aschenbach möchte nicht gerade bis zu den Tigern reisen, daß
eben aus dem Tigersumpf die tödliche Cholera steigt? Wer
erkennt den rothaarigen, vor der Aussegnungshalle war-
tenden Wanderer im Gondoliere und im Straßensänger,
ja, im Faustus-Höllenfürsten wieder? Wer durchschaut
sogleich die Signifikanz der Extremitäten, das Leitmotiv
der schadhaften Zähne, der Schläfenadern und Sternen-
augen; wer erinnert sich, hört er davon, daß Frau von
Tümmler sich die Haare färben will, ohne zu zögern an

Aschenbach und die josephinische Mut? Es braucht seine
Zeit, bevor man im ›Tristan‹, wenn Gabriele Ekhof Isol-
dens Liebestod intoniert, wenn die Schellen klingeln und
der Schatten der Pastorin Höhlenrauch naht, die Präsenz
des dreifachen Todes bemerkt. Bei Thomas Mann steht
nichts für sich allein; ein sorgsames Vergleichen tut not,
um das Beziehungsnetz zu entwirren und, ich nenne ein
beliebiges Beispiel, im ›Tod in Venedig‹, im ›Zauberberg‹,
im ›Joseph‹, im ›Faustus‹ und im ›Krull‹ Variationen des
klassischen Bildungsromans zu erkennen: Aufbruch und
Initiations-Ritual, ein doppeldeutiger Abstieg, eine To-
tenfahrt von geographischer Zweideutigkeit (hinab und
hinauf sind relative Begriffe, die tief gesunkenen Schatten
leben auf den Bergen), eine Reise zum Lido und nach
Davos, in Labans Reich, nach Ägypten, eine Expedition
in den Brunnen oder in die Höhle eines Museums; die
Topen dieser parodierten Bildungsfahrten sind fixiert,
nur der Ausgang ist offen – je nachdem, ob es sich um ein
Lustspiel oder eine Tragödie handelt.

Dabei ist charakteristisch, daß Thomas Mann, immer
auf Doppelaspekte und die Herstellung vielfacher Bezüge bedacht, das Tragische mit Vorliebe in komödian-
tischer Weise erhellt, um so (der Brechtsche Ausdruck sei
erlaubt) jenes Verfremdungs-Spiel von hohem Stil und
niederem Sujet, von Haupt- und Staats-Aktion und an-
gelsächsisch-legerem Parlando, von hochpathetischem
Vorwurf und zurücknehmender Darbietung zu inszenieren, das auf der parodistischen Umkehr des klassischen
Dreistil-Schemas fußt. Während man von Aristoteles bis
Gottsched zwei Jahrtausende lang die Ansicht vertrat,
daß Inhalt und Form einander adäquat zu sein hätten,
entwickelte Thomas Mann, den großen Romanciers der
Romantik nachfolgend, aus diesem Prinzip eine konse-
quente Gegentheorie, indem er, die Lehre von der Angemessenheit, die *prepon-* und *aptum*-Doktrin auf den
Kopf stellend, die Unangemessenheit zur Kardinal-Tu-

gend erklärte. »In der Kunst«, heißt es in der Grillpar-
zer-Huldigung, »reizt am feinsten, was Maske und Mystifikation, sublime Irreführung über Geist und Wesen
durch die Ausdrucksmittel ist. Es gibt Plauderei, die heimlich Hochgesang, gibt das Pasquill, das in der Tiefe Ver-
herrlichung ist, Feierlichkeit, unter der es kichert.« In-
kongruenz als ein poetologisches Prinzip, bewußte Norm-
Abweichung, ein Gegen-den-Strom-Schwimmen, ein Zerbrechen der als bekannt vorausgesetzten Literatur-Tradi-
tion (die sich Feierliches nur feierlich, Erhabenes nur stili-
siert und Biotisches nur drastisch porträtiert vorstellen
konnte): diese rhetorisch so ergiebige Aufhebung der klassischen Rhetorik läßt übrigens nicht nur Beziehungen zwischen Thomas Mann und Brecht sichtbar werden (zwei
Autoren, die man schon auf Grund ihrer wechselseitigen
Nichtachtung sonst nur ungern miteinander vergleicht),
sie ebnet vielmehr auch den unseligen Graben ein, den
man, Georg Lukacs folgend, zwischen Trave und Moldau
glaubte erkennen zu müssen. Doch entspricht nicht gerade
die Erhellung *e contrario*, eine komische Zeichnung des
Tods, ein Humanistengeplauder über Höllenfahrt und
Teufelspakt, ein chronikalisch-nüchternes Beschreiben pa-
thetischer Szenen: entspricht nicht dieses Spiel der Inkon-
gruenz der Kafkaschen Praktik, das Numinose – statt es
zu glorifizieren – als etwas Schäbiges und, wortwörtlich,
Unmenschliches wiederzugeben, so daß die beiden großen,
scheinbar weltenweit voneinander getrennten Autoren
plötzlich unter dem Aspekt der Satire und des Humors
als nahe Verwandte erscheinen? Thomas Mann selbst hat,
in seiner Deutung des ›Schlosses‹, eine solche Familiarität
durchblicken lassen – und in der Tat bleibt hüben und
drüben zumindest das eine gemeinsam, daß man aus der
Diskrepanz zwischen Sujet und Präsentation skurrile
Effekte gewann und mit der von Bergson als Voraussetzung des Komischen bezeichneten Kategorie der Unangemessenheit operierte.

Un-angemessen, das heißt: dem Eigentlichen, dem Üblich-Vertrauten in keiner Weise entsprechend – unangemessen ist es, wenn Johann Albrecht III. sich über amniotische Fäden ergeht, wenn Tony Buddenbrook die ›Rheinische Zeitung‹ empfiehlt oder wenn Krull über alt-iberisches Blut mit keltischem Einschlag sinniert: wenn man Erwägungen anstellt, die *eigentlich* nur einem anderen, Dr. Sammet, Morton Schwarzkopf oder Professor Kukkuck zustehen und damit in komischer Weise ein Grundpostulat der auf Kongruenzen bedachten Rhetorik mißachtet – jene der Angleichung von *res* und *verbum* geltenden Forderung, die zweitausend Jahre lang in Kraft, von einem Schriftsteller widerlegt worden ist, der dazu als Nachfolger der romantischen Ironiker wie kein zweiter prädestiniert war, weil er die tragische und komische Rede, das hohe Pathos und die Satire in gleicher Weise beherrschte.

So betrachtet, ist Thomas Mann wirklich der letzte große Rhetor gewesen, ein Schriftsteller, der im Laufe seines Lebens immer mehr die sozial-sittigende Wirkung des artikulierten Wortes, das Zivilisatorisch-Kommunikable und Urban-Politische, betonte: ein Redner, der mit den Mitteln der Beredsamkeit die klassische Rhetorik entthronte; der jüngste Erbe einer sehr illustren Tradition, über die zu verfügen, die zu vollenden und die zurückzunehmen sein Schicksal war ... das Schicksal eines wahrhaft gesegneten Menschen, dem mit der Rekapitulation auch die Vorwärtstreibung deutscher Sprachzustände und Ausdrucksmöglichkeiten deutscher Prosa gelang.

Die nach uns Kommenden werden entscheiden, ob der letzte einer zu Ende gehenden Epoche, der Rhetor und Rekapitulierer, zugleich der erste eines neuen Zeitalters war. Es könnte wohl sein, es ist möglich – sicher scheint nur mit Börne zu sprechen, daß das Auge des Jahrhunderts sich schließen wird, bevor der Stern, der unterging, zum zweiten Male erscheint.

PETER HACKS

TÄTIG FÜR FELDER UND FESTE

Über Hartmut Langes Komödie »Marski«

1

Hartmut Lange wurde schnell entdeckt. Im Sommer
1960 erschien er in Berlin, ein dürrer Mensch mit ab-
stehenden Ohren und schlecht geschnittenen Haaren,
hübsch auf eine proletarische Weise. Er hatte nichts gelesen außer dem »Hamlet« und der »Dialektik der Natur«. Er hatte ein Stück geschrieben, das damals »Senftenberger Erzählungen« hieß.

Dramatiker beginnen anders als andere Autoren. Sie
fangen stets jung an; ungeübt, nie kraftlos, übermäßig,
nie mittelmäßig. Sie verfügen über die Gabe der Szene,
unmißverständlich. Stückeschreiben ist keine Sache, die
man, Erfahrungen und Kenntnisse sammelnd, allmählich lernt. Man kann es, oder man wird es nicht können.
»Senftenberger Erzählungen« sah aus wie alle ersten
Stücke.

Es wurde sofort gelesen. Es wurde eilig weitergereicht;
erstrangige Fachleute rühmten es; Hartmut Lange wurde
– worauf andere jahrelang warten müssen – ein Tip.
Höchste Verantwortliche wurden von seiner Existenz be-
nachrichtigt. Sein Name schmückte, und schmückt noch,
die Spielplanvorschauen der führenden Bühne des Landes. Natürlich wurde er nicht gespielt. Was, bis heute,
die Öffentlichkeit von ihm kennt, sind seine Lieder zu
»Florian Geyer«, ein paar Bellman-Nachdichtungen und

der »Tartüff«, den er, assistiert von Benno Besson, fürs Deutsche Theater übersetzt hat.

Warum haben es Dichter schwer? Man kann kaum eine bestimmte Gesellschaft für ein Phänomen verantwortlich machen, das zu den allgemeinen Gesetzen menschlichen Zusammenlebens zu gehören scheint. Die menschliche Gesellschaft ist ein Funktionsgewebe aus Sprach- und Verhaltensklischees. Wie soll sie Verwendung haben für Leute, denen jedes Vermögen fehlt, Gewohnheiten zu entwickeln? Wie soll sie Verständnis aufbringen für Naturen, deren Ordnung der Wichtigkeiten ganz subjektiv ist, die gewisse Stellen der Welt mit erschreckendster Genauigkeit beschreiben, andere mit ebenso erschreckender Gleichgültigkeit vernachlässigen, und nach keinem Auswahlprinzip als dem der Verwirklichung ihres höchstpersönlichen, freilich auch wieder erstaunlich darstellenswürdigen Selbst?

Je begabter einer ist, desto hilfloser wird die Gesellschaft, die ja schon seine Vorzüge für Fehler ansieht, sich an seine Fehler klammern. Sie nimmt die Klaue des Löwen für eine mißratene Patschhand und besteht darauf, ihren Besitzer für einen Krüppel zu halten, bis er eines Tages dasteht, die Mähne schüttelt und brüllt.

Es ist ruchbar geworden, daß, spätestens seit 1962, die Dramatik in der DDR begonnen hat, unter den literarischen Genres die Führung zu übernehmen. Hartmut Langes Beitrag ist eine Komödie mit dem Titel »Marski«, verfaßt 1962.

2

Hier ist die Geschichte, trocken erzählt; wer es saftig haben will, soll das Stück lesen. Herr Marski träumt vom Essen und von der Freundschaft. Essen und Freundschaft sind seine Leidenschaften, genauer: das Essen mit Freun-

den ist seine Leidenschaft. Das Bedürfnis nach Genuß und
das soziale Bedürfnis fallen bei ihm zusammen; ohne Gesellschaft schmeckt es ihm nicht. Die tiefe Logik dieser
Koppelung – die Tatsache, daß hochentwickelter Genuß
vergesellschaftete Produktion voraussetzt – ist Herrn
Marski unbekannt. Denn Herr Marski ist ein Großbauer,
ein Vertreter der individuellen Aneignung. Die Freunde
aber sind die Kleinbauern des Ortes, durch ein System
dörflicher Dienstleistungsverhältnisse abhängig von Herrn
Marski. Sie produzieren, was Marski kunstvoll konsumiert. Davon will und darf Marski nichts wissen; die
Herkunft der Güter erscheint ihm als ein Wunder: »O
süße Harfe, die so reiche Früchte bringt.«

Marski liebt seine Freunde. Die Freunde würden ihn
lieben, wenn sie ihm nicht dienen müßten. Zur Freundschaft gehört Gleichheit; sie sind Ungleiche. Das Freund-
schaftsband und damit Marskis Kontakt zur Menschheit
besteht nur in Marskis Kopf. So befinden sich in Marski
zwei Naturen, die humane und die soziale, in Widerspruch. Als Mensch ist er ein Kerl, als gesellschaftliches
Wesen eine Null. Der Riese, sagt der Prolog, ist krank.
Über die Füllung des hohlen Riesen mit gesellschaft-
lichem Inhalt handelt das Stück.

Beim Mittagessen mit den Freunden scheint es, als
könne Marskis gewaltige Person den Widerspruch ver-
decken. Er erzählt seinen Traum, schwelgt in Gaumenlust
und Sympathie: »Euer Haar war zu Blumenkohl gekräu-
selt, ihr wart barhäuptig, denn es regnete braune Butter
und Muskat. Ihr flogt in Wohlgerüchen dahin! Ich war
nicht faul, ich ritt an eurer Seite, auf einer Ente, die war
mit Granatäpfeln geröstet. Das Tier war derart duftig bei
Leibe, daß mir das Wasser aus den Mundwinkeln floß.
Ich konnte nicht anders, ich mußte ihm ein Stück aus seinem Rücken schneiden. Ich aß davon, ihr lächeltet mir zu,
ich sah euch in die Augen, und was ich dort sah, es läßt
sich nicht beschreiben! Es war die Freundschaft.«

Mächtiger als Marskis Charme ist die Zeit; es ist die Zeit der ersten Produktionsgenossenschaften. Man kann die ländlichen Produktionsmittel jetzt auch vom Staat haben. So entdecken die Freunde den historischen, nicht notwendigen Charakter ihres Zustands der befreundeten Sklaverei. In einer wunderschönen, drehpunktreichen Szene bewegt und entfaltet sich der Widerspruch. Die Idylle endet in Verstimmung. Marski, der seine Freunde liebt und ausbeutet, nimmt für Undank, wenn sie aufhören, seine Haltung als eine einheitliche zu betrachten.

Marski hat gut getafelt, ihm wird poetisch ums Herz. Über die Fluren wandelnd, lehrt er einen der Freunde die Erkenntnis der Schönheit. Mit der Schönheit erkennt der Freund die Notwendigkeit des Kommunismus: »Wenn ich in schlichte Prosa zurückfallen dürfte, Herr Marski, wissen Sie, was ein Mohnfeld ist, wenn es vom Wind bewegt wird, oder wenn es nach einem Gewitter frisch gewaschen dasteht und sich der Sonne entgegenreckt? Ich seh's gern. Aber es ist nicht mein Mohn, den ich sehe, es ist Ihr Mohn, Herr Marski, und damit beginnt mein Leiden.« Der Freund kündigt seinen Eintritt in die Genossenschaft an.

Der Zerfall kommt nun mit Macht. In einer »Landschaft ohne Strauch« sammeln sich die Freunde, um Marski beim Dreschen zu helfen.

Zwei aber sind gar nicht erschienen.

Marski, in tragischer Blindheit, weigert sich, ihr Nichterscheinen zu glauben. Aber die andern glauben's, weil sie dran glauben müssen: ohne die Fehlenden wird die Arbeit zu schwer. Übermäßige Anstrengung macht nachdenklich; die Freunde gehen fort, einer nach dem anderen. Marski arbeitet weiter. Er schafft, was für sechs zuviel war, allein. Er steht auf der Maschine, einsam, groß, übriggeblieben wie ein keltischer Dolmen.

Heroische Haltungen taugen nicht für die Dauer, der Hof wächst Marski über den Kopf. Das Füttern des Viehs wird zu einer gigantischen Schlacht. Marski verliert. Von

Geistern beraten, unternimmt er einen letzten Rettungs-
versuch: sein beflissener Sohn Olaf, dem er alle zärtlichen
Neigungen zu der Magd Gerda verboten hatte, soll jetzt
die Magd heiraten, um sie auf dem Hof zu halten. Olaf
und Gerda aber fliehen das unheimliche Vätererbe und
entrinnen in die helle Bequemlichkeit der neuen Zeit.

Der ökonomische Zusammenbruch malt sich in Marskis
Seele; er hat keinen Appetit mehr. Er hat geschworen:
wenn ihm einmal das Essen nicht schmeckt, wird er sich
erhängen. Nun ist es an dem. Die Katastrophe wohnt in
einer Regieanweisung: »Er probiert die Pilzsuppe. Sie
schmeckt ihm nicht.« Marski erhängt sich.

Und auf treten die Freunde, Genossenschaftsmitglieder
inzwischen, eigenständig, unabhängig, reich. Jetzt, da sie
Menschen für sich sind, können sie dem Menschen Marski
Freunde sein. Marski wird vom Strick geschnitten, das
Stück endet in einer aristophanischen Freß-Operette.

»Eh daß ich mich aufhänge,
Eß ich lieber.«

3

Das Stück hieß ursprünglich »Tod und Leben des Herrn
Marski«, der Titel erinnert an eine berühmt gewordene
Dämonologie des Vorderen Orients. Man darf nicht übersehen, daß der Auferstehungsmythos eine gewaltige Leistung primitiver Dialektik darstellt; er ist Ergebnis geistiger Kühnheit und Ausdruck tiefer Hoffnung. Aber der
moderne Materialismus hat den mythischen Begriff durch
einen wissenschaftlichen Begriff ersetzt: durch den Begriff
der Negation der Negation, den der Aufhebung.

Negiert, im Sinne von aufgehoben, wird niemals das
Schlechte, stets das Gute. Nicht die Fehler des Kapitalismus (oder einer anderen Epoche der Sache) sprengen die
eigenen Schranken, sondern die Tugenden. Nicht Armut

braucht den Sozialismus, sondern Reichtum. Marski, wäre
er nicht ein Mensch von reichsten Gaben, hätte ein Großbauer bleiben können; er würde sich abgefunden haben
mit der Verkleinerung seiner Wirtschaft, mit dem Zustand der Freundlosigkeit. Ein Zwerg Marski hätte wei-
tergewurstelt, der Riese Marski drängt zur Katastrophe
und zum Umschlag.

So wird Marski nicht umerzogen, wie es in vielen traurigen Stücken oder Vorfällen geschieht, wo einer am Ende
ein guter Sozialist ist und kein Mensch mehr. Natürlich
wird Marski auch nicht einfach übernommen. Er wird
entlassen als der alte und mehr als der alte, als der auf-
gehobene Marski. Der Weg zur Verwandlung des Innern
führt über das verwandelte Außen. Der Genuß wird zum
Ekel, wenn er sich, in neuer Umwelt, absondern muß.
Der Besitz wird zur Plage, wenn er, in neuer Umwelt,
seine Kapital-Eigenschaft verliert, die Fähigkeit, Arbeits-
kraft zu kaufen. Die Arbeitsfreude wird zur Schinderei.

Beim Übergang vom Jura zur Kreide starben die Sau-
rier aus. Ein einziges Wesen ist so vielfältig strukturiert,
daß die es bildenden Gegensätze zerfallen können, sich
neu zusammensetzen und in allen Zeitaltern fortbestehen:
das Fossil Mensch.

Dieses Stück vom Menschen ist kein Agrardrama. Wäre
es eines, würde das Ende niemanden befriedigen. Allgemeiner Beitritt zur LPG ist nicht die Lösung der land-
wirtschaftlichen Frage; die auftauchenden Nöte und Sorgen der Genossenschaften müßten zumindest im Ansatz
gezeigt werden. Der »Marski«-Schluß aber ist ein philosophischer Schluß. Er ist der Gipfel der Triade Ausbeutung – Tod der Ausbeutung – Kommunismus; er meint
nicht weniger als die Aufhebung aller Aufhebungen, den
Sprung in die Freiheit.

Damit wird nicht vorgebracht, daß »Marski« kein aktuelles Stück sei. Kunstfähige Fragen sind immer alt; aktuell und unverwechselbar zeitlich ist an Kunstwerken die

Haltung, in der gefragt wird und geantwortet. Von den vier großen revolutionären Ereignissen unseres Landes, der Bodenreform, der Enteignung der Trusts, der Kollektivierung und dem Neuen Ökonomischen System, behandelt der »Marski« nicht, wie man vermuten möchte, die Kollektivierung; er ist vielmehr genauer ästhetischer Ausdruck des letzten und dramatisch scheinbar unergiebigsten unter ihnen, des Neuen Ökonomischen Systems.

Das Neue Ökonomische System ist die historische Stelle, wo der Sozialismus aus der bloßen und beschränkten Verneinung der Ausbeutergesellschaft sich steigert zur Aufhebung aller geschichtlichen Leistungen vor ihm. Als der Sozialismus schwach war, unterschied er sich von der Weltzivilisation, indem er sie verleugnete; nun, da er stark ist, unterscheidet er sich von ihr, indem er sie frißt. Sie drückt ihn nicht im Magen; er verdaut sie; er läuft nicht mehr Gefahr, bei diesem Stoffwechsel Schaden an seiner Substanz zu nehmen. Der Kolchos (um vom »Marski« zu reden) war reif, als er dem Kulaken so überlegen war, daß er ihn brauchte. Weil der Sozialismus fest sitzt, können Marskis bügerliche Tugenden (Genußfähigkeit, Spezialistentum) sozialistische Tugenden werden. Kurz, der Fall Marski ist der Fall des Neuen Ökonomischen Systems. Daß das Stück vor dem Neuen Ökonomischen System geschrieben wurde, ist kein Widerspruch zu dieser Feststellung; das gehört sich.

Dichter sind einmal durch einen heißen Draht mit der Küche des Weltgeists verbunden.

4

Über Kunst reden ist über Form reden; leider ist es unmöglich, irgendwelche formalen Eigenschaften zu würdigen, außer man hat den Zweck der Sache begriffen. Dem, was im »Marski« stofflich vorgeht, der Aufhebung der

Inhalte, entspricht das künstlerische Verfahren: die Aufhebung der Formen. Es soll an diesem Ort nicht die Rede sein von der ungewöhnlichen Strenge der Komposition, die in der ehrwürdigen Folge von Exposition, Aufbrechen und Steigerung der Widersprüche, Höhepunkt, einigem Abstrampeln des schon erledigten Helden und tragischer Katastrophe verläuft; es will auch nicht auf die Reinheit und zugleich Neuartigkeit des Genres hinaus (die Tragödie springt, nachdem sie sich vollendet hat, in die Komödie). Sondern untersucht werden soll die Aufhebung von Kunstmitteln, die als »alt« bekannt sind und verdächtig. Warum steht das neuere Drama in der DDR mit dem Alten auf vertrauterem Fuße als irgendeine theatralische Richtung seit der deutschen Klassik?

Die bürgerliche Kunst steckt, und nicht zum erstenmal, in der Epigonenkrise. Die Hervorbringungen aller Zeiten und Länder liegen hinter ihr gleich einem Gebirge, dessen Schatten keiner entrinnt; man hat nichts Neues zu sagen, und die Weisen, das Alte zu sagen, sind erschöpft. Um sich in diesem Düster notdürftig bemerkbar zu machen, greift der moderne Künstler nach dem kleinsten Lichtlein, er rettet sich in die Masche. Kein Besonderer, wird er zum Sonderling. Concetto, Individual Sound, das sind ästhetische Hauptkategorien des westlichen Jahrhunderts. Es gibt auch den Verzicht auf Kunst überhaupt. Mit dem bedeutenden Gegenstand entschwindet die bedeutende Persönlichkeit; der Künstler unterwirft sich tachistischen Methoden, Zufallstechniken. Der Gedankengang stammt von Arnold Gehlen, und Gehlen ist kein dummer Mann.

Wie wunderlich aber erscheint Gehlens Theorie, gemessen an der Praxis des Hartmut Lange. Dieser Knabe sucht, ohne jegliches Minderwertigkeitsgefühl, die Gesellschaft der allerfeinsten Leute. Er spaziert mit dem Goethe und dem Aristophanes, dem Shakespeare und dem Rabelais. Er nimmt sich, was er braucht, aus ihren Taschen, und mit einem solchen poetischen Recht, daß kein kritischer Ge-

richtshof der Welt wagen dürfte, das Genommene zurück-
zufordern. Unter den Bestohlenen fehlt Brecht. Auch das
ist bezeichnend für die Neuesten; undenkbar ohne Brecht,
ähneln sie ihm nicht.

Der Marxist sitzt auf dem archimedischen Punkt, wo
man mit Mount Everests, Gaurisankars und Chimborassos
spielt. Es ist Spiel in der Art, wie Lange mit der Klassik
verfährt. Es bleibt zu zeigen, daß es mehr als Spiel ist
und der volle Ernst der Kunst.

5

Thomas Stearns Eliot hat einen bemühten und rührenden
Artikel geschrieben, »Poetry and Drama«, worin er sich
über die Frage den Kopf zerbricht, ob ein Dramatiker
von heute Verse schreiben könne, und was für welche.
Von Anfang an ist er entschlossen, die Unverwendbarkeit
des Blankverses zu beweisen; so beginnt sein Räsonnement
mit einem logischen Knoten. Der Shakespeare-Vers, sagt
er, war gestisch; leider ist er durch die Versepiker des
neunzehnten Jahrhunderts ungestisch geworden. Hier hat
er schon recht, aber warum fordert er nicht die Rückkehr
zum originalen Shakespeare-Vers? Es fällt ihm nicht ein,
weil er nicht will, daß es ihm einfällt.

»Der Rhythmus des regelmäßigen Blankverses«, sagt
Eliot also, »hatte sich zu weit von der Bewegung der modernen Sprache entfernt ... Das poetische Drama, wenn
es seinen Platz wiedererobern will, muß in offene Neben-
buhlerschaft mit dem Prosastück treten.« Das heißt: der
Vers soll so beschaffen sein, daß das Publikum bereit ist,
»ihn von Leuten zu hören, gekleidet wie wir selbst, in
Häusern und Wohnungen lebend gleich den unsrigen und
Telefone benutzend, Automobile und Radioapparate ...
Was wir zu tun haben, ist: Poesie in die Welt zu bringen,
in der der Zuschauer lebt und in die er, wenn er das Thea-

ter verläßt, zurückkehrt, nicht: ihn in eine ausgedachte Welt transportieren, durchaus unähnlich der seinen, in eine unwirkliche Welt, in der man Poesie duldet.« Und er kommt zu dem Resultat, daß der moderne Versdramatiker einen Vers erfinden müsse, dem man nicht anmerkt, daß er ein Vers ist.

Mit all dem ist ein Einwand nicht erledigt: Wieso verhielt sich das bei Shakespeare anders? Shakespeares Stücke waren doch zu Shakespeares Zeiten Zeitstücke; sie wurden doch nicht gespielt im Kostüm vergangener Epochen, sondern im elisabethanischen. Sprachen Londons Puritaner im Blankvers? Besaßen die Politiker der Tudorzeit einen größeren Wortschatz als die des zwanzigsten Jahrhunderts? Selbst wenn man annehmen kann, daß das Leben jener Tage einiges mehr an Unmittelbarkeit und Ursprünglichkeit enthielt als das heutige, bleibt doch der Unterschied zwischen der damaligen Alltagssprache und der Bühnensprache prinzipiell.

Eliots Antwort und Irrtum: schuld sind die Telefone. Wieder einmal wird für die Verflachung, Armut und Kunstfeindlichkeit unserer Zeit die Technik verantwortlich gemacht, nicht die kapitalistische Entfremdung. Der Mensch ist der Feind des Menschen, das stellt sich in den Hirnen dar als: die Technik ist der Feind des Menschen, oder gar: die materiellen Dinge sind es. Das Symptom zum Sündenbock für die Sache. Wüßte Eliot, daß sein Vers an der Entfremdung krankt, würde er andere Arznei suchen, ihn zu kurieren.

Gefühle, die auf der Börse notiert werden können, Gedanken, die nur immer bis an den Rand des Chaos reichen, Handlungen ohne Wirkung: sie führen freilich zu keiner Sprache, die den hohen Anspruch des Blankverses erträgt. Der Blankvers ist ja was anderes als bloß ein fünfmaliges Wiederholen von Senkung und Hebung; er will gefüllt sein mit seelischen Gewichten, sonst lebt er nicht. Es ist nicht das Wortmaterial von heute, gegen das sich der Blankvers sträubt, es sind die Haltungen der Hollow Men. Eliots Verse sind nicht modern wie Telefone, Automobile und Radioapparate. Sie sind so verzagt wie seine Welt, sein Gemüt und die Fabeln seiner Stücke.

Der Vers kann epigonal sein, klassizistisch. Er kann der Vertuschung von Widersprüchen dienen, der Vortäuschung einer Harmonie, die es nicht gibt. So, das stimmt, ist er auf uns gekommen. Aus diesem Grund beginnt die Geschichte des Dramas in der DDR mit den Prosastücken von 56 und 57. Es wurden kleinere und mittlere Widersprüche vorgestellt, und Ausdrucksmittel für kleinere und mittlere Widersprüche ist die Prosa. Der Siegeszug unseres Versdramas beruht auf der Entdeckung, daß klassische Literatur, weit entfernt davon, Literatur der Harmonie zu sein, Literatur der Souveränität ist, allein fähig, große Widersprüche in den artistischen Griff zu bekommen. Der Vers ist das Gefäß für große Widersprüche. Die Widersprüche gibt es immer; die heitere Festigkeit, ihnen offen ins Gesicht zu sehen, haben nur glückliche Epochen.

Die Verstechnik im »Marski« ist, man kann es getrost sagen, virtuos. Die Verse wirken nicht gehämmert (und sind es wohl auch nicht); sie sind unangestrengt, nicht spitzfindig, von natürlichster Poesie. Lange hat sich nicht für den durchgehenden oder vornehmlichen Gebrauch des Blankverses entschieden, was er vermutlich getan hätte, hätte er eine bewegtere Fabel von mehr Handlungsfülle und äußerlicherer Dramatik gehabt; er benutzt, außer Prosa, den deutschen Knittel und kurze, anapästisch getönte Chorzeilen. Sein Blankvers aber ist von außerordentlicher Verwandlungsfähigkeit, von lieblicher Milde, gestischer Härte oder dramatischem Feuer.

6

Marskis Freunde sind gewöhnliche Leute, keine Riesen.
»Sie sind keine überragende Tischgesellschaft, ihr Appetit
ist muffig, aber er steckt voller Bemühungen.« Diese gewöhnlichen Leute indessen bedeuten, zusammengenom-
men, etwas, das größer ist als der große Marski: sie bedeuten die menschliche Gesellschaft. Wie zeigt man ihre
Größe? Sie bleiben in der Fabel Sieger; das reicht nicht;
auch Gulliver wird gefesselt von den Liliputanern. Größe
kann, im Kunstwerk, nicht hergestellt werden als mit
künstlerischen Mitteln.

Lange verleiht den Freunden Überlegenheit, indem er
sie auf eine ästhetisch höhere Ebene stellt als den Helden;
er gibt ihnen eine Art dramaturgischer Spielmeisterfunk-
tion. Sie fabrizieren Marskis Traum, sie machen dem
Marski die Geister. Marskis Innerstes, heißt das, ist bewirkt von außen, die Größe des einzelnen abhängig vom
Entwicklungsstand der Spezies.

Soviel von dem inhaltlichen Grund der übersinnlichen
Szenen; sie haben auch einen stilistischen. Träume und
Geister poetisieren das Theater. Hier ist ein Zitat aus Johann Jakob Breitingers »Kritischer Dichtkunst«; vorausgeschickt die Bemerkung, daß es in der Ästhetik der
Schweizer für den Marxisten mehr als er denkt aufzuar-
beiten gibt. »Sein (des Poeten, P. H.) ganzes Vermögen
bestehet in der geschickten Verbindung des Wunderbaren
mit dem Wahrscheinlichen; dieses erwirbt seiner Erzählung Glauben, und jenes verleihet ihr eine Kraft, die Aufmerksamkeit des Lesers zu erhalten und eine angenehme
Verwunderung zu gebären. Wie nun das Wunderbare
ohne die Wahrscheinlichkeit abenteuerlich und unglaublich
wird, so hat andernteils das Wahrscheinliche, wenn es von
dem Verwundersamen nicht unterstützet wird, keine ge-
nugsame Kraft auf das menschliche Gemüte, selbiges an-
genehm zu rühren oder mit Ergetzen anzufüllen. Darum

muß der Poet wissen, diejenigen Dinge, die das Zeugnis der Wahrheit und Würklichkeit haben, von dem Ansehn der Wahrheit bis auf einen gewissen Grad zu entfernen und ihnen eine wunderbare aber dabei unbetrügliche Gestalt anzuziehen.«

Kunst ist nicht Nachricht schlechthin; Kunst ist Nachricht von einem bestimmten Menschen an bestimmte Menschen. Poetisierung der Künste ist Vermenschlichung der Künste und entspricht jener Haltung, die die Welt zu vermenschlichen trachtet. Das ist der Inhalt unseres Streits mit den Positivisten, Dokumentaristen, »wissenschaftlichen« Dichtern, Eisenbahnschienenschwellenbeschreibern und wie die Spielarten des Neonaturalismus alle heißen. Goethe verteidigte, mit olympischer Bockigkeit, die Poesie gegen die Schilderer einer entfremdeten Welt, welche, wie er wohl wußte, moderner schrieben als er. Wir verteidigen die Poesie gegen dieselben Schilderer derselben entfremdeten Welt, doch mit munterer Laune; denn wir verteidigen, wie wir wohl wissen, die Zukunft.

Die poetisierenden Szenen im »Marski« erinnern an literarisch Bekanntes: an den wandelnden Faust, an Shakespeares Geisterszenen, an die Lear-Frage, an die Chöre des Aristophanes. Man erkennt wieder, man lacht. Eben drum ist wichtig zu betonen, daß man, wenn man nicht begriffen hat, daß die Absicht nicht parodistisch ist, nichts begriffen hat.

Parodie ist Schwäche. Einer, der von einem Alten, das er überwunden zu haben scheint, nicht loskommt, kritisiert es durch Nachahmung, und er bezieht alle Kraft von dem, was er, oberflächlich, kritisiert. Worüber man witzelt, das hat einen. Aber nicht nur der Weg fort vom Alten führt über die Ironie, auch die Suche nach dem Alten. Schon die Schlagerparodien in der »Dreigroschenoper« zeigen Brechts Wertschätzung der (wenn auch borniert) volkstümlichen Kunst des Wirkungmachens, und Brechts Jamben im »Ui« und in den »Rundköpfen« sind zu vollkommen, als daß man ihnen den bloß negierenden Zweck glauben darf. Bei Lange ist die Sachlage vollends deutlich. Der Gebrauch der bekannten Mittel geschieht mit Anmut und ungeheurer Naivität. Da ist nichts Schiefes im Zusammenhang. Da ist im mindesten keine Entlarvung angestrebt, sondern, bei aller Komik, einfach Schönheit.

7

Jede Zeit hat die Lieblingsfiguren, die sie verdient; die Lieblingsfigur des sozialistischen Dramatikers ist der Riese. Der Riese, das ist der nicht durch Fehler der Welt eingeschränkte Mensch. Seitdem der zerstörerische Widerspruch zwischen dem Menschen und der Klassengesellschaft sich aufzulösen beginnt, werden die produktiven Widersprüche zwischen dem Menschen und der Gesellschaft als solcher sichtbar; da ist keine Identität möglich; davon bleibt und lohnt zu handeln.

Der Berliner Dramaturg Stolper bemerkt mit Recht, daß die deutschen Dramatiker es von jeher lieben, ihre Hütten neben die der Philosophen zu bauen. Das ist kein ganz ungefährlicher Ort. Da weht zwar der Wind, aber der Wind kann Dürre bringen. Der Hang der Deutschen zum Allgemeinen hat tatsächlich ihre erhabensten und ihre miserabelsten Leistungen bestimmt. Hartmut Lange ist – wie ausgelederte Kategorien hier auch immer bewegt wurden, um mit Mitteln des Begriffs Tatsachen der Kunst darzustellen – ein naiver, plastischer, sinnlicher Dichter. Seine Riesen sind es von allen Seiten, seine Figuren haben Bäuche.

Weil die Gesellschaft wieder Platz für den Menschen hat, hat der Mensch wieder Platz für die Gesellschaft; die zweibeinige Hülse füllt sich mit Totalität. »Marski« heißt nicht mehr »Tod und Leben des Herrn Marski«. Titel

heutiger Stücke lauten: »Moritz Tassow«, »Marski«, »Phi-
loktet«. Stücke derselben Autoren hießen vordem: »Eröffnung des indischen Zeitalters«, »Senftenberger Erzählungen«, »Klettwitzer Bericht«. Es gelingt wieder, Personen glaubhaft zu machen, deren Individualität so wesentlich und deren Unverwechselbarkeit so reich an Allge-
meinem ist, daß der bloße, unkommentierte Name Programm wird.

Es gab schon Zeiten, wo das Subjekt in der Gesellschaft
sein Recht hatte und die Stücktitel Namen waren. Aus
diesen Zeiten, der Antike und der Renaissance, stammt
die Liste der Utopien in Menschengestalt, also jener Helden, die, durch vollkommene Ausprägung einer Seite des
humanen Wesens (einer gesellschaftlichen Haltung oder
eines anthropischen Vermögens), die Idee der Vollkommenheit überhaupt verkörpern. Prometheus ist die Utopie
der Revolution, Helena die der Schönheit, Don Juan die
der Sinnlichkeit, Faust die des Denkens, Gargantua die
des niederen Begehrens.

Marski ist natürlich vom Samen Gargantuas. Aber er
übt außer der Tätigkeit riesenmäßigen Verdauens auch
die Tätigkeit riesenmäßigen Anpflanzens; er verschlingt
nicht nur Welt, er erzeugt Welt; dieser Fresser arbeitet.
Das unterscheidet ihn von seinem Vatersvater, zum Guten. Damit fügt er den Utopien die Qualität hinzu, die
ihnen allen mangelt, die der Durchführbarkeit; damit
kündet er vom Entstehen eines Geschlechts, von dem man,
wie Hesiod von den Landbewohnern, die die Gerechtigkeit kennen, sagen kann: »sie sind nur tätig für Felder
und Feste«.

(1965)

ERNST SCHUMACHER

»DIE ERMITTLUNG« VON PETER WEISS

Über die szenische Darstellbarkeit der Hölle auf Erden

Karl Marx meinte im »Elend der Philosophie« metapho-risch, die Geschichtsschreibung müsse die Menschen so dar-stellen, »wie sie in einem Verfasser und Schauspieler ihres eigenen Dramas waren«. Für die Darstellung dieses ob-jektiven Dramas der Geschichte auf der Bühne hat das Oratorium in elf Gesängen »Die Ermittlung« von Peter Weiss einen doppelten Bezug aufzuweisen. Er hat den Auschwitz-Prozeß zum Gegenstand, der in Frankfurt am Main von 1963 bis 1965 stattfand. Verlauf und Abschluß des Prozesses bestätigten, was es mit der vielzitierten »Bewältigung der Vergangenheit« in der Bundesrepublik auf sich hat. Zeugen wurden bedroht, wenn der Versuch, sie mit Geld zum Schweigen zu bringen, mißlang; sie mußten sich für ihr Überleben rechtfertigen. Das Gericht kam zu äußerst milden Urteilen, die in keinem Verhältnis zur Größe der Straftaten standen.

War dies der eine Bezug, so eröffnete der Gegenstand des Verfahrens den Blick auf eine der größten Tragödien, die die menschliche Geschichte kennt, nämlich die Vernich-tung von mehr als drei Millionen europäischen Juden und mehr als dreihunderttausend anderen politischen Ge-fangenen des Naziregimes. Hier wurde die *Hölle auf Er-den* sichtbar, die nicht nur alle Qualen Wirklichkeit wer-den ließ, die die Eschatologien und die sie illustrierenden Künste die Verdammten erleiden ließen, sondern das Un-vorstellbare durch Ungeahntes, nämlich die maschinell betriebenen Todesarten, übertraf. Das System dieser »Fa-

briken des Todes« wurde in subjektiven Erlebnis- und
Tatsachenberichten von Häftlingen beschrieben, die häufig
im Titel den Bezug auf die vorgestellte Hölle der Eschatologien und das »Inferno« von Dante hatten; es wurde
in wissenschaftlichen Untersuchungen dargelegt. Aber war
diesen *Höllen auf Erden* mit den überlieferten Mitteln
der Kunst beizukommen, wie den fiktiven Unterwelten
und Todesreichen der Vergangenheit? War mit Auschwitz,
als Synonym für die organisierte, systematisierte, rationalisierte, letztlich wissenschaftlich betriebene Entmenschlichung verstanden, nicht tatsächlich das »Ende der Kunst-
periode« gekommen, von dem Hegel bereits zu seiner
Zeit sprach?

   Aber Adorno hatte sein vielzitiertes Wort, *nach* Auschwitz sei Gedichte zu schreiben barbarisch, noch nicht ausgesprochen, als schon bekannt war, daß *in* Auschwitz,
stellvertretend für diese *Höllen auf Erden*, Gedichte geschrieben worden waren. Bei Paul Celan in der »Todesfuge« und bei Nelly Sachs in den »Wohnungen des Todes«
hatte sich das bewußte Grauen des Massentodes artikuliert, und Johannes R. Becher hatte in dem Gedicht »Kin-
derschuhe aus Lublin« den Passionsweg der Unschuld in
unserem Jahrhundert auf erschütternde Weise beschrieben. Beklemmende Erzählungen, eigene Erlebnisse aufhe-
bend in allgemeinen, typischen Schicksalen von Häftlingen und bewachenden Mördern, schrieben Maria Zarebins-
ka-Broniewska mit »Auschwitzer Erzählungen«, Luise
Rinser mit »Jan Lobel aus Warschau«, Arnost Lustig mit
»Demanten der Nacht« und Tadeusz Borowski mit »Die
steinerne Welt«. Die Systematik des Terrors und des Todes in den Konzentrationslagern wie der Kampf *wahrer
Menschen* dagegen wurden in Romanen gestaltet, so in
Anna Seghers »Das siebte Kreuz«, Erich Maria Remarques »Der Funke Leben«, Jean Laffittes »Die Lebenden«,
Gunther R. Lys' »Kilometerstein 12,6«, Jacqueline Savé-
rias »Ni sains ni saufs«, John Herseys »The Wall«,

Bruno Apitz' »Nackt unter Wölfen«, André Schwarz-Barts »Der letzte der Gerechten«. Sogar einzelne Mörder fanden ihre literarische Gestaltung (»Der Tod ist mein Beruf« von Robert Merle; »Die Kommandeuse« von Stephan Hermlin; »Breinitzer« von Hans Frick). Die bildende Kunst fand reale und surreale Gestaltungsmittel, um die *Hölle auf Erden* so auszudrücken wie die Bosch und Breughel die jenseitigen Höllen anschaulich gemacht hatten; es genüge, an die Werke von Lea und Hans Grundig, Otto Dix, Fritz Cremer, Françoise Salmon zu erinnern. Für die Wiedergabe und Verdeutlichung der äußeren Wirklichkeit der Lager-*Hölle* wie auch für die Veranschaulichung der auf tödliche Weise miteinander verbundenen Opfer und Mörder fand von den darstellenden Künsten der Film den angemessensten Ausdruck, wobei die Dokumentaraufnahmen *das tödliche Leben* und den *lebendigen Tod* am unmittelbarsten wiederzugeben vermochten. Als einziges Beispiel sei hier »Die letzte Etappe« (1947) von Wanda Jakubowska erwähnt. Dagegen hatte das Theater sehr große Schwierigkeiten, diese objektive geschichtliche Tragödie zu gestalten und für das Gedächtnis der Menschheit aufzubewahren. Alle Versuche, diese *Hölle auf Erden* auf unmittelbare Weise theatralisch abzubilden, wurden in ungutem Sinne *theatralisch*. Das Wesen dieser Höllen, das in der multiplen Faktizität von *Lebensqualen* und *Todesarten* bestand, ließ sich auf der Bühne gleichsam nur »vordergründig« anschaulich machen.

Hedda Zinner gestaltete in ihrer »Ravensbrücker Ballade« ein Motiv aus der schrecklichen Geschichte der Vernichtung von mehr als 90 000 Frauen und Kindern im KZ Ravensbrück, nämlich die Rettung einer russischen Widerstandskämpferin durch die Solidarität der politischen Gefangenen und die Mithilfe einer Kriminellen. Eigentliche Heldin dieses Schauspiels ist die Blockälteste Maria, die für die Rettung der russischen Genossin kurz vor der Befreiung sterben muß. Entwicklung, Verknüpfung und Lö-

sung der Fabel kommen nicht ohne grobe Verstöße gegen
die äußere Wahrscheinlichkeit zustande; gemessen an der
schrecklichen Realität des Lagers, müssen zweitrangige,
sich im Zufälligen erschöpfende Vorgänge veranschau-
licht werden, weil die »Fabrik des Todes« nicht in Funktion gezeigt werden kann. Die Aufführung in der Berliner
Volksbühne ließ die unmittelbare Nachgestaltung und
Abbildung auch nur der Bereiche der KZ-Hölle, in denen
es vergleichsweise noch menschlich zuging, unrealistisch,
das heißt der Wirklichkeit unangemessen erscheinen, von
der wir entweder aus eigener Erfahrung oder durch Beschreibung Kenntnis haben. Auf besonders eklatante Weise erwies sich in dem Stück, dessen Titel als repräsentativ
für Stücke dieser Art angesehen werden kann, nämlich
dem »Stellvertreter« von Rolf Hochhuth. Hochhuth
unternahm im fünften Akt des Stückes den Versuch,
gleichsam den *Fokus der Hölle*, die Vergasungs- und Ver-
brennungsanlagen von Auschwitz, mit ins Spiel einzube-
ziehen. Aber das Weltanschauungsgespräch in Schiller-
scher Diktion zwischen dem stellvertretend für seinen
Papst und seine Kirche leidenden Pater Riccardo und
dem dämonisierten »Doktor«, Stellvertreter des Todes,
angesichts der in den Gastod ziehenden Opfer und des
Feuerscheins der Krematorien gehört zu denjenigen dramatischen Gestaltungen, bei denen innere und äußere
Wahrscheinlichkeit und Wahrheit, Realität und Idealität
(als Absicht des Autors verstanden, für die Vermittlung
tieferer Erkenntnisse einen angemessenen künstlerischen
Ausdruck zu finden) in unaufhebbare Widersprüche geraten. Die letzte Szene, in der Riccardo mit der römischen Jüdin Carlotta zusammentreffen muß, um den roten Faden der Handlung zu Ende zu bringen, und die mit
der Erschießung der beiden durch den »Doktor« endet,
sinkt in herkömmliche Theatralik ab. Selbst wenn es sich
bei dieser Ermordung um die Nachgestaltung eines wirklichen Vorganges handelte, behielte die Darstellung einen

episodischen Charakter, die das Typische des massenhaften, millionenfachen Vorgangs nicht zu erfassen und auszudrücken vermöchte, daß hier Jahre hindurch Tausende von Menschen nichtsahnend, wenn ahnend, so resigniert, passiv, gleichsam gelähmt, in den Gastod gingen; daß hier der Mord durch seine Quantität eine unfaßbare Größe bekommen hat; daß das stellvertretende Mit-Leiden jeglichen Sinnes beraubt wurde.

Die Totalität der *Hölle auf Erden* versuchte Rolf Honold in dem Schauspiel in fünf Bildern ». . . und morgen die ganze Welt« in den dramatischen Griff zu bekommen, indem er den Alltag des inneren Betriebes eines KZ in der Phase des Zusammenbruchs nachgestaltete. Auch bei ihm wirkt die Art, wie die stellvertretenden Opfer des Mordsystems in den Tod geschickt werden und gehen, melodramatisch; sie steht im Widerspruch zur gleichsam kalten, massenhaften, anonymen Schändung und Auslöschung der Opfer. Diesen *funktionierenden* Tod versucht Honold dadurch zu gestalten, daß er ihn als Schreibstubenvorgang sich zutragen läßt. Diktierte Berichte über die täglichen Zu- und Abgänge, Briefe der Firma Topf über die besten Verbrennungsöfen, Briefe der SS-Hauptverwaltung über die Zuteilung von Armbanduhren aus dem Besitz vergaster Häftlinge an Heer, Marine und SS, Briefe des Lagerarztes und der IG-Farben über durchgeführte und durchzuführende medizinische Versuche an Häftlingen werden in die Handlung hineingeflochten, um diesen neuartigen Mechanismus der Menschenvernichtung zu kennzeichnen. Um das Wesen des Systems zu verdeutlichen, muß Honold also zu Schilderung und Bericht, letztlich zum Dokumentarischen greifen, auch wenn dies der herkömmlichen Dramaturgie, die er anwendet, widerspricht.

Angesichts der Schwierigkeit, vielleicht sogar der Unmöglichkeit, direkte Abbildungen dieser *Höllen auf Erden* auf dem Theater anzufertigen, haben andere Autoren versucht, mittelbare Abbildungen herzustellen.

Ein besonders typisches Beispiel ist die dramatische Chronik aus dem Warschauer Ghetto »Ich selbst und kein Engel« von Thomas Christoph Harlan. Der historische Vorgang, der Aufstand der im Ghetto von Warschau internierten Juden im Jahre 1943 gegen die Nazi-Mörder, die sie in das Vernichtungslager Treblinka überführen wollen, wird als *Spiel im Spiel* vorgeführt, das ein israelischer Kibbuz zur Belehrung seiner Landsleute aufführt. Harlan benützt die Stilmittel des epischen Theaters Brechts, die demonstrative Spielweise, um die entscheidenden Umschläge des historischen Vorgangs herauszustellen. Er läßt typische Haltungen vorführen, z. B. die Mitwirkung der Juden durch den Judenrat und die jüdische Polizei an ihrer eigenen Vernichtung, grausame Spiele der hungrigen Kinder, Beschlüsse und Maßnahmen der sich erhebenden Kämpfer. Er benützt die stilisierte metaphernreiche Rede, den gesungenen Appell, die lyrische Einlage, Mittel, um der dramatisch-demonstrativen Verkürzung eine große Form zu geben, und immer wieder kommt es ihm auf gestische Eindringlichkeit an.

Vergleicht man Harlans demonstrative Chronik mit dem auf Nachahmung der gleichen Vorgänge angelegten Schauspiel »Die Mauer« von Millard Lampell (nach dem Roman »The Wall« von John Hersey), wird sofort klar, daß die demonstrative Spielweise, wie sie das Werk Harlans kennzeichnet, einen weitaus höheren Grad theatralischer Angemessenheit ergibt als die auf Nachahmung und Vortäuschung realen Geschehens ausgehende Dramaturgie des Amerikaners. Aber auch bei der *Poetisierung*, wie ich vereinfacht das Verfahren Harlans nennen möchte, geht die Dimension des Schreckens verloren, die uns jede Aufnahme von dem umkämpften Ghetto unmittelbar zu vermitteln vermag und die uns aus den Stroop- und anderen Dokumentarberichten anspringt.

Sich der Schwierigkeit bewußt, unmittelbare und mittelbare Nachbildung der *Hölle auf Erden* auf dem Thea-

ter zu geben, haben sich andere Autoren mit der unmittelbaren und mittelbaren Nachbildung von Vorgängen der
Vorhölle und *Nachhölle* des faschistischen Mordsystems
begnügt. Für den Versuch einer unmitelbaren Nachbildung der *Vorhölle* seien »Zwischenfall in Vichy« von
Arthur Miller und »Joel Brand« von Heinar Kipphardt,
für den Versuch einer mittelbaren Gestaltung das parabolische Stück »Andorra« von Max Frisch erwähnt. Die
besondere Schwierigkeit bei diesen Versuchen liegt darin,
den unmittelbaren Bezug zur uns bedrängenden Gegenwart, wenn man so will, zur *Nachhölle* des Faschismus,
herzustellen, uns das »tua res agitur« der dargestellten
Vorgänge zum Bewußtsein zu bringen. Miller muß sich,
um diese Verbindung zu bewerkstelligen, auf Kommentare außerhalb des Stückes beschränken, in denen er die
moralische Verantwortung aktualisiert, zu der sich der
Haupheld seines Stückes, der österreichische Aristokrat
von Berg, durchringt, als er sich für den jüdischen Psych-
iater Leduc opfert, der für die »Endlösung der Judenfrage« in den Gaskammern von Auschwitz erfaßt werden
soll.

Kipphardt verdeutlichte die gesellschaftliche Relevanz
seiner »Geschichte eines Geschäfts«, nämlich des Angebots
Eichmanns an die Alliierten, 1 Million ungarische Juden
gegen 10 000 winterfeste Lastwagen freizugeben: »Gewisse Züge des Eichmann-Geschäfts findet man in jedem
Geschäft.« Frisch zeigt in Zwischenszenen, daß die Bürger
von Andorra, die den vermeintlichen Judenjungen Andri
verraten haben, in ihrer Mehrheit auch heute keine Schuld
anerkennen. Ersichtlich ist, daß alle drei Autoren in star-
kem Maße auf das politisch-gesellschaftliche Abstraktions-
und Konkretionsvermögen ihrer Zuschauer vertrauen
müssen, um *die Brücke* zwischen Vergangenheit, Gegenwart und möglicher Zukunft schlagen zu können. Ersichtlich ist auch, daß die parabolische Gestaltung Frischs mehr
perennierende gesellschaftliche Relevanz aufzuweisen hat

als die auf unmittelbare Nachahmung und Abbildung
beruhenden Stücke von Miller und Kipphardt.

Bei den Stücken, die unmittelbar oder mittelbar die
»Nachhölle« des Faschismus gestalten, besteht die Unzulänglichkeit wiederum mehrfach darin, daß die *Hölle*
gleichsam außer Sicht gerät, zumindest nicht auf eine
Weise anschaulich wird, die für das Verständnis ihres
Wesens unerläßlich ist. Die Dramatiker, die diese *Nachhölle* gestalten, wollen dem Zuschauer ehrlich zum Bewußtsein verhelfen, daß die bestehende Gesellschaft noch
allzu viele Elemente des Faschismus in sich trägt und
keineswegs davor gefeit ist, erneut zu »entarten«. Das
beweisen solche Stücke wie »Sperrzonen« von Stefan An-
dres, »Die Stunde der Antigone« von Claus Hubalek und
»Eiche und Angora« sowie »Der schwarze Schwan« von
Martin Walser. Die beiden ersten machen deutlich, wie
sich die bürgerliche Gesellschaft von den begangenen
KZ-Verbrechen durch *Gras über Gräbern,* durch Verschweigen, Vergessen und Vergessenmachen zu entledigen
trachtet. Einzelne, Mitschuldige, Mitbetroffene, stehen
dagegen auf, genau besehen: sie opfern sich zur Sühne,
zu der die Gesellschaft als ganzes nicht gewillt ist. Das
zur geschichtlichen Entscheidung drängende Problem, die
Veränderung der Grundlagen der Gesellschaft, die das
KZ-System hervorgebracht hat, wird durch die moralische
Stellvertretung einzelner *verdrängt,* das Wesen des Faschismus wird nicht historisch konkret erfaßt und erfaß-
bar gemacht. Die *Hölle auf Erden,* Anlaß der dramatischen Auseinandersetzung, bleibt relativ unanschaulich,
wenn sie nicht im Bereden gleichsam *zerredet* wird.

In der deutschen Chronik »Eiche und Angora« spielt
die faschistische *Hölle auf Erden,* das KZ, nur eine mittelbare Rolle. Das Schwergewicht der parabolischen Veranschaulichung liegt in der Absicht des Dramatikers, die
Restauration der faschistischen Kräfte, die neue, demokratisch getarnte *Machtergreifung,* aufzuweisen. In »Der

schwarze Schwan« dagegen wird die *Bewältigung der Gegenwart* zu einer unmittelbaren Auseinandersetzung mit einer der faschistischen Höllen, der Vernichtung »lebensunwerten Lebens« in den Heil- und Pflegeanstalten. Der Held, Sohn eines dieser *Mörder im Arztkittel*, versucht vergeblich, die Täter zum Bewußtsein und zum Bekenntnis ihrer Schuld zu bringen; nicht einmal die gleichaltrige Irm, als Kind selbst vom tödlichen Flügelschlag des Schwarzen Schwans gestreift, will ihn verstehen, so daß er sich erschießt. Die Verbindung von *Hölle* und *Nachhölle* ist hier am bündigsten entwickelt, das Grauen der Vernichtung »lebensunwerten Lebens« erfährt eine hervorragende, metaphorisch dichte Beschreibung, getroffen ist die Mentalität der Mörder, deutlich wird die Zersetzung der Gegenwart durch die nichtbewältigte Vergangenheit. Trotzdem blieb dem Stück ein wirksamer Erfolg versagt. Das kann nicht allein damit erklärt werden, daß in der Bundesrepublik der politisch-moralische *Resonanzboden* fehlt. Der Grund ist auch darin zu suchen, daß die Fabel des Stückes *erfunden* ist, so daß renitenten wie resistenten Zuschauern die Ausrede blieb, das Gezeigte sei weder authentisch noch typisch; wenn überhaupt, betreffe es nur einen kleinen Kreis. Die Kategorie der allgemeinen Relevanz, der unvermeidlichen Betroffenheit eines jeden war nicht erreicht.

Der Fortschritt, den »Die Ermittlung« gegenüber diesen dramatischen Versuchen darstellt, besteht eben darin, daß in ihr *Vorhölle, Hölle* und *Nachhölle* des Faschismus in gleicher Weise erfaßt, auf eine der traditionellen Theaterformen gemäße Weise zur Darstellung gebracht und die Zuschauer zu einer unvermeidlichen, jeden betreffenden Auseinandersetzung herausgefordert werden. Weiss hatte in seinem Stück »Die Verfolgung und Ermordung Jean Paul Marats dargestellt durch die die Schauspielgruppe des Hospizes zu Charenton unter Anleitung des Herrn de Sade« eine *stereometrische Sicht* der Geschichte

gegeben. Um zu einer verbindlichen Aussage über die
Zeit von 1964 in der Bundesrepublik zu kommen, nämlich der, daß die Klassengegensätze trotz aller Kaschie-
rungen fortbestehen und daß es in letzter Instanz keinen
dritten Standpunkt zwischen Ausbeutern und Ausgebeu-
teten geben kann, mußte Weiss die Sicht auf das Jahr
1793, das Jahr des unvollendeten Siegs der Ausgebeute-
ten, durch die Sicht des Jahres 1808, des Jahres des scheinbar vollendeten Siegs der Ausbeuter, brechen. Diese Stereometrie der Zeit verwies zwar tief in die Geschichte,
aber sie erschloß die Gegenwart nur mittelbar. Wenn
Weiss den Auschwitz-Prozeß als künstlerischen Gegenstand wählte, so war diese Stereometrie der Zeit *vor*-
gegeben. Die aktuelle *Zeit von Frankfurt* wurde nicht
durch die *Zeit von Auschwitz* gebrochen, sondern diese
brach unmittelbar immer wieder, vom Gegenstand her,
in die andere *ein,* brach aus ihr unmittelbar, als Sache
selbst, *hervor.* Mit der *Hölle* stand die *Nachhölle* selbst
zu Gericht, im Gerichtsprozeß kam der Geschichtsprozeß
mit einer seiner teuflischen Kulminationen zur Verhandlung, der Prozeß gegen die Unmenschen konnte nur geführt werden, wenn der Prozeß der Entmenschlichung
zum Gegenstand des Verfahrens gemacht wurde, der *folgerichtig* zu Auschwitz geführt hatte. Die Verbindung von
Hölle und *Nachhölle,* die sich in den anderen Stücken
nur mehr oder weniger konstruiert herstellen ließ, er-
folgte hier auf organische, immanente wie emanente Weise. Die *Ermittlung* der Wahrheit konnte nur erfolgen,
wenn das Wesen des Faschismus *vermittelt* wurde. Die
Form dieser Ermittlung aber machte immer wieder deutlich, daß die materiellen und ideellen Grundlagen dieses
Wesens in der Bundesrepublik nicht beseitigt sind, so daß
die Gefahr besteht, dieses Wesen restauriere sich nicht nur,
sondern materialisiere sich auf eine Weise, die das Inferno
von Auschwitz letztlich an Effektivität überträfe.

Da das unmenschliche Leiden und Sterben von Millionen
Menschen in den Konzentrationslagern Ausdruck des innersten und gleichzeitig *äußersten* Wesens des Faschismus
sind, verdienen sie, als Menetekel auch durch die Kunst
ins Bewußtsein der Menschen gehoben und im Gedächtnis
der Menschheit aufbewahrt zu werden. Die Stücke, die
den Versuch einer unmittelbaren Abbildung dieser Hölle
unternahmen, beweisen, daß eine solche Darstellung die
neue Dimension des Schrecklichen nicht zu erfassen und
anschaulich zu machen vermag. Auch die mittelbaren Veranschaulichungen gespielter Art vermögen Extensität und
Intensität dieser Höllen nur bedingt auszudrücken. Wenn
die Dramatik des Theaters überhaupt eine Möglichkeit
hat, diese neue Dimension der Entartung wie der Erhebung des Menschlichen in der *Hölle von Auschwitz,* als
perfektestes Modell aller KZ-Höllen verstanden, zu erfassen und den unheimlichen Mechanismus des Massentodes begreifbar zu machen, dann bleibt auch für das
Theater als angemessenstes Medium nur *der Bericht* übrig.
Will das Theater das Wesen des Faschismus in seiner
Totalität wie Singularität vermitteln, sieht es sich fast
gezwungen, die Form seiner Anfänge auf- und anzunehmen: des antiken griechischen Theaters, wo der Protagonist berichtete, der Chor Fragen stellte und kommen-
tierte; des frühen Mittelalters, wo die Begebnisse, über
die die Heilige Schrift berichtet, erst monologisch, dann
dialogisch zum Vortrag kamen. Um ausdrücken zu können, welch Ungeheuer und welch Ungeheures der Mensch
in der *Hölle auf Erden* ist, die der Faschismus schuf, sieht
sich das Theater auf der Erscheinung nach statische, dem
Ausdruck nach epische Formen seines Beginns angewiesen,
es hört eigentlich auf, Theater im herkömmlichen Sinne
zu sein. Wenn Weiss sein Drama »Oratorium« nennt, so
ist das nicht nur folgerichtig, weil es sich um die Toten-
klage handelt, sondern weil das Oratorium einen stati-
schen, *undramatischen,* im wesentlichen aktionslosen Cha-

rakter hat. Diese Form des Berichtens ermöglicht es, sowohl das Allgemeine wie das Besondere der faschistischen *Hölle* zu erfassen und auszudrücken. Sie erlaubt eine Beschreibung des Systems, bei dem wahrhaftig *der Teufel im Detail* ebenso steckte, wie er das Ganze beherrschte. Sie ermöglicht die Bewußtmachung der »Eskalation« des Terrors bis zur physischen Vernichtung einzelner wie ganzer Gemeinschaften. Sie ermöglicht die ideelle Verallgemeinerung wie die konkrete Beschreibung der Einzelheiten. Nur sie ermöglicht die *Panoramasicht* wie den Blick auf die Besonderheiten und *die Besonderen.* Nur sie ermöglicht es, die allgemeine Charakterisierung des Lager-»Lebens« mit der Charakterisierung von einzelnen Toten und Überlebenden zu verbinden, die als besonders typisch, als repräsentativ für Verunmenschlichung oder *Übermenschlichkeit,* für Schurken- oder für Heldentum bewertet zu werden verdienen. Das Spezifische dieser Form, die Totalität und Detail der *Hölle von Auschwitz* erfaßt, liegt aber bei Weiss eben darin, daß sie organischer Ausdruck für das gewählte Medium der Veranschaulichung ist, nämlich das prozessuale Verfahren gegen die SS-Mörder in Frankfurt. Die Aussagen der Zeugen wie der Angeklagten haben notwendig die Form des Berichts, der wiederum, wie dargelegt, die letztlich einzige Form ist, um die tödlichen Schrecken und die schrecklichen Tode von Auschwitz künstlerisch gegenwärtig zu machen.

Weiss hat die Zahl von annähernd vierhundert Zeugen, die in Frankfurt Aussagen machten, auf neun, die der Angeklagten auf achtzehn reduziert. Die Wahrheitsfindung wird betrieben von einem Richter und einem Ankläger, sie wird behindert durch einen Verteidiger. Die Zeugen, von denen zwei für die Angeklagten aussagen, bleiben anonym, um auszudrücken, daß sie im KZ bestenfalls als Nummern behandelt wurden; die Angeklagten haben die Namen der Angeklagten im Prozeß, um auszudrücken, daß sie während der Zeit, die zur Verhandlung steht, ihre Namen behalten hatten. Diese Personen-Konfiguration macht bereits klar, daß es Weiss auf Konzentrierung ankam, ankommen mußte, um dem ungeheuren Komplex eine dramatische Form zu geben. Um Totalität und Systematik der Hölle begreiflich zu machen, faßte Weiss die Aussagen und Einlassungen zu Komplexen zusammen. In der Aufeinanderfolge der Gesänge wird die Stufung der Entmenschlichung bis zur Auslöschung in den Gaskammern und Krematorien ersichtlich:

Gesang von der Rampe / Gesang vom Lager / Gesang von der Schaukel / Gesang von der Möglichkeit des Überlebens / Gesang vom Ende der Lili Tofler / Gesang vom Unterscharführer Stark / Gesang von der Schwarzen Wand / Gesang vom Phenol / Gesang vom Bunkerblock / Gesang vom Zyklon B / Gesang von den Feueröfen. Sowohl Gliederung des Gesamtstoffs wie Dreiteilung des einzelnen Gesangs erfolgt scheinbar ohne zwingenden Grund, wie sie es andererseits unvermeidlich macht, daß in den unterschiedenen Gesängen zum Teil die gleichen Vorgänge geschildert werden. Aber diese Gliederung verrät bei genauerem Hinsehen ein höheres Prinzip. Sie weist auf die Rezeption der größten Dichtungen hin, in denen ein Dichter über seine Zeit zu Gericht saß, nämlich die »Divina Commedia« des Dante Alighieri, die aus drei Teilen, dem »Inferno«, dem »Purgatorio« und dem »Paradiso« zu je 33 Gesängen besteht. Weiss hat selbst in mehreren Beiträgen auf diesen inneren Zusammenhang zwischen der Form, die er für sein Auschwitz-Stück wählte, und der »Göttlichen Komödie« hingewiesen. Mit dem Auschwitz-Prozeß konfrontiert, empfand er das »Inferno« als Grundmuster für die dramatische Erfassung des zeitgenössischen *Infernos* von Auschwitz. Die *Nachmodellierung* ermöglichte Weiss nicht nur, dem Prozeß-Komplex eine übersichtliche Struktur zu geben, sondern gleichzeitig die neuen »Höllenkreise« auszuschreiten und zu kennzeichnen. Weiss gelang durch die Rezeption einer klassischen Formgebung nicht nur, einen ungeheuerlichen Stoff zu erfassen, sondern er entging durch die Rezeption auch der Gefahr, sich in der unmittelbaren Nachgestaltung des Prozesses zu verlieren. Dabei verzichtete Weiss völlig auf die Poetisierung, wie sie für Dante kennzeichnend ist. Er verknappt dokumentarische Berichte und authentische Aussagen und überträgt sie in freie Rhythmen, wobei häufig der originale Text erhalten bleibt. Gerade diese sachliche Stilisierung steigert die emotionale Wirkung, wie sie andererseits der rationalen Durchdringung, dem Verständnis des Berichteten wie des prozessualen Vorgangs dient. Lieferte der »Marat« ein Modell für *totales Theater,* so adaptierte Weiss in der »Ermittlung« ein künstlerisches Modell, um die Totalität der Tragödie von Auschwitz zu erfassen und auszudrücken. Gerade wegen dieser Rezeption und Adaption eines klassischen künstlerischen Modells gehört »Die Ermittlung« zu den wirklich avantgardistischen Versuchen, für große, weltbedeutende Thematik eine große, die Welt deutende Form zu finden.

Weiss blieben Zweifel nicht erspart, ob er nicht dadurch, daß er die *Hölle auf Erden* zum Gegenstand der Kunst mache, sich selbst schuldig mache, indem er sich mit der Darstellung selber freispreche und sich außerhalb der Schuld begebe. Eine Rechtfertigung fand Weiss schließlich in der Absicht, durch die Darstellung zum Bewußtsein, durch dieses zur Veränderung der Gesellschaft beizutragen:

> »Dante suchte nach dem Sinnvollen. Für uns ist das Sinnvolle die Ergründung jedes Zustands und die darauf folgende Weiterbewegung, die zu einer Veränderung des Zustands führt.«

Das ist eine radikale Hinwendung zur Diesseitigkeit; die Vernunft, nicht die Religion, ist der Richtstrahl, und nur im Handeln, nur in der Veränderung der bestehenden gesellschaftlichen Verhältnisse kann der heutige Dante Genugtuung und Rechtfertigung finden:

> »Damals tat Dante, was in seiner Macht stand. Er vermittelt mir sein Suchen nach der Wahrheit. Auf dieser Suche ist er unermüdlich. 650 Jahre später würde er auch dazu kommen, daß es keinen himmlischen Lohn für einmal Erlittenes gibt, und daß die Anlässe des Leidens hier, zeitlebens, beseitigt werden müssen. Er würde eindeutig aussprechen, daß die Untäter überall zwischen uns am Werk sind und hier, zeitlebens, bekämpft werden müssen.«

Die völlige Antimetaphysik, zu der sich Weiss bekennt, die gänzliche *Verweltlichung* seines Denkens läßt ihn auch zu einer Umwertung der Danteschen, im Grunde der christlichen Vorstellungen von den Orten des Unheils und des Heils kommen. Da er das Paradies, den Ort, der für die Auserwählten, die Verfolgten, Gepeinigten, Unterdrückten bestimmt ist, nicht im Jenseitigen finden kann, muß er es als »konkrete Gegend unserer Welt« suchen, wie Weiss sagt, und auf der Suche danach stößt er auf Orte wie Auschwitz, wo diese Menschen zusammengetrieben und vernichtet wurden. Hölle und Paradies sind also zu gewissen Zeiten identisch. Was sich scheinbar als bloßes Mittel der *Poetisierung,* als Wiederverwendung eines Modells zur Bewältigung eines tragischen Komplexes der Geschichte ausnimmt, erhält durch diese *Ideologisierung* eine tiefere politische Bedeutung. Das Begreifen der Hölle ist die Voraussetzung dafür, daß die Menschen einen Zustand zu schaffen vermögen, in dem sie Menschen sein können – und dieser Zustand ist die einzig mögliche Form eines *Paradieses auf Erden.*

Dieses Begreifen setzt aber nicht nur die Schilderung der *Hölle,* sondern eine Erklärung ihrer Ursachen voraus. In der Suche nach diesen Ursachen wurde die Auseinandersetzung mit dem Auschwitz-Prozeß für Weiss zu einer

Selbstverständigung über die Grundlagen der heutigen menschlichen Gesellschaft. Beim Studium der Dokumentationen über das KZ Auschwitz stieß Weiss auf die Beweise, daß SS und Industrie, voran die Konzerne IG-Farben, Krupp, Siemens, in Auschwitz eine besonders ins Auge springende »verschworene Gemeinschaft« zur Ausbeutung der Menschen bis zu ihrer physischen Vernichtung eingegangen waren, ein Aspekt, der sich für ihn schließlich als Schlüssel für das ganze KZ-System enthüllen sollte. Einem Zeugen der »Ermittlung« legt er diese Erkenntnis in den Mund:

»Wir müssen die erhabene Haltung fallenlassen / daß uns diese Lagerwelt unverständlich ist / Wir kannten alle die Gesellschaft / aus der das Regime hervorgegangen war / das solche Lager erzeugen konnte / Die Ordnung die hier galt / war uns in ihrer Anlage vertraut / deshalb konnten wir uns auch noch zurechtfinden / in ihrer letzten Konsequenz / in der der Ausbeutende in bisher unbekanntem Grad / seine Herrschaft entwickeln durfte / und der Ausgebeutete / noch sein eigenes Knochenmehl / liefern mußte.«

Auch andere bürgerliche Autoren, die sich mit der KZ-Thematik auseinandersetzten, von den hier erwähnten Dramatikern z. B. Hochhuth und Honold, haben diese Verflechtung von Ausbeutung und Vernichtung der Menschen registriert und dokumentiert.

Aber nur Weiss schritt von der *Er*kenntnis der Tödlichkeit des Kapitalismus und Imperialismus zum *Be*kenntnis für den Sozialismus weiter. Aus den Sequenzen des Unheils zog er zu eben der Zeit, als er sie künstlerisch zu erfassen versuchte, die Konsequenzen für sein eigenes Verhalten. Er distanzierte sich von der Haltung eines »dritten Standpunktes«, den er noch im »Marat« eingenommen hatte. In den »10 Arbeitspunkten eines Autors in der geteilten Welt«, die er vor der Aufführung des Oratoriums veröffentlichte, bekannte er:

> »Zwischen den beiden Wahlmöglichkeiten, die mir
> heute bleiben, sehe ich nur in der sozialistischen
> Gesellschaftsordnung die Möglichkeit zur Beseiti-
> gung der bestehenden Mißverhältnisse in der
> Welt.«

Gerade *Die Ermittlung* sollte zu einer Parteinahme in
diesem konkreten Sinne werden. Weiss erläuterte:

> »Das Stück entbehrt nicht der aktuellen Spreng-
> kraft. Ein Großteil davon behandelt die Rolle der
> deutschen Großindustrie bei der Judenausrottung.
> Ich will den Kapitalismus brandmarken, der sich
> sogar als Kundschaft für Gaskammern hergibt.«

Weiss begnügte sich daher auch nicht damit, die Be-
teiligung der deutschen Konzerne an dem Verbrechen
von Auschwitz detailliert zu schildern, sondern zeigte,
wie die Verantwortlichen von damals entweder wieder
verantwortliche Posten in den westdeutschen Monopolen
innehaben oder von diesen materiell ausgehalten werden. Aber auch damit gab er sich nicht zufrieden, sondern
ließ den Ankläger die Verfolgung der Blutlinie der Ausbeutung mit der Feststellung schließen:

> »Lassen Sie es uns noch einmal bedenken: daß die
> Nachfolger dieser Konzerne heute / zu glanzvollen
> Abschlüssen kommen / und daß sie sich wie es
> heißt / in einer neuen Expansionsphase befinden.«

Tatsächlich ist das »Oratorium« erst durch diese offene
Parteinahme aus dem Ästhetikum zu einem Politikum
geworden.

Durch diese Politisierung wurde die bloße moralische
Entrüstung über Auschwitz historisch-konkret *gestellt*;
die leicht einnehmbare Distanzierung von den belangten
Mördern und ihren Untertanen zur Stellungnahme vorangetrieben, ob nicht das System, nicht bloß »seine Männer«, historisch belangt werden müßten; das bloße Einverständnis mit einer Klage über die Opfer nicht nur zum
Einverständnis mit der Anklage gebracht, sondern zum

Einverständnis mit der Sache des Sozialismus fortgeführt, der den Kapitalismus, die Grundlage des Faschismus, aus der Welt schafft. Deshalb die »Warnungen« der Sprachrohre des Monopolkapitals vor einer Aufführung, deshalb deren leidenschaftliche Reaktionen gegen die Aufführungen.

Ein bürgerlicher »Schreiber im Dienst« klagte darüber, mit der »Ermittlung« geschehe dem Theater »Gewalt«, weil »blutige Dokumente die Darstellung« verträten, so daß »das Gewissen falsch aufgeführt und falsch beschwichtigt« werde.

Weiss wird also »Theater der Grausamkeit« vorgehalten, das gemeinhin bei der bürgerlichen Kritik als Bemühen des dramatischen Avantgardismus durchaus für interessant befunden wird.

Tatsächlich hebt aber eben *Die Ermittlung* das alte und neue »Theater der Grausamkeit« auf.

Die Darstellung, nicht bloß die Schilderung blutigster Greuel, wie sie in der geschichtlichen Wirklichkeit vorgefunden, wie sie von der Phantasie der Dramatiker erfunden wurden, galt im siebzehnten und im achtzehnten Jahrhundert auf der deutschen Bühne durchaus als schicklich. Greuel aller Art sind nach Scaliger, Opitz, Heinsius erklärter Gegenstand der Tragödie. In den Haupt- und Staatsaktionen, in den Stücken der Schlesischen Schule wurden sie expressis verbis et gestibus dargestellt. In Auschwitz aber wurden diese Greuel Wirklichkeit. Wenn der Nachfahre der barocken Greueldramatiker, Gerstenberg, den Tod des Verhungerns auf die Bühne brachte, den der unmenschliche Ruggieri über den Grafen Ugolino und seine Söhne verhing, so beschrieb der polnische Zeuge Kral im Auschwitz-Prozeß, wie Kurt Paschala aus Breslau im Stehbunker von Auschwitz den gleichen Tod erlitt. In der »Ermittlung« berichtet der Zeuge 8 über diesen gräßlichen fünfzehntägigen Hungertod. Hierin kommt

schon ein entscheidender Unterschied zum Ausdruck.
Weiss unternimmt überhaupt nicht den Versuch, die
realen Greuel »realistisch« auf der Bühne darzustellen,
während es das Bestreben der Barockdramatiker und
ihrer Nachfahren wie Gerstenberg gerade war, den
äußersten Grad an Echtheit in der Abbildung solcher
Greuel zu erzielen. Weiss geht keineswegs auf die Auslösung von Affekten aus, weder in der Form des wollüsti-
gen Grausens (des Sadismus) noch der grauen-vollen Rüh-
rung, sondern auf sachliche Konfrontation mit und gleich-
zeitige Distanzierung von dem Nicht-mehr-für-möglich-
Gehaltenen, dem Rückfall in die Barbarei in der ersten
Hälfte des zwanzigsten Jahrhunderts im »zivilisierten«,
»kultivierten« Europa. Wenn er das Wesen der *Hölle auf
Erden* erfassen und ausdrücken will, kann er die Greuel
nicht aussparen, er muß beim Namen nennen, wozu die
Menschen fähig, er muß stellvertretend *einen* Namen nennen für die vielen Unbekannten, die das gleiche unge-
heuerliche Schicksal erlitten. Wenn Benennung und Bena-
mung unzweifelhaft starke Gefühlswerte auslösen, so erfolgen sie doch nicht, um bloßes Mitleid auszulösen, sondern um Bewußtsein zu affizieren. Die alten Dramatiker
des Grauens ließen ihre Schauerstücke häufig mit einer
Vertröstung auf Lohn und Rache im Jenseits, auf Himmel und Hölle ausklingen. Die »Endlösung« schließt jede
irgendwie beschaffene »Erlösung« aus. Weiss hat für die
Hölle auf Erden keine »Sühne« anzubieten außer dem
Appell an die praktische Vernunft, zu verhindern, daß
sich diese Greuel wiederholen.

Das macht auch den wesentlichen Unterschied zum modernen »Theater der Grausamkeit« aus, wie es mehr
theoretisch als praktisch von Antonin Artaud kreiert
wurde, in jüngster Zeit von Peter Brook und dem »Living
Theatre« realisiert wird.

Im Grunde ging es Artaud um eine neue zeitgenössische Form der Katharsis, eine Reinigung von den be-

wußten und unbewußten Verkehrungen der modernen
Gesellschaft. Deshalb seine Auffassung:

>Wenn das Theater wieder eine Notwendigkeit werden
soll, muß es uns all das geben, was Verbrechen, Liebe,
Krieg und Wahnsinn enthalten...« Aber das Theater
sollte nicht ein »Ort der Bewußtwerdung«, sondern ein
»Ort der Spontaneität« sein, wo schockierende Affekte
ausgelöst werden. Das Theater sollte abstoßend wirken
wie die Pest:

>Wenn das Theater wie die Pest ist, so nicht, weil
es ansteckend ist, sondern weil es, wie die Pest, eine
Enthüllung, ein Vorstoß, die Eruption eines Grun-
des von verborgener Grausamkeit ist, durch die
sich in einem Individuum oder in einem Volk alle
möglichen Perversionen des Geistes festsetzen.«

Zur »Eruption« hielt er eine »Poesie im Raum« für
nötig, um »materielle Bilder zu schaffen, die denen der
Worte gleichwertig« sein sollen, »Hieroglyphen in drei
Dimensionen«.

Um den entsprechenden Schock zu erzielen, strebte er
Kombinationen von gegensätzlichen Dingen und Begriffen zu einer surrealen Orgie an, die sich bühnenmäßig
kaum verwirklichen ließen. Aber Auschwitz »vernichtete«
auch seine krankhaften Phantasien, indem es sie »ver-
sachlichte«. Was ist schon Artauds Regieanweisung zu
dem surrealistischen Sketch *Le Jet de Sang:*

>In diesem Augenblick kommen Unmengen von
Skorpionen unter dem Rock der Amme hervor,
wimmeln in ihrem Geschlechtsteil, welches an-
schwillt und zerbirst, glasig wird und das Licht
wie eine Sonne reflektiert«

mehr als unwirkliche Phantasie gegen die Wirklichkeit
der medizinischen Versuche an Frauen zur »besten« Methode der Sterilisierung und künstlichen Befruchtung,
wie sie »Professor« Clauberg und andere Mörder im
Arztkittel in Auschwitz vornahmen? Gegenüber der

»sachlichen« Schilderung, die die Zeugin 4 in der *Ermittlung* gibt, ist Artauds »Theater der Grausamkeit« nichts weiter als »Theater«. Um diese Realität zu bezeugen, gibt es in Wahrheit nur noch das dokumentarische Foto; für ihre Gestaltung gibt es nur noch den Bericht. Das »Theater der Grausamkeit« wurde von der Wirklichkeit überspielt. Das wirkliche »Theater der Grausamkeit« kann nur noch episch »aufgehoben« werden.

Das Besondere der Aufhebung in der »Ermittlung« besteht darin, daß es Überlebende dieser Versuche sind, die darüber berichten, so daß sich die »äußerste« Sachlichkeit der Schilderung »äußerster« Unmenschlichkeit mit dem »äußersten« Maß menschlicher, nämlich subjektiver Betroffenheit verbindet.

Wenn Artaud in seinem »Theater der Grausamkeit« die Perversionen der Wirklichkeit auf surreale Weise anschaulich machen wollte, so unternehmen die Inspiratoren und Regisseure des »Living Theatre«, Julian Beck und Judith Malina, im Geiste Artauds den Versuch, die surreale Wirklichkeit zur Anschauung zu bringen. Dabei »theatralisieren« sie auch das bislang Unvorstellbare, alle Höllenvisionen der Vergangenheit Übertreffende, nämlich den »Tod in der Gaskammer«. Sie gehen dabei von der Überlegung aus, daß Auschwitz unmittelbar nicht nachgestaltbar ist, sondern nacherlebbar gemacht werden muß. Als Medium dienen der Truppe des »Living Theatre« nach dem Vorbild Artauds Gebärde und Sprache. Mit der Methode der Autosuggestion, wie sie Stanislawski für die Schauspieltechnik nutzbar machte, versetzen sich die Spieler in »bewußte Trance« und setzen die dokumentarisch beschriebenen Phasen der Wirkung der Vergasung auf Physis und Psyche in ekstatische Bewegungen um. Die darstellerische Aktion schlägt in Hysterie um, die sich auf das Publikum zu übertragen pflegt. Der klassische Totentanz erfährt hier einen neuen Ausdruck. Äußerste Stilisierung und äußerster Naturalismus gehen eine Symbiose ein. Wenn diese Darstellung des äußersten Grauens imstande ist, Furcht und Schrecken zu verbreiten und äußerste Affekte bei den Zuschauern auszulösen, so besteht ihre Schwäche darin, daß sie keinerlei Einsicht in die Ursachen vermittelt. Die bewußte Erregung wird nicht zum erregenden Bewußtsein vorangetrieben, daß es sich bei den abgebildeten Vorgängen zwar um ein Verhängnis handelt, aber um ein von Menschen über Menschen verhängtes, beruhend auf, hervorgehend aus einer bestimmten veränderbaren Art des Zusammenlebens.

Auch Weiss gibt den Vorgang der physischen Vernichtung in den Gaskammern und in den Krematorien von Auschwitz einschließlich der Leichenfledderung mit äußerster Genauigkeit wieder, auch er vermittelt den objektiven Schrecken, zugleich aber vermittelt er erkenntnismäßige Zusammenhänge, er hebt die *Ansicht* in der *Einsicht* auf. In der »Ermittlung« wird, um auf die angeführte Befürchtung des »Schreibers im Dienst« zurückzukommen, das Gewissen durchaus richtig aufgerührt, darüber hinaus aber das Wissen angerührt. Das Aussprechen der grausamen Wirklichkeit wird aufgehoben im Aussprechen der Wahrheit über die Ursachen und die Fortwirkungen bis in unsere Tage. »Die Ermittlung« ist intentionell gegen die irrationalistische Verschleierung des Schreckens gerichtet, wie sie für das alte und neue »Theater der Grausamkeit« kennzeichnend. Wenn sie »grausam« ist, dann deshalb, weil sie dem Unvorstellbaren, Unbegreiflichen, Unfaßbaren fortwährend den »rationalen Stachel« einsetzt, der Auschwitz als Produkt eines bestimmten Gesellschaftssystems, eben des kapitalistischen, erkennbar macht.

Das absurde Theater beansprucht, die von den Menschen gemeinhin empfundene, nicht aber zum Bewußtsein gekommene Widersprüchlichkeit der Wirklichkeit, die sich zum Paradoxen und Absurden steigert, transparent zu machen; die existentialistische Variante ist bemüht, Widersinnigkeit und Unsinnigkeit von Leben und Tod zu verdeutlichen. In doppeltem Sinne wird die Unmöglichkeit des Menschseins an- und ausgedeutet: Einmal in der Aussage, daß die Menschen »unmöglich« zueinander sind, zum anderen in der Aussage, daß sie keine Möglichkeit, zueinander zu kommen, finden, aber trotzdem auf untrennbare Weise miteinander verbunden sind. Mittel zur Veranschaulichung der Wider- und Unsinnigkeit sind häufig Verzerrung bis zum Grotesken, Reduzierungen des Typischen auf das Mechanisch-Marionettenhafte, Parabolisierungen und Hyperbolisierungen.

Die von den Absurden empfundenen Paradoxa und Absurditäten der Wirklichkeit wurden durch Auschwitz neudimensioniert, sie realisierten sich in der *Hölle auf Erden* auf unheimliche Weise. »Einwaggoniertes Menschenmaterial«. Aufschriften: »Es gibt einen Weg zur Freiheit: Gehorsam, Fleiß . . .« über dem Vernichtungslager, das einen einzigen Ausweg kennen sollte: »Abgang durch den Kamin«. Plakate mit der Warnung: »Eine Laus – dein Tod«, im Lager der »Töter vom Dienst«. Die Mörder als liebende Gatten und Familienväter. Ärzte, dem Leben verpflichtet, als tötende Experimentatoren. Apotheker als Giftmischer. Zahnärzte als Goldräuber. »Lebendfrisches Material« aus den Leichen der Exekutierten. Kondolenzbriefe der Mordbuben an die Hinterbliebenen der Opfer. Kinder, die den SS-Schindern ihre Ärmchen zeigen, um zu beweisen, daß sie schwere Arbeit verrichten können. Blühende Obstbäume und gepflegte Blumenbeete auf dem Weg zu den Gaskammern. Die Möglichkeit, zu überleben, die Möglichkeit, Widerstand zu leisten, nur durch direkte oder indirekte Zusammenarbeit mit den Mördern. Der Weihnachtsbaum neben dem Galgen. Gesang in der Hölle. Die »Volks-

wohlfahrt« als Nutznießer der Kleider der Vergasten.
Die Registratur des Massenmords als »Standesamt«.
Pflege und Genesung von »Todeskandidaten«, um sie,
wiederhergestellt, zu exekutieren oder zu vergasen. Und
in der *Nachhölle*: Genickschußspezialisten als Lehrer der
Jugend. »Sei schön durch Capesius« als Kosmetikwer-
bung. Der Schlächter Kaduk als Krankenpfleger. Die
Mörder als Patrioten und »echte Antikommunisten« ...
Wahrhaftig, das Paradoxe wurde zur Absurdität der
Wirklichkeit. Was die »Väter der Absurden« auf burlesk-
groteske Weise ausgedrückt hatten, wurde blutigste Wirklichkeit. Das »Hier sticht man maschinell« aus dem
»Ubu Roi« von Alfred Jarry liest sich nach den »Ab-
spritzungen« eines Klehr (der »runde Zahlen« liebte) anders als vor der Jahrhundertwende. Die Allegorie »Die
Revolution der Tiere« (die die Ausrottung der Menschen
und die Wiederherstellung des Animalischen beschließen,
dabei aber die technisch-zivilisatorischen Fortschritte erhalten sehen wollen) in Ivan Golls »Methusalem« wurde
aus einem »Traum« in Auschwitz bestialische Wirklichkeit. Wenn später Arthur Adamov in einem absurden
Stück konstatierte: »Was man auch macht, man wird vernichtet«, so traf er damit das System von Auschwitz.
Arrabals Charakterisierung der Opfer im »Labyrinth«,
daß auch sie böse sind oder werden, stellt nur eine ver-
kürzte Aussage über die systematische Verunmenschlichung aller von diesem System Betroffenen dar. Und
wenn Arrabal in »Guernica« die beiden Liebenden über
ihre Liebe reden und reden läßt, bis die Wände über
ihnen zusammenbrechen, um auszudrücken, daß die Opfer
gar nicht begriffen, wie und was ihnen geschah, so konnte
das in noch stärkerem Maße als inszenatorische Para-
phrase auf das betrachtet werden, was in Auschwitz
Hunderttausenden, Millionen geschah.

Nur eben: Die Metapher ist nicht die Wirklichkeit,
und diese Wirklichkeit hat alle Metaphern »realisiert«,

damit im Prinzip aufgehoben und entwertet. Das Kind, das von einem Häftling unter einem Berg von Leichen entdeckt wird und das sagt, es könne nur dort, nicht unter den Menschen leben, übertrifft alle »erfundenen« Veranschaulichungen für die Paradoxie und Absurdität dieser Wirklichkeit. Und eben diese Wirklichkeit hat auch das Verfahren, durch schockierende Figuren Anomalien der verschiedenen Gesellschaftsschichten und -klassen deutlich zu machen, radikal in Frage gestellt. Die »Ubuisierung« ist ein Verfahren, mit dem dem geschichtsnotorischen Phänomen des Un-Menschen nicht mehr ernsthaft beizukommen ist. Die Heiligsprechung der Verbrecher und Asozialen, die Jean Genêt betrieben hat, stellt eine folgenlose Ästhetisierung dar. Das Problem, mit dem die Kunst fertig zu werden hat, besteht darin, daß die Un-Menschen durchaus »normale« Menschen waren und sind. Jede Überhöhung entzieht sie der Beurteilung und Verurteilung. Das Problem ist nicht, aus dem »Intellektuellen« Stark einen Teufel zu machen, sondern zu zeigen, daß Stark sich für Goethe und dessen Humanität begeistern und zur selben Zeit Frauen und Kinder »liquidieren« kann. Die absurde Logik dieser »Töter vom Dienst« kann zwar ins Bild gebracht werden, aber dem Verständnis erschließt sie sich nur, wenn sie analytisch durchdrungen wird. Dazu ist Beschreibung und Konklusion nötig, die wiederum nicht getroffen werden kann, ohne daß das Subjektive in Bezug gesetzt wird zu den bestimmenden gesellschaftlichen Faktoren. Wenn die Absurdität, die die Absurden spüren und spürbar machen wollen, durch die Wirklichkeit von Auschwitz wahrhaftig zum Aberwitz wurde, dann gibt es keine künstlerische Hyperbolisierung mehr, die diese Wirklichkeit übertreffen und anschaulich machen könnte. Es bleiben zur Bewußtmachung dieser Absurdität nur der dokumentarische Bericht und das Zeigen von Haltungen, die direkt aus dem Erlebnis der Hölle resultieren. Wenn Weiss die Mutter

eines dieser »normalen« Teufel von Auschwitz ihren Unglauben an die massenhafte Vernichtung von Menschen
damit begründen läßt: »Menschen brennen doch nicht,
weil Fleisch nicht brennen kann«, so wird in dieser völlig
»konventionellen«, gängigen Logik der unheimliche Verfall des Menschlichen ungleich stärker spürbar und erkennbar als in wort- und bilderreichen »Aufblähungen«
symbolischer Figuren. Tatsächlich ist eine »Verfremdung«,
die nicht diese »Normalität« zum Bewußtsein kommen
läßt, folgenlos und unverbindlich. Dieser Normalität des
Unmenschlichen kann immer weniger durch Verzerrung,
durch Transponierung und Verwandlung beigekommen
werden, sondern nur noch dadurch, daß sie »als sie selber
und nichts weiter« dargestellt und begriffen wird. Darum
ist das Verfahren von Weiss, der unübertroffenen objektiven Absurdität von Auschwitz durch Beschreibung, der
Paradoxie der bestehenden bürgerlichen Gesellschaft in
Westdeutschland durch die bloße Vorführung von Haltungen und die Wiedergabe von authentischen Äußerungen beizukommen, ungleich produktiver und erhellender
als die meisten Umschreibungen und Transpositionen.

Auschwitz hat auch das ewige Gerede der existentialistischen Richtung des absurden Theaters über Sinnwidrigkeit des Lebens und Sinnlosigkeit des Todes ad
absurdum geführt. »Wirklich« wurde diese Sinnlosigkeit
des Todes erst durch Auschwitz, die nichtbegriffene Auslöschung von Millionen Menschen, »wirklich« deshalb,
weil es sich im Gegensatz zum normalen, kreatürlichen
Tod um einen vermeidbaren Tod gehandelt hat. Und
wirklich sinnwidrig ist dieses unser Leben, wenn wir
diese Sinnlosigkeit nicht begreifen und dem Massentod in
neuer, noch totalerer Gestalt ebenso gelähmt entgegensehen, wie es Millionen Menschen in Auschwitz nichtsahnend, und wenn ahnend, so jedenfalls zu spät zum
Handeln, getan haben. Die absurd-existentialistischen
Meditationen über die Unvermeidlichkeit des Todes wir

ken destruktiv angesichts des Todes in der Form der Atombombe, der auf der gleichen gesellschaftlichen Basis wie der Tod von Auschwitz Gestalt angenommen hat. Diese »Logik« artikuliert zu haben, ist eines der Verdienste der »Ermittlung«. Gerade mit seiner Bestimmung, der Tod von Millionen Menschen in Auschwitz sei sinnlos gewesen, negiert Weiss die »Wollust zum Tode«, hebt er die Absurdität dieses Todes von Auschwitz in doppeltem Sinne auf: er bewahrt die Schrecklichkeit und das Umfassende dieses Todes im Gedächtnis, wie er andererseits und gleichzeitig dem Faschismus als dem »Nährboden des Todes« tödliche Feindschaft ansagt. Hierin, in der Bemühung, über die bloße emotionale Betroffenheit, die Erregung, zur Aktivierung eines den Massentod bannenden Bewußtseins und Handelns fortzuschreiten, liegt die Bedeutung der »Ermittlung«.

Um mit der *Nachhölle* fertig zu werden und der Schaffung eines *Paradieses auf Erden* wenigstens so weit vorzuarbeiten, daß die Menschheit sich nicht selbst ausrottet, sondern am Leben bleibt, ist die »Besichtigung der Hölle« nötig. Eine Ablehnung, Auschwitz zum Gegenstand der Kunst zu machen, läuft nur darauf hinaus, sich zu weigern, unsere Epoche zu begreifen und auf eines der möglichen Mittel zu verzichten, die Menschen zum Bewußtsein des Ausmaßes ihrer bisherigen »Verdammungen« und der ihr drohenden »Verdammnis« kommen zu lassen. Entscheidend ist jedoch, daß die Höllenfahrt nicht in der bloßen Verurteilung stehenbleibt, sondern zu Urteil und Handeln befähigt. Eben in dieser Vermittlung liegt das Bleibende der »Ermittlung«. Daß damit auch das Theater aufhört, im alten Sinne »Theater« zu sein, ist eine Konsequenz, die sich aus der Beschaffenheit der objektiven geschichtlichen Tragödie ergibt, die es im Gedächtnis der Menschen aufzubewahren trachtet.

(1965)

SIEGFRIED LENZ

GEPÄCKERLEICHTERUNG MIT 70

Über Ernst Jünger »Werke in zehn Bänden«

> Partielle Blindheit gehört jedoch zum Plan.
> *Ernst Jünger* (letztes Vorwort zu
> *›Der Arbeiter‹, 1963*)

Nun ist der *capitano* selbst an eine Zeitmauer geraten; sein kosmischer Spähtrupp hat ein (vorläufiges) Ende gefunden; der alte Patrouillengänger gewährt sich selbst Gepäckerleichterung und legt die schon veredelte Beute nieder, die in sehr subtilen Grabenkämpfen der Erkenntnis gewonnen wurde.

Ernst Jünger ist am 29. März 1965 70 Jahre alt geworden, und rechtzeitig zu seinem Geburtstag erscheint der zehnte und letzte Band der Gesamtausgabe seiner Werke, all die blitzenden Orakel, die herrischen Einsichten in Leben und Tod, die Gleichnisse aus Rauchglas sind in einer bedachtsamen editorischen Leistung zu einem literarischen Monument vereinigt, dessen ungerührte Exklusivität immer noch frösteln, dessen stilisierte Einsamkeit abermals nachdenklich macht.

Mit ›Heliopolis‹, diesem epischen Kurierbericht aus einer marmornen Stadt, ist ein zehnbändiges Unternehmen abgeschlossen, das den Autor Ernst Jünger nicht weniger als zehn Jahre in Anspruch nahm. Das große Planspiel ist also vorüber. Man fühlt sich zur Lagebesprechung angehalten.

Und heute, nach der Wiederlektüre eines Werks, in dem mittlere Lagen, mittlere Konflikte und Leiden keinen Platz haben, nach der Wiederbegegnung mit diesem hochalpinen, vereisten Monument in Prosa möchte man sich doch fragen, wieviel Verlaß noch auf Ernst Jünger ist, wie weit man mit ihm noch rechnen kann nach den schmerzhaften Lektionen, die uns die Geschichte erteilte. Wie, so fragt man sich, glückte dem »vom Geist getriebenen Krieger« der Rückzug zum Waldgänger? Und zu welchem Preis, wenn überhaupt, wandelte sich der hochdekorierte, narbenbedeckte Landsknecht des Ersten Weltkriegs, der einen absoluten Sinn für die »Farbensymphonien der Materialschlacht« bewies, zum fragenden Einzelgänger, der über Sanduhr, Linie und Schleife meditiert?

Unermeßlich und vertrackt ist doch der Weg von ›In Stahlgewittern‹ (1920) und ›Der Kampf als inneres Erlebnis‹ (1922) bis zu ›Am Sarazenenturm‹ (1955) und ›An der Zeitmauer‹ (1959); daher ist wohl die vergröberte Neugierde entschuldigt, die herausfinden möchte, bis zu welchem Maß man Ernst Jünger selbst immer noch Ernst Jünger vorwerfen kann. Es ist doch denkbar, daß der große Zauberer auf dem Grunde seines Huts einen Tausch vorgenommen, daß er den nationalen Knallfrosch durch das weiße Kaninchen des Humanismus ersetzt hat.

Wie ihn die Legende pflegt und eine unbewegliche Erinnerung, das ist ja leicht – und leider zu leicht – gesagt: Der Jünger der zwanziger und dreißiger Jahre kann gar nicht verstanden werden ohne seine Verherrlichungen des Krieges und ohne die, sagen wir, ›bräutliche‹ Todeshaltung, ohne einen dünkelhaften Nationalismus und das feudale Frostblumen-Ideal seiner Ästhetik. Der Jünger von ehedem, der anspruchsvolle Stoßtruppführer, der Diagnostiker in ›salamandrischer Ruhe‹, der in Typen dachte und sich von Typen etwas versprach, der Zeitdenker, der sich mit durchsehendem Auge über eine disparate Welt beugte wie über ein Herbarium – er ist längst bestimmt und bezeichnet, ist längst von der Literaturkritik, wenn auch unterschiedlich, aufbereitet.

Jedenfalls, ein Bildnis anzufertigen vom frühen Jünger,
das geht schon; da sitzt er eindeutig Porträt und verwirrt
nicht den Stift durch vieldeutige Regungen. Und wenn
es heißt: der frühe Jünger, so meint man aus Gewohnheit
den ›prekären‹ Jünger, den Autor von ›*Feuer und Blut*‹
und ›*Die totale Mobilmachung*‹, den gelassenen Verächter
ziviler Niederungen, dessen Äußerungen oft anmuten, als
habe sich ein norddeutscher Mystiker am Regimentsaus-
hang erklärt.

Aber gerade das ›Prekäre‹ an Jünger führte ihm damals
ja auch besondere Anhänger zu, bestimmte ihre Zahl und
Qualität – Anhänger, die allerdings die gleiche Zurechtweisung durch die Geschichte erfuhren wie ihr Idol. Hat
Ernst Jünger selbst diese Zurechtweisung empfunden? Sah
er sich zu Korrekturen genötigt? Drängte es ihn womöglich, den prekären jungen Autor selbst akzeptabler zu
machen mit Retuschen, die die Altersmilde eingab?

Daß der zeitgenössische Ernst Jünger eine andere Position einnimmt als der frühe, das zeigt sich im Denken,
zeigt sich aber auch in einer Bemerkung seines ehemaligen
Sekretärs Armin Mohler: »Der Mann, der – mit Recht –
auf seinen Pour le mérite immer so stolz war, nahm den
unkriegerischsten aller Orden, das Bundesverdienstkreuz,
an. Der Mann, der sich sein Leben lang von allem Literaturbetrieb ferngehalten hatte, nahm plötzlich zwei
Literaturpreise an, und zwar nicht einmal ›große‹.«

Auch wenn er selbst sein Werk als Einheit verstanden
wissen möchte: wir müssen heute mit einem anderen Ernst
Jünger rechnen, müssen die Wandlung zu einer mitunter
stoischen Gemütslage feststellen, zu hochempfindlichem
Einzelgängertum, wir müssen vor allem den Suchenden
bemerken anstatt den hochmütigen Bescheidwisser, der
sich für einen irrtumslosen Seismographen hielt.

Wie aber dieser siebzigjährige Ernst Jünger über den
früheren Ernst Jünger denkt, das zeigt sich unwillkürlich
an der Art, wie der eine den anderen bei Gelegenheit der

Gesamtausgabe durchsieht, redigiert, bearbeitet und kommentiert.

In einem Nachwort *Auf eigenen Spuren* (im jetzt erschienenen letzten Band) rechtfertigt der Autor seine Bearbeitung, verteidigt Streichungen und Veränderungen und stellt fest: »In der Jugend neigt der Mensch zu Überheblichkeiten, in der Mitte des Lebens zu Banalitäten, im Alter zu Wiederholungen. Es ist gut, wenn er diese Mängel beim Blick auf das Ganze seines Werkes bemerkt.«

Sind es tatsächlich nur diese Mängel, die er beseitigen will?

Vergleicht man, beispielsweise, die erste und die letzte Fassung der *Strahlungen* miteinander, so stellt man zunächst fest, daß Namen ausgelassen oder geändert wurden, daß Ortsbezeichnungen wegfielen, Gespräche verkürzt wurden – das mag hingehen. Nicht frei von Staunen ist man indes bei der Entdeckung, daß der Autor beinahe methodisch dasjenige verknappte oder eliminierte, was doch das *Jüngersche* an diesem Kriegstagebuch zu einem Teil ausmachte: nämlich in einer leidenden Welt über Orchideen, Landschaften, Kochkunst zu sprechen, inmitten unerhörter Bedrängnisse mit der Ätherflasche loszuziehen, die Stimmung der Schilfwälder zu genießen oder über den Reiz zerstreuter Blütenblätter unter großen Vasen zu meditieren.

Diese Wahrnehmungen von exquisiter Schönheit, die uns herausforderten durch ihre Gleichzeitigkeit mit exquisitem Grauen, sind offensichtlich reduziert, ich möchte sagen: in ihrer provokanten Eigenschaft gemildert. Was dem frühen Jünger soviel galt, der ältere scheint Anstoß daran genommen zu haben, empfindet jedenfalls den Wunsch zur Revision des Tagebuchs.

Worauf dabei verzichtet wird, was verlorengeht, zeigt ein beliebiges Beispiel: unter dem 18. Juni 1943 heißt es in der Erstausgabe der *Strahlungen*:

»Gegen neun Uhr Ankunft in Paris. Schlief dort zu-

nächst zwei Stunden in meiner kleinen Boîte im Raphael,
die auch ein wenig vom Fuchsbau hat. Sodann mit Neu-
haus, Humm und dem Präsidenten im Coq Hardi. Dort
ließ ich mir vom Präsidenten über das Schicksal des Gefangenen berichten, das dunkel ist.«

Die gleiche Stelle in der vom Autor durchgearbeiteten
Gesamtausgabe liest sich nun so:

»Gegen neun Uhr Ankunft in Paris. Ich ließ mir sogleich vom Präsidenten über das Schicksal des Gefangenen
berichten, das dunkel ist.«

Ich halte solch eine Veränderung, und besonders in einem Tagebuch, durchaus nicht für eine Kleinigkeit, und
für einen Vorteil, wie er Jünger doch vorgeschwebt hat,
schon gar nicht. Der außerordentliche Unterschied beider
Fassungen wird sofort evident, wenn man zwischen Ankunft und Erkundigung nach dem Gefangenen Zeit ver-
streichen, eine Begegnung an einem bezeichneten Ort stattfinden, mit einem Wort: das Schicksal wirtschaften läßt.
Zwei Stunden Schlaf, Gespräche und mutmaßlicher Um-
trunk kommen jedenfalls in der letzten Fassung nicht vor,
und vielleicht wäre das für einen Tschechow gerade der
Angelpunkt des Dramas.

Aber manches kommt in der letzten Fassung nicht vor,
womit der Autor in der ersten einverstanden war, etwa
die scharfsinnige Selbstanalyse, die unter dem 18. Juli
1943 notiert wurde: »Meine moralische Schwäche könnte
mir ein solches Abweichen durchaus als wünschenswert erscheinen lassen, ich könnte dem Verrate willensmäßig
zustimmen, allein es würde mir die Ausführung unmöglich sein. Ich gebe zu, daß mein Charakter nicht genügen
würde, dem Dienste und der Bestechung durch falsche
Mächte zu widerstehen – allein mein Wesen widersteht.«

Was der Hauptmann Jünger im besetzten Paris von
sich bekannte – der altersweise Waldgänger widerspricht
ihm nicht einmal, sondern macht das erregende Bekenntnis ungeschehen, indem er es wegläßt. Sollte Jünger mög-

licherweise hier und da Jünger beanstanden, zurecht-
weisen, mißbilligen?

Zumindest empfindet er ihn als revisionsbedürftig,
selbst da, wo es um die Entlehnung eines für ihn so wichtigen Schlüsselbegriffs wie »Desinvoltura« geht. Ein Vergleich der beiden Fassungen von ›Heliopolis‹ macht das
nicht nur deutlich, sondern läßt außerdem erkennen, was
Jünger an Jünger entbehrlich scheint.

In der ersten Fassung hieß es:

»Dies eine ist Desinvoltura — so nennt man eine Art
der höheren Natur, wie sie den freien Menschen ziert,
der zwanglos sich in dem Kostüm bewegt, das ihm von
Gott verliehen ist. Desinvoltura wird gewonnen an den
Höfen der Fürsten, in ihrem stolzen und edelen Gefolge
und in der freien Rede, die sich in ihrem Rat erhebt. Du
findest sie dort bei den Spielen, den Tournieren, den Jagden, den Banketten und im Feldlager, wo sie den Waffen
ritterlichen Glanz verleiht.«

Dagegen heißt es nun in der Gesamtausgabe:

»Désinvolture ist eine Art der höheren Natur — zwang-
lose Bewegung des freien Menschen im angeborenen Ge-
wand. Du findest sie bei Spielen, Turnieren, Jagden, bei
Banketten und im Feldlager, wo sie den Waffen Glanz
verleiht.«

Die soziale Stratosphäre, das feudale Panorama, der
ganze Kodex ritterlichen Waffenganges, in dem Ernst
Jünger so bewandert ist — sie erweisen sich heute als entbehrlich. Sie taugen wohl nicht mehr als bestimmendes
Signalement, wie so vieles in schwarzen Trümmern da-
hintreibt, was einst einen Maßstab lieferte.

In jeder Revision, glaube ich, schlummert ein Richter-
spruch, und zwar objektiver und subjektiver Art; da gibt
es wohl keinen Zweifel, in welcher Gestalt hier der alte
Autor dem jüngeren begegnet, dessen Namen er trägt.
Und nicht nur hier: mit Ausnahme von ›Das abenteuerliche Herz‹ und ›Der Arbeiter‹, die unverändert in die

Gesamtausgabe aufgenommen wurden, finden wir oft einen besorgten Autor bei der Durchsicht seines Werks, einen durchaus nicht milden Korrektor, der wohl spürt, wie weit er sich von sich selbst entfernt hat.

Man kann das auch Wandlung nennen. Wer lange lebt, kann vieles überleben – mitunter auch sich selbst, und ist da nicht der Wunsch verständlich, die Brechungen zu mildern, die Irrtümer zu beseitigen, die eigene Person rückschauend neu zu definieren? Aufgehoben die schöpferische Teilnahmslosigkeit, vergessen die alten anspruchsvollen Verschwörungen, die seismographische Starre überwunden und den exklusiven Herrensinn beschädigt: wer möchte da nicht von Veränderungen sprechen?

Der nun in seiner abgeschlossenen Gesamtausgabe gefangene Schriftsteller, allein mit seinem Lied, das von keiner Jugend mehr aufgenommen wird, allein auf subtiler Jagd nach dem Absoluten, das uns nicht schert – Ernst Jünger, gebeugt über sein rissiges Selbstbildnis, wird siebzig Jahre alt. Ich weiß kein anderes Geschenk als das, worum er wohl selbst einmal bat, als er sich zu den Wenigen rechnete: Widerspruch. Er verdient ihn.

(1965)

ANSELMS EINHORN – WALSERS RAUSCH

Zu Martin Walser: *Das Einhorn.*

Fluor, so versichern die Chemiker, ist ein nicht frei vorkommendes gelbgrünes Gas. Martin Walsers Genie – und wer gutgesetzte Worte achtet, wird Walser Formuliergenie zugestehen – kommt gleichfalls nicht frei vor. Immer, so wohl in den Dramen, wie auch in den beiden Romanen »Ehen in Philippsburg« und »Halbzeit« (am wenigsten in den Essays) scheint Walsers Bestes gebunden an Begleitumstände, die selbst stumpfe Leser irritieren. Es ist ärgerlich leicht, gegen Walser zu argumentieren. Man spürt das Fluor in den Walser-Büchern und tadelt die Verbindungen, in denen es erscheint. Bei Walser wird unentwegt Brillanz bestätigt und dann aufs Nächste gehofft.

Daß Walser die Einwände, die sich gegen sein »Einhorn« nahegelegen, in seinem Proust-Essay formulierte und dort in Vorzüge umdeutete (»schön, der Erzähler Proust verliebt sich in drei Frauen auf diesen fünftausend Seiten, er verreist zweimal oder dreimal ... aber das ist noch nicht einmal die Spur einer Handlung«. Und es lasse sich da auch kein »sinnträchtiges oder bedeutungsepisches Nacheinander« entdecken), macht die Sache nicht besser. Doch lohnt es überhaupt, Walser entgegenzuhalten, was er selber weiß? Hat es Sinn, ihn rechthaberisch, demütig und »besorgt« zu bitten, das nächste Mal seine Figuren nicht in schöner Sprache ertrinken zu lassen, die Proportionen ordentlicher herzustellen? Soll man ihm nahelegen, nicht so strömend zu formulieren wie Bluter bluten, auf daß Ordnungskrusten entstehen, Gewichte sich ergeben, Menschen erkennbar auf dem Wortmeer herumschwimmen und Lesesympathien möglich werden?

Nein, das hat keinen Sinn. Dieser Martin Walser bedarf anscheinend der Enthemmtheit, um sich auf die epische Spur zu kommen, des unreinen Rauschs, um zu entdecken. Was an Arzneien überhaupt verfügbar war, um die Bluterkrankheit einerseits zu heilen und andererseits zu motivieren, ist ja alles klug und wirkungslos und selbstkritisch eingebaut, vom Leitmotiv über die formale Klammer bis zur gescheitunüberzeugenden Theoretisiererei betreffs Sprache und Grammatik und Nicht-Gegenwart in täuschender Erinnerung. Aber das Bedürfnis jeder Walserischen Sprachgebärde, in Rage zu kommen, ironisch und selbstironisch und anspielungsreich und originell und linienuntreu und manchmal einsam treffsicher und manchmal ein ordinärer Kalauer und manchmal irrwitzig zu sein, blieb bestehen. Darum scheint die Formel vom »geglückten Walser-Roman« einstweilen eine contradictiv in adjecto, ein Widerspruch in sich selbst.

Was da alles nebeneinander herläuft! Zunächst geht die epische Eigenständigkeit, der Wunsch, Welt herzustellen, so weit, daß von den »Ehen in Philippsburg« über die »Halbzeit« bis hin zu diesem »Einhorn« einige Rand- und Hauptfiguren erhalten blieben, weil unter Walsers Direktion zunächst kaum gestorben wird, wohl aber geliebt und geboren, was jedoch beileibe nicht als Zeichen von Optimismus auszulegen ist. Diese Verschränkung der epischen Tafelrunde des Königs Martin aber wirkt eher wie eine Schutzmaßnahme, wie eine Übermalung des hier oft eindeutigen Porträt- wenn nicht Essaycharakters. Adorno wird genannt, Lumumba ermordet. Das muß Uwe Johnson, dies könnte unser lieber S. sein, und trägt nicht jene Dame die Züge von der schönen Soundso? Freilich sind es immer nur Einzelzüge, von Wortmassen versteinert, erdrückt. Fiktionswesen, deren Namen oft das

Charakteristischste sind, was sie an sich haben, sagen Walser-Sätze und halten sich über die Romane hin fest aneinander, damit die keck benutzte Realität nicht als Kolportagebombe die Walsersche Wortwelt sprengt.

Natürlich gibt es Unterschiede. Während etwa die erosfrohe Schweizerin Melanie doch nur wie ein lustiger Einfall wirkt (es ist komisch, Sinnliches ausgerechnet in Schwyzerdeutsch zu lesen, von dem — Vorurteil hin oder her — der Reichsdeutsche alles andere erwarten möchte), taucht die liebe Düsseldorfer Barbara, mit der Anselm sich in eine eher anstrengende Affäre einläßt, recht amüsant aus der Brillanzflut auf. Walser hat ihr eine ziemlich genau durchgehaltene Sprachgestik geschenkt. Barbaras reicher, wenn auch ungeschiedener Freund ist »Berliner, Kaiserreichsadel, Bankier, hat in Brüssel in die Branche geheiratet, Privatbank, nicht gerade Lambert, aber immerhin, war lose protestantisch, jetzt irre katholisch, kann sich natürlich nicht scheiden lassen, aber Bibisch kränkelt«. So plappert das ganz einleuchtend dahin, heult los, hält auf, errät Weglaufgedanken. Anselm, dem die Liebe nicht leicht wird, hat hier die größte Distanz, die prächtigste Ironie. Später, wenn es eigentlich ernst sein müßte, bei Orli — dann wird nur der Jäger fühlbar (nämlich Anselm), aber die Gejagte bleibt hold-großes Phantom. Und die Gattin hat sich doch nur in Richtung Schweigsamkeit verändert: Sie ist nicht ganz mehr dieselbe wie in »Halbzeit«, auch nicht erkennbar neu, obschon aus Alissa von damals Birga von heute wurde: Warten wir ab, wie wir sie wiederfinden im nächsten Roman, für den sie den Vornamen Anna noch in petto hat.

Der Roman hat das Handikap, ein Schriftstellerroman zu sein, also das Schreiben und das Intellektuellendasein notwendig wichtig zu nehmen und dann erst der Distanz auszusetzen. Wie in Max Frischs weit härter durchkonstruiertem Gantenbein-Buch regiert oft die Möglichkeitsform. Anselm Kristlein, der einst Werbetexter war, wegen

eines aufsehenerregenden ersten Romans nun die Autoren-
existenz auf sich genommen hat, blickt vom Erschöp-
fungsbett zurück auf einige Monate, die ihn höchstbe-
greiflicherweise niederstreckten. Seite 7 bis 21 befindet er
sich auf der Flucht in die Krankheit. Seite 21 bis 67 wird
Vorgeschichte nachgeholt: der Umzug von Stuttgart in die
Münchner Marsstraße und die etwas forcierte Schilderung
eines Münchner Festes, auf dem die meisten Hauptakteure
keineswegs unvergeßlich erscheinen. Dann folgt wieder
ein bißchen gegenwärtige Lagebesprechung. Darauf, bis
Seite 95, kommt die Sache in Gang: Eine sehr anspruchsvolle, in Liebesdingen denkbar freien Anschauungen hul-
digende Schweizerin verlangt von Anselm (erstens ihn
selbst und zweitens) einen Sachroman über die »Liebe«.
Anselm schreibt ihr dafür auf, was er erlebt; wir lesen
aber auch, was er der Dame lieber doch nicht mitteilt und
denken mit Anselm nach, was eigentlich alles zu diesem
Roman gehört und was doch nicht formulierbar sein mag.
Zunächst ist da eine Schilderung der Schriftstellerexistenz
(bis Seite 102), dann drängt eine Vortragsreise sich vor,
mit stellenweise brillant geschilderten Liebes- oder Leibes-
episoden. Ab Seite 200 beginnen die bewußten Wiederholungen. Also noch einmal Liebe mit der Auftraggeberin,
noch einmal Fest, aber diesmal am Bodensee bei Bloomich.
Rosa-Episode. Erst ab Seite 349 kommt die Leidenschaft
ins Spiel. Sie heißt Orli und will erobert sein. Das ist nun
ganz etwas Neues in diesem Roman. Anselm, zur Arbeit
am Bodensee, tut sein Bestes und hat Erfolg. Freilich nicht
bei der Schweizerin Melanie-Moumoutte, die sich lieber
an aller Prüderie entronnene junge amerikanische Eros-
autoren hält und sogar die monatlichen Zahlungen einstellt, wohl aber bei jener großen und doch nie ganz sichtbar werdenden Orli, die glücklicherweise schließlich verschwindet, während Anselms Gedächtnis seinem Leib die
Verlorene nicht wiederzugeben vermag (für diesen Leib
zählt nur Gegenwart, natürlich versagt die Sprache, weil

ihre Vergangenheitsformen eben etwas anderes im Sinn haben, als Gegenwart, nichts als Gegenwart zu geben). Allmählich verliert sich also die Verlorene zum zweitenmal. Im letzten Satz überlagern sich geliebte Gattin und Geliebte Orli: Aus Birga und Orli werden Birli und Orga. Anselm aber liegt in München zu Bett und versucht, Vergangenes zu schreiben, ohne daß die »Zufälle vom Bedeutungsschimmel befallen werden. Am liebsten wären sie mir: naturrein, ohne Bedeutung. Mir genügte es, ihnen entströmte, aufgehängt, beim Trocknen, ein Hauch Notwendigkeit. Besonders bei Tag und bei Nacht«.

Wie ist beispielsweise dieser letzte Satz des Anfangskapitels zu lesen: »Besonders bei Tag und bei Nacht«? Ist das eine ironische Umschreibung für das dünnere »Immer«? Oder ein Witz wie »Von der Wiege bis zur Bahre sind die schönsten Lebensjahre«, oder ein auf Originalität zielendes Ausschwingen einer allzu starken Formulier-Energie, der man nicht pedantisch wortklaubend kommen darf? Mit dieser Frage könnte man, ich weiß, ich weiß, zwischen Odysseus und »Ulysses« jedes große Werk der Weltliteratur unzählige Male belästigen. Nein, doch wohl nicht unzählige Male. Homer schläft manchmal, Joyce kümmert sich nicht um Wahrscheinlichkeiten. Was bei Walser (und diese Nachbarschaft ist nicht als Qualitätsnachbarschaft zu nehmen) ratlos macht, ist die Verselbständigung des Sprachflusses. Das ist oft nicht mehr er, nicht mehr der Erzähler. Der autonome Sprachfluß drängt das Ich beiseite. Vielleicht gibt es keinen Autor, und darin läge eine Erklärung für unser Fluor-Rätsel, der einem solchen Sprachfluß gewachsen sein könnte, der so viel zu erreichen und dennoch die Beherrschung zu behalten vermöchte. Jetzt sieht man erst, was das Konstruktionstalent von Grass eigentlich wert ist.

Während Walser in seiner Sprache sich verstrickt, fördert er freilich mehr Prosa-Virtuosität zu Tage als jeder andere. Sein Wortschatz ist atemberaubend, für jeden

Schreibenden ein Gegenstand des Neides, Anlaß zu reiner
Resignation. Aber er schreibt auch Schweizerdeutsch, das
man laut lesen muß, mittelhochdeutsch, ein paar Fremd-
sprachen; mischt, fabuliert, wird vollends unverständlich,
erbarmt sich wieder. Er übertreibt mit dem Bewußtsein
zu übertreiben, weil es eine geheime Übereinkunft zwischen dem Autor und dem Lesenden gibt, daß schöne,
phantasievolle Übertreibung erlaubt sei. Man fragt nicht:
Stimmt das auch, wenn ein Walser die Tatsache, daß jemand erschöpfungskrank zu Bette liegt, dahingehend ausbeutet, daß der Leser den Betreffenden als »verschwitzten
Klaustrophilen« nehmen wird. Zu solchem Spiel macht
man hilflos gute Miene. Und wie herrlich wird's dann,
wenn wir einer kunstvoll Zigarettenrauch von sich ge-
benden Schönen zuschauen, und wenn ein einziger Satz
sowohl eine blöde Floskel, als auch Bildung als auch die
Selbst-Ironie sinnloser Bildung, als auch den Hinweis, daß
der Betreffende natürlich an was anderes gedacht hat, enthält. »Diesen türkisfarbenen Rauch blies die Dame in
zwei auseinanderströmenden Bahnen aus. Solche schein-
werferhaft solide Bahnen dürfen sonst nur aus den Nüstern mythologischer Pferde strahlen. Und erst weit
draußen über ihren Knien lösten sich die zwei Rauch-
bahnen in Wirbel auf. Es entstanden aber nicht für kleinen Beifall ein paar flach schwebende Kringel, sondern
zwei wirbelnde Wolken.« Jetzt aber kommt der Satz:
»Ich darf sagen, Anselm hat sofort an Laplace gedacht.«
Herrlichkeiten dieser Art sind ein paar hundert aus diesem Einhorn zu zitieren. Endlich auch löst sich ein Autor
aus der Umklammerung durch den Duden, unterwirft die
Kommasetzung, die Groß- und Kleinschreibung, die
Grammatik dem Gesetz des Ausdrucks ohne jeden
Krampf (während ja die strikte Befolgung regelmäßig in
Krampf auszuarten pflegt). Daß da manchmal ein biß-
chen reaktionär argumentiert, ein bißchen gehässig fixiert,
ein bißchen »gewagt« assoziiert wird, nimmt man in Kauf.

Aber die große Richtung ist Walser im Rausch der Worte nicht etwa *naturrein, ohne Bedeutung* geraten, sondern als Dämonologie. Der gleiche Autor, der distanziert von den »Übergrößen« der klassischen Tragödie schrieb, stellt lauter Übergrößen her. Ich kann die Notwendigkeit, die gezielte Übertreibung in der Gestalt des ungemein schlauen, rasend selbstbewußten, Parties in Vernichtungsschlachten mit Ohnmacht und Blut verwandelnden Komponisten namens Nacke Dominik Bruut nicht erkennen. Solche tausendfach potenzierten Wagners, die den Papst Unanständiges singen lassen, laufen hier und heute nicht mal andeutungsweise herum, eher verhemmte Akkordarbeiter, die sich mit Dirigenten und Intendanten gutstellen. Und was es da sonst noch so alles gibt: Masochistenkoffer, besinnungslos verliebte Diskutanten, herrlich echte Feindseligkeiten: das hat alles anscheinend nur die Freude am dramatischen Formulieren mit sich gebracht, das ist manchmal überzogen wie die Wunschträume des einsamen, jahrzehntelang hinter Gefängnismauern verbannten de Sade, klingt mehr nach dem Zeitalter der Borgia als nach 1960 ff.

Anselms christlich-abendländische Hemmungen ersparen dem Leser wenig. Der blamiert sich witzig, sagt manchmal mehr als »alles« und hat ebenso viele herrliche Worte über gleißendes Wachsein und Menschenbetten, in denen es den Unparteiischen nicht gibt, wie über brutal animalische Vorgänge, die Walsers potentielle Feinde jetzt nach Lust und Laune zitieren können. Ein paar Kristlein-Besessenheiten entschädigen das lesende Deutschland für unseren Mangel an *four letter words.* Daß dieser sich sanft im Wege stehende und darum so sympathische Taugenichts einerseits die hier als »Veranstaltung zur Zerknirschung, Skrupelzüchtung und Gewissensüberschärfung, Selbstbeschimpfung und Entmutigung«, wie sagt man doch: *denunzierten* Diskussionen mit spielendem Hohn glänzend erledigt, andererseits aber treuherzig über seinen Mangel an Diskutierzitaten klagt, weshalb er immer so drauflosquatschen müsse, macht immerhin einige der zahlreichen hier vorgeführten Anselme unwahrscheinlich. Kann Charakterisierung tatsächlich durch fortlaufende, stets neu ansetzende Beschreibung ersetzt werden?

Martin Walser hat also sein Einhorn nicht zähmen können. Das ist ein herbes Fazit, freundschaftsgefährdend und vielleicht von Askese angekränkelt. Zu diesem Fazit gehört freilich auch, daß mich, den Lesenden, seit langem nichts so beschäftigt hat wie Walsers Buch, und daß ich, fasziniert von solchem Mißlingen, auf den nächsten Roman aus Friedrichshafen warte, weil Niederlagen eines mit solchen Waffen ausgestatteten Streiters tausendmal aufregender sind als vernünftige Siege von rechts oder links.

(1966)

Reinhard Baumgart

DEUTSCHE GESELLSCHAFT IN
DEUTSCHEN ROMANEN

In den großen Romanen des 19. Jahrhunderts schließt sich um den Lesenden sehr bald und dicht ein Geflecht gesellschaftlicher Beziehungen. Gewöhnlich folgt er einem einzelnen quer, aufwärts und abwärts durch dieses Geflecht, er heiße Heinrich Lee, Julien Sorel oder Tschitschikow. Seine Bewegungen beachten gewissenhaft soziale Spielregeln, um so ängstlicher und höhnischer, wenn er ein Emporkömmling ist. Werden die Spielregeln verletzt, schlägt die Gesellschaft zurück. Indem sie den einzelnen ausstößt, ob Madame Bovary oder Effi Briest, ob Raskolnikow oder Julien Sorel, schließt sie selbst sich wieder, demonstriert ihre Grenzen und die Gesetze, die sie zusammenhalten.

Auch das Erzählen solcher Konflikte kennt seine Spielregeln. So undurchdringlich, so »dämonisch« es auch seine Helden halten mag, deren Lage in der Gesellschaft und damit diese selbst bleiben deutlich und definiert. Schon in den ersten Sätzen gibt der Roman oft seine Spielregeln aus, denn es genügen dafür wenige Daten. Die Beschreibung einer Hausfassade, eines Gehrocks, einer Kalesche, der Titel Baron, eine Geldsumme oder Sprechgewohnheit, das alles kann uns gleich auf der ersten Seite unmißverständlich bedeuten, wo wir sind, vor allem: wie weit oben oder unten in dieser Ordnung. Mit der sozialen Höhenlage ist auch das soziale Gefälle schon mitgegeben und das Terrain vorbereitet für eine aufwärts oder abwärts sich bewegende Handlung.

Die Absicht dieser alten Expositionen ist offenbar, dem Leser den Raum des Romans sofort wohnlich zu machen. Er wird erinnert an Elemente der eigenen sozialen Erfahrung und Umwelt. Schließlich weiß er, was ein Stabskapitän ist, durch welche Viertel die Rue St. Honoré läuft oder daß die Hoffnungen eines ledigen Fräuleins mit nur siebentausend Pfund Vermögen gering sind.

Was uns heute befremdet, ist der Ton der Selbstverständlichkeit, mit dem solche Romananfänge soziale Spielregeln als gegeben hinnehmen. Da die Sprache Konventionen wie etwas Naturgegebenes ausspricht, sozusagen aufsagt, scheint sie auch uns konventionell. Ein Stabskapitän ist für sie ein Stabskapitän, siebentausend Pfund sagen etwas über die Person, die sie besitzt. Diese Sprache vertraut darauf, daß sie keine imaginierte oder schüttere oder gar undeutliche Welt erzählerisch aufbaut, sondern die wirkliche, festgefügte Welt selbst.

Das nächste Jahrhundert, unser eigenes, setzt ein mit Romanen, aus denen sich ein solches Einverständnis zwischen Sprache und Welt, also auch dem Erzähler und der erzählten Gesellschaft nicht mehr ablesen läßt. Bei Henry James und Proust, von Virginia Woolf und Kafka bis hin zum Nouveau Roman treibt die Undeutlichkeit menschlicher Beziehungen die Prosa in ein unendliches Zögern. Während früher eine einzige Konversation schon die ganze Gesellschaft andeuten konnte, zerfällt das Panorama nun in enge, trotzdem verdunkelte Bereiche, oder es läuft, bei Döblin, Céline und Dos Passos, nur noch wie Film vor uns ab, zerschnitten in unzählige Orts- und Zeitelemente, aufgesprengt und springend. Mit wilden, oft ohnmächtigen Expansionen sucht das Erzählen also der Gesellschaft nachzuwachsen, oder es vergräbt sich, blind fürs schon unübersehbare Ganze, in Kleinstsituationen. Die kleinste, fast gesellschaftslose Situation wäre der Monolog, in dem das Werk Becketts seinen letzten Halt findet.

Ein solcher Überblick behauptet in wenigen Sätzen na-

türlich zu viel und kann nur als Skizze und Hintergrund
gelten. Denn vor diesem Hintergrund gesehen, scheinen
deutsche Romane von heute den Werken der Urgroßväter
ähnlicher als denen von Joyce oder Proust oder auch dem
»Anti-Roman« zeitgenössischer Franzosen. Selten kämpft
im Deutschen die erzählende Sprache mit ihrer drohenden
Erblindung. Alte Traditionen haben sich gerade bei repräsentativen Autoren wie Böll, Grass und Johnson entweder
erhalten oder regeneriert. Handlung, als die epische Auslegung eines Konfliktes, als Austausch von Aktionen und
Reaktionen zwischen Individuum und Gesellschaft, funktioniert in ihren Büchern offenbar noch genauso wie in
Rot und Schwarz.

Von diesen drei Erzählern lassen sich gediegene Fäden
zurück in die Tradition spinnen, und schon meldet gerade
konservative Kritik mit Befriedigung diesen Wiederge-
winn oder diese Behauptung angeblich verlorener Positionen. Gern wird dann, wenn von Günter Grass die Rede
ist, dessen »Vitalität« gefeiert wie ein Elixier, das jeden
Scheintoten, also auch den fabulierten Roman, zu neuem
Leben erweckt. Wieder oder noch immer erzählen zu können, das wäre dann also keine Frage der historischen
Stunde und ihrer Objekte, sondern schlichtweg eine Frage
der Kraft des Erzählers. Die Theorie, historisch beschlagen, versucht solche biologischen Ausflüchte zu belächeln.

Fragt sich nur: lassen sich diese drei Autoren, lassen sich
Böll, Grass und Johnson überhaupt miteinander vergleichen? In allen drei Werkgruppen sind immerhin gemeinsame Qualitäten zu entdecken, Qualitäten offenbar, die
auch das Publikum mit seinem Interesse quittiert. Dieser
großzügig verallgemeinerte und deshalb gemeinsame
Nenner wäre so zu beschreiben:

Erstens: ihre Romane entfalten zeitgenössische Gesellschaftsbilder, genau wie der repräsentative englische,
französische und russische Roman des 19. Jahrhunderts.
Das sichert diesen Werken ein breites gesellschaftliches In-

teresse, das etwa der Nouveau Roman mit seinen stilisierten Kleinsituationen schon aus stofflichen Gründen nie erreicht. Hier ist jeder Leser noch unmittelbar mitgemeint, und wenn er sich selbst nicht wiedererkennt, so doch ihm geläufige soziale Situationen, denn –

zweitens –: die Schreibweise ist vertraut realistisch. Zeitgenössische Realitäten, vor allem Milieus, werden treu imitiert. Immer wird also angespielt auf eine Wirklichkeit, die draußen vor den Werken steht. Sie soll vertraut gehalten, nicht fremd gemacht werden. Am deutlichsten gelingen diese realistischen Zeitbilder bei Böll, dem Ältesten der drei, unsicher erscheinen sie bei Johnson, dem Jüngsten. Die Breitenwirkung nimmt, natürlich, in etwa der gleichen Reihenfolge ab. Realistisches Erzählen läßt sich am besten konsumieren, weil realistisches Lesen, geschult im Vergleich zwischen erzählter und erlebter Realität, am längsten eingeübt ist. Und schließlich –

drittens –: das Interesse dieser drei Erzähler an der zeitgenössischen Gesellschaft ist kritisch. Erzählend wird gegen die vorgefundene Verfassung der Gesellschaft protestiert. Solche Bücher können also auch politisch, störend oder bestätigend, unmittelbar eingreifen in das Leben des Lesenden. Sie reizen ihn zu Reaktionen.

Das wären drei gemeinsame Kennzeichen, allgemein genug, um etwa auch die Resonanz, die breit empfundene Aktualität dieser Romane erklären zu helfen, die Resonanz und Aktualität eines gesellschaftskritischen Realismus. Und doch sind die hier angebotenen Formeln noch zu weit, denn sie ließen sich auch auf andere gesellschaftskritische Erzähler, auf Andersch etwa, auf Koeppen oder Walser anwenden.

Eine vierte Qualität nämlich bleibt nachzutragen, die merkwürdigste. Die breiten Gesellschaftsbilder, die Böll, Johnson und Grass entwerfen, wie breit sind sie eigentlich? Was an Gesellschaft zeigt sich, was wird ausgelassen? Denn unmöglich könnte ein Roman auffangen, was die

Soziologie mit ihren viel energischer abstrahierenden Beschreibungen heute nicht mehr mit einem Zugriff fassen kann: die gesamte zeitgenössische Gesellschaft des Landes.

Was diese Autoren auslassen oder vernachlässigen, läßt sich zunächst leichter beim Namen nennen all das, was sie zeigen und betonen. Wenig technische und zivilisatorische Aktualität wird hier eingelassen. Schon aus der ersten Oberfläche, aus den Kulissen der Romane läßt sich dieses Defizit herauslesen. Da nehmen kaum eine Hotel- oder Fabrikhalle, nie ein Flugzeug, selten ein Appartementhaus, kaum je ein Auto an der Handlung teil. Man mag das, zunächst, für eine bloße Frage der Dekoration halten. Doch scheint es weder zufällig noch belanglos, wenn in diesen Büchern enge Wohnstube oder unangerührte Natur, das altgewohnte Strandbad, die Stammkneipe und der Hinterhof die bevorzugten Schauplätze abgeben, wenn Vorstadt oder Kleinstadt eher Modell stellen als die City, nie jedenfalls die im Netz der Fluglinien schon klein gewordene Welt.

Solche Hintergründe nämlich signalisieren unmißverständlich das Stamm-Milieu dieser Romane: eine kleine, noch wenig bewegte Welt mit engem Gesichtskreis. Sogenannte kleine Leute bevölkern sie, sozial meist in einer stillen Mittellage zwischen oben und unten postiert, Kleinbürgertum aus Kölner Vororten und kleinen Rheinstädten bei Böll, die Vorortshändler in der Blechtrommel oder Johnsons Angestellte und letzte selbständige Handwerker. Was heute vor unsern Augen stattfindet: die immer schärfere Rationalisierung des Lebens durch Technik mit allen Begleiterscheinungen, der gesellschaftlichen Mobilität, der Einebnung der Unterschiede zwischen den Provinzen, dem zum Konsum gereizten, durch Konsum betäubten Bewußtsein, dem Absterben der alten bürgerlichen Moral –, das alles ist in diesen Erzählberichten weitgehend ausgespart. Die unteren, die noch immer proletarischen, wenn auch nicht pauperisierten, genau wie die oberen, die noch immer bürgerlich wirtschaftenden Schichten nehmen an diesen Prozessen in aller Breite teil. Das Kleinbürgertum allerdings, wie es die Szene dieser Romane beherrscht, lebt noch immer wie resistent im Windschatten dieser Veränderungen.

Zugegeben, dieser erste Befund ist fast fahrlässig vereinfacht. Er verschweigt, wie sehr aktuelle Arbeitswelt und Technik vom Rande her schon in Johnsons erste Romane eindringt, und daß in *Zwei Ansichten* schließlich Maschinenspielzeuge, zwei Sportwagen, die Handlung mittragen und sogar mitentscheiden. Übersehen wurde, daß eine mindestens in ihrer Illusion sozial freischwebende Artisten-Bohème, daß Bildhauer, Musiker, Schauspieler die Romane von Grass als Handelnde und Erzählende vorantreiben. Der Befund unterschlägt auch, daß selbst Heinrich Bölls zwei letzte Romane vorgeben, in bürgerlichen, ja großbürgerlichen Schichten zu spielen. Dort oben nämlich, das muß sich auch Böll aufgedrängt haben, wird zehn Jahre nach der Währungsreform drastischer über die Verfassung von Gegenwart und Zukunft entschieden als in den windstillen kleinbürgerlichen Miseren unserer Gesellschaft. Doch so richtig diese Einsicht war, so merkwürdig folgenlos blieb sie vor allem in den *Ansichten eines Clowns*. Protagonist Hans Schnier, so wird beteuert, stammt aus einer rheinischen Großindustriellen-Familie, und nicht weit unter Krupp, Thyssen oder Reusch haben wir deren Status zu vermuten. Doch auch Schnier, der entsprungene Millionärssohn, sieht das Bürgertum mit jenem intelligenten Ressentiment, das immer den Blick von sozial Unten verrät. Was ihm als Gegenentwurf vorschwebt, ist tatsächlich gut kleinbürgerliche Standesmoral. Noch immer gilt, wie in allen Büchern Bölls, vorbildlich das Bekenntnis zu Genügsamkeit und Behagen im Kleinen, das handgreiflich bescheidene Glück, der Spatz in der Hand. Der Aufstieg in höhere Schichten, der Blick auf ihre Lage will hier nichts Neues hergeben, er bestätigt nur die kleinbürgerliche Perspektive auf die Welt, ihre so sympathische wie ohnmächtige Moralität.

Warum diese drei Erzähler sich immer wieder Kleinbürgern an die Fersen heften, das könnte eine konventionelle Literatursoziologie leicht und leichtfertig erklären: alle drei stammen ja offenbar aus dem Milieu, das sie beschreiben. Doch weder Herkunft noch – eine andere landläufige Vermutung der Literatursoziologie – Publikumsinteresse können einen Autor bevormunden in der Wahl seiner Sujets. Andere zeitgenössische Erzähler verlassen auch heute bewußt und energisch die Bannmeile der kleinen Welt, ganz gleich, in welche Schichten sie selbst hineingeboren wurden. Martin Walser etwa, »obwohl« doch aufgewachsen im Kleinstadtmilieu am Bodensee, hat in der *Halbzeit* alles dokumentiert, was Böll, Grass und Johnson entweder auslassen oder an den Rand verweisen. Bis zum Zerreißen fast spannt sich da das soziale Panorama, die gegenwärtige Arbeits- und Konsumgesellschaft, nicht mehr bloß von außen und unten beäugt, sondern im Zick-Zack durchlaufen von ihrem atemlosen Mitspieler selbst, Anselm Kristlein. »Mimikry« heißt das erste Kapitel des Romans und bleibt sein Stichwort, das heißt im aktuellen Jargon der amerikanischen Soziologie: die Prozesse der Mobilität und der Anpassung sind Thema. Ohnmächtig steht das alte, wohnlichere Milieu, Kristleins Familie, neben der kälteren, funktionalen Außenwelt. Kristlein selbst wiederum wird so umgetrieben und konditioniert, daß er sich als Figur kaum noch rundet. Er ist nur Repräsentant und Sprachrohr der Prozesse, eher ihre Allegorie als Held und Individuum, »Charakter« im Sinne der alten Ästhetik.

Ein ähnlicher Zug zum Allegorisieren setzt sich offenbar überall durch, wo Romane nicht mehr an einem eng definierten Milieu haften, wo sie die Provinz hinter sich lassen, also auch bei Koeppen und Andersch, auch in den Romanen Frischs. Dessen Ingenieur und homo faber etwa, genau wie Koeppens Bonner Politiker oder eben der Vertreter und Werbemann der *Halbzeit* –, sie alle stellen nur noch Verhaltens- und Eigenschaftsmodelle, erreichen als Charaktere nicht mehr jene Dichte, die im Empirischen gesicherte und also anheimelnde Vertrautheit wie die besten Figuren Bölls oder Johnsons. Solche Unterschiede wären als Unterschiede des schriftstellerischen Vermögens so leicht wie unbefriedigend zu erklären. Das ist durchaus üblich: nicht zufällig hat die Kritik Johnsons ersten Protagonisten aus der neuen westdeutschen Gesellschaft, den B. in *Zwei Ansichten,* als undeutliche, nicht geschlossene Figur beschrieben und dann als mißlungen denunziert. Ob aber nicht vielmehr die jeweils verschiedene, engere oder weitere Perspektive, die entweder noch in einer spezifischen Provinz und einem kleinen Milieu eingenisteten oder aber sozial und auch geographisch beweglicheren Handlungen und Figuren ganz von selbst andere epische Verfahren hervornötigen? Wenn Walser und Koeppen einen breiteren und heute repräsentativeren Ausschnitt Gesellschaft erzählen, sind sie dabei nicht auf Widerstände gestoßen, denen sich Böll vor allem, aber auch Grass und teilweise Johnson noch entzogen haben?

Oder, vom andern Ende her gefragt: welche Art des Erzählens kommt im kleinbürgerlichen Gesichtskreis zum Zuge? Vorteile, die das klein gehaltene, kleinbürgerliche Milieu dem Erzähler liefert, springen gleich ins Auge. Hier ist die Bühne noch eng, ein Guckkasten, wie das Spielfeld im Roman des 19. Jahrhunderts. Auch die Spielregeln lassen sich noch fassen, denn das Kleinbürgertum übt ja, wenn auch verkümmert und dürftig, die bürgerlichen Konventionen immer noch. Wie unter der Glasglocke steht das kleine Leben, und die Kälte der Industriegesellschaft dringt noch wenig, kaum deformierend in die menschlichen Beziehungen ein. Noch ist der Gesichtskreis behaglich, reicht über den Familien- und Nachbarschaftsbereich kaum hinaus. Im Schrebergarten oder beim Kaffeeklatsch begegnen sich die Personen wie heruntergekommene Buddenbrooks, jedenfalls gesellschaftlich fast unvermittelt, und also erzählbar wie die Teilnehmer an einem Souper des 19. Jahrhunderts. Man ist unter sich, im Mief oder in der Intimität, abgeschirmter jedenfalls als ein Handelsvertreter oder Lohnproletarier, dessen Leben tagtäglich heftiger nach außen, in die übrige Gesellschaft hineingerissen wird. Die alte bürgerliche Illusion, die, nach Adorno, behauptet, »das Individuum (sei) ... wesentlich für sich, und die Gesellschaft wirkte von außen auf es ein« –, diese Illusion kann sich in Restbeständen hier noch erhalten. Die Konsequenz, unschätzbar für einen realistischen Erzähler alten Schlages: in diesem Milieu lassen sich die Personen noch isolieren und Charaktere deutlich ausarbeiten, sie runden sich. Sogenannte Persönlichkeiten oder Naturen gedeihen in der abgeschirmten, warmen Enge wie unter Treibhausbedingungen, etwas zu üppig nämlich, schon zu Originalen verkauzt. Ein Intarsientischler etwa, mitten in den gesellschaftlichen Verhältnissen von heute, muß notwendig wie stehengeblieben in einer alten, nun fremden Tradition, muß als Original beschrieben werden.

In Johnsons *Mutmaßungen über Jakob* heißt dieser Intarsientischler Cresspahl. Diese Figur, dieser Mensch kommt von weit her. Reiche Tradition hält ihn in seiner Eindeutigkeit, als Individuum: Raabe oder Fontane könnten bei seiner Konzeption Pate gestanden haben. Um Cresspahls schweigsamen mecklenburgischen Kopf steht noch jene Aura, die Walter Benjamin an alten Porträts entdeckt hat. Aura, sagt Benjamin, sei die »einmalige Erscheinung einer Ferne, so nah sie sein mag«. Einmaligkeit und Ferne, Aura also, zeichnen die besten Porträts aus, die uns aus der kleinbürgerlichen Welt noch immer entgegenblicken, denn nur in solcher Aura geschützt, gedeihen dem Erzähler noch Charaktere statt Verhaltensmodelle. Auch Heinrich Bölls alte Leute, resignativ gestimmt, doch ge-

rade in der Haltung, hätten überall im bürgerlichen Erzählen des neunzehnten Jahrhunderts ihr solides Zuhause.
Grillparzers armer Spielmann oder die herb Verzichtenden Storms sind ihre historischen Verwandten.

In diese Bücher dringt kaum der Alltag der 40-Stunden-Woche, das blinde Herunterarbeiten von Zeit. Auch
der Alltag verläuft menschenwürdig gemütlich. Es wird
da noch eine kräftige Poesie selbst des Zubehörs entdeckt,
der toten Dinge. So steht bei Böll, für Hans Schnier, ein
Teller voll schlichtem Kartoffelsalat fast als Sinnbild des
einfachen Lebens. In der *Blechtrommel* treibt Brausepulver
als Aphrodisiacum in sexuelle Entrückung. Überall werden, ob feierlich oder frech, noch Idyllen und Stilleben
festgehalten. Behaglich springt das Erzählen von Episode
zu Episode, dazwischen steht die Zeit fast still, denn die
kleine Welt, von Veränderungen noch kaum bewegt oder
gar entstellt, hält sich gerade deshalb noch schön ruhig
einer Beschreibung hin, steht sozusagen in Pose vor dem
Erzähler. Posiert wird ja auch die kleinbürgerliche Moral,
die rein rituell im unteren Winkel nachspielt, was weiter
oben einmal Anstand oder Mode war. Auch sie läßt sich
also, da selbst starr, scharf porträtieren.

Solche Vorteile für Erzählungen aus dem engen Milieu
lassen sich aufzählen. Wo sie genutzt werden, schlägt der
Kleinbürger-Roman seinem bürgerlichen Vorläufer nicht
von ungefähr nach, herrscht unbefangen über dem und
haust im Milieu, hält es zusammen in sinnlicher Dichte,
bildet geschlossene Charaktere und entwirft erzählend ein
Sittenbild, womit er scheinbar zurückfällt hinter die Positionen von Henry James oder Joyce oder Kafka.

Wer in der Geschichte und also auch in der Literatur
nur den folgerichtigen Fortschritt erwartet, so, als müsse
jede neue schreibende Generation wie in der Schule in eine
höhere Klasse versetzt werden, der mag erstaunt sein.
Doch der sogenannte Fortschritt fährt weder linear noch
auf einem einzigen Gleis. Auch die Geschichte schlägt Ha

ken und mutiert zuweilen sogar nach rückwärts. Wer nach 1945 in Deutschland zu schreiben begann, war anders beschädigt, verstört, aggressiv als Schriftsteller in Zürich, Montpellier oder San Franzisko. Unter dem Druck der erlebten Geschichte begann sich für eine Episode lang wieder zu formieren, was schon überwunden schien: eine deutsche Nationalliteratur, zusammengebunden durch das gemeinsame Thema der politischen Vergangenheit. Denn so schnell sich auch die Fassade einer neuen Gesellschaft wieder aufbaute, sie ließ sich zunächst nicht von selbst und aus sich selbst verstehen, erinnerte immer nur an ihre berühmte und berüchtigte Vorgeschichte. Was sich da aufbaute, war und nannte sich ohnehin »Wiederaufbau«, und auch die neuen Demokraten fühlten sich zunächst einmal »antifaschistisch«. Alles schien, bis in die Sprache hinein, Reaktion auf Vergangenheit in diesem Land. Noch das »Wirtschaftswunder«, ein Märchenwort, versprach und verspricht vor allem eins: den Alptraum des Zusammenbruchs zu verdrängen. Nur rückblickend, nur historisch ließen sich die Erfahrungen offenbar aussprechen und erzählen. Denn eine politische Katastrophe, wie Döblin schon 1929 schreibt, »die muß man nicht als Schicksal verehren, man muß (sie) ansehen, anfassen und zerstören«.

Von Vergangenheiten handeln tatsächlich und wie unter Zwang die Bücher von Böll, Grass und Johnson. Selbst Johnson, obwohl doch aktuelle Zustände in der DDR beschreibend, stößt dort fortwährend auf stehengebliebenes, unter zwei Diktaturen ins Unfruchtbare und Bedrückte abgesunkenes Bürgertum, auf Vergangenheit also, die auch der gefährliche Grund ist, über den Bölls Gegenwartsromane gebaut sind. Doch am tiefsten zurück in die Zeit führt der Weg von Günter Grass. Geschichte, von der wilhelminischen Ära bis in die Gegenwart, bildet das einzig feste Gerüst in diesen üppig wuchernden Büchern: sie sind tatsächlich historische Romane. Auch zeitliche Distanzierung nützt seinem realistischen Verfahren. Zu Geschichte, ob als Historie oder Fabel, läßt sich nur das längst Geschehene ordnen. Es scheint erstarrt, also für den Rückblickenden so gegenständlich wie übersichtlich, anders als Gegenwart, in der unabsehbare Zukunft immer schon begonnen hat.

Konkret wie die Vergangenheit, fast stillstehend erscheint auch die deutsche Provinz, über die sich Böll, Grass und Johnson, ob mit Behagen oder Unbehagen, beugen. In Mecklenburg oder am Rhein oder in Danzig sind sie erzählerisch so gut zu Hause wie Fontane in Berlin und der Mark, wie Storm in Nordfriesland. Getreu überliefern diese Romane noch immer Deutschlands kleinstaatliche Struktur, die versagte Zentralisierung auf eine Metropole hin, arbeiten syntaktisch und phonetisch auch mit den Spielarten des Dialekts, wieder ein realistisches Zubehör, mit dem Koeppen oder Weiss oder Walser kaum wirtschaften, da sie ja über die Grenzen der Provinz und auch des Staates hinausgreifen. »Heimatdichtung« eines großen Schlages, so hat Jens mit weitausholendem Hinweis auf Pavese, Kafka, Joyce und Döblin behauptet, sei auch heute noch eine Möglichkeit oder gar Bedingung der Epik, das Fundament der Romane ruhe nur auf einem kleinen Feld sicher. Hier aber zeigt sich, daß auch der Kleinbürger das Erzählen in die Provinz zwingt. Gerade er braucht ja enge Heimat, um sich überhaupt noch bewahren zu können. Der echteste Kölner oder Danziger wird immer der Kleinbürger sein, denn er hat sich vom industriellen Zeitalter am wenigsten berühren, bewegen, nach außen drängen lassen. So zieht die soziale Spezialisierung eine geographische nach sich. Nur mittelbar – durch das gesamtdeutsche Thema bei Johnson, die Chronik des »Wirtschaftswunders« oder der Hitlerjahre bei Grass und Böll – wird in diesen Romanen ein nationaler Umriß angedeutet. Welt im internationalen Sinne aber dringt nirgends ein. Kosmopolitische Stimmung, weltweiter Schauplatzwechsel scheinen immer noch ein Privileg des gehobenen oder niederen Boulevardromans. Remarques oder Greenes Helden mögen um die Erdkugel reisen – Günter Grass dagegen hat vorläufig beteuert, ihm könnten die Einwohner Danzig-Langfuhrs für ein ganzes Autorenleben ausreichen.

Alle diese Befunde sind allgemein, allzu allgemein, denn im Vergleich dreier fast unvergleichbarer Autoren sind sie ja formuliert worden. Präzisierung kann die bisher unterschlagenen Unterschiede nachliefern, die schon genannten ordnen.

Bölls Polemik sieht scharf immer nur nach oben, auf das wieder repräsentierende Bürgertum. Die kleinbürgerlichen Helden bleiben bei ihm verschont, werden eher verzärtelt. Rein stehen sie jenseits der gesellschaftlichen Misere, rein, aber jenseits und daher machtlos, rein also und resigniert. Kein Wunder, wenn den *Ansichten eines Clowns* genau jener »mittlere Zustand zwischen Hinnahme und Auflehnung« anzumerken ist, der schon in den zwanziger Jahren (von Efraim Frisch) als penetrant kleinbürgerlich definiert wurde. Inzwischen hat sich diese weinerliche und ratlos wütende Rebellion auf eine ganze Generation Intellektueller vererbt. In den *Hundejahren* steht Walter Matern als ihr Denkmal und ihre Karikatur.

Denn nie, anders als Böll, verbündet sich Grass mit der Ideologie seiner Figuren. Nur als Material und Widerstand braucht er ihre Illusionen, aus denen er dann seine Satire heraustreibt. Was Ernst Bloch schon vor Jahrzehnten beschrieben hat als die »Ungleichzeitigkeit« des kleinbürgerlichen Bewußtseins, genau diese historische Lächerlichkeit beutet er aus. Seine Figuren sind die Sitzenbleiber der Geschichte. Über ihr enges Milieu hinweg rollt nach Osten und wieder zurück nach Westen ein Weltkrieg, doch sie ducken sich unter ihm weg, wie unberührt. Im Wohnzimmer sitzt Vater Matzerath, die WHW-Sammelbüchse auf dem Schoß, und hadert betrunken mit Führerfoto und Beethovenporträt: in solchen Schnappschüssen verrät sich, wie dort unten alte bürgerliche Tradition heruntergekommen, wie sehr sie zur Klamotte und Parodie ihrer selbst verdorben ist. Nicht umsonst werden diese Figuren von ihrem Erzähler so oft wie Marionetten, mit Stummfilmdrastik bewegt. Sie sind unfrei, vorausgeworfene Schatten jener automatischen Vogelscheuchen, die das Schlußkapitel der *Hundejahre* dann vorführt.

So erscheint in diesen Büchern zwar Zeitgeschichte, doch in einem streng ungleichzeitigen Milieu. Wie fruchtbar allerdings gerade Kleinbürger für eine Beschreibung der jüngsten Vergangenheit werden können, ist früh vorausgesehen worden, Jahre vor Hitlers Triumph. »Mehr denn je«, sagte damals Bloch, »ist das Kleinbürgertum der feuchte Humus für Ideologie.« Und wenn er beschreibt, was er aus allen Häusern dringend roch, den Muff eines abgestandenen Bewußtseins, so liest sich das heute wie ein Miniatur-Entwurf zur *Blechtrommel:* »Muff. Mehr denn je lebt man mit ihm. Kinder werden dem Muff nicht entzogen. Sie nehmen ihn weiter auf und leiden so lange, bis sie selbst wieder Väter sind. Auch wer nicht zuhört, merkt die Gespräche des Spießers; da ist das Hocken am Eßtisch geblieben, der Klatsch, der Besuch, das falsche Lachen und das echte Gift, das sie untereinander streuen. Auch wer nicht mitatmet, den grüßt die enge verbrauchte Luft.« Träge in der Konjunktur, doch reizbar, gefährlich in Krisen, so wurde diese von oben und unten bedrückte Schicht definiert, der schon Marx frühzeitig schwelenden Anarchismus, aggressives Ressentiment nachgesagt hat.

Politische Absicht arbeitet bei Grass mit dem kleinbürgerlichen Material. Ohne heroischen Glanz und Faltenwurf soll die Geschichte des »Dritten Reiches« erscheinen als eine Götterdämmerung der Kleinbürger. Gerade die Dissonanz zwischen dem, was oben historisch geschieht, und der Art, wie es bewußtlos unten mitgetragen wird, hält diese Bücher zusammen. Fortwährend zerstört dabei die Methode des Zeigens das Gezeigte. Kalt wird der Mief verarbeitet, unbehaglich das Behagen reproduziert. Optik und Mentalität der kleinbürgerlichen Figuren, die sich vertraulich ans Nahe klammern, vertragen sich immer weniger mit der artistischen Mobilität des Erzählers. Das Einverständnis zwischen Welt und Sprache, in dem der alte Realismus lebt, scheint aufgekündigt.

In Johnsons Romanen hält sich dieser Realismus ohnehin nur noch in Restbeständen, schon ruinenhaft, an den Rändern dauernd wegbröckelnd. Er nämlich sieht auch das enge Milieu schon in Auflösung. Das Kleinbürgertum stellt hier nur noch den morschen Rahmen um das Bild einer Gesellschaft, die nach sozialistischem Plan die Gesellschaft des industriellen Zeitalters verwirklichen möchte, die also alle Kleinbürgerei in sich aufheben will.

Spannung entsteht, weil der Erzähler die Utopien des Sozialismus durchaus ernst nimmt. Im Netz von dessen Ansprüchen und Verfügungen müssen sich alle Figuren bewegen. Gerade ein Regime, so wird entdeckt, das alle Vergangenheit gewaltsam und gründlich aufheben will, hat viel Vergangenheit verstockt und unberührt zurückgelassen. Unterhalb aller Eingriffe des Staates erhält sich alte, gediegene Mentalität und Moral, schweigsam renitent gegen die Partei des »Sachwalters«, so der Tischler Cresspahl, so Achims Vater. Und gerade ihnen, die sich von Kellers Martin Salander oder Fontanes Stechlin noch gar nicht so weit entfernt haben, gilt unverhohlen die Sympathie des Autors.

Doch was die ältere Generation repräsentiert und wofür sie bürgt, das bleibt nicht nur am Rande. Ganz allgemein fällt an Johnsons ersten Büchern der warme, vertraute Umgang aller Figuren untereinander auf. Die Liebe zwischen den jungen Leuten hat sich dort in der gleichen Scheu, Reinheit und ungebrochenen Verbindlichkeit erhalten wie bei Böll. Der private Bereich, soweit er sich eben noch privat halten kann, scheint durchaus unproblematisch geblieben. Extremer Druck von außen, vom Staat her, hat in Familie und Nachbarschaft eine Nähe konserviert oder neu hergestellt, die auch jeder Besucher in der DDR beobachten kann und oft sogar beneidet. Für uns, vom Westen her gesehen, wirken solche Verhältnisse wie Analogien zu kleinbürgerlich-wilhelminischer Intimität. Denn ohnmächtig, rein privat bleibt auch diese Vertraulichkeit, eingesperrt in einen kleinen Kreis.

Nun erstaunt nicht mehr, daß dieser Erzähler auf beiden Flügeln der Kritik, bei linken wie rechten Ideologen, so ungeteilte Zustimmung gefunden hat. Mißverständnisse regieren mit, doch was Konservative hier anheimeln konnte, das war eben die satte Fülle von Tradition, die Johnson auffängt, sprachlich wie moralisch. Eine beschauliche deutsche Provinzwelt, mit ihren Tugenden und ihrer Enge –, in der DDR und also auch in Johnsons Büchern hat sie sich bewahrt. Noch einmal wird hier erzählt, was Robert Minder an unserer deutschen Lesebuchliteratur verwundert, ja vorwurfsvoll entdeckt hat: »Draußen die wüste Welt, Wald mit Wölfen, und der Mensch darin preisgegeben reißenden Tieren in Menschengestalt. Hier der schützende Zirkel des Hauses, in der engen Heimat das noch engere Heim, die Urzelle der Gemeinschaft, ein ängstlich kleiner Kreis . . .«

Doch Johnson sieht nicht nur auf den Hintergrund, in die alte, fast schon verschollene Intimität. Er liebt zwar Idyllen, doch er sieht die Konflikte. Die abgeschirmte Stube, in der seine Figuren noch hausen und intim miteinander umgehen, sie stimmt nicht mehr zu der äußeren Arbeitswelt, über die der sozialistische Staat entscheidet. Gegen Cresspahls Intarsienwerkstatt, gegen die Gartenlaube von Achims Vater stehen das Stellwerk und die Radrennbahn. Gegen die würdigen Kleinbürger treten die neuen Funktionäre auf. Über das alte, stehengebliebene Milieu beugen sich, befremdet und doch gerührt, die Intellektuellen, Karsch im *Achim* und in *Reise wegwohin, 1960,* in den *Mutmaßungen* der Linguist aus Berlin, Jonas.

Die Helden allerdings, Achim wie Jakob, sind immer noch ausgestattet und belastet mit der alten, nun unhandlich gewordenen Moral ihrer Familien. Was für sie einnimmt, genau wie für ihre Väter, ist ihr Anstand, ihre Bescheidenheit und Treuherzigkeit, ja schlichtweg: ihr Gemüt. Diese ererbte Moralität, resigniert, doch brauchbar in kleinbürgerlicher Intimsphäre, wird ratlos, orientierungslos in allen Konflikten mit der sozialistischen Plangesellschaft. Jakobs Ausflug in den Westen und nach West-Berlin zeigt ihm und uns nur, daß die neue Gesellschaft in beiden Spielformen, als kapitalistisch oder sozialistisch für ihn gleich unannehmbar bleibt. Achim dagegen hat, der Karriere zuliebe, Anpassung, ja Korruption schon in Kauf genommen, doch zögernd und vor dem eigenen Gewissen noch verwischt.

So möchte in beiden Büchern der Kleinbürger heraus aus dem Milieu und seiner intakten, wenn auch ohnmächtigen Privatmoral, möchte zum Staatsbürger werden, doch der vorgefundene Staat bietet ihm und seiner Moralität keine Unterkunft. Eine Entscheidung fällt nicht. Jakob entzieht sich ihr durch Tod, Achim durch nahezu bewußtloses Weitermachen, ähnlich auch der westdeutsche Intellektuelle Karsch, der in *Reise wegwohin, 1960* in eine italienische Idylle ausweicht, ein internationales Jenseits zu allen deutschen Konflikten. Die Lage bleibt offen, der Bericht über sie ist undeutlich und verwischt wie sie selbst.

In Johnsons Romanen, wo Kleinbürger nicht mehr als pralle, wenn auch lächerlich zurückgebliebene Wesen auftreten, wo sie sich hineingezogen sehen in die allgemeine Gesellschaft und unabsehbare Zukunft, da das alte Milieu und seine Moralität sich zersetzen, schlägt die Unsicherheit auch auf das Erzählen zurück, und den alten Realismus verläßt die schöne Gewißheit seiner Fiktionen, des »So war es, nicht anders«. »Denkbar wäre«, so hat Siegfried Kracauer vor mehr als dreißig Jahren überlegt, »daß (der Roman) in einer der verwirrten Welt angepaßten Form neu erstünde, daß die Verwirrung selber epische Formen gewönne.«

Doch auch Günter Grass, sobald er Danzig und die Vorvergangenheit verläßt, sobald sein Erzählen nach Westen wandert und sich auf die deutsche Nachkriegsgesellschaft einlassen möchte, selbst er trifft auf neue, unverhoffte Widerstände. Leicht, fast wie Routinearbeit gelingt ihm immer noch alles, wenn er noch einmal das altvertraute Milieu vorfindet, so bei den Düsseldorfer Zeidlers, zu denen Oscar als Untermieter zieht, so in Wohnküche und Schlafzimmer der Sawitzkis, wo Walter Matern als zweiter Ehemann mittrinkt und mitübernachtet. Auch im neuen Wirtschaftsbürger entdeckt Grass noch das alte Kleinbürgerherz: »Diese Vorliebe fürs Wohnküchenmilieu«, erzählt er, »hat sich Jochen (Sawitzki) erhalten: tagsüber ist er Geschäftsmann, in kaum knüllbare Stoffe beispielhaft eingewickelt; am Abend schlurft er in Schlurren vom Eisschrank zum Herd und zupft an Hosenträgern.«

Wieder also der alte deutsche Kontrast zwischen Zuhause und Welt, stehengebliebenem Gemütsmief und scheinbarem Mitwirtschaften auf der Höhe der Zeit. Doch daß dieser Kontrapunkt über unsere Gesellschaft noch viel verrät, darauf vertraut offenbar nicht einmal Günter Grass. Besonders die *Hundejahre* drängen aus dem alten Milieu und auch geographisch in die Breite, sobald Westdeutschland und die Nachkriegszeit erreicht sind. Nun wird nicht mehr, wie in Danzig, Weltgeschichte als Kleinbürgergeschichte aufgefangen, verzerrt in riesigem Konkavspiegel. Eine möglichst breite Gesellschaft, eine möglichst vollständige Lage soll in den Roman hineingezwungen werden. Walter Matern wird mobiler als Anselm Kristlein, und das erweiterte Gesichtsfeld revolutioniert auch die erzählerischen Mittel. Mühsam müssen nun weitgespannte allegorische Konstruktionen stützen und tragen, was im Detail noch realistisch bleiben möchte. Da sagen Mehlwürmer das Wirtschaftswunder voraus, Wunderbrillen entdecken die Schuld der Väter, und die unterirdische Fabrik für Vogelscheuchen, Parodie der Danteschen Höllenkreise, treibt am Ende die Allegorie in eine so willkürliche Abstraktion, daß ihre Gleichnisse zeit- und gesellschaftskritisch vollkommen leer bleiben. Da ist, was einmal deftig, realistisch im Danziger Vorortsmilieu begann, in fast frühhumanistischer Parabolik erstarrt.

Der Erzähler Grass, so hieß es nach der *Blechtrommel* wie nach den *Hundejahren,* überzeugt nicht mehr, sobald er auf westdeutschem Boden steht. Hier kommt es auf solche Urteile nicht an, es geht um eine Diagnose. Auch der Erzähler Günter Grass, so scheint also, mußte entdecken, daß die kleinbürgerliche Perspektive Wesentliches an unserer zeitgenossenschaftlichen Gesellschaft nicht mehr fassen kann. Was die intime Guckkastenbühne nicht trägt, soll nun auf breitem allegorischem Podium erscheinen. Turbulente, von Schauplatz zu Schauplatz überspringende Pantomimen, Parabeln und Ballette tragen also die Handlung. Mobilität und Übersicht werden versucht, doch die Methoden laufen sich oft heiß, auch im Leerlauf.

Mit den *Hundejahren* geht ein Kapitel deutscher Literaturgeschichte zu Ende, ganz gleich, wie oft seine Muster noch nachgeschrieben werden. Was nachzuholen war, die erzählerische Niederschrift der politischen Vergangenheit, und zwar von unten her, aus einer kleinbürgerlichen Froschperspektive, das ist geleistet. In der neuen Gesellschaft werden längst neue Erfahrungen gemacht, so sehr auch überall noch die durchaus unerledigte Vergangenheit durchscheint. Doch was so leicht und bündig Industriegesellschaft heißt, zeigt sich als Ganzes dem herkömmlichen Erzählen offenbar undurchdringlich, ganz gleich, ob sie kapitalistisch oder sozialistisch organisiert ist. Auch der sogenannte »sozialistische Realismus« füllt ja nur hilflos die Schablonen des bürgerlichen Romans aus. Da wird ästhetisch noch immer der politisch schon verpönte »Personenkult« betrieben: beziehungslos stehen vorbildlich und groß geratene Individuen über, neben, vor einer Masse, die sie zu repräsentieren nur vorgeben. Aus solchen Romanen läßt sich viel erfahren über die Wünsche der Herrschenden, kaum etwas über ihre Probleme und damit über die durch sie regierte Gesellschaft. Erst wenn ein Roman mit dem Satz begänne: »Minsk ist eine der langweiligsten Städte der Welt«, könne er wieder sowjetische Literatur lesen, sagte schon Brecht. Inzwischen sind solche Romane erschienen, denn die staatlich noch immer patentierte und geschützte Schreibvorschrift beginnt sich in der Praxis überall zu zersetzen, und zwar unwillkürlich, nicht nur im Widerstand gegen staatliche Aufsicht, sondern durch den Widerstand der gesellschaftlichen Objekte und der Erfahrungen selbst.

Denkbar wäre allerdings auch, die neue Gesellschaft nur noch negativ zu zeigen, durch ihre Abwesenheit, und den Schauplatz des Romans wieder nach innen, ins Individuum zu verlegen. Von *Malte Laurids Brigge* bis zu Sartres *Ekel* und den Romanen Becketts zieht sich eine Kette von solchen Unternehmungen. Diese größten Werke des Jahrhunderts gehören offenbar in diese Kategorie, die neuesten nicht mehr. Sie versuchen, wieder nach außen zu sehen, auch in die Gesellschaft, ohne blind zu werden.

Wo aber wären noch Personen zu entdecken, von denen sich mit den alten Methoden erzählen läßt? Am leichtesten, wie sich gezeigt hat, am Rand, im Kleinbürgertum so gut wie in der Bohème, also in isolierten und schon funktionslosen Gruppen. Ein Erzähler, der absieht von diesen überlebenden Dinosauriern eines auslaufenden gesellschaftlichen Altertums, stößt auf Schwierigkeiten. Gerade jene, die heute hoch oben mitwirtschaften in der Gesellschaft, sind als Individuen kaum zu erkennen. Sie sind nicht einmal mehr, wie die Bürger Balzacs, Helden ihrer eigenen Geschichte. Nirgends zeigt sich das drastischer als dort, wo der Betrug mit allem Aufwand versucht wird, in

der romanhaft aufgedonnerten Prominentenbiographie.
Sie isoliert ihre Helden und Opfer beflissen aus allen Zeit-
umständen, hält sie eindrucksvoll privat, so daß sie am
Ende hoch über uns hängen und prangen wie über Präsident Johnsons Schreibtisch das Ölgemälde Präsident
Johnsons, in dem vermutlich nur er selbst sich wiedererkennt.

Auch in den *Hundejahren* treten zwar die Drahtzieher
des »Wirtschaftswunders« auf, die Beitz, Springer oder
Münemann, doch beileibe nicht als Personen, nur als Namen, zitiert wie im Leitartikel oder Kabarett-Sketch. Das
beweist nicht etwa Unfähigkeit, sondern Instinkt. Denn
solche Personen sind selbst für die Phantasie nur noch Namen, Inbegriffe von Macht und Tendenzen, die längst
über sie selbst hinausgewachsen sind. Ihre Funktionen lassen sich nicht mehr begreifen aus dem Charakter dieser
Funktionäre. Über sie wäre mit der Optik Balzacs nur
noch Illustriertenroman zu schreiben, der die neuen Herren dann zeigt als alte, als frühkapitalistische Konquista-
doren, deren schöne oder verdorbene Leidenschaften vom
Privaten unmittelbar aufs Öffentliche übergreifen. Da
herrscht dann immer noch ein flotter, aber unglaubwürdi-
ger Tauschverkehr zwischen psychologischem Innen- und
sozialem Außenraum.

Eher als solche »hohen«, lassen sich offenbar mittlere
Personen heute sichtbar machen. In seinen Lebensläufen
hat Alexander Kluge auch eine solche Figur vorgeführt,
die so durchschnittlich ist wie ihr Name: Manfred
Schmidt. Ganz von außen und weit weg bewegt sich die
Erzählung langsam auf diesen ihren Mittelpunkt zu. Mit
pedantisch-humoristischem Aufwand ist zunächst immer
nur von einem Karnevalsfest die Rede, und wie nebenbei
unterläuft dem Erzähler dann auch Manfred Schmidt, obwohl wir doch gleichzeitig erfahren: er ist der Karnevals-
prinz.

So zeigt schon die Exposition den früher scheinbar autonomen Helden ganz und gar als Gefangenen der Umstände, durch sie ebensosehr verdeckt wie definiert. Der Erzähler stellt ihn nicht dar, er umstellt ihn nur durch Beschreibung seines Verhaltens, etwa zu seiner Freundin, auf Reisen, Heiligabend, bei einer Bewerbung. Gegeben werden immer nur Daten, Hinweise auf die Person, und als Rest bleibt ein unfeststellbarer Kern, den frühere Erzähler so unbefangen zu Papier brachten. Beides ist in dieser Erzählung anwesend, und zwar untrennbar ineinander verschränkt: die heutige Gesellschaft und einer ihrer Teilnehmer. Denn Privates gibt sich nur soweit zu erkennen, als es sich nach außen, gesellschaftlich manifestiert. Eine Serie solcher Manifestationen soll der Leser kombinieren zur Geschichte des Individuums Manfred Schmidt. Das Erzählen gerät hier in die Bezirke der Verhaltensforschung.

»Die Lage«, so hat Brecht schon früh überlegt, »wird dadurch so kompliziert, daß weniger denn je eine einfache ›Wiedergabe der Realität‹ etwas über die Realität sagt. Eine Photographie der Kruppwerke oder der AEG ergibt beinahe nichts über diese Institute. Die eigentliche Realität ist ins Funktionale gerutscht.« Seinen eigenen Ausweg aus dem Dilemma hatte er schon damals vorgeschlagen, in der *Dreigroschenoper*. Sie sollte ja Praktiken der kapitalistischen Wirtschaft, statt ihre Fassade abzubilden, in einem Modell ihrer Funktionen, durch Analogie treffen. »Ein Modell«, so hat Martin Walser es kürzlich pointiert, »läßt sich von der Wirklichkeit nichts vormachen, (es) macht der Wirklichkeit vor, wie die Wirklichkeit ist.« Genau das tat schon Kafkas Modellwelt. Statt Wirklichkeit zu imitieren, treibt Kafka sie am Beispiel auf die Spitze. Wo er selbst imitiert wurde, und zwar formalistisch, da entstanden fast immer nur Modelle des Modells. Jene Wirklichkeit nämlich, die bei Kafka mit Tausenden von genauen Details den Entwurf der Imagination erst trägt, schlug bei seinen hörigen Epigonen nicht mehr durch.

Kafkas Spuren aber lassen sich überall nachlesen, in der Prosa von Weiss, Lettau oder Ilse Aichinger, aber auch und gerade in den *Hundejahren.* Wenn Grass Verweise auf die Realität, Orts- und Zeitangaben, zeitgeschichtliche Namen, »echte« Milieus verschwenderisch über das ganze Werk streut, so sichern die einem phantastischen Tableau nur noch die letzte Gegenständlichkeit und Erdenschwere. Fabeln, die aller banalen Wahrscheinlichkeit und jeder Milieutreue längst entwachsen sind, werden mit solchen Einzelheiten nur noch realistisch »möbliert« und damit haftbar gemacht. Dabei setzt jener »Realismus aus Realitätsverlust« ein, den Adorno schon an Balzac beobachtete: »Epik, die des Gegenständlichen, das sie zu bergen trachtet, nicht mehr mächtig ist, muß es in ihrem Habitus übertreiben, die Welt mit exaggerierter Genauigkeit beschreiben, eben weil sie fremd geworden ist, nicht mehr in Leibnähe sich halten läßt.« Dieser Satz läßt sich auf die *Hundejahre* so gut anwenden wie auf Johnson, der doch auch geduldig verläßliche, kleine Daten aufeinandertürmt, das Ganze aber, seine Figuren und ihre Zusammenhänge, für vorläufig undurchschaubar erklärt. Und der gleiche »Realismus aus Realitätsverlust« regiert auch den Nouveau Roman, auch das dokumentarische Erzählen Alexander Kluges, die besten Partien in Hildesheimers *Tynset* und Frischs *Gantenbein.*

Oder wäre mit solchen Behauptungen nur ein großer Hut gefunden, der Unvergleichbares zudeckt? Kritisch hat Helmut Heißenbüttel gemeint, Robbe-Grillets Theorie seines eigenen Romans läse sich schlüssiger als eine Theorie zu Stifters *Witiko.* Daß Adorno schon an Balzac entdeckt, was sich heute mit Händen greifen läßt, ist ebenso merkwürdig. So ohne Tradition sind offenbar die neuen Schwierigkeiten gar nicht. Sie erinnern an eine lange Kette von bald zarten, bald verbissenen Beschreibungsversuchen, die einer längst aus der vertrauten Guckkastenoptik gerutschten, dadurch zunächst fremd gewordenen Welt begegnen möchten. Nur scheinbar unvereinbare Namen, Stifter, Zola und Holz, Proust und Kafka schreiben doch gegen ähnliche Schwierigkeiten. Daß sie seitdem nicht handlicher geworden sind, wird niemanden erstaunen, der nur an das Unverhältnis zwischen ständig expandierender Tatsachenwelt und einer kaum nachwachsenden individuellen Erfahrung denkt. Hier läuft beschleunigt ein Prozeß von Entfremdung, den die erzählende Sprache nicht aufhalten kann und doch austragen muß.

Überwunden scheint trotzdem der erste Schock vor einer neuen Wirklichkeit, dokumentiert durch die große Episode des modernen Ich-Romans mit seinen ins Aussichtslose oder Unendliche abgewiesenen Sinnfragen. Wirklichkeit scheint kein Leviathan mehr, der das erzählende Bewußtsein zurückschreckt in sich selbst. Aus ihren kleinsten und konkreten Bestandteilen bauen sich neuerdings Erzählungen auf. Ein programmatisches Buch der letzten Jahre, ein Buch von Jürgen Becker, trägt den Titel *Felder*. Da werden in sehr kurzen Niederschriften, in Erzähl- und Gedankenschüben drei Jahre Leben in einer deutschen Großstadt, in Köln, fixiert. Eine riesige, unübersehbare Realität schlägt sich, statt in der Breite, in knappen, intensiven, individuellen Momenten nieder, allerdings fragmentarisch. Offenbar muß eine jedem Überblick nur anonyme, nirgends mehr gefällig still stehende Gesellschaft erst in Partikel zerschlagen werden, damit ein Individuum sie noch erzählen kann.

Spöttisch spricht man schon von einer »kurzsichtigen Literatur«. Den Tolstoi- und Götterblick hat sie freilich verloren. Ihre Kurzsichtigkeit allerdings darf sie nicht als einen glücklichen Augenfehler verstehen oder gar feiern, sondern als das Prinzip, durch bequeme ideologische Muster und ohne die alten Erzählschablonen so nah wie möglich an neue Objekte heranzukommen. Wo die neuen realistischen Methoden, statt Realität zu befragen und zu entdecken, sich nur selbst und feiertäglich spazieren füh-

ren, verkommen auch sie zur Manier. Solche Epigonen des
Neuesten sind nicht weniger weltblind und eitel wie die
Routiniers des alten Romanhandwerks, die leicht ein
Kommando führen über eine Welt, in der die Widerstände der wirklichen nicht mehr vorkommen. Gern wird auch
in solchen Büchern geredet von der Ohnmacht des einzelnen gegenüber der zeitgenössischen Wirklichkeit. Nie wird
diese demonstriert durch eine aus Ohnmacht hervorge-
gangene Erzählweise, die das Geredete erst beglaubigen
würde.

(1964)

Robert Minder

HEIDEGGER UND HEBEL
ODER DIE SPRACHE VON MESSKIRCH

Über Martin Heidegger ist eine ganze Literatur zusammengeschrieben worden und doch fehlt es – von zwei oder drei Ausnahmen abgesehen – an genauen Untersuchungen über Herkunft und Qualität seiner Sprache: ein erstaunliches Manko gegenüber einem Autor, der das Wort wie eine Monstranz vor sich herträgt und im Lauf der Jahrzehnte sich ein eigenes Idiom mit besonderem Wahrheitsanspruch zurechtgebogen hat.

Als ›Jargon der Eigentlichkeit‹ hat Adorno diese Sprache unübertrefflich gekennzeichnet, den Hauptakzent aber auf den philosophischen Aspekt des Vorgangs verlegt. Den rein philologisch-linguistischen untersucht Erasmus Schöfer, analysiert auf 300 Seiten grammatikalische und syntaktische Eigenheiten Heideggers und verkennt dabei völlig die Stilebene, auf der er sich bewegt, die ›Sprachgemeinschaft‹, der er zugehört: nicht zu Meister Eckhart, Luther, Jakob Böhme oder gar Goethe und Nitzsche, wie hier unbesehen vorausgesetzt wird, sondern zu den Vertretern einer abgeleiteten Luther- und Jakob Böhme-Sprache, zu Kolbenheyer, Wilhelm Schäfer, Hermann Burte und anderen Repräsentanten jener Stilbemühung, die man die Sütterlin-Schrift der heilen Welt nennen könnte, – eine Querverbindung von expressionistischem Aufbruch und Schollenfrieden, Waldzauber der Wagneropern und Fremdwortausmerzung im radikal alldeutschen Sinn Eduard Engels [1].

---

[1] Der vorliegenden Studie waren zwei Arbeiten in französi-

Objekt unserer Demonstration wird eine kleine, weit verbreitete und leicht verständliche Schrift sein: Heideggers Rede über Hebel aus dem Jahre 1957[2].

Der Text setzt nichts Unbekanntes voraus. Erzählungen wie ›Kannitverstan‹, der ›Star von Segringen‹, das ›Bergwerk von Falun‹, Gedichte wie »O schau dir doch das Spinnlein an«, gehören seit Generationen zum eisernen Bestand der Lesebücher. Raffinierte Kenner der Weltliteratur wie Hofmannsthal und Kafka haben ihrerseits Hebel als großen Meister der kleinen Form gefeiert. Längst vor ihnen, im Jahr 1804, schrieb Goethe seine liebevoll bewundernde Rezension der ›Alemannischen Gedichte‹, die seither in jeder Literaturgeschichte als Garantie für die Güte des Produkts zitiert wird. Weniger bekannt, aber ebenso warm Jean Pauls Besprechung von 1803. Die französische Heimatliteratur hat sich in ihren Anfängen 1840/50 gern auf Hebel berufen, und viel eifriger noch ist Tolstoi für ihn eingetreten. Die Übersetzung des ›Habermus‹ wurde in Rußland so populär wie einheimische Texte: Otto von Taube erzählt aus seiner baltischen Kindheit, wie er erst nach langer Zeit Hebel als einen deutschen Autor identifiziert habe.[3]

---

scher Sprache vorangegangen: R. Minder: *Hebel – der Hausfreund, compte-rendu critique*, Zeitschrift ›Allemagne d'aujourd'hui‹, Paris, 1957, S. 44/45, und 63/64. – *Hebel et Heidegger, Lumières et obscurantisme.* (Im Sammelband: ›Utopies et Institutions au XVIII. siècle‹, Hg. P. Francastel, Paris-La Haye 1963, S. 319–330). Dazu mein Vortrag im Collège philosophique von Jean Wahl: *Heidegger, sa terre es ses morts*, Paris, Januar 1958. – Th. W. Adorno: *Jargon der Eigentlichkeit. Zur deutschen Ideologie*, 1964. – Erasmus Schöfer: *Die Sprache Heideggers*, 1962. – Eduard Engel: *Entwelschung, Verdeutschungswörterbuch*, Leipzig 1918. Mit Einleitung: ›Vom Welschen und Entwelschen‹, S. 5–31.

[2] Martin Heidegger: *Hebel – der Hausfreund*, 1957.

[3] Nach einer brieflichen Mitteilung Otto von Taubes, 9. 10. 1963. – Goethe über die 2. Ausgabe von Hebels ›Alemannischen (sic) Gedichten‹ unter seinen Rezensionen in der ›Jenaer

Überraschend darum Heideggers Ausspruch: Hebel, ein Unbekannter, in seiner tieferen Bedeutung kaum je erfaßt oder auch nur geahnt. An solch eherne Diktate ist man beim Verfasser von ›Sein und Zeit‹ freilich gewöhnt. Seine Faszination beruht zum Teil – wie bei Stefan George – auf der Unerbittlichkeit des Spruchs. Wie steht es mit dem Wahrheitsgehalt? Welch unbekannten Hebel entreißt Heidegger der Vergessenheit?

»Der Zauber der Heimat hielt Hebel im Bann«. Der Satz steht im Mittelpunkt der erbaulichen Betrachtung und macht sofort stutzig: das ist nicht nur der Tonfall Wagners, sondern das ganze magische Universum des ›Rings‹: »Mit Liebeszauber zwang ich die Wala«. Hebel, der badische Prälat und urbane Bewunderer Theokrits und Vergils, wird als Siegfried kostümiert, der zur Quelle hinabsteigt, im Jungbrunnen badet und von nun an die Waldvögelein versteht.

> »Aus nebliger Gruft,
> aus nächtigem Grunde
> herauf! Erda, Erda!
> Aus heimischer Tiefe
> tauch zur Höh'!« (Siegfried III, I).

Am Fuß des Feldbergs, wo – laut Heidegger – der Dialekt sich in seiner urtümlichen Reinheit erhalten hat, ist Hebel großgeworden und damit dem Wesen der Sprache näher geblieben als andere. Ihm strömte das zu, was der Sprachgeist in sich birgt, – »jenes Hohe, alles Durchwaltende, woraus jeglich Ding dergestalt seine Herkunft hat, daß es gilt und fruchtet«. Der Satz könnte von Kolbenheyer stammen. Die gleiche fatale ›Pracht des Schlichten‹, die der

---

Allgemeinen Literaturzeitung‹ 1805. – Jean Paul: *Über Hebels allemannische Gedichte* in ›Zeitung f. d. elegante Welt 1803‹ (Abdr. in Ausg. Werke, Verl. Reimer, 2. Aufl. 1865, Bd. XV, S. 182–185).

Philosoph einmal anpreist, die gleiche feiertäglich heraus-
geputzte, nebulös anspruchsvolle Sprache: so spricht kein
Bauer, wohl aber ein aufsässig pedantischer Bauernschulmeister – womit nichts gegen Bauernschulmeister gesagt
sei und noch viel weniger gegen Roseggers liebenswerten
Waldschulmeister, nur gegen die hinterwäldlerische Variante davon, die Fausts Gang zu den Müttern mit Wag-
nerschem Zungenschlag nie genug rekapitulieren kann:
»Das dichterische Sagen bringt erst anfänglich die Hut
und Hege, den Hort und die Huld für eine bodenständige
Ortschaft hervor, die Aufenthalt im irdischen Unterwegs
der wohnenden Menschen sein kann«. So Heidegger im
späteren Kommentar zu einem Hebelgedicht, 1964. [4] Und
im Humanismus-Brief von 1949: »*Sein* erst gewährt dem
Heilen Aufgang in Huld und Andrang zu Unheil dem
Grimm«.

Stabreimend auch der Titel der Rede: ›Hebel – der
Hausfreund‹. Was bedeutet Hausfreund?

»Ein schlichtes Wort, aber von erregender Mehrdeutig-
keit«, schreibt der Autor, und wiederholt »ein tief- und
weitsinniges Wort« und nochmals ebenso aufgedonnert:
»Seine Bedeutung enthüllt sich erst dem, der das Wort
weit und wesentlich genug faßt.« Heidegger faßt und
dehnt es so weit, bis nichts davon übrigbleibt: der blumige
Stil ist Deckmantel für eine sophistische Begriffsmanipula-
tion geworden.

. . .»Das Haus wird erst Haus durch das Wohnen.«
Wohnen aber ist »die Weise, nach der die Menschen auf
der Erde und unter dem Himmel die Wanderung von der

---

[4] Heidegger, Kommentar zu einem Hebelgedicht unter dem
Titel ›Sprache und Heimat‹ im Sammelband über J. P. Hebel,
Hg. H. Leins, Tübingen, 1964; S. 124. – Die ausgezeichnete
Bibliographie bei Alexander Schwan: *Politische Philosophie
in Heideggers Denken*, 1965, S. 189–206, verweist darauf, daß
der Text zuerst im Jahrbuch für den norddeutschen Dramatiker
Hebbel erschienen ist (Heide, Holstein, 1960, S. 27–50).

Geburt bis in den Tod vollbringen«. So wird zuletzt »die
Wanderung der Hauptzug des Wohnens als des menschli-
chen Aufenthalts zwischen Himmel und Erde, zwischen
Geburt und Tod, zwischen Freude und Schmerz, zwischen
Werk und Wort«.

Wohlig gewiegt von Wagnerschen Ramsch-Assonanzen,
die mit biblischen Reminiszenzen vermischt sind, zieht der
Denker aus Meßkirch das Fazit für Hebel: »Dem Haus,
das die Welt ist, ist der Hausfreund der Freund. Er neigt
sich dem ganzen weiten Wohnen des Menschenwesens zu«
– eine pseudo-romantisch mystifizierende Auffassung des
Dichters, die uns keinen Schritt näher an Hebel heran-
bringt, sondern ihn fern vom Lärm des frechen Tages zum
Priester des Weltmysteriums weiht. Endziel jeder wahren
Dichtung ist die Offenbarung dieses Mysteriums – im
Schwarzwaldjargon heißt es rustikaler und gespreizt:
»Wahrheit als die Lichtung und Verbergung des Seienden
geschieht, indem sie gedichtet wird« (Holzwege). Den
Weg zum vergessenen Sein, das der Dichter wiederent-
deckt, dessen Geheimnis er aber nur verhüllt an andere
Initianten weiterreichen kann, bildet das Wort in seiner
Ursprünglichkeit: das Wort der Muttersprache.

Muttersprache bedeutet den Dialekt, die Mundart.
Wieder werden die Mütter bemüht, die Nornen, die am
Quell sitzen: »Die Mundart ist nicht nur die Sprache der
Mutter, sondern zugleich und zuvor die Mutter der Spra-
che . . .« »Das Hohe und Gültige einer Sprache stirbt ab,
sobald sie den Zustrom aus jenem Quell entbehren muß,
der die Mundart ist.« Und nochmals mit vollen Pedalen:
»Das Wort der Sprache tönt und läutet im Wortlaut, lich-
tet sich und leuchtet im Schriftbild.« [5]
Heidegger steht auch hier in einer alten Tradition, ge-

---

[5] Das Zitat: ›Mutter der Sprache‹ in: *Heimat und Sprache*,
o. c., S. 100. – Die beiden folgenden Zitate in: *Hausfreund*,
o. c., S. 10 und 38.

nauer gesagt in der letzten, pervertierten Phase dieser Tradition.

»Das Wort sie sollen lassen stahn«: mit der berühmten Kampfansage hatte Luther sich bereits im 16. Jahrhundert gegen die lateinische Überfremdung gewandt, und Herder im 18. gegen die französische: beidemal ein Akt legitimer Notwehr. Aber schon bei Fichte und erst recht bei seinen Nachfolgern wird der Umschlag ins andere Extrem vollzogen: die Sakralisierung des deutschen Wortes, das an Urkraft und Tiefe sich nur mit dem griechischen messen könne und allein zur Lösung der Welträtsel, wenn nicht zur Welterlösung berufen sei – ein konstanter Gedanke Heideggers, der offen oder unausgesprochen sein Wertsystem der Philosophie bestimmt und ihm selber den Rang zuweist als Wächter des Seins und Hüter des Horts.

Die Sakralisierung des ›deutschen Wortes‹ als geoffenbarten Urwortes ist im Deutschland der imperialen Machtkämpfe Hand in Hand gegangen mit der Pervertierung des ›Reichs‹-Begriffs. Das Reich wurde als Inbegriff der höchsten Kulturwerte des Abendlands religiös verklärt und dabei eine handfest brutale und zuletzt völlig enthemmte Gewaltpolitik getrieben. Europa trieb dem kollektiven Selbstmord entgegen. Mit nationalistischen Phrasen und Aggressivität warteten alle Staaten auf und glaubten, damit die Probleme des Industrie- und Massenzeitalters lösen zu können. Der Klimawechsel spiegelt sich im Bedeutungswandel des Wortes alemannisch wieder.

Bei Hebel wie bei Goethe, als er Hebels Gedichte anpries, bedeutet ›alemannisch‹ die kulturelle Zusammengehörigkeit der oberrheinischen Landschaft und ihrer Menschen im Geist des aufgeklärten Kosmopolitismus ohne jede politische Annektionsidee. Für David-Friedrich Strauß, den ›Bildungsphilister‹ Nietzsches, legitimiert in einer zweiten Phase – nach 1870 – der alemannische Dialekt des Elsasses seine Einverleibung ins Reich selbst gegen den ausdrücklichen Willen von 80 oder 90 % seiner Bewoh-

ner: sie mußten dem Vergessen des eigenen Ursprungs ent-
rissen werden, und sei es durch Gewalt.

Blutrot beginnt das Wort ›alemannisch‹ in einer dritten
Phase zu schimmern, als 1933 ein hochindustrialisiertes,
rassisch besonders buntgemengtes Volk sich arische Ahnen
beilegte und bald darauf im ganzen besetzten und terrori-
sierten Europa Tod und Leben des einzelnen davon abhängen ließ, ob er von Siegfried abstamme oder nicht. Ein
Massenrausch, für den eine bestimmte Art von rassisch un-
terbauter Heimatliteratur – der Literatur in Sütterlin-
schrift – besonders anfällig war, die Fiedel strich, die Vög-
lein im Walde hörte, aber nicht das Stöhnen der Opfer,
wo doch Dichter und Denker schon in den Fingerspitzen
das ungeheure Leid der Zeit hätten spüren und auf der
Zunge die Verdorbenheit einer Sprache hätten schmecken
müssen, die mit Volkssprache, Heimatsprache, Muttersprache nichts mehr zu tun hatte, wüster Parteijargon
war, Zersetzungsprodukt, Abfall, Abhub im niedersten
Sinn des Wortes, zu barbarischen Endlösungen manipu-
liert im Rahmen einer ungeheuren technischen Maschinerie.

Es war die Zeit, wo auch Hebel als sippenverhafteter
Bauer auftrat. Heidegger hat der ›alemannischen Tagung‹
in Freiburg beigewohnt, auf der Hermann Burte ein
Kleinepos von rund 400 Strophen über den wiederent-
deckten ›arischen Hebel‹ vortrug: streicht man das ominö-
se Wörtchen, so deckt sich Heideggers Hebel von 1957 bis
in Einzelheiten mit Burtes arischem Hebel von 1936.

Nicht als ob hier von einer Erleuchtung zu sprechen wäre, die mit einem Schlag und für immer Heideggers He-
belbild verändert hätte. Es war längst in ihm vorgebildet
und entsprach dem Bild vom Dichter in der Volksgemeinschaft, wie die Vertreter der Heimatliteratur es sich seit
Jahren zurechtgebastelt hatten und wie es ein Anführer
der Gruppe, Wilhelm Schäfer, in seinem unüberbietbar
sturen, hunderttausendfach verbreiteten Volksbuch über
deutsche Geschichte und Kultur – ›Die dreizehn Bücher der

deutschen Seele‹ – popularisiert und damit die Tümpeltiefen des Kleinbürger-Gemüts in Wallung gebracht hatte.

Ein Satz genügt, um die Verwandtschaft mit Heideggers Vorstellung und Stimmlage greifbar zu machen – ein Satz aus dem Abschnitt über Hebel, dessen Wiege droben im Markgräfler Land stand, wo – schreibt Schäfer – »die muntere Wiese dem strengen Schwarzwald entspringt: Da gingen dem Knaben die Wege in fröhlicher Freiheit, da waren die Wolkenweiten über die grünen Gebreite bis hinter die blauen Fernen gebogen, da sangen die Vögel zur Arbeit, da war ein emsiges Landvolk im Kreislauf der Jahre geborgen«. [6]

Mit den Farben einer Buntpostkarte und dem Schmelz des Dreimäderlhauses wird das Landleben zur zeitlos gültigen, ewig unveränderten Lebensform umstilisiert – zu einer heroischen Idylle mit Mutterlaut, Männermut und urtümlichem Brauchtum, als Summe der völkischen ›Gemeinschaftswerte‹. Ein Bauerntum, wie es nie existiert hat, auch und gerade für Hebel nicht, diesem entschiedenen Anhänger der Bauernbefreiung im Sinn der Aufklärung, der Französischen Revolution und des Napoleonischen Gesetzbuches. Und auf diesen geborenen Beschwichtiger und Vermittler stümpert Hermann Burte die Strophen vom ›arischen Bauern‹ zusammen! Burte hat einen Band kräftiger Gedichte in alemannischer Mundart geschrieben, die zum Besten gehören, was die dortige Regionalliteratur hervorgebracht hat:

> »Es hange Nebel weich un wiiss,
> um beedi Bord am Rhy:

---

[6] Wilhelm Schäfer: *Die dreizehn Bücher der deutschen Seele,* 1922. – Eine andere Kostprobe aus dieser Quintessenz des poetisch ›verklärten‹ Spießertums: »Schön war Susette, die sittige Hausfrau, edel an Geist und Gestalt und aller Sehnsucht Vollendung: der helle Gott fand die Göttin« (Hölderlin, S. 252).

Er bruuscht so wild, er ruuscht so liis:
I giengt am liebste dry«

– das ist ganz die Stimmung, in der Goethes Schwester
Cornelia, eine zerrissene Natur, in ihrem Emmendinger
Exil das Nordische der Rheinlandschaft, die Erlkönig-
atmosphäre der langen Nebelmonate empfunden haben
mag. In der deutschen Literatur wiegt der Band kaum
schwerer als die Dialektgedichte der Brüder Mathis, die
Elsässer und dabei ebenso rabiate Franzosenköpfe waren
wie Burte ein Alldeutscher. Seine Dramen in der Hoch-
sprache sind weitgehend Edelkitsch, vor allem aber sein
Roman ›Wiltfeber, der ewige Deutsche‹, der 1912 den
Kleistpreis erhalten hatte und eine Orgie nationaler
Phantasmen mit falschem Nietzsche-Pathos darstellt. [7]
Wie Heidegger, hat auch Burte sich später vom Dritten
Reich distanziert – in aller Stille, ohne das unbequeme,
öffentlich anklagende Pathos Conrad Gröbers, des Frei-
burger Bischofs und gebürtigen Meßkirchers.

Als Germane war Burte 1936 unter wiedererwachten
Germanen an die Rampe getreten und hatte damals seinen
Hebel auf dem Hintergrund jenes Wagner-Dekors prä-
sentiert, der bei Heidegger noch 1957 Voraussetzung ist:
»Ewig die Welle, ewig das nordische Meer«.

Dorther kamen die Vorfahren, dort »lag der Hort«,
dort »war die Huld«, dorthin verweist (wiederum ein Zitat) die »Hegepflicht des herrlichen Ahnenerbes«.

»Tempellos ihre Haine mit heiligen Feuern«, in ähnlichen Hainen wird Heidegger seinen Hölderlin ansie-
deln, den germanischen Jüngling voll griechischen Geistes.

---

[7] H. Burte: *Madlee, Alemannische Gedichte*, 1925. S. 216:
›Lebewohl am Rhein‹ – Auszüge aus ›Wiltfeber‹ auch bei W.
Killy: *Deutscher Kitsch*, 1961 – Burte über Hebel im Sammelband *Alemannenland, ein Buch von Volkstum und Sendung*, Hg. F. Kerber, Freiburg, 1937. Die Alemannische Tagung
hatte im ›Weinmonat 1936‹ stattgefunden.

Urtümliche Kraft kennzeichnet die Alemannen Burtes
und Heideggers:

> »Was immer diente dem Leben
> Oder das Leben erhöht,
> Alles gelang ihrer Kraft
> Fünfzehn Jahrhunderte lang!
> Doch zu den herrlichen Gaben
> Fügte die zornige Fei,
> De alemannischen Fluch« –

den Fluch der Seinsvergessenheit,
der Unterwerfung unter das Fremde.

> ». . . Jahrhunderte kamen, und Alemannen
> vergaßen Ihrer selber gar oft,
> Ihrer erlesenen Art!
> Dienten dem Fremden und gaben
> Lateinische Namen sich selber,
> Beugten den Geist in das Joch,
> Mietlinge verdammter Gewalt!
> Und verletzten bewußt
> Ihre arteigene Pflicht«!

Die lateinischen Namen, die die deutsche Philosophie
übernommen und damit das eigene Denken beschädigt,
verstümmelt, entweiht hat, rückgängig zu machen durch
bewußten zähen Rückgriff auf die bodenständige Sprache
des bäuerlichen Brauchtums ist für Heidegger ein Programm geworden, das er im Humanismusbrief von 1949
klar formuliert und das auch die Diktion seines Hebels
mitbestimmt.

Hebel wird ihm dabei zum Vorläufer, Ahnherrn und
Wegweiser aus der Wüstnis, dem Verfall, der Heilsverlo-
renheit, wie Burte es formuliert:

> »Da kam Hebel! und brachte
> Aus fast verschollener Tiefe
> Wieder das magische Wort: Alemannisch!
> empor,

> Schuf im lebendigsten Mittel,
> Der Mundart arischer Bauern,
> In den Talen daheim
> Lieder voll Kraft und Gemüt!«

Auch der Blitzstrahl – ein späteres Leitmotiv von Heideggers Hölderlin-Interpretation – fehlte bei Burte nicht:

> »Hebel, der Erste im Stamme,
> Den alle heilig verehren,
> Nahe dem Gott und dem Volk ...
> Ihn traf das Feuer vom Haine,
> Feite die Flamme vom Baum,
> Weihte natürliches Licht!«

Und wenn Heidegger am Schluß seiner Hebel-Rede die wahre Sprache feiert als »Weg und Steg zwischen der Tiefe des vollkommenen Sinnlichen und der Höhe des kühnsten Geistes«, so zaubert Burte mit demselben Schulratspathos die hohe Zeit der wiedergefundenen allemannischen Gemeinschaft vor uns hin, wo »der Himmel sich neigt und der Boden sich hebt, bis das Münster des Geistes weise sein Wesen der Welt.«

Die politischen Bezüge sind bei Heidegger 1957 verwischt, ja prinzipiell als irrelevant ausgeklammert. Das Metaphernnetz der Stammes- und Sprachsakralisierung ist geblieben. Vorgeformte Ziegel, ausgeleierte Melodie.

Heideggers Themen und Formeln decken sich nicht nur mit dem Hebel-Epos von Burte, sondern schlechthin mit allen Reden des Sammelbandes: ›Alemannenland, ein Buch von Volkstum und Sendung‹, Freiburg 1936.

»Gestaltungsmächtig sind allein die ewigen Tiefen des freien, reinen Volkswesens und die genialen Höhen der schöpferischen Persönlichkeit ... Die anonyme Weltverschwörung will die Vernichtung der souveränen Persönlichkeit und die Zerrüttung des heimatständigen Volkswesens ... (Unser Ziel aber ist): die Wiederaufrichtung der freien, urtümlichen Volkheit und die Wiedereinsetzung der in Gott wurzelnden großen Persönlichkeit ... Wollt ihr Knechte des Luzifer sein oder Söhne Gottes?[8] Das ist aller Fragen Sinn – auch der alemannischen«, verkündet der nazifizierte Schweizer Erzähler Jakob Schaffner, und der Oberbürgermeister der Stadt Freiburg, Kerber, preist die »bodenständige Bindung«, die unter dem Dritten Reich die Schäden der liberalistischen Zivilisation und jüdischen Überfremdung von Staats wegen auszuheilen berufen sei: »das heimatliche Gemeinschaftserlebnis soll uns prägen«. »Die tiefsten Quellen sind aufgebrochen«, jubelt Friedrich Roth, und nochmals Jakob Schaffner: »Die mächtige Glücksquelle (wollen wir) wieder sprudeln machen aus allen Herzen und Geistern und aus den Höhen und Tiefen der geoffenbarten Heimatlandschaft«.[8]

Quelle, Kraftquelle, Jungbrunnen: das ist ein Grundbegriff dieses Stils und bildet gewissermaßen das männliche Gegenstück zum andern Grundbegriff der Wurzel, des weiblich-passiv mit dem Boden Verflochtenen, jener ›Einwurzelung‹, die Heidegger am Nazismus nicht laut genug rühmen konnte: »Es gibt nur einen einzigen deutschen Lebensstand. Das ist der in den tragenden Grund des Volkes gewurzelte und in den geschichtlichen Willen des Staates freigefügte Arbeitsstand ... Die erste Bindung ist die in die Volksgemeinschaft. Diese Bindung wird festgemacht und in das studentische Dasein eingewurzelt durch den Arbeitsdienst.«[9]

Cäsar Flaischlen – hab Sonne im Herzen – hatte auch

---

[8] J. Schaffner, cf. *Alemannenland,* o. c. Die Zitate dort S. 35 und 36.
[9] Das Zitat von Heidegger »Es gibt nur einen einzigen deutschen Lebensstand« in: *Der Ruf zum Arbeitsdienst,* Freiburger Studentenzeitung, 23. 1. 1934.

den »steten Jungbrunnen« zur Hand: »die heimatliche Mundart, aus der unserer hochdeutschen Schriftsprache immer neues Leben zuquillt«. Eine durchaus plausible, wenn auch banale Behauptung, die aber sofort wieder – wie im ganzen Kreis des ›Kunstwarts‹ – mit pastoraler Salbung ins Heimattümliche eingezwängt wird und die Hebel-Rede vorwegnimmt: »So bleibt die innere Heimat mit ihrer Stammeseigenart der stete Nährboden, aus dem sich unser ganzer Stammescharakter zu immer neuer Kraft, zu immer reicherer Entfaltung, zu immer vielseitigerer Einheit emporschnellt.«[10]

Auf der niedersten Stufe liefert das Quellmotiv den Titel von Erich und Mathilde Ludendorffs völkischem Pamphlet ›Am heiligen Quell der deutschen Kraft‹, 1933. Es steht aber auch im Mittelpunkt von Leo Weisgerbers wissenschaftlich anspruchsvoller Sprachtheorie. Als »Kraftquelle im Ringen um das eigenständige Deutschtum« wird die Sprache in seinen Darlegungen aus dem Jahr 1943 gefeiert, in denen Humboldts Spätidealismus eine triefnaß nazistische Umdeutung erfahren hat.[11]

»Die entscheidenden Kräfte des Volkstums wirken in der Tiefe, mit der Ruhe des Zeitlosen und der Sicherheit des Selbstverständlichen« – das könnte wörtlich in der Hebel-Rede stehen, und wie Heidegger greift auch Weisgerber pathetisch in die Höhen und in die Tiefen aus, verbindet die Nornen und Siegfried, die Mütter und Faust. Die »weltweite deutsche Sprache« ist zugleich »uralte Haupt- und Heldensprache«, die den Gehalt an Urworten am getreuesten bewahrt und damit dem kosmischen Ge-

---

[10] Cäsar Flaischlen: Vorrede zur Anthologie *Neuland*, 1894; zitiert in der aufschlußreichen Studie von F. Schonauer: *Deutsche Literatur im 3. Reich*, 1961.
[11] Leo Weisgerber: *Die deutsche Sprache im Aufbau des deutschen Volkes*. (Im Sammelband: *Von deutscher Art in Sprache und Dichtung*, Hg. G. Fricker, F. Koch und G. Lugowski, 1941, Bd. 1).

heimnis am nächsten geblieben sei. »Hier treten uns die lebenspendenden und lebentragenden Kräfte entgegen, die unser Dasein schicksalhaft durchwalten«. Muttererde, Mutterboden, Muttersprache – solche Worte besitzen nur in der germanischen Tradition ihre vollkommene Ursprünglichkeit, Lauterkeit und Läuterungskraft. Luther, Dürer, Paracelsus haben das verschüttete, vom Latein überfremdete Erbe wieder freigelegt, sind durch die Schächte der Sprache zum Grund des menschlichen Seins am tiefsten hinabgestiegen. Reisige Ritter trotz Tod und Teufel, wußten sie um die unabdingbare Notwendigkeit der Sicherung des geheiligten Sprachguts gegen artfremde Einflüsse.

Vom Seelenschmus wechselt Leo Weisgerber – wie Hitler in seinen Reden – brüsk zum Kommißton hinüber: »Die Sprache eines Volks ist eine in höchstem Maße wirkliche Macht, die jeden einzelnen von frühester Kindheit an erfaßt, ihn nach ihrem Gesetz formt und nun durch ihn hindurch die Aufgaben verwirklicht, denen sie selbst im Volksleben dient.« Eine totale Mobilmachung im Namen der Sprache, die den Menschen »ohne sein Zutun und Wollen in eine Sprachgemeinschaft auf immer eingliedert«, ihn verdorren und verderben läßt, sobald er sich freventlich von ihr abzulösen versucht oder durch fremden Zugriff aus ihr herausgerissen wird.

Wie Schlachtvieh ist in dieser Sprachdiktatur der einzelne auf immer markiert und einer völkischen, d. h. politischen Gemeinschaft überantwortet, der als Pflicht obliegt, Abtrünnige mit Gewalt zurückzuholen. Eine Zumutung, die schon Renan in seiner Antwort an den Reichs- und Muttersprachvorkämpfer D. F. Strauß 1871 mit klassischer Präzision als Begriffsmantscherei zurückgewiesen hatte.[12] Aus dem gleichen Geist sind Gottfried Kellers

---

[12] Die Antwort Renans an Strauß in seinem Brief vom 15. September 1871 (*Œuvres complètes d'E. Renan*, Bd. I, Paris,

Strophen entstanden, denen die nazistischen Ansprüche
auf die Schweiz als stamm- und sprachverwandtes Land
später eine brennende Aktualität geben sollten:

> »Volkstum und Sprache sind das Jugendland,
> Darin die Völker wachsen und gedeihen, ...
> Doch manchmal werden sie zum Gängelband,
> Sogar zur Kette um den Hals der Freien;
> Dann treiben Längsterwachsene Spielerein,
> Genarrt von der Tyrannen schlauer Hand.
> Hier trenne sich der lang vereinte Strom
> ...
> Denn *einen* Pontifex nur faßt der Dom,
> Das ist die Freiheit, der polit'sche Glaube,
> Der löst und bindet jede Seelenkette!«[13]

Hinter Keller stand nicht nur die alemannische Mundart
der Schweiz, sondern mindestens ebenso stark die soziale
und politische Tradition seines Landes, die reale Schweizer Volksgemeinschaft, das Schweizer Republikanertum –
genauso wie hinter Carl Spitteler und seiner mutigen, klaren Absage an den deutschen und europäischen Kriegs-
rausch von 1914.

Hinter Hebel stand und steht der aufgeklärte Geist des
18. Jahrhunderts.

Hier ist es an der Zeit, den ›Ursprüngen‹ Hebels etwas
genauer nachzugehen.[14]

1947). – Über die Polemik cf. das Standardwerk über deutsch-
französische Beziehungen im letzten Viertel des 19. Jahrhunderts: Claude Digeon: *La crise allemande de la pensée fran-
çaise 1870–1914*, S. 179–215. Paris, 1959.
[13] Gottfried Keller: *Gedichte*, Cotta, 1914, S. 114 (»Natio-
nalität«).
[14] Hebel-Biographie von W. Altwegg, 1935. – Vom selben
Autor: *Werke*, 3 Bde., 1940. – W. Zentner: *Briefe Hebels*,
1939. – Sehr aufschlußreich ein Vergleich zwischen dem Beitrag über Hebel in: *Die großen Deutschen*, 1943, und der Neuausgabe dieses Lexikons durch H. Heimpel, Th. Heuss und

Hebel ist seit der Kindheit mit dem Schwarzwald innig vertraut gewesen und hat bis zum 14. Lebensjahr einen Teil des Jahres regelmäßig in Hausen verbracht, dem Heimatdorf der Mutter im vorderen Wiesental. Aber ebenso stark bleibt er mit der Rheinebene verbunden. In Basel 1760 geboren, in Basler Schulen aufgewachsen, früh von erasmischem Geist angerührt, nach einem kurzen Zwischenspiel in der Schopfheimer Lateinschule Gymnasiast in Karlsruhe, Pfarrkandidat in einem Rebdorf des Markgräfler Landes, Seminarlehrer in Lörrach, von 1791 bis zu seinem Tod 1826 Professor, dann Gymnasialdirektor, zuletzt Prälat und Mitglied der Ständeversammlung in Karlsruhe: das alles läßt sich nicht einfach mit derselben Geste vom Tisch wischen, mit der Heidegger auch unbequeme Fakten aus Hölderlins Leben als uneigentlich beiseite schiebt.

Der Vater überhaupt kein Alemanne, sondern ein kurpfälzisch aufgeweckter und umgetriebener Weber und Soldat, der zuletzt am Oberrhein hängenblieb und dort früh starb. Etwas Weltläufig-Vagabundisches gehört zu den Kennzeichen von Hebels ›Kalendergeschichten‹. Sie spielen in der Mehrzahl auf der großen Völkerstraße des Rheins, führen nicht in abgelegene Gebirgsdörfer wie Gotthelfs Erzählungen oder Stifters ›Bunte Steine‹. Der

---

B. Reifenberg, 1956, Bd. II. Der Text von 1943 stammt vom nationalistischen Freiburger Dichter H. E. Busse, der spätere Text von einem der subtilsten Hebel-Kenner, Gerhard Hess. – Weitere Arbeiten über Hebel im Sammelband bei Rainer Wunderlich, Tübingen, 1964, Hg. H. Leins mit Beiträgen von Th. Heuss, C. J. Burckhardt, W. Hausenstein, B. Reifenberg, W. Bergengruen, M. Heidegger (›Sprache und Heimat‹, s. o., Nr. 4) und R. Minder (Erste Fassung der Hebel-Rede in Hausen 1963). – Wertvolle Hinweise bei R. Feger: *Hebel und Frankreich* (Alemannisches Jahrbuch 1961) und *Hebel und der Belchen* (Schriftenreihe des Hebelbundes 1965, XIV). – Ernst Bloch: Nachwort zu den *Kalendergeschichten* von Hebel, sammlung insel 7, 1965.

Ton ist ein anderer, und von ihm gilt immer noch, was Goethe über die ›Alemannischen Gedichte‹ schrieb: er ist Widerklang und Widerspiegelung des ›Landwinkels‹ im badischen Oberland, wo Hebel gelebt hatte und der sich auszeichnet durch – »Heiterkeit des Himmels, Fruchtbarkeit der Erde, Mannigfaltigkeit der Gegend, Lebendigkeit des Wassers, Behaglichkeit der Menschen, Geschwätzigkeit und Darstellungsgabe, neckische Sprachweise«. Hebel wurde so für Goethe der Dichter, »der, von dem eigentlichen Sinne seiner Landesart durchdrungen, von der höchsten Stufe der Kultur seine Umgebung überschauend, das Gewebe seiner Talente gleichsam wie ein Netz auswirft, um die Eigenheiten seiner Lands- und Zeitgenossen aufzufischen . . .«.

Unmittelbarer tritt der Schwarzwald hervor in den Dialektgedichten. Das tiefste unter ihnen, ›Die Vergänglichkeit‹, verbindet auf grandios einfache, natürliche Weise – im parlando zwischen Großvater und Bauernjungen über Nacht, Sterne und Berge, Weltuntergang und Gott – das Landschaftsbild mit der Erfahrung des Todes, wie seinerzeit der Dreizehnjährige sie gemacht hatte, als er die schwerkranke Mutter auf dem Leiterwagen von Basel ins Dorf zurückgebracht hatte und sie unterwegs in der Nacht gestorben war. In einem solchen Gedicht – es gibt ihrer noch ein paar andere – ist alles großer, voller Klang: wir stehen im Kern von Hebels menschlichem und dichterischem Empfinden wie im ›Bergwerk von Falun‹, seinem reinsten Prosastück. Niemand wird das in Frage stellen; nur Heidegger hängt an die erlebte und durchlittene Grundsituation das Bleigewicht seiner eigenen Vorstellungen über Dialekt als Ursprache des Dichterischen und Bauerntum als ewiges Vorbild menschlicher Tätigkeit.

Hebels Besteigung des großen Belchen – ein abenteuerliches Unternehmen für jene Zeit – hatte dem Dreißigjährigen gewaltige Eindrücke hinterlassen. Seine zwei oder drei Begleiter – Theologen und Hungerleider wie er – be-

gründeten mit ihm den Kult des ›Belchismus‹, als dessen
Gott sie Proteus erwählten, den Gott des Nichts und der
Habenichtse. Aber Proteus kannten sie aus den ›Georgi-
ca‹, und neben Diogenes und Parmenides wurde Vergil
der oberste Schutzgeist der ›Belchianer‹. Die Geheimsprache, die sich der schöngeistige Zirkel in jenen kurzen Jahren zulegte, hat wenig mit Dialekt zu tun und weit mehr
mit surrealistischen und dadaistischen Wortspielen, wenn
aus Saum eine Maus herausgezaubert wurde und aus Gras
ein Sarg. Das Ganze mit einem philologisch-theologischen
Schulschmäcklein wie bei Mörike. Die lyrische Ader war
bei Hebel freilich sehr viel geringer und in zwei, drei Jahren erschöpft; es ist bei aller Geselligkeit etwas merkwürdig Sprödes, sentimentalisch Versponnenes, junggesellig
Vertracktes an ihm. In sein Heimatdorf, von dem er immer sprach, ist er kaum je zurückgekommen; die geliebte
Gustave Fecht, der er jahrzehntelang galante oder her-
zenszarte Briefe ins Pfarrhaus nach Weil im Oberland
schrieb, hat er so wenig geheiratet wie Grillparzer eine der
Schwestern Fröhlich. Jean-paulisch träumt er vor dem
Tod mit 66 Jahren davon, mit siebzig das Geburtshaus in
Basel zu mieten und »alle Morgen, wie es alten Leuten ge-
ziemt, in die Kirchen, in die Betstunden« zu gehen, from-
me Büchlein zu schreiben »und Nachmittag nach Weil«
zur hypochondrischen Jungfer.

Seine ›Kalendergeschichten‹, mit Unterbrechungen zwischen 1808 und 1820 als Beiträge zum badischen lutheri-
schen Kalender in öffentlichem Auftrag redigiert, be-
kämpfen den Obskurantismus in jeder Form – der religiösen wie der politischen. Ihre Wirkung und Bedeutung ruht
nicht nur auf der Kraft des Ausdrucks, sondern ebensosehr
auf einer besonderen Kraft des Fühlens und Denkens.
Was Hebel von seinen Nachahmern, den zahllosen Schol-
lendichtern und Winkelgrößen unterscheidet, ist neben
dem dichterischen Genius die Spannweite und Modernität
einer Ideologie, die die Grundtendenzen seiner Zeit zu-

sammenzufassen und -zuschauen imstande ist. Exemplarisch verbindet er Aufklärung mit Frömmigkeit und den
Toleranzgedanken des Evangeliums mit den Grundsätzen
jener bürgerlich-bäuerlichen Emanzipation, wie sie in Baden der Markgraf Karl-Friedrich als Schüler der französischen Physiokraten schon 1783 in die Wege geleitet und
1806 durch die original-badische Adaptation des Napoleonischen Gesetzbuches auf allen Gebieten rechtskräftig
gemacht hatte. Der Ludwigshafener Ernst Bloch hat in
diesem Sinn Hebel mit vollem Recht als ›citoyen‹ bezeichnet, als bewußt fortschrittsfreundlichen Bürger, als erfahrenen Parlamentarier, der – voll Rechtlichkeit und
Schläue wie die Figuren seiner eigenen Geschichten – das
schwierige Konkordat zwischen Lutheranern und Reformierten im neuen Großherzogtum Baden ausgehandelt
hatte – in enger Verbindung mit Brauer, Reitzenstein,
Tulla, Wessenberg und anderen konstitutionell gesinnten
Männern, unter deren Einfluß Baden bis zum Scheitern
der Revolution von 1848 Deutschlands großes Reservoir
an aktiven Demokraten geworden ist.

Demokraten – ein Begriff, der für Heidegger wie für
Weisgerber unverständlich, ja abwegig sein mußte, stammen doch beide aus den radikal umgeschichteten bäuer-
lich-bürgerlichen Kreisen der Bismarck- und Hohenzol-
lernzeit, die unter Verzicht auf politische Mündigkeit pa-
triotisch strammstanden, nach 1918 das Fronterlebnis sakralisierten, die Weimarer Republik diabolisierten und
wie reife Früchte auf den Boden klopften, als blutrot am
Horizont der Führer aufgetaucht war.

Selbst zur Zeit, als Deutschland in Stalingrad schon
auszubluten begann und das Regime ins Herz getroffen
war, überdröhnte der heutige Bonner Ordinarius für
Sprachwissenschaft die Wirklichkeit mit dem ebenso groß-
schnauzigen wie gespensterhaft irrealen Pathos seiner
›Festrede zur Feier der Reichsgründung und der nationa-

len Erhebung am 30. Januar 1943‹. Ihr Thema, ein Heid-
egger-Thema: ›Sprache als volkhafte Kraft‹.

»Das Gedenken an die großen Führertaten unserer
Volksgeschichte erfüllt seinen Sinn erst dann, wenn es
nicht ein Erinnern an Geschehnisse bleibt, sondern uns
selbst hineinstellt in das Fortwirken dieser Ereignisse. Was
in den Schicksalsentscheidungen der Geschichte für das
Ganze erkämpft wurde, das muß jeder einzelne von uns
als immer neu gestellte Aufgabe verspüren. Und nicht nur
als allgemeine Verpflichtung, sondern als deutlich um-
schriebene Forderung des Verhaltens zu den Grundkräf-
ten des volklichen Lebens.«

Wir kennen diese Forderungen aus der Hebel-Rede. Die
Namen sind auswechselbar: »Es ist ja das Eigentümliche
bei der Teilhabe an der Muttersprache, daß ein jeder jederzeit zu verantwortlichem Tun verpflichtet ist« – nichts
unterscheidet solche Formeln von denen aus Heideggers
›Hebel‹ 1957. Nur wird in der ›Festrede‹ Leo Weisgerbers
der kriegerische Schmuck noch unverhüllt auf stolzer Brust
zur Schau getragen (»Über die Brust wie ein Rind und ein
Bart wie ein Löw«, Tambourmajor im ›Woyzeck‹): »Von
unserm Hier und Jetzt hängen Wirkungen ab, die im ganzen die geistige Stoßkraft unseres Volkes erhöhen oder
aber vermindern. Nicht die geringste Aufgabe der Sprachwissenschaft ist es, die Verantwortlichkeit aller vor der
Sprache als volkhafter Kraft bewußt zu halten. Wenn
schon die deutsche Haltung zur Sprache auch in die Entscheidungen unserer Tage eingegangen ist, dann müssen
wir wissen, daß zwei Dinge wesentlich davon abhängen:
die geistige Geschlossenheit des deutschen Volkes und die
weltweite Wirkung des deutschen Geistes. An jedem von
uns ist es, sein Handeln danach zu gestalten. Der Weg ist
der der täglichen Bewährung in scheinbar kleinen Dingen.
Das Ziel ist aber dasselbe, das uns bei dem Gedenken an
den 18. Januar 1871 und den 30. Januar 1933 immer
leuchtender vor Augen tritt und das die Quelle unserer

sieghaften Kraft im jetzigen Entscheidungskampfe ist: das
ewige Volk und Reich der Deutschen.« [15]

Statt Rilke und Trakl interpretierend zu zelebrieren,
könnten die Deutschlehrer mehr für Sprachsinn und Bür-
gerkunde tun, wenn sie die rasselnde Verlogenheit und
panzerstarrende Inhumanität solcher Elaborate bis in die
syntaktischen Einzelheiten demonstrierten und zur Erläuterung einen Aphorismus des (stets kastrierten) Johann
Gottfried Seume heranzögen: »Wenn ein Deutscher zu so-
genannter Würde oder auch nur zu Geld kommt, bläht er
sich dick, blickt breit, spricht grob, setzt sich aufs große
Pferd, reitet den Fußsteg und peitscht die Gehenden.«
Heideggers Proklamationen würden die Parallelbelege
liefern.

Josef Weinheber hatte schon früher in seinem ›Hymnus
auf die deutsche Sprache‹ ähnliche Gedankengänge dichterisch verkündet und unter Orgel- und Schwerterklang
Pseudoreligion bis in die zahnlosesten Tiefen des deutschen Gemüts gegurgelt:

> »O wie raunt, lebt, atmet in deinem Laut
> Der tiefe Gott, dein Herr; unsre Seel,
> Die da ist das Schicksal der Welt.
> . . . Du gibst dem Herrn die Kraft des Befehls und
> Demut dem Sklaven
> . . . Du nennst die Erde und den Himmel: deutsch.
> . . . Du unverbraucht wie dein Volk!
> Du tief wie dein Volk!
> Du schwer und spröd wie dein Volk!
> Du wie dein Volk niemals beendet!

---

[15] Leo Weisgerber: *Die Haltung der Deutschen zu ihrer Sprache,* Festrede am 30. 1. 1943 in: ›Zeitschrift für Deutschwis-
senschaft und Deutschunterricht‹, 1943, S. 212–18. – Lange
Auszüge daraus in der ausgezeichnet fundierten Studie von
Rainer Gruenter: *Verdrängen und Erkennen. Zur geistigen
Situation der Germanistik.* ›Monat‹, 197, Februar 1965, S.
16–23.

... Sprache unser!
Die wir dich sprechen in Gnaden, dunkle Geliebte!
Die wir dich schweigen, heilige Mutter!« [16]

Die Dämpfung und europäische Umfrisierung in der späteren Zeit ist Weisgerber und Heidegger gemeinsam. Derselbe Leo Weisgerber, der sich in der Zeit der großen Verbrechen keinen Augenblick um ›Menschenrechte‹ irgendwelcher Art scherte und nur vom Recht und Vorrecht der Sprache besessen war (wie noch heute Heidegger), forderte nach dem Zusammensturz eines Regimes, für das er sich so ›voll und ganz‹ eingesetzt hatte, den Einbau seiner Sprachtheorie als ›volkliches Recht‹ in die Charta der ›Vereinten Nationen‹. ›Volkliches Recht‹: der Klumpfuß wird sichtbar. Immer wieder geht die Sprache mit dem Schreiber durch, das Eingliedern und Erfassen von Gemeinschaften kann er nun einmal nicht lassen: Das »natürliche Recht der Sprachgemeinschaft ist ein Menschheitsanliegen schlechthin und kann nur von da aus voll erfaßt werden«. [17]

---

[16] J. Weinheber: *Selbstbildnis,* Ausgewählte Gedichte, bei Langen und Müller, München, 1937. S. 30/31.
[17] Leo Weisgerber: *Sprachenrecht und europäische Einheit,* 1959. (Arbeitsgemeinschaft/Forschung des Landes Nordrhein-Westfalen, Geisteswissenschaften, Heft 81) Westdeutscher Verlag, Köln und Opladen, 1959. – Das obige Zitat von J. G. Seume in: *Apokryphen,* sammlung insel 18, S. 94. – Reiches Material über den patriotischen Wortbombast in der scharfsinnigen Studie von H. Glaser: *Die Spießerideologie. Von der Zerstörung des deutschen Geistes im 19. und 20. Jahrhundert,* 1964. Eine Apologie der ›Gemeinschaft‹ im Dienst der NPD und mit den alten Argumenten des Dritten Reichs hat Prof. Dr. Anrich im Juni 1966 in Stuttgart gegeben (cf. Stuttgarter Ztg. v. 20. 6. 66). Der Verfasser, durch seine nazistischen Schriften berüchtigt, war inzwischen zum Leiter der Wissenschaftlichen Buchgesellschaft in Darmstadt avanciert, die er erst auf Grund dieses neuen Bekenntnisses zum alten Dogma verlassen mußte. Cf. u. a. Anrich: *Deutsche Geschichte 1918 bis 1939* (1940).

Nicht umsonst war Hitler so lange sein Meister und Denklehrer gewesen. In seiner Rede vom 30. Januar 1943 hatte Weisgerber sich ausdrücklich auf die Rede vom 30. Juni 1937 berufen, worin Hitler im Rahmen einer ›Weihestunde des deutschen Sängerbundfestes‹ neben der deutschen Sprache in erster Linie das deutsche Lied verherrlicht. Heideggers Weihestunde für Hebel arbeitet 1957 mit den gleichen Grundbegriffen, verwertet das gleiche gedankliche Material, ohne vermutlich die Rede selber zu kennen, aber aus der gleichen ›organischen‹ Sprachauffassung heraus.

»Das deutsche Lied«, hatte der sogenannte Führer ausgerufen, »begleitet uns von unserer Kindheit bis ins Greisenalter. Es lebt in uns und mit uns und läßt, ganz gleich wo wir auch sind, immer wieder die Urheimat vor unseren Augen erstehen, nämlich das deutsche Land und das deutsche Reich ... Im Lied hat der einzelne sich der Heimat ergeben ... Wer so zu seinem Volk und zu seiner Heimat steht, der wird aus beiden immer wieder neue Kraft gewinnen! Und so ist stets das deutsche Lied eine Quelle der Kraft geworden und ist es auch heute wieder.« Die Rede schloß mit einem Hochruf auf »das deutsche Reich der Größe und der Ehre und der Kraft und der Herrlichkeit und der Gerechtigkeit, Amen!« – eine stürmisch bejubelte Eingliederung der Bibelworte ins Evangelium vom deutschen Menschen. Dietrich Heßling und Sternheims Bürger Maske schwelgten im Gemüt und spürten die Kraft ihrer Lenden. [18]

Wieder einmal war das Volkslied als erderwachsenes, gottverbundenes Gemeinschaftserzeugnis mythisiert. Sternheim hatte die Attrappe schon 1913 in seinem ›Schippel‹ aufgedeckt und persifliert.

Heidegger macht die Mystifikation noch 1955 mit,

---

[18] Der Text der Hitlerrede bei M. Dormarus: *Hitlerreden und Proklamationen*, Bd. I, 1962, S. 711.

wenn er zur 175. Geburtstagsfeier des Meßkircher Musikers Conradin Kreutzer das Wort ergreift, sein Werk auf die »Grundkräfte des heimischen Bodens« reduziert und danach die besorgte Frage stellt: »Gibt es noch wurzelkräftige Heimat, in deren Boden der Mensch ständig steht, d. h. boden-ständig ist?« Die Frage wird verneint, und doch muß, »wo ein wahrhaftig freudiges Menschenwerk gedeihen will, der Mensch aus der Tiefe des heimatlichen Bodens in den Äther hinaufsteigen können«. [19] Damit stehen wir wieder bei der ›Alemannischen Tagung‹ von 1936 und Jakob Schaffners Ausruf: »Gestaltungsmächtig sind allein die ewigen Tiefen des freien reinen Volkswesens und die genialen Höhen der schöpferischen Persönlichkeit«.

Wenn tatsächlich das Beste an Conradin Kreutzers fast ganz verschollenen Opern und Chorgesängen rustikale Lieder mit Hörnerschall-Effekten bleiben (›Droben stehet die Kapelle‹ oder die Jagdszenen aus dem ›Nachtlager von Granada‹), so deswegen, weil andere Regionen dem mediokren Weber-, Schubert- und Mendelssohn-Epigonen verschlossen blieben. Ihm fehlten das Genie und die Kenntnisse, die Mendelssohn von Natur und durch Schulung besaß, obwohl er ein patrizischer Großstädter ohne jede ›Schollenverbundenheit‹ war. Bodenständigkeit als Kriterium künstlerischer Befähigung spukt nicht nur in Heideggers Schriften weiter; er teilt den Wahn mit einer von Hitler gezeichneten Generation. »Kultur ist Ausdruck völkischen Eigenwesens in höchster Form«, heißt es in Kolbenheyers ›Bauhütte‹ und auf dem Wesselburer Grabstein von Adolf Bartels steht: »Eine Sünd nur gibt's auf Erden: untreu seinem Volk zu werden – und sich selber ungetreu.«

---

[19] Heidegger: *Festrede über C. Kreutzer am 30. 10. 1955 in Meßkirch*. Abdruck in ›Gelassenheit‹, 1959, S. 11–28. – Anton Gabele: *Das Nachtlager*, 1940. Cf. auch seinen Roman *In einem kühlen Grunde*, 1939.

Das Gegenstück zu einem solch religiös überhöhten, rassenpolitisch unterbauten Volksbegriff bildet Béla Bartóks Schaffen und Denken – avantgardistische Musik, deren Rhythmus und Melodik doch in jedem Takt die genaue, enthusiastische Vertrautheit mit der ungarischen Volksmusik bezeugen. Statt schicksalhaft durchwalteter, dumpfer Hingabe an ein mythisch gedeutetes Erbe, die ständige Anstrengung des Begriffs, ein Akt höchster kritischer Reflexion in der Konfrontierung des Überlieferten mit den Problemen des technischen Zeitalters. Zu keiner Zeit seines Lebens hätte Bartók – so wenig wie Hebel – den Satz unterschrieben, den der Meßkircher Sakristansohn noch 1954 wiederkäut: »Die Aufklärung verfinstert die Wesensherkunft des Denkens«. [20]

»Der Verlust der Bodenständigkeit«, heißt es im Kreutzer-Gedenkwort weiter, »kommt aus dem Geist des Zeitalters, in das wir hineingeboren sind.« Und an diesem Geist der Planung und Berechnung, der Organisation und des automatischen Betriebs sind grundlegend schuldig die Philosophen des 17. Jahrhunderts, vorab Descartes.

Heidegger ist also auch hier der Auffassung treu geblieben, die Karl Hahm als ›Reichsobmann für Bauernwesen‹ 1934 verkündigte: »Die städtische Zivilisation hat die alte ererbte bäuerliche Gemeinschaftskultur aufgelöst. Diese Gemeinschaftskultur war ein hochentwickeltes Wirtschafts- und Weltanschauungssystem gewesen, das die Dorfgemeinde zu einer organischen Einheit zusammenschloß. Stetigkeit der Lebens- und Arbeitsform, Beharrlichkeit der eingebundenen Kultur waren ihr Merkmal.« »Zwei große geistige Linien umgrenzen und tragen das bäuerliche Brauchtum: der Lebenskreislauf und der Jahreskreislauf... So bleibt die Bauernarbeit ewig gleich. Bekenntnis zu Blut und Boden bildet damit eine ganz unsen-

---

[20] *Über den Humanismus,* 1947.

timentale und wirkliche Voraussetzung gegen liberale Vergiftung.«[21]

Mit der dröhnenden Salbung, die den Proklamationen des Regimes und den gleichzeitigen Verlautbarungen Martin Heideggers eigentümlich war, feierte der ›Reichsobmann für Bauernwesen‹ auch die Mundart als »Ausgangspunkt der neuen Gesinnung und Gesittung« – dies in einer Stunde, wo routinierte Techniker der Massenbeherrschung, Verbrechertypen mit Großstadtkniffen, ihre Hand auf die Apparatur eines durchrationalisierten Industriestaats gelegt hatten.

Anton Gabele aber, ein Bauernsohn und Volksschullehrer aus Buffendorf bei Meßkirch, schrieb in seinem Roman ›Pfingsten‹, 1934, über das Dritte Reich mit Wendungen, die bis heute Heideggers Diktion kennzeichnen: »Tief in das Mutterreich verwurzelt und hoch in die Weite des Himmels gebreitet, steht das neue Deutschland da«.[22]

Ein anderer Bauernsohn aus Meßkirch, Conrad Gröber, der Erzbischof von Freiburg, schwelgte ebenso hemmungslos vom »verschmelzenden Feuer, das das Volk in seinem Innersten ergriffen« habe, »vom völkischen Erleben, das sich immer wieder ins Religiöse und Heilige auslöse«, von der »Rückkehr zu den naturbedingten und gottgewollten Wurzelgründen des Wesens«.[23]

---

[21] Karl Hahm: *Bäuerliches Brauchtum und Werktum* in: ›Nationalsozialistische Monatshefte‹, März 1934, S. 265 sq.

[22] Anton Gabele: *Pfingsten*, 1934, S. 175.

[23] Conrad Gröber so schon bei Ausbruch des 1. Weltkrieges, Juli 1914. Zitiert in: *Hirtenrufe des Erzbischofs Gröber in die Zeit*, hg. von K. Hofmann, S. 142. Der Text ist 1942 geschrieben. Laut einer Mitteilung des erzbischöflichen Ordinariats in Freiburg i. Br. vom 13. 12. 1965 ist der Nachlaß von C. Gröber für die Öffentlichkeit noch nicht freigegeben. Man bleibt also weitgehend auf die Zeitungsdokumente jener Zeit angewiesen, die auch in den diversen zusammenfassenden Publikationen über das Verhalten der katholischen Kirche zum Nationalsozialismus zitiert werden, so ›Amtsblatt der Diözese Frei-

Drei Meßkircher, die von sich reden machen und von denen einer die Welt aufhorchen läßt; die alle drei zu einer bestimmten Zeit ihre Ziele mit den Zielen des Nazismus völlig identifizieren und sich dann mehr oder weniger spät, mehr oder weniger entschieden, von ihm distanzieren, ohne dabei je auf die Grundbegriffe von Heimat, Volk, Verwurzelung zu verzichten: das fordert Beachtung und lenkt unsern Blick auf Meßkirch als Ort des ›Ursprungs‹.

---

burg‹, Nr. XVIII, Juni 1933, S. 85. – ›Germania‹ Nr. 225, 17. 8. 1933. – ›Badischer Beobachter‹, 10. Oktober 1933 etc. Eine Fundgrube von nazistischen Stellen bildet das *Handbuch der religiösen Gegenwartsfragen*, das Erzbischof Dr. C. Gröber ›mit Empfehlung des deutschen Gesamtepiskopats‹ noch 1937 herausgegeben hat (Herder, Freiburg i. Br.). Im Vorwort (Epiphanie 1937) schon heißt es: »In der gegenwärtigen Schicksalsstunde unserer Nation stellen sich die Leiter der Kirche in besonderer Treue an die Seite der Männer des Staates, entschlossen zur einigen Abwehr des Feindes. Indem sie für das Christentum und den echten Gottesglauben im deutschen Volke kämpfen, stützen sie auf ihre Weise am wirksamsten den Wall, den in unserem Vaterlande der Führer gegen den Bolschewismus aufgeworfen hat.« – Artikel ›Ehre‹: »Mit der christlichen Sinngebung und Begrenzung der Ehre soll daher in keiner Weise verkannt sein, daß dieses neue Ethos entscheidend beigetragen hat zu der bereits Geschichte gewordenen Tat, mit der der Führer des Dritten Reiches den deutschen Menschen aus seiner äußern Erniedrigung und seiner durch den Marxismus verschuldeten innern Ohnmacht erweckt und zu den angestammten germanischen Werten der Ehre, Treue und Tapferkeit zurückgeführt hat.« – Artikel ›Erziehung‹: »Die Kirche ... unterstützt die Erziehung zum deutschen Menschen mit seinen Grundeigenschaften des Heldischen, des Kämpferischen, der Aufgeschlossenheit für Ehre und vor allem der opferfrohen Einsatzbereitschaft für die Gemeinschaft. Sie stellt sich damit freudig in den Dienst nationalpolitischer Erziehung, sie sieht im Einsatz für Heimat, Volk und Staat eine zuletzt religiös begründete Verpflichtung.« – Wiederum zeigt sich, daß wer diese Sprache mitsprechen konnte, ohne den Unrat zu wittern, von vornherein den politischen Vorgängen und ihrer Tragweite gegenüber blind sein mußte.

Meßkirch – ein Marktflecken auf dem Hochplateau der
oberen Donau; karges, weites Land mit Wegen und Pfa-
den durch Mulden über Hänge, Hügel mit Eichen hinauf,
sonnige Waldblößen entlang. Vom Heimatdorf der Mutter stürmt ›der‹ Ostluft herein, schreibt Heidegger; bei aller Sonne ist die Luft noch hart und fährt wie ein Bürsten-
strich übers Gesicht, schreibt Anton Gabele.[24]

Bauern strömen aus dem ganzen Kreis zu den großen
Markttagen herbei. Meßkircher Zuchtvieh war schon im
19. Jahrhundert bis nach Südafrika bekannt, gesucht, prä-
miiert – der Menschenschlag ist schwäbisch: zäh, zielbe-
wußt und bei aller Verschlossenheit weltschlau. Die be-
gabteren Kinder kommen hier auf die Schulen und nach
weiterer Auslese in die Priesterseminare unten am Bodensee, wie einst Conrad Gröber und Heidegger zu den Jesuiten in Konstanz. Rom wacht über die Seinen in der Acker-
baustadt mit ihren vier katholischen Kirchen, einer protestantischen und rund 3000 Seelen am Jahrhundertbeginn.

Hinter Ulm beginnt der Balkan, sagt das Sprichwort;
hinter Meßkirch – die Gebirge und Orakel Dodonas, empfindet Heidegger. Tief eingebettet in die scheinbar unbe-
rührte Natur und bäuerliche Überlieferung, war er in der
Zwiesprache mit Wurzel und Welle an verschüttete For-

---

[24] M. Heidegger: *Der Feldweg,* zuerst als Privatdruck bei
Klostermann, Frankfurt/M., 1949, erschienen. Das Zitat S. 3. –
Anton Gabele: *Der Talisman,* Roman, 1932. – Auszug unter
dem Titel ›Die Jahreszeiten‹ in der Lesebuchanthologie *Sammlung,* I, Hg. R. Bouillon u. a., Verlag Kirchheim/Mainz und
A. Bagel, Düsseldorf, 1949, S. 128–135. – Über Meßkirch
neuerdings auch: *Meßkirch gestern und heute. Heimatbuch zur
700jährigen Stadtgründung,* 1961. – Dort S. 84–86 Heidegger: *Dank an die Meßkircher Heimat anläßlich der Ernen-
nung zum Ehrenbürger, 27. 9. 59* – eine Rede, die weitgehend
auf dem Wortspiel denken / danken aufgebaut ist und erneut
den unentrinnbaren Charakter der Heimatverwurzelung des
einzelnen betont. – Heideggers Ansprache zum 700jährigen
Stadtjubiläum 22.–30. Juli 1961 abgedruckt in *Ansprachen zum
700jährigen Jubiläum,* Meßkirch, 1961, S. 7–16.

men des Seins herangekommen, hatte sich dabei immer näher an die Griechen der Frühzeit herangetastet und sich zuletzt als ihren wahren Erben erkannt und proklamiert.

Die sieben Seiten des ›Feldwegs‹ – einer der ersten autobiographischen Texte Heideggers – atmen in der Schilderung der Landschaft von Meßkirch natürliche Empfindungskraft und Frische. Bis in topographische Einzelheiten entsprechen sie der Schilderung in Anton Gabeles autobiographischem Roman ›Der Talisman‹, 1932: ein Duett zweier Meßkircher. Der Text Gabeles beginnt: »Der Vater schreitet am Ackerrand hin, die Rosse stampfen am Pflug und werfen den Kopf, die spitzen Ohren auf und nieder. Mein Bruder geht dahinter, eine Hand an der Pfluggabel, schwingt manchmal die Peitsche und läßt sie einen lustigen Knaller tun. Ein Rabe stapft in der Furche nach, sucht und pickt. Und Rosse, Pflug, Bruder und Rabe kommen an den Hügelrand, sind eine Weile von einem gelben Leuchten umgeben und schwinden langsam, wie von der Erde oder dem Himmel aufgesogen.« Es folgt eine lange Schilderung der jahreszeitlich wechselnden Luft und Arbeit draußen, die Heideggers eigener Text plastisch rafft: »Dieselben Äcker und Wiesenhänge begleiten den Feldweg zu jeder Jahreszeit mit einer stets anderen Nähe. Ob das Alpengebirge über den Wäldern in die Abenddämmerung wegsinkt, ob dort, wo der Feldweg sich über eine Hügelwelle schwingt, die Lerche in den Sommermorgen steigt, ... ob ein Holzhauer beim Zunachten sein Reisigbündel zum Herd schleppt, ob Kinder die ersten Schlüsselblumen am Wiesenrain pflücken, ob der Nebel tagelang seine Düsternis und Last über die Fluren schiebt, immer und von überall her steht um den Feldweg der Zuspruch des Selben: Das Einfache verwahrt das Rätsel des Bleibenden und des Großen. Unvermittelt kehrt es bei den Menschen ein und braucht doch langes Gedeihen. Im Unscheinbaren des immer Selben verbirgt es seinen Segen.«

Aus der Ferne hinkt Conrad Gröber nach, wenn er den Heimweg vom Ausflug zu einem priesterlichen Verwandten beschreibt: »Ich kam aus einem tief einsamen Schwarzwaldtal. Die Berge standen herbstlich sattgrün. Die Schwarzwaldhäuser duckten sich an den sonnehellen oder beschatteten sanften Halden, die zerstreuten Herden weideten in den tiefen, fast baumlosen Mulden, die Wälder hoben sich schwarz und gezackt vom blauen Horizont ab.«[25]

Bei Gröber setzt sich die Schilderung alsbald in Predigt um; Konstanzer und Freiburger Münster tauchen als Wahrzeichen auf, überstrahlt vom ›ewigen, begnadeten Rom‹. Gabele ergeht sich in realistischer Kleinschilderung. Heidegger formuliert den philosophischen Zuspruch des Feldwegs: »Die Eiche selber sprach, daß wachsen heißt: der Weite des Himmels sich öffnen und zugleich in das Dunkel der Erde wurzeln ... Immer noch sagt es die Eiche dem Feldweg, der seines Pfades sicher bei ihr vorbeikommt. Was um den Weg sein Wesen hat, sammelt ein und trägt jedem, der auf ihm geht, das Seine zu... Der Zuspruch macht heimisch in einer langen Herkunft.«

Zu den gleichen ›Ursprüngen‹ fühlt auch Gabele »sich immer wieder heimgekehrt.« »Das Bild der heimatlichen Landschaft steigt auf und des dörflichen Jahres. Alles hebt sich neu ins Licht in dem stillen Gesetz ihres Daseins, alles lebt und webt in dem großen Gemeinsamen, das sie trägt und erhält, Erde und Getier und Menschen. Zauberhaft ist das Wort des Dichters, welches das scheinbar Vergängliche und Versunkene in die Regionen des Unvergänglichen und Fortwirkenden hebt. Alles das anheimelnd in einem kalenderhaften Rahmen geborgen.«

Gleiche Ursprünge und überraschend gleiche Diktion, gleiche Weltansicht. Der Niveauunterschied beruht auf dem angeborenen denkerischen Impuls Heideggers, der

---

25 Gröber, *Hirtenrufe*, o. c., S. 133 (1942).

durch scholastische Zucht seine volle Ausbildung erfahren hatte. Auch wenn er später Kehrtwendung gegen die Scholastik macht, hat doch gerade sie ihm Waffen dafür in die Hand gegeben, wie die Rhetorik von Sartres Großvater dem französischen Existenzialisten Waffen zum Angriff auf die eingesogene und eingebleute bourgeoise Rhetorik.

Die biographischen Angaben bei Heidegger sind knapp. »Es war, als hütete ihre Sorge unausgesprochen alles Wesen«, heißt es von der Mutter im ›Feldweg‹.

Eindringlicher – und unausgesprochen – wird sie in einem frühen Aufsatz (1935) der ›Holzwege‹ verherrlicht, wo ein Bild van Goghs die Schilderung der Bäuerin auslöst, die »am späten Abend in einer harten, aber gesunden Müdigkeit die Schuhe wegstellt und im noch dunklen Morgendämmern schon wieder nach ihnen greift«. »In der derbgediegenen Schwere des Schuhzeugs ist aufgestaut die Zähigkeit des langsamen Gangs durch die weithin gestreckten und immer gleichen Furchen des Ackers, über dem ein rauher Wind steht. Auf dem Leder liegt das Feuchte und Satte des Bodens. Unter den Sohlen schiebt sich die Einsamkeit des Feldweges durch den sinkenden Abend. In dem Schuhzeug schwingt der verschwiegene Zuruf der Erde ihr stilles Verschenken des reifen Korns und ihr unerklärtes Sichversagen in der öden Brache des winterlichen Feldes.«[26]

Der dunklen Schwere des Textes gibt das persönliche Erleben den unverkennbaren Akzent. Stärker noch als an van Goghs Bäuerin denkt man an die Kohlezeichnung von Dürers Mutter mit dem gramdurchfurchten, herben und verschwiegenen Gesicht. »Zur Erde gehört dieses Zeug [das Schuhzeug] und in der Welt der Bäuerin ist es behü-

---

[26] M. Heidegger: *Holzwege*, 1950, S. 23. (Der Text stammt aus einem Vortrag von 1935: *Der Ursprung des Kunstwerkes*).

tet. Das wesentliche Sein des Zeugs bedingt seine Verläßlichkeit. Kraft ihrer ist die Bäuerin durch dieses Zeug eingelassen in den schweigenden Zuruf der Erde, kraft der Verläßlichkeit des Zeuges ist sie ihrer Welt gewiß. Welt und Erde sind ihr und denen, die mit ihr und in ihrer Weise zu tun haben, nur so da: im Zeug. Wir sagen ›nur‹ und irren dabei; denn die Verläßlichkeit des Zeuges gibt der einfachen Welt ihre Geborgenheit und sichert der Erde die Freiheit ihres ständigen Andranges.«

Der Nabelstrang, der Heideggers Denken mit seiner bäuerlichen Umwelt verbindet, wird an solchen Stellen sichtbar. Seine Existenzphilosophie ist an die Bäuerin von Meßkirch gebunden wie schon vor 1914 das existentielle Denken Péguys an die mütterliche Gestalt der Stuhlflickerin in einem ländlichen Vorort von Orléans. Mag Charles Péguy sich auch durch die geniale dichterische Spannweite vom Philosophen unterscheiden und dieser durch die Kraft des spekulativen Denkens: gemeinsam bleibt ihnen der Trieb, das Wort immer wieder zu umkreisen, es ganz einzukreisen, den Kern des Urwortes herauszuschälen. In der ›Herkunft‹ wollten sie wieder heimisch werden: Péguy besiegelte mit dem Tod in der Marneschlacht seinen militanten Revanchismus, seine Absage an die ›zersetzende‹ sozialistisch-pazifistische Gedankenwelt des einstigen Freundes Jean Jaurès, seinen Glauben an das auserwählte französische Volk und dessen Schutzheilige: Jeanne d'Arc, das Bauernmädchen, das dem Zuruf der Erde wie des Himmels noch offenstand.

»Anfang August 1914 als Kriegsfreiwilliger gemeldet« – verzeichnet Heideggers Notiz im ›Deutschen Führerlexikon 1934 bis 35‹. »Am 9. Oktober 1914 wegen Krankheit entlassen. 1915/17 Dienst bei der Postüberwachungsstelle Freiburg i./Br.; 1918 Frontausbildung; 1918 vor Verdun bei Frontwetterwarte 414 ... Entstammt alemannischschwäbischem Bauerngeschlecht, das mütterlicherseits (Kempf), auf demselben Hof ansässig, lückenlos bis 1510 feststeht.« Und im Gespräch ließ der Philosoph 1950 scheinbar nebenher die aufschlußreiche Bemerkung fallen, die der Gegend die Aura philosophischer Begnadung verleiht: »Auch Kants Großmutter stammt von hier.«[27]

Der Rückgriff auf die Sprache der Lutherzeit und darüber hinaus, der bewußte Vorsatz, in Stil und Denken einen Zustand zu erreichen, »der dem vor der Latinisierung des Deutschen entspreche«, sind eine Rückkehr zu den Müttern im eigentlichen Sinn des Wortes, zu jenem »Märchengarten der Ahnin«, der ihn auch in einem Gedicht Stefan Georges faszinierte und seiner Interpretation würdig schien: »Und harrte, bis die graue Norn / den Namen fand in ihrem Born.«[28]

Mit der bäurischen Zähigkeit und dem Imperialismus, der ihm eigen, verheimatlicht Heidegger zuletzt den Begriff. Die ›Gegend des Wortes‹, eine ›rätselhafte Gegend‹ wird als ›Gegnet‹ mit dem lokalen Meßkircher Ausdruck für Gegend identifiziert, der wortspielerisch ausgeweitet die ›Gegnet‹ als den Ort erscheinen läßt, der »den Menschen in ein Hören auf die Gegnet und in ein Gehören in sie vergegnet.«[29]

Der Vater taucht am Rande auf. Sein Beruf ist als »Dienst bei der Turmuhr und den Glocken« umschrieben, »die beide ihre eigene Beziehung zu Zeit und Zeitlichkeit unterhalten«. Der Sakristan der Stadtkirche St. Martin wird damit auf seine Weise zu einem Vorläufer von ›Sein und Zeit‹ umstilisiert. Zwischendurch ertönt seine Axt im Wald, bedächtig hantiert er in den Pausen seines Dienstes in der Werkstatt; der Geruch des Eichenholzes bleibt dem

[27] Deutsches Führerlexikon, Berlin, 1934, S. 180. (Biographische Angaben über die führenden Persönlichkeiten des 3. Reichs, unter Verwendung ihrer eigenen Hinweise). – Zitiert bei Guido Schneeberger: Nachlese zu Heidegger, Dokumente zu seinem Leben und Denken, Bern, 1962, S. 237.
[28] Die zwei Gedichte Stefan Georges interpretiert von M. Heidegger in: Unterwegs zur Sprache, 1959, S. 162 und 194.
[29] ›Gegnet‹ bei Heidegger: Gelassenheit, 1959, S. 50.

Jungen unvergessen. Und von der Kirche, an derem alten Glockenseil der Meßnerbub »sich oft die Hände heißgerieben«, haftet ihm das »finster-drollige Gesicht des Stundenhammers« im Gedächtnis, nicht die mächtigen Grabplatten der Grafen von Zimmern, der einstigen Herren Meßkirchs, an deren Schloß, einem breiten Block mit vier Türmen, der Knabe vorbeikam, wenn er den Hofgarten hinunter in den Wald lief. Nürnberger Erzgießer haben die Riesenepitaphien der Grafen Gottfried Werner und Wilhelm (1558 und 1559) in der Kirche aufgestellt. Und die ›Zimmersche Chronik‹, die Graf Froben verfassen ließ und mitredigierte, fand zur Bismarckzeit schweinsledergebunden ihren Weg auf die Bücherborde der dunkelgetönten Herrenzimmer als Ausdruck einer Saft- und Kraftepoche, die die derb zupackende Vitalität des Meßkircher Menschenschlags mit zahlreichen Anekdoten aus der Sittengeschichte belegte.

Ein kulturelles Zentrum war so schon im 16. Jahrhundert geschaffen: Meßkirch ist zwar ein Flecken, ein Dorf, aber ein Dorf mit Herren und ihrer Stadtkultur – auf die Grafen von Zimmern folgten die von Helfenberg und zuletzt die Fürstenberg, bis 1806 der Ort durch Napoleon zu Baden geschlagen wurde, ohne im geringsten den schwäbischen Charakter zu verlieren. Hermann Heimpel notierte beim Durchfahren, daß lauter kleine Heideggers herumzulaufen scheinen, stämmig und schwarz, mit funkelnden Augen, in denen das ›Kuinzige‹ aufblitzt, eine Art hintergründigen Mutwillens, der vom Philosophen den Erden- und Himmelskräften zugeschrieben wird. »Die hat e knütz Paar Auge im Kopf«, heißt es auch in der Gegend von Ulm. ›Knütz, keinzig, kuinzig‹ und andere dialektale Umformungen von ›keinnützig‹, haben die Doppelbedeutung des französischen ›malin‹ – durchtrieben, hinterhältig und neckisch, spaßhaft.

Aufschlußreich ist, daß das bauernschlau Gerissene und Schabernackische bei Heidegger sofort ins Wagnerpathos gesteigert und der Schmied aus den ›Nibelungen‹ bemüht wird: »Die wissende Heiterkeit (das Kuinzige) ist ein Tor zum Ewigen. Seine Tür dreht sich in den Angeln, die aus den Rätseln des Daseins bei einem kundigen Schmied einst geschmiedet worden.«[30]

Wie das Derb-Stramme sich mit erlesenem Manierismus verbinden kann, zeigen die Bilder des ›Meisters von Meßkirch‹, jenes weiter nicht identifizierbaren ›Jerg‹, der ein Vierteljahrhundert hier als Maler der Grafen von Zimmern tätig war und von dem nur ein einziges Altarbild in der Stadtkirche verblieben ist; alle andern sind in Museen zerstreut. So der Christophorus in Basel, der mit bloßen Beinen und Knotenstock eine grünlich schillernde Furt durchwatet. Die Rundung des radförmig zurückgeschlagenen und gebauschten Mantels mit dem Kreis der abgestuften Farben im Widerspiel zur Weltkugel, in der oben auf der Schulter das Christuskind eingeschlossen thront: das ist grünewaldisch gesehen, raffinierte Malkultur, das realistische Detail in ein Spiel von Farben verwandelt mit Echoeffekten, den Manierismen in Heideggers Stil nicht unähnlich, wenn auch mit einem ganz anderen Elan und im übrigen ohne jede unmittelbare Beziehung[31].

---

[30] Heidegger über das ›Kuinzige‹ in: *Der Feldweg*, o. c., 1949, S. 5. Vgl. dazu das *Schwäbische Wörterbuch* von H. FISCHER unter ›keinnützig‹, woraus in der Ulmischen Gegend ›knitz‹, anderswo ›keinzig‹ oder ›knütz‹ wird mit der Bedeutung von ›neckisch, mutwillig‹ (freundliche Bestätigung für Ulm durch Herrn Dr. W. Prinzing, Württembergische Landesbibliothek). – H. Heimpel über Meßkirch in einem Privatgespräch, Paris, Frühjahr 1952.

[31] Über den Meister von Meßkirch, cf. Thieme u. Becker, *Lexikon der bildenden Künste*, 1907 sq. Neuere bibliographische Angaben bei H. Koepf, *Schwäbische Kunstgeschichte IV*, 1965, S. 94. – Die *Zimmerische Chronik*, 1. Ausg. 1866, 2. Ausg. 1881. – Hierzu B. R. Jenny: *Graf Froben Christoph von Zimmern*, Basel 1959. – Das Zitat von A. a Santa Clara (›Ja, ein fruchtbarer Baum‹) in: *Meßkirch gestern und heute*, o. c., im belanglosen Beitrag von W. Schussen: ›Meßkircher Genieluft‹.

Festeren Boden haben wir unter den Füßen mit den dahinpolternden Volkspredigten von Abraham a Santa Clara (1644–1709), mit bürgerlichem Namen Ulrich Megerle aus Krenheinsstetten bei Meßkirch, auf den Heidegger im Gespräch als auf einen weitläufigen leiblichen Verwandten anspielte.

Die barocke Sprachfülle des Augustinermönchs (aus dem Schiller seinen Kapuziner in ›Wallensteins Lager‹ zurechtschnitt) kontrastiert freilich mit dem zähflüssigen Sprachrhythmus des Nachkommen. Aber innerhalb des fast pedantisch abgezirkelten Raums jongliert auch Heidegger mit den Worten und läßt die Bälle einander zufliegen, wie es spektakulärer – als eine Art billiger Jakob der bayrischen Jahrmärkte – der Hofprediger Ulrich Megerle zum Gaudium und zur Erhebung seines Massenpublikums in Wien getan hatte, als er zum Krieg gegen die Türken aufrief und Ludwig XIV., deren allerchristlichsten Verbündeten, grobianisch wild, wenn auch nicht ganz grundlos mit Schmähreden überhäufte, die ihm in rabelaisianischem Ausmaß zur Verfügung standen.

Wien gegen Paris – und Meßkirch in der Mitte als Ort des Widerstands gegen Überfremdung. Das scheinbar weltverlorene Dorf ist im Herzen Europas gelegen, auf der Völkerstraße, die seit altersher die Donau entlangzieht.

Chateaubriand, der französische Grandseigneur und Großschriftsteller mit der noblen Pose und dem Vibrato einer echten Schwermut, rollte auf ihr im Mai 1833 Prag zu, um dem exilierten Karl X. eine Botschaft seiner Getreuen zu überbringen, machte in Meßkirch Rast, sah sich die adretten Mädchen an und meditierte über die ›gallische Unmenschlichkeit‹, ließ im Geist die Sturzwelle der Heere vorbeiziehen, die sich immer wieder von Westen her ergossen hatten, bald siegreich, bald besiegt – die Niederlage Ludwigs XIV. gerächt unter Napoleon durch die Entscheidungsschlacht Moreaus gegen die Österreicher

1800: der Name Meßkirch prangt seither eingemeißelt
unter den napoleonischen Siegen auf dem Triumphbogen,
der von der Anhöhe der Champs-Elysées herab Paris do-
miniert [32].

Wie die Meßkircher selbst die Kriegsläufte erlebt und
gesehen haben, läßt sich aus den Bildern des dortigen
Schlachtenmalers und tüchtigen Porträtisten Johann-
Baptist Seele (1774–1814) ablesen. Österreicher auf
Wachtposten; ein verwundeter General, der von ihnen in
eine Hütte gebracht wird; französische Grenadiere, die
durch österreichische Husaren aus ihrem Festschmaus gerissen werden; ein junges Mädchen, das – im Waldbach
überrascht – auf dem Pferd des Franzosen davongalop-
piert.

Der Friede ist geschlossen. Ein Lied steigt auf über die
Weite des Landes: ›Schon die Morgenglocken klingen‹,
›Das ist der Tag des Herrn‹ und andere Chorgesänge von
Conradin Kreutzer, dem Meßkircher Müllersohn, der
nach einer Jugend unten in den Priesterschulen Zwiefalten
und Schussenried seine Laufbahn als Opernkapellmeister
in Stuttgart und Donaueschingen begann, dann nach Wien
berufen wurde und dort Texte von Grillparzer und Raimund vertonte. Der Siebzigjährige starb 1849 in Riga, als
seine Tochter Marie wegen Versagens der Stimme fristlos
von der Oper entlassen worden war – ein E. T. A. Hoff-
mannscher Tod. Das Mühlenbachrauschen hört sein Biograph Anton Gabele durch alle seine Werke hindurchtö-
nen, und Heidegger preist im gleichen Sinn die heimatliche
Verwurzelung des Komponisten als Mutterboden seiner
ganzen Kunst. Als ob nicht gerade Kreutzer, der seine
Stellungen immer wieder wechselte und kreuz und quer
durch Deutschland zog, auf seine Weise der Typ des Fah-

---

[32] Chateaubriand: *Mémoires d'outre-tombe*, 17. Mai 1833. –
Dazu die Notiz vom 19. Mai. (Ausg. Levaillant, 1948, IV,
S. 181 sq., 187.)

renden gewesen wäre, dessen Sinn für volkstümliche Melodie durch die Zauber- und Spektakeltradition der Wiener Bühnen angereichert wurde; auch seinem Hauptwerk, dem ›Nachtlager in Granada‹ (Wien 1834) hat sie die zugkräftige, spanisch-maurische Räuberromantik vermittelt, ohne den Mangel an Genie zu kompensieren [33].

Conradin Kreutzer und Johann-Baptist Seele stehen niveaumäßig auf der gleichen mittleren – sehr mittleren – Linie. Klaftertief unter ihnen der Bauernsohn und Volksschullehrer Anton Gabele aus Buffendorf bei Meßkirch, der Typ des durch die Zeit emporgeschwemmten Schollendichters, der auch als Studienrat in Köln der Heimaterde verschworen blieb, das tote Wissen der humanistischen Gymnasien verdammte und im Roman ›Pfingsten‹, 1934, seinen jungen Helden, einen Oberprimaner, den die Stadt schon auszuleeren drohte, durch den Enkel eines Müllers für die ›Erweckung‹ heranreifen läßt: »Eine Front der jungen Männer, eingeschmolzen in das Erlebnis einer neuen Gemeinschaft, offen dem Wehen des neuen Geistes... Da war *ein* Schritt, *ein* Lied, *eine* Begeisterung. Und da war die Gestalt des Führers, der tiefer sah als alle, weil er mehr als die übrigen mit der Natur und dem Herzen des Volkes verbunden blieb, der immer dem Zuverlässigen, Klaren nachstrebte und rastlos, selbstlos sich für sein Land verzehrte.«

Den Hymnen Gabeles auf das neue Volk unter dem Führer mit dem stählernen Willen und dem reinsten Herzen entsprechen die Manifeste Heideggers so gut wie die

---

[33] Über J. B. Seele cf. W. Fleischhauer u. a.: *Die schwäbische Kunst im 19. und 20. Jahrhundert*, 1952, S. 82–87. – Dazu die Angaben im *Lexikon d. bild. Künste* von Thieme u. Becker, o. c. – Über C. Kreutzer sehr fundierter Artikel v. Wolfg. Rehm in: *Die Musik in Geschichte u. Gegenwart*, Kassel 1958, Sp. 1774–1780. – R. Rossmayer: *C. K. als Opernkomponist*, Phil. Diss. Wien, 1928. – H. Burkhard: *C. K.'s Ausgang*, in ›Schriften des Vereins f. Gesch. d. Baar‹ XIV, 1920, S. 118–130.

Aufrufe Conrad Gröbers, der – freigebig mit Hitlergrü-
ßen und gemeinhin ›der braune Conrad‹ genannt – noch
zum Konkordatsabschluß im Dankesgottesdienst mit »un-
erschütterlichem Vertrauen sich hinter den Führer«
stellte [34].

Die drei Meßkircher hatten schon mit der Muttermilch
eine Ideologie eingesogen, die eine gängige Form des katholischen politischen Denkens in Deutschland darstellte:
die Lehre von den organischen Bindungen, den Glauben
an Autorität, Gemeinschaft, ständische Gliederung, den
Haß gegen die Aufklärung und ihr Teufelswerk, Gesell-
schafts- und Staatsvertrag, Volkssouveränität, Individualismus.

»Die Wissenschaft vom Volk muß die historisch-politi-
sche Grundwissenschaft werden, denn Volk ist unmittel-
bares naturhaftes Wirken«, proklamiert Martin Böhm in
seinem Buch ›Das eigenständige Volk‹, 1932, und der einflußreiche Abt von Maria Laach, Ildefons Herwegen, prä-
zisierte 1932: »Weil der Führer, aus der Einsamkeit des
Dienens und Opferns heraus, getragen von einem unbeirrbaren Glauben an das deutsche Volk, dieses wieder zu
freudigem Bekenntnis zu sich selbst gebracht hat, ist er zu
Millionen gewachsen. Auf den Glauben des Führers an das
Volk antwortete die Gefolgschaft des Volkes. Die treue
Gefolgschaft allen gegenüber dem Einen schafft ein neues
Gemeinschaftserlebnis, das unser Volk zurückfinden läßt
zu den letzten Wurzeln seiner Gemeinsamkeit: zu Blut,
Boden und Schicksal.« [35]

»Tiefbekümmert« hatte Conrad Gröber – aus einem
Bauern- und Handwerkergeschlecht in Meßkirch 1872 ge-
boren – schon vor dem Ersten Weltkrieg »die zunehmende
Entwurzelung der süddeutschen Bevölkerung verfolgt, die

---

[34] C. Gröber, cf. Anmerkg. Nr. 23.
[35] Der Text von Ildefons Herwegen zitiert in der Studie über
den *Deutschen Katholizismus 1933* von Böckenförde, Hoch-
land, 1960, S. 228.

ihren naturbedingten Stammescharakter mit einer bedenklichen Raschheit verlor.« Der Weltkrieg wurde für ihn das erste Pfingstwunder. Mit der gleichen Ergriffenheit wie hunderttausend andere – darunter Hitler – erlebt und schildert Gröber die Verschmelzung Deutschlands zu einer neuen, durch Vaterlandsliebe religiös zusammengeschweißten Gemeinschaft. Sein ›Handbuch der religiösen Gegenwartsfragen‹, 1937, versichert gleich zu Anfang: »In der gegenwärtigen Schicksalsstunde unserer Nation stellen sich die Leiter der Kirche in besonderer Treue an die Seite der Männer des Staates, entschlossen zur einigen Abwehr des gemeinsamen Feindes.«

»Arbeite als ein guter Kriegsmann Christi«, ruft er auch in seinem Hirtenbrief von 1939 den ausziehenden Soldaten zu: »So lebt ihr aus dem Volk. Das Volk hinwiderum durch euch. Soldatentod ist Opfertod.« Aber die Zustimmung ist nur noch eine sehr bedingte. Eine Kehrtwendung hatte sich inzwischen vollzogen: »Religion ist grundsätzlich etwas Anderes als Mythos ... Religion ist nichts wesentlich Irrationales und lediglich Trieb- und Naturhaftes, das wie eine Art Ausdünstung aus dem Rassewesen aufsteigt, Religion will Wahrheit sein und nicht bloß ein blutbedingter Traum ... Religion will erklären und die Lebensfragen lösen und sie nicht noch mehr verdämmern und vernebeln.« »Schon die Stoiker und Peripatetiker haben den ›Hochwert der Persönlichkeit‹ hervorgehoben, als eines Wesens mit Verstand und freiem Willen und schiedlicher Abgrenzung.« Die Hirtenbriefe des Freiburger Erzbischofs wurden bis zu 100 000 Exemplaren verbreitet. – ›Grenzen der Vaterlandsliebe‹. – ›Recht ist, was nützet?‹ – ›Der Hochwert der Kranken‹. Der ›Fastenhirtenbrief zur Vollendung des 70. Lebensjahres‹ schließt pathetisch mit dem Ausruf, der Bischof sei für Glauben und Gemeinde zu sterben bereit, und schleudert gegen die Herren der Zeit das Droh- und Spottwort aus dem Alten Testament: »Wie singt der Psalmist: Was toben die Heiden und schmieden eitle Pläne. Der im Himmel thront, der lacht, der Herr verspottet sie.«[36]

Die Zeit war längst vorbei, wo der 17 Jahre jüngere Heidegger von Conrad Gröber als von ›einem väterlichen Freund aus meiner Heimat‹ sprechen konnte. Gröber hatte ihm 1907 eine Schrift von Franz Brentano in die Hand gegeben, die ungewollt seinen Abfall von der Theologie auslösen sollte. Noch einmal schien die Zeit der Gemeinsamkeit gekommen, als beide – zusammen mit Anton Gabele – von der Einwurzelung ganz Deutschlands in eine neue Volks-Gemeinschaft träumten, predigten, donnerten[37].

Gewiß haben auch 1914 alle deutschen, ja alle europäischen Schriftsteller, mit Ausnahme von einem halben Dutzend unbeirrbar klarer Männer in den jeweiligen Lagern mitdeliriert – selbst Rilke, Musil, Döblin, Stefan Zweig, von R. A. Schröder und Thomas Mann ganz zu schweigen[38]. Aber die Ernüchterung kam für die einen rasch; für die andern hatte der Rausch nie jene Sprachverluderung nach sich gezogen, die Heidegger sich im Schlamm der Radau-Schlagwörter wälzen ließ – ein Phänomen, das schon vom Sprachlichen her genaue Beachtung verlangt.

»Der Mensch spricht erst, insofern er jeweils der Spra-

---

[36] C. Gröber in seiner Rückschau (Hirtenrufe ... o. c.) S. 140. – Die anderen Zitate S. 56 (Religion kein Mythos), S. 30 (der Mensch als Vernunftwesen), S. 146 (Worte des Psalmisten).

[37] Heidegger über Gröber als ›väterlichen Freund‹ zitiert bei Swiridoff: *Porträts aus dem geistigen Deutschland*, 1966. S. 175.

[38] Stefan Zweigs Kriegsbegeisterung und sporadischer Frankreichhaß cf. *Die Insel* (Katalog einer Ausstellung, Deutsches Literaturarchiv, Schiller-Nationalmuseum, Marbach, 1966, S. 174. Dort auch eine Reihe anderer Dokumente). – Rilke: *Fünf Gesänge*, August 1914. Mit Kommentar in: *Gedichte*, Bd. 2, Insel, 1957. – Musil und Döblin im Kriegsheft der ›Neuen Rundschau‹, Dezember 1914.

che ent-spricht«, hat Heidegger geschrieben.[39] In der damaligen Phase entsprach seine Sprache ganz einfach dem Gauleiterjargon. Weder von Mallarmé noch von Spinoza, Kant, Schopenhauer ist ein solches Auslöschen ihrer selbst denkbar. Und wo Leibniz oder Hegel Zugeständnisse an die Machtpolitik machten, taten sie es wenigstens auf ihre Weise, in ihrem Stil und mit Verklausulierungen, die von vornherein zurückzunehmen imstande waren, wofür sie sich eben zu engagieren schienen.

Die drei Meßkircher hatten sich zusammengefunden im Glauben an den »Aufbruch einer geläuterten und in ihre Wurzeln zurückwachsenden Jugend«, wie Heidegger damals schrieb, »an die Macht der tiefsten Bewahrung der erd- und bluthaften Kräfte eines Volkes als Macht der innersten Erschütterung seines Daseins.«[40] »Die abgelebte Scheinkultur ist zusammengestürzt ... Wir haben uns losgesagt von der Vergötzung eines boden- und machtlosen Denkens«[41]. »Wir sind entschieden und entschlossen« –

---

[39] Heidegger: *Hebel – der Hausfreund*, o. c., S. 34.

[40] Bekenntnis zu A. Hitler, 11. November 1933. – Die politischen Texte sind durch die umfassenden und dankenswerten Bemühungen von Guido Schneeberger jetzt allgemein zugänglich und P. Hünerfelds Hinweise ›In Sachen Heidegger‹, 1959, überholt. Das erste Bändchen, im Selbstverlag des Autors 1960 erschienen (Bern, Hochfeldstr. 88), trug den Titel *Ergänzungen zu einer Heidegger-Bibliographie* (27 S.). Der zweite Band heißt: *Nachlese zu Heidegger. Dokumente zu seinem Leben und Denken*. Bern, 1962. (288 S.). Einige Bildtafeln vervollständigen das Ganze. – Zitat ›Aufbruch‹: bei Schneeberger S. 149. – Von französischen Arbeiten, die die politische Ideologie Heideggers beurteilen, seien genannt: A. Koyré (in: *Critique, Nr. 1 und 2*, 1946), Eric Weil und A. de Waehlens (in: *Les Temps modernes*, Juli 1947) und G. Friedmann (in: *Cahiers de sociologie XVI*, 1954, und in: *Mélanges Lucien Febvre*, 1954).

[41] ›Abgelebte Scheinkultur‹: Rektoratsrede: *Die Selbstbehauptung der deutschen Universität*, 1933. – ›Wir haben uns losgesagt‹: *Bekenntnis zu A. Hitler*, s. Nr. 40.

rasselte es beim späteren Hebel-Interpreten weiter – »den schweren Weg zu gehen, den wir durch die Verantwortung vor der Geschichte zu gehen gezwungen sind ... Es gibt nur den einen Willen zum vollen Dasein des Staates. Diesen Willen hat der Führer im ganzen Volk zum Erwachen gebracht und zum einzigen Entschluß zusammengeschweißt ... In dem, was dieser unser Wille will, folgen wir nur dem überragenden Wollen unseres Führers. In seine Gefolgschaft zu treten, heißt ja: unerschütterlich und unausgesetzt wollen, daß das deutsche Volk als Volk der Arbeit seine gewachsene Einheit, seine einfache Würde, seine echte Kraft wiederfinde. Dem Mann dieses unerhörten Willens, unserem Führer Adolf Hitler ein dreifaches: Sieg Heil!«[42] Diese und ähnliche Sätze stammen vom gleichen Mann, der sich in einem Brief an den Reichsstudentenführer (6. 2. 34) der genauesten Einblicke auch in die Regionalpolitik rühmte: »Ich kenne die hiesigen Verhältnisse und Kräfte seit Jahren bis ins kleinste« und der damit von selbst den Einwurf weltfremder Ignoranz zurückweist[43].

Hinter der Faszination durch den totalitären Staat stand bei Heidegger – wie bei Gottfried Benn – die reaktivierte autoritäre Jugenderziehung: der starre Konservativismus bäurisch-katholischer Observanz bei dem einen, das preußisch-protestantische Pfarrhaus bei dem andern. Sie glaubten beide ›den‹ Ursprüngen nahe zu sein und waren es nur den ihrigen. Bei Benn allerdings war durch die Mutter aus der welschen Schweiz ein auflockerndes Element hereingekommen und ein weiteres durch das Leben in Berlin als Arzt und Künstler. Heidegger hingegen ge-

---

[42] ›Wir sind entschieden...‹: Kundgebung im Universitätsstadion 17. Mai 1933. Schneeberger o. c., S. 42. – ›Es gibt nur‹: Rede zur Wahl des Führers, 10. November 1933, Schneeberger, o. c., S. 144. ›In dem, was dieser Wille‹: Nationalsozialistische Wissensschulung, 22. Januar 1934. Schneeberger, S. 202.
[43] ›Ich kenne die Verhältnisse‹, Schneeberger, o. c., S. 30.

hörte als Universitätslehrer zu einer Gesellschaftsschicht, deren reaktionär nationalistisches Credo sich seit 1871 zusehends verhärtet hatte. Schon der klirrende patriotische Bombast der Berliner Professorenschaft bei Ausbruch des Ersten Weltkriegs zeugt von absoluter Blindheit gegenüber den politischen Fakten und Hörigkeit gegenüber den herrschenden Mächten. Auch in Frankreich hatte damals der Chauvinismus der Universitätslehrer weitgehend rauschhafte Formen angenommen – ein Romain Rolland, der hinter dem Wortvorhang auf die nackte Realität zu zeigen wagte, wurde auf beiden Seiten niedergeschrien [44].

»Neu beflügelt in den Wettern des Weltkriegs« –, rief mit Wagner-Schwulst der Berliner Theologe Deissmann aus – »wird ein Wort, das uns anmuten darf wie die Weihe zu unserer deutschen Sendung: Ihr seid das Salz der Erde! Ihr seid das Licht der Welt!« Der Germanist Gustav Roethe proklamierte: »Deutsche Männer und Frauen! Das Wort möchte schamhaft verstummen in dieser Stunde, da nur Taten zu reden berufen sind, da Gott der Herr zu uns im Schlachtendonner spricht. Und doch, das Herz ist so übervoll; es drängt heraus, was in jeder Brust sich regt; es will sich formen zu Geständnissen, Gelöbnissen ... Wer diese Tage, diese Wochen durchlebt hat, der kann ihren heiligen Gewinn nicht wieder verlieren. Das ungeheure Erlebnis, es bindet uns zusammen, es reinigt uns, und es wird uns reinigen und läutern, so vertrauen wir, bis in fernste Tage, so lange die Erinnerung diese Schicksalstunde des Deutschen Reiches, des deutschen Volkes festhält.« [45]

---

[44] Romain Rolland: Journal des années de guerre 1914–1919, Paris, 1952. – Jetzt auch deutsche Übersetzung mit Vorwort von Albert Schweitzer.
[45] Die Reden von Deissmann, Roethe und 10 ihrer Berliner Kollegen in: *Deutsche Reden in schwerer Zeit*, Berlin 1914. – Auszüge in der Studie von R. Gruenter: *Verdrängen und Erkennen. Zur geistigen Situation der Germanistik.* ›Monat‹, 197, Februar 1965, S. 16 sq.

In der Generation Heideggers – der Frontkämpferge-
neration – ist der Stil schärfer, härter, zackig geworden;
der Gott des Alten Testamentes tritt vor dem ehernen
deutschen Schicksal zurück, der Schatten Wotans fällt herein, das Gastmahl König Etzels profiliert sich auf dem
Hintergrund. Knallige Superlative, die immer wieder das
Weite und das Tiefe zusammenbiegen wollen, sind eines
der Kennzeichen der neuen Uniform – der Klempnerla-
den auf Görings Brust. So fordert Heidegger von den Studenten: »Bereitschaft bis zum Äußersten – Kameradschaft
bis zum Letzten.« – »Euch verlangt dem Nächstbedräng-
genden und Weitestverpflichtenden ausgesetzt zu werden.« Das Volk seinerseits »fordert von sich und seinen
Führern und Hütern die härteste Klarheit des höchsten,
weitesten und reichsten Wissens.« [46]
  Vom Führer heißt es mit Nibelungenhärte: »Der Führer erbittet nichts vom Volk. Er gibt vielmehr dem Volk
die unmittelbarste Möglichkeit der höchsten freien Entscheidung... Die Unerbittlichkeit des Einfachen und
Letzten aber duldet kein Schwanken und Zögern. Diese
letzte Entscheidung greift hinaus an die äußerste Grenze
des Daseins unseres Volkes.« [47] Wenn Heidegger den neu-
ernannten Gauleiter Badens telegraphisch mit einem
»kampfverbundenen Sieg-Heil« begrüßte, so war das
mehr als nur die übliche Formel: Heidegger hatte sich der
Sprache verschrieben, die von Göbbels bis in die letzten
Stunden geschmettert wurde: »Voraussetzung ist, daß jeder Häuserblock, jedes Haus, jedes Stockwerk... bis zum
Äußersten verteidigt wird... daß jeder Kämpfer vom fa-
natischen Willen zum Kämpfen-Wollen beseelt und
durchdrungen ist, daß er weiß, daß die Welt mit angehal-

---

[46] Zitate: ›Bereitschaft‹: Rede im Universitätsstadion, cf. Nr.
42. – ›Euch verlangt‹: Rede an die Studenten 3. November
1933. – ›Das Volk fordert‹: Rektoratsrede.
[47] Führerrede vom 10. November 1933, Schneeberger, o. c.,
S. 144.

tenem Atem diesem Kampf zusieht und daß der Kampf um Berlin die Kriegsentscheidung bringen kann.« (›Befehl für die Verteidigung der Reichshauptstadt‹).

1914 hatte Deissmann »in tiefer Dankbarkeit Zeugnis von der Offenbarung des deutschen Gottes in unserm heiligen Krieg abgelegt«. Bei Heidegger wird zwanzig Jahre später das »Arbeitslager die Stätte einer neuen unmittelbaren Offenbarung der Volksgemeinschaft – als Quelle jener Kräfte, durch die alle andern Erziehungsmächte – zumal die Schule – zur Entscheidung gezwungen und verwandelt werden«. [48]

Solchen Offenbarungen gegenüber wirkt die Vernunft zersetzend. »Das Denken ist kein Mittel fürs Erkennen«, heißt es noch heute bei Heidegger, »das Denken zieht Furchen in den Acker des Daseins.« Nietzsche muß als Kronzeuge eine ähnliche Metapher aus dem Bauernleben beisteuern: »Unser Denken soll kräftig duften wie ein Kornfeld am Sommerabend. Wie viele haben noch Sinn für diesen Duft?« [49] Den Duft des Heus verwechselte Heidegger seinerzeit jedenfalls mit penetrantem Bodengeruch. Seine nazistischen Verlautbarungen stehen in direktem sprachlichen Konnex mit Mathilde Ludendorffs Offenbarungen: »Deutsches Gotterkennen, das den Sinn des Menschenlebens enthüllt, kann den Deutschen mit seinem Volke in eine unlösliche Volks- und Schicksalsgemeinschaft verwurzeln.« [50]

Ein derartiger Niveauabsturz war nur möglich, weil der Verfasser von ›Sein und Zeit‹ als Denker von Meßkirch sich angeheimelt fühlte, ›angesprochen‹ und ›angerufen‹ von der Ideologie, die hinter diesen Vergleichen stand und die mit gezinkten Karten das Urbild vom unverfälschten,

---

[48] ›Arbeitslager als Offenbarung‹: Arbeitsdienst und Universität, 20. Juni 1933. Schneeberger, o. c. S. 63/64.
[49] ›Das Denken zieht Furchen‹ in: *Sprache*, o. c., S. 173. – ›Das Denken soll kräftig duften‹, ibid., S. 21.
[50] Mathilde Ludendorff: *Und du, liebe Jugend*, 1939.

wurzelechten, harten, zähen, herrenmäßig unabhängigen
und zugleich gläubig dem Ganzen dienenden Bauern auf-
stellte.

Das heimatliche Dekorum wird sichtbar im ›Feier-
spruch zur Sommersonnwende‹, den Heidegger im Juni
1933 vor den Studenten hielt: Kolbenheyer und Weinheber, Anton Gabele sind hier ganz nahe, auch das alte
Kommersbuch-Lied von J. H. Nonne tönt herein:

> »Flamme empor! Steig mit loderndem Scheine
> glühend empor! Siehe; wir stehen
> treu in geweihetem Kreise,
> dich, zu des Vaterlands Preise
> brennen zu sehen!«

Heidegger: »Die Tage vergehen, sie werden wieder kür-
zer. Unser Mut aber steigt, das kommende Dunkel zu
durchbrechen. Niemals dürfen wir blind werden im
Kampf. Flamme künde uns, leuchte uns, zeige uns den
Weg, vor dem es kein Zurück mehr gibt. Flammen zündet,
Herzen brennt!«[51]

Sich selbst hat Martin Heidegger damals im ›Kampfblatt der Nationalsozialisten Oberbadens: Der Alemanne‹, März 1934, in Szene gesetzt, wie er, beim Erhalten
eines Rufs an die Universität Berlin, zum Nachdenken auf
die Berge unter die Bauern des Schwarzwaldes pilgert –
hinauf zu jener Hütte auf dem Todtnauberg, von der es
heißt: »Wenn in tiefer Winternacht ein wilder Schnee-
sturm mit seinem Stöhnen um die Hütte rast und alles
verhängt und verhüllt, dann ist die hohe Zeit der Philosophie ...«[52]

---

[51] Rede bei der Sonnwendfeier der Freiburger Studenten im
Universitätsstadion, 21. Juni 1933. Schneeberger, o. c., S. 71. –
Über das Thema der Flamme und des Feuerzaubers cf. auch
die ausgezeichnete Studie von A. Schöne: *Über politische
Lyrik im 20. Jahrhundert,* 1965, S. 12.
[52] ›Warum bleiben wir in der Provinz?‹ *Der Alemanne,*

Hundings Hütte, Winterstürme wichen dem Wonne-
mond und der deutsche Wald – das hatte schon Gottfried
Döhler zu einem anderen Kommersbuchlied über Wotan-
Bismarck inspiriert:

> Geborgen tief in stillem Grunde,
> Träumt er von deutscher Herrlichkeit,
> Die Wipfel lauschen in der Runde,
> Wenn wild er raunt von Kampf und Streit,
> Er braust daher im Frühlingswetter,
> Durchblitzt des Sommers grüne Pracht,
> Er schreitet stumm in dürren Blättern
> Und liest im Sturm der Winternacht«.

Der effektvolle Schluß des Textes von Martin Heidegger
lautet: »Ich komme dabei zu meinem alten Freund, einem 75 jährigen Bauern. Er hat von dem Berliner Ruf in
den Zeitungen gelesen. Was wird er sagen? Er schiebt
langsam den sicheren Blick seiner klaren Augen in den
meinen, hält den Mund straff geschlossen, legt mir seine
treu bedächtige Hand auf die Schulter und – schüttelt
kaum merklich den Kopf. Das will sagen: unerbittlich
Nein!«

Eine Defregger-Szene im Karl-Schönherr-Stil, kantig
und sentimental wie eine Rudolf-Herzog-Parodie von
Robert Neumann, oder wie eine Stelle aus dem ›Wulf-
bauer‹ von Josepha Berens-Totenohl: »Bauerntum der
Berge erbebt vom Zürnen der Wetter, aber es stürzt nur,
wenn die Wurzel morsch, wenn kein Verklammern im Boden und keine Kraft zum Trotzen mehr ist.«[53]

Mit Bauern, Handwerkern und andern Schulkamera-
den hat auch Albert Schweitzer sich in seinem Heimatdorf
auf elsässisch unterhalten. Es wäre ihm im Traum nicht

Kampfblatt der Nationalsozialisten Oberbadens, 7. März 1934,
S. 1. – Bei Schneeberger S. 216 sq.
[53] Josepha Berens-Totenohl, zitiert in der Studie von F.
Schonauer: *Deutsche Literatur im Dritten Reich*, 1961, S. 90.

eingefallen, einen unter ihnen zu fragen, ob er einen Ruf
nach Oxford annehmen sollte oder nicht. Wäre es dennoch
geschehen, hätte die verlegene Antwort gelautet: »Das
mußt Du doch besser wissen als unsereiner.« So denken
und sprechen auch die Bauern in Hebels Geschichten, so
dachte Hebel selber. Ein Leitsatz Schweitzers könnte von
ihm stammen: »Ihrer letzten Bestimmung nach ist die Philosophie Anführerin und Wächterin der allgemeinen Vernunft.«[54] Und ein so dezidierter Sohn des aufklärerischen
18. Jahrhunderts wie Hebel, der für Andreas Hofer und
die Freiheitskämpfer die gleiche instinktive Abneigung
hegte wie Goethe und sich wie dieser nur gezwungener-
maßen und vorübergehend zu einem ›patriotischen Mahn-
wort‹ aufraffte, findet im Schlageter-Verherrlicher Heidegger seinen Lobredner! Man darf annehmen, daß der
Philosoph den Text über Schlageter nicht ohne weiteres in
seine gesammelten Werke übernehmen wird. Und doch besteht eine innere Verbindung zwischen ihm und der Hebel-Rede.

Woher – hatte Heidegger im Superlativstil der Nazi-
zeit gefragt – woher bei Schlageter »diese Härte des Willens, das Schwerste zu durchstehen? Woher diese Klarheit
des Herzens, das Größte und Fernste sich vor die Seele zu
stellen?« – Die Antwort hatte gelautet: »Aus dem Granit
der Berge, aus der Herbstsonne des Schwarzwaldes« und
war in die Aufforderung ausgeklungen: »Freiburger Student, laß die Kraft der Heimatberge dieses Helden in deinen Willen strömen! Freiburger Student, laß die Kraft
der Herbstsonne des Heimattales dieses Helden in dein
Herz leuchten!« Harter Wille und Schicksalshörigkeit
werden wieder einmal jenseits der maßlos verachteten
Vernunft gekuppelt: »Hier ging und stand Schlageter als
Freiburger Student. Aber nicht lange litt es ihn. Er *mußte*

---

[54] Albert Schweitzer: *Verfall und Wiederaufbau der Kultur*,
1923, S. 7.

ins Baltikum, er *mußte* nach Oberschlesien, er *mußte* an die Ruhr. Er durfte seinem Schicksal nicht ausweichen, um den schwersten und größten Tod harten Willens und klaren Herzens zu sterben.«[55]

Die gleiche alemannische Urkraft, die die problematische Existenz des verkrachten Studenten und Freiheitskämpfers Schlageter verklärend deuten sollte, muß zwanzig Jahre später auch Hebels Dichtertum deuten: »Die Säfte und Kräfte der heimatlichen Erde ... blieben in Hebels Gemüt und Geist lebendig.«[56] Der Stil hat sich gedämpft, ist demobilisiert, ist zivil geworden. Das Denkschema von der Verwurzelung in Heimat und Volkstum bleibt weiter bestehen. Hat Heidegger durch die Niederlegung seines Freiburger Rektorats im Februar 1934 und durch die Weigerung, an der üblichen Rektoratsübergabe teilzunehmen, »seinen politischen Irrtum bekundet«, wie es neuerdings in Publikationen über ihn heißt?[57] Die Rede, die er noch 1936 auf dem Alemannentag in Freiburg hielt, verlangt als sprachliche Bekundung ein nuancierteres Urteil.[57]

Ein Satz wie der folgende mag eine Spitze gegen die ›Partei der Bewegung‹ enthalten — aber man muß schon genau hinsehen, um die Spitze zu entdecken. »Echtes Sichverstehen der Völker hebt an und erfüllt sich mit dem einen: das ist die im schaffenden Wechselgespräche sich vollziehende Besinnung auf das ihnen geschichtlich Mitgegebene und Aufgegebene. In solcher Besinnung stellen sich

---

[55] Rede über Schlageter am 26. Mai 1933, ›Freiburger Studentenzeitung‹, 1. 6. 1933. Schneeberger, S. 47 sq.

[56] *Hebel – der Hausfreund*, o. c., S. 8.

[57] So Swiridoff in seinem Band: *Porträts aus dem geistigen Deutschland*, 1966, S. 176. Die Anmerkungen zu diesen hervorragenden Photographien stammen weitgehend von den verschiedenen Autoren selber. – Die anschließend zitierte Rede auf dem Alemannentag in Freiburg ist unter dem Titel ›Wege zur Aussprache‹ im Band *Alemannenland*, o. c. 1937 erschienen. Der Text jetzt auch bei Schneeberger, S. 258 sq.

die Völker auf das je Eigene zurück und bringen sich darin
mit erhöhter Klarheit und Entschiedenheit zum Stehen.«
Aber schon im schmissigen Wahlaufruf von 1933 hatte es
geheißen: »Der Wille zur wahren Volksgemeinschaft ...
schafft das offene Aufsich- und Zueinanderstehen der
Staaten.« Und der Bombast übertönt auch 1936 die Verklausulierungen des Stils, der »angesichts der drohenden
Entwurzelung des Abendlandes abermals den Einsatz jedes schaffenskräftigen Volkes fordert«. Wiederum wird
die französische Philosophie als totes Vernunftdenken seit
Descartes bloßgestellt, während die deutsche seit Leibniz
organisches, lebendes Wissen geschaffen habe. Triumphie-
rend sah der Philosoph vier Jahre später im französischen
Zusammenbruch eine Bestätigung seiner Idee: nicht die
Generäle, Descartes hatte den Krieg verloren![58] Meßkirch
war am Frankreich Ludwigs XIV. und Napoleons I. gerächt.

Deutlicher als in der Rede zum Alemannentag läßt
Heidegger in seinem ersten Hölderlin-Aufsatz, 1936, Be-
fürchtungen durchblicken, die das Wesen der Sprache betreffen: die Sprache schaffe »erst die offenbare Stätte der
Seinsbedrohung und Beirrung und so die Möglichkeit des
Seinsverlustes, das heißt Gefahr«; muß doch »das wesentliche Wort sogar, um verstanden zu werden und für alle
ein gemeinsamer Besitz zu werden, sich gemein machen«.[59]
Das ist zwar auf Hölderlin bezogen, aber Eingeweihte
werden es heute ohne weiteres auf den Sprecher selbst anwenden. Wie gemein er sich mit dem Göbbelsjargon gemacht hatte, haben die Kostproben gezeigt. Es bestand
immerhin auf philosophischem Gebiet ein Gradunter-
schied zwischen dem, was er als die Vernunft bekämpfte

---

[58] Zitiert bei A. Schwan: *Politische Philosophie im Denken
Heideggers,* o. c., S. 141.
[59] ›Hölderlin und das Wesen der Dichtung‹, zuerst in *Das
innere Reich,* 1936, S. 1065–1078. Jetzt auch in: *Hölderlin,
Beiträge zu seinem Verständnis,* Hg. A. Kelletat, 1961.

und was Göbbels als den Intellekt brandmarkte, die NS-
Lehrerinnen als ungesunden Intellektualismus ablehnten
und die deutsche Drogistenzeitung gereimt verwarf:

> »Hinweg mit diesem Wort, dem bösen,
> Mit seinem jüdisch grellen Schein,
> Wie kann ein Mann von deutschem Wesen,
> Ein Intellektueller sein?«[60]

Alexander Schwan hat in einer scharfsinnigen, äußerst genau fundierten Analyse von Heideggers politischem Denken nachgewiesen, daß einerseits sein Anschluß an den To-
talitarismus als Konsequenz seines Denksystem zu begreifen ist; daß aber anderseits »die Übereinkunft zwischen
Nationalsozialismus und Heideggerschem Denken im
Ausmaß des Jahres 1933 nicht von Bestand sein konnte,
wenn Heideggers Philosophie sich nicht selbst aufgeben
wollte, so sehr auch die Bejahung des Führerstaates zunächst in ihr selbst angelegt war«. Diese allmähliche, ver-
klausulierte und gelegentlich sogar wieder in Frage gestellte Abkehr von seiner inneren und äußeren Zustimmung zum Nationalsozialismus erbrachte in der Folgezeit
nun aber nicht etwa eine Hinwendung zu andern politischen Positionen: »Die Abkehr verschärfte sich vielmehr
zu einer Abkehr von der Politik des Zeitalters in allen
ihren Formen überhaupt«.[61]
Der Schmetterer war zu einem Leisetreter geworden. Er,
der eben noch als Talmi-Zarathustra den Studenten geboten hatte: »Lernet immer tiefer zu wissen: von nun ab
fordert jedwedes Ding Entscheidung und alles Tun Ver-

[60] Drogistenzeitung: zitiert in: *Der Deutsche in seiner Karikatur*, Hg. F. Bohne u. a., Stuttgart, o. J. (1965?).
[61] A. Schwan, o. c., S. 100, 105/106. – Ch. von Krockow
deckt in: *Die Entscheidung*, 1958, ein Netz von inneren Beziehungen Heideggers zu Ernst Jünger und Carl Schmitt auf. –
Antwort Heideggers an die ›Zeit‹, 24. 9. 53; an den ›Spiegel‹,
7. 3. 66.

antwortung«, er, der nicht genug von »Einsatz bis zum
Letzten« hatte schwelgen können, hat nie ein einziges seiner politischen Worte zu verantworten je für nötig befunden. Das kann als souveräne Geste bewertet werden, als
die ›wissende Heiterkeit‹ des Ur-›Kuinzigen‹, und dem
Ratschlag entsprechen, den Albert Schweitzer mir einmal
auf elsässisch gegeben hat: »Wenn dem Bauer sein Nas-
tuch in die Mistlache gefallen ist, putzt und scheuert er
nicht daran herum und macht sich damit nur dreckig, er
tut es wortlos beiseite und geht weiter.«

Vielleicht genügt dem Philosophen die Erinnerung daran, daß er sich im Verlauf seines Rektorats geweigert hat,
zwei Kollegen wegen Anti-Nazismus abzusetzen, und lieber im Februar 1934 selber zurücktrat; vielleicht stehen
noch ähnliche Aktionen auf seinem Konto. Zu einem Re-
chenschaftsbericht fühlt er sich so wenig verpflichtet wie
einst Stefan George (beide hierin in völligem Gegensatz
zum Hanseaten, citoyen und Weltbürger Thomas Mann –
von seinem Bruder Heinrich Mann ganz zu schweigen).
Und doch hatte Heidegger die Öffentlichkeit in seinen
Manifesten direkt angesprochen und zum Teil mitgerissen.
Seine bisherigen Berichtigungen – an die ›Zeit‹, an den
›Spiegel‹ – betreffen Nebensächliches, sind kurz, bissig und
in schlechtem Sinn jesuitisch: der Bruch mit Husserl sei
nicht von ihm ausgegangen; nicht er habe ihm das Betreten der Universität verboten – Hebel wäre zusammen-
gezuckt.

Doppelt stupend bleibt ein solches Verhalten, wenn
man bedenkt, wie auch weiterhin das ›Wort‹ im Mittelpunkt von Heideggers Betrachtungen steht. Allerdings das
›dichterische‹ Wort. Die fatale politische Vergangenheit ist
ausgeklammert; zu Rechenschaft der ›Welt‹ gegenüber
fühlt der Führer und Verführer der Jugend sich nicht verpflichtet. Moralische Indifferenz – ein Grundübel in den
Augen Hebels – gehört vom Wesen her zur Philosophie
Heideggers.

Die Vergangenheit kann in dieser Form nicht liuqidiert werden. Das innere Reich, in das er sich zurückgezogen, läßt das Grundmuster durchschimmern, das seinerzeit den Anschluß ans äußere Reich überhaupt erst ermöglicht hatte. Zu den stilistischen Belegen, die dafür im Lauf der Untersuchung schon angeführt wurden und die sich mühelos verhundertfachen ließen, seien nur noch zwei vermerkt.

Für den Heidegger des ›Feldwegs‹ von 1949 sind Bauern »Hörige ihrer Herkunft, nicht Knechte von Machenschaften«. Die Primitivität der Behauptung wird durch den Zauberspruch Wagnerscher Observanz mühsam überdeckt; ihr bewußtes oder unbewußtes Vorbild bleibt der Leitsatz: »Bauer sein, heißt frei sein und kein Knecht oder Höriger«, den Walter Darré seiner Schrift ›Das Bauerntum als Lebensquell der nordischen Rasse‹ zugrunde gelegt hatte. Einem andern Heimat-Lieblingswort Heideggers, der ›Hege‹, hat der gleiche Reichsbauernführer Rechtsgültigkeit zu geben unternommen, als er den Namen ›Hegehof‹ für die neuen bäuerlichen Erbsitze vorschlug mit der Begründung: »In diesem Wort kommt das Hegende an Blut und Boden unmißverständlich zum Ausdruck«. [62]

Von Hitler ist der Führeranspruch ebenso diktatorisch auf Hölderlin übergegangen. Was über diese Umbiegung zu sagen ist, hat meine Hölderlin-Studie angedeutet. Eine ›Ursprünglichkeit‹ Heideggers läßt sich auch hier nicht feststellen. Die Furchen seines Denkens sind ausgefahrene Gleise, auf denen sich seit Stefan George und seinen Jüngern eine reichsbesessene Germanistik mit antiliberalen Affekten in hellen Scharen tummelte. Die Belege hat H. J. Schrimpf zusammengestellt: von Kurt Hildebrandt und Walter F. Otto bis Alfred Baeumler überall die gleiche mythische Schau von Hölderlin als dem »Erfüller des

[62] W. Darré: *Das Bauerntum als Lebensquelle der nordischen Rasse*, 1933, S. 277. – Zitat über den ›Hegehof‹ in: C. Berning: *Vom Abstammungsnachweis bis zum Zuchtwart. Vokabular des Nazismus*, 1964, S. 101.

deutschen Volksgeistes und Führerprinzips«, dem »Überwinder eines westlich überfremdeten rationalistischen
Idealismus«, dem »Erneuerer eines germanisch-frühgriechischen Mythos aus den Wurzelgründen des menschlichen
Wesens her«. [63]

Neu ist bei Heidegger nur die manierierte Ausdrucksweise, ein Kennzeichen seiner Spätphase. Über den Hölderlin der ›Letzten Hymnen‹ heißt es: »Hölderlins Kehre
ist das Gesetz des dichtenden Heimischwerdens im Eigenen aus der dichtenden Durchfahrt des Unheimischseins
im Fremden«. [64] Die gleiche Entdeckung hatte vor Heidegger Alfred Baeumler, der patentierte Philosoph des
Dritten Reichs, gemacht und sie nur einfacher ausgedrückt: »Hölderlins Weg ist der Schicksalsweg des deutschen Geistes: über Hellas findet er nach Germanien zurück.« In die preziöse Ausdrucksweise Heideggers wird
wie immer das Heimatliche eingebaut, diesmal in Form
der ›Kehre‹ als Reminiszenz an die Kehren der Schwarzwaldstraßen: auch das macht den Irrtum nicht zur Wahrheit, sondern verdunkelt den Tatbestand für Uneingeweihte und läßt sie im Gefühl erschauern, hier spräche auf
Gipfelhöhen der Denker mit dem Dichter. Hellas, das alte
und das neue Deutschland sind in Eintracht beisammen.

Hölderlin ist der Maximin Heideggers geworden. Auch
er zum Gott verleibt, auch er in Epiphanie, Parusie und
Advent entrückt. [65] In den rigoros gehüteten Tempelbezirk werden nur drei oder vier andere Erwählte deutscher
Zunge eingelassen: Hebel als Schwarzwälder Bruder min-

---

[63] H. J. Schrimpf: *Hölderlin, Heidegger und die Literaturwissenschaft* in: ›Euphorion‹, 51. Bd., 1957, S. 308–323.
[64] ›Hölderlins Kehre ist das Gesetz‹ in: HEIDEGGER: *Andenken*
(Hölderlin-Gedenkschrift 1944, S. 274). Dazu auch die große
Studie von Peter Szondi: *Hölderlins Brief an Böhlendorff*
(vom 4. 12. 1801) in: ›Euphorion‹, 58. Bd., 1964, S. 260–275.
[65] Cf. dazu die ausgezeichnete Studie von K. Gründer: *Heideggers Wissenschaftskritik in ihren geschichtlichen Zusammenhängen.* Archiv für Philosophie, Stuttgart, XI, 1–2, S. 312.

derer Art; aus unserer Zeit Trakl, Gottfried Benn und nicht zuletzt George. Alle andern Dichter und Denker durch die Jahrtausende als wesensfremd verdächtigt, mit dem gelben Stern der Seinsentfremdung behaftet, Goethe voran. Literaturgeschichte, Kulturgeschichte, Ästhetik werden ausradiert, Dichtung ist zur sektiererischen Privatreligion geworden.

Das lenkt den Blick auf einen andern Aspekt der realen ›Ursprünge‹ Heideggers.

Die chiliastischen Schwärmer, die in Schwaben gerade auf den Dörfern unter dem Landvolk immer wieder ins Kraut schossen, mischten von jeher Zahlen und Wörter wie andere die Karten; kabbalistische Spekulationen sikkerten besonders seit Reuchlin allenthalben durch. In Napoleon erkannten so die Michelianer, die Anhänger des Bauern Michael Hahn, ohne weiteres den ›Apollyon‹ wieder, den die Johannesapokalypse als den Weltenherrscher vor dem Untergang und der glorreichen Wiederkunft des Menschensohns bezeichnet. Von andern Sektierern wurde das Wort Ros (I. Mos. 46,21) auf die Russen gedeutet, und Moskau mit Masach (I. Mos. 10,2) identifiziert[66]. Heidegger liest und deutet das Heilsgeschehen nach der Apokalypse eines sakralisierten Hölderlin. Der einstige Priesterzögling kommt um das Sakralisieren nicht herum, sei es auch ein häretisches, das die ganze Kulturentwicklung als regressiv verwirft, die ›Mauerkirche‹ und Schulphilosophie verdammt und nur vom Urzustand der Frühe das Heil der Zukunft erwartet.

Daß er dieses Heil eine Zeitlang vom Hitlerstaat erwarten konnte, verweist auf die Ursprünge des Mannes von Braunau am Inn. Friedrich Heer hat ihn vielleicht nicht zu Unrecht im Zusammenhang mit den »religiösen und politischen Sektierern zwischen Inn und Waldviertel

---

[66] H. Hermelink: *Geschichte d. evangel. Kirche in Württemberg*, 1949.

gesehen«, wo »das Niedervolk einen Jahrhunderte laten-
ten Haß gegen seine Unterdrückung durch ›Rom‹ und
›Habsburg‹, Kultur, Ratio und Fides der ›Herrschaften‹
nährte und in Erweckungsbewegungen durchbrechen ließ«.

Der französische Geisteswissenschaftler Jean-Pierre
Faye, ein Haupt der literarischen Avantgarde, hat seinerseits betont, welchen Einfluß auf Hitler in Wien die ab-
struse Ideologie eines Lanz von Liebenfels, des Begründers
der Zeitschrift ›Ostara‹, ausgeübt habe. Auch für diesen
Mystagogen ist die Weltgeschichte die Geschichte eines
Verfalls, aber eines Rasseverfalls, aus dem Deutschland
den Weg zur heilen Welt zurückzuweisen berufen sei.
Verfall, Aufbruch, Wiederkehr, Urstand heißen auch hier
die Etappen des Wegs. Die ganze ›völkische‹ Geschichts-
deutung – von Lanz bis H. St. Chamberlain und Ernst
Krieck – bedient sich des gleichen Schemas, das Heidegger
mit fundierteren Kenntnissen und geistiger Versiertheit
auf Philosophie und Dichtung übertrug, nachdem er im
Politischen Schiffbruch erlitten. Als verjudeten Simmel-
schüler und dekadenten Volksfremden hatte ihn der rabiate Ernst Krieck, eine Leuchte der nazifizierten Hoch-
schulen, schon 1933/34 angeprangert und 1940 abermals
den ›Irrweg‹ seines Denkens denunziert. Man kann bis in
sprachliche Einzelheiten verfolgen, wie empfindlich Heidegger auf diese Anwürfe seines ›schlechtern Doppelgän-
gers‹ reagierte. Die ›Holzwege‹ sind in gewissem Sinn eine
Replik auf die ›Irrwege‹. Und die Wendung zum Volk in
Form der Dorfgemeinschaft, die ideologische und sprachliche Wiedereinwurzelung in Meßkirch sind die noch frap-
pantere Antwort an die Adresse jener, die den Philosophen als unbehausten Nihilisten hingestellt hatten. Die
feste Burg ist die ›Heimat‹ geworden als Urzelle, die den
Menschen im Ursprung der Herkunft heimisch werden
läßt. [67]

[67] Friedrich Heer: *Europäische Geistesgeschichte*, 1953, S. 601.
– Jean-Pierre Faye: *Attaques nazies contre Heidegger* (in

Kurz vor der Besetzung Freiburgs durch die Franzosen soll der zuletzt suspendierte Philosoph voll Besorgnis über die kommenden Tage den Weg zum Meßkircher Landsmann, einstigen Freund und späteren Gegner Conrad Gröber angetreten haben. Ein Augenzeuge versichert die Echtheit der Szene, der – falls sie authentisch sein sollte – eine gewisse Größe nicht abzusprechen ist. Der jüngere Meßkircher, durch die aufgerissenen Straßen der zerbombten Stadt am Winterabend in ein dunkles, kaltes Zimmer geführt, wo im Kerzenlicht die rote Soutane des schreibenden Erzbischofs aufleuchtet, wendet sich, als der Priester, die Arme ausgebreitet, ihn mit den Worten empfängt: »Martin, du kommst?« wieder zur Tür mit den Worten: »So nit«.

Verbürgt ist jedenfalls, daß der Kirchenfürst nach der Besetzung mit allen Mitteln versuchte, den Häretiker von der Universität fernzuhalten; verbürgt die Besorgnis der Franzosen, den berühmten Denker, der auch in Paris seine Anhänger hatte, nach Basel oder an eine andere Schweizer Universität berufen zu sehen und sich damit eine ›geistige Blamage‹ zu geben.

Die Vorlesungen hatten noch größeren Zulauf als im Krieg. Polizeiliche Abgrenzung wurde nötig für die liturgisch monoton vorgetragenen Kollegien, die in ihrer Dialektik konzentriertes Fassungsvermögen voraussetzten, von der Menge kaum begriffen werden konnten und doch faszinierten. Die Aura, Willensstärke und geistige Besessenheit, die von Heidegger ausging, wirkte wie seinerzeit das Fluidum, das eine buntgewürfelte, mondäne Zuhörerschaft im Collège de France empfand, wenn Bergson, mit leicht geschlossenen Augen an die Wand gelehnt, fließend und ohne jede Notiz seine Philosophie vortrug.

---

der Zeitschrift ›Médiations‹, Été 1962, S. 137–154). Eine andere Studie, ebenfalls in ›Médiations‹, Automne 1961, unter dem Titel: *Heidegger et la Révolution*. Faye bereitet ein umfassendes Werk über die politische Problematik H.'s vor.

Die Sprache kam jeweils dem Publikum entgegen. Bei Bergson unter dem glashellen Klassizismus der reinen Linie doch die tausendfach schillernden Farbspiele des Lebens wie auf den ›Nymphéas‹ von Claude Monet; bei Heidegger der furchenziehende, arbeitsharte, unwirsche Bauer, der die Wälder und die Weiten hereinzuholen schien, der starke Mann, der in einer zerschlissenen Zeit das Schicksal in seine raunenden Formeln zu zwingen unternahm. Verlorene Heimat schien in den Urlauten wieder aufzuleuchten wie die Zinnen des himmlischen Jerusalem. Ein Zuhörer – der Heimatschriftsteller Heinrich Berl – hat schon 1930 auf einem Kongreß, wo unter andern ›führenden Badenern‹, auch Martin Heidegger sprach, die Wirkung festgehalten, die von dieser besonderen Sprache ausging: »Von den eisigen Höhen der Abstraktion stieg er immer tiefer und tiefer zur Erde herab, und auf einmal hatte er den Sprung gewagt: Wahrheit und Wirklichkeit trafen sich auf dem Boden der Heimat. Dieses wahrhaft erschütternde Bekenntnis riß die Herzen aller mit. Jetzt waren wir einander näher gekommen«. [68]
Damit stellt sich die Frage nach dem Wert dieser Sprache und darüber hinaus nach dem Wert der Muttersprache wie Heidegger sie auffaßt.

Walter Benjamin, einer der tiefsten deutschen Kritiker, der im Exil vor die Hunde ging, während Heidegger mit vollen Backen den Führerstaat und die Härte des Daseins unter ihm feierte, schrieb 1927: »Die Autorität kommt Hebel nicht vom Dialekt, wohl aber von der kritischen, gespannten Auseinandersetzung des überkommenen Hochdeutsch mit der Mundart. Wie sich beide bei Hebel durchdringen, das ist der Schlüssel seiner artistischen Wesensart«. [69]

---

[68] Heinrich Berl, zitiert bei Schneeberger, o. c., S. 12.
[69] Walter Benjamin: *Schriften,* hg. von Th. W. Adorno und G. Adorno, 1955, Bd. 2, S. 279–283. (Text aus dem Jahr 1926).

›Kritisch‹, ›artistisch‹ – die beiden Wörtchen sind undenkbar im Rahmen des Hebelkults, den Heidegger zelebriert: der Dichter hat für ihn kein Artist zu sein, er ist Priester im Mutterdienst der Sprache.

Dieser Überwertung von Mundart und Muttersprache seien summarisch ein paar Fakten entgegengehalten. Seit Jahrhunderten gehen große Literaturen wie die englische und die französische nicht von der Mundart aus, wie das in Stämme aufgegliederte, zentrifugale Deutschland, sondern von der literarischen Hochsprache, wie sie sich in den politischen Zentren London und Paris normativ herausgebildet hatte.

Anderseits haben die Dichter und Denker ganzer Epochen ohne Schaden auf ihre Nationalsprache zugunsten einer übergeordneten Weltsprache verzichtet: zugunsten des Griechischen in der hellenistischen Zeit, zugunsten des Lateinischen durchs Mittelalter hindurch bis an die Schwelle der Neuzeit. Thomas von Aquin, Spinoza und hundert andere Denker haben dabei so wenig ihre Persönlichkeit verloren wie Friedrich der Große, Katharina von Rußland und der Korse Napoleon, als sie zu ihrer Zeit im Französischen das adäquateste Ausdrucksmittel für die Ideen ihres aufgeklärten oder revolutionären Despotismus fanden. Die soziale Bindung der Sprache war für sie entscheidend, nicht die nationale. Das gleiche gilt von den Massen der Auswanderer in Amerika, aus deren Kreisen in der zweiten Generation ein paar der größten amerikanischen Dichter aufgestiegen sind. Das Beispiel von Chamisso in Deutschland, von Joseph Conrad in England, von Nathalie Sarraute, Elsa Triolet und andern Russen in Frankreich beweist, daß Dichter sich auch in einer hinzugelernten Sprache verwirklichen können, obwohl der Dichter einen sprachlich gefährdeten Extremfall darstellt. Ihn als normativ für die Masse zu betrachten, wie es seit Herder geschieht, verfälscht die Perspektiven von vorneherein.

Heute, wo die französische Sprache die übergeordnete Sprache in den ehemaligen Kolonien Afrikas und in Madagaskar bleibt, ermöglicht sie nicht nur den politischen Zusammenhalt zwischen den einzelnen Staaten, die sonst in die Zersplitterung der Stammessprachen zurückfallen und damit der kulturellen Regression anheimfallen würden – sie wird für eingeborene Dichter wie Leopold Senghor, Aimé Césaire und andere das Vehikel originaler und zum Teil noch urtümlicher dichterischer Visionen, denen gegenüber das Alemannentum der Schwarzwaldbauern des 20. Jahrhunderts als ein längst genormtes, von Volkskundlern und Heimatdichtern zerebral aufgebauschtes und kommerziell propagiertes Kunstprodukt wirkt.

Käme es nur auf den Dialekt an, wären Hebels ›Alemannische Gedichte‹ (1803) nicht seit über 150 Jahren das einzige Werk von Bedeutung in dieser Sparte geblieben. »Der Dialekt im Alltag ist als solcher nicht in höherem Grade dichterisch als das umgangssprachliche Hochdeutsche«, schreibt Gerhard Hess in seiner schönen, fundierten Studie über Hebel, worin das Ineinander von Volksmäßigem und Kunstmäßigem, alter Volkssprache und klassischer Bildung als Wesenszug von Hebels Dichten bezeichnet wird. [70] Die ganze übrige – zahlenmäßig starke – Produktion in alemannischem Dialekt besitzt bestenfalls Regionalbedeutung. Aus dem gleichen Grund sticht auch in Norddeutschland Fritz Reuter von allen Dialektdichtern, selbst von Klaus Groth, ab. Den Inhalt von ›Kein Hüsung‹, ›Hanne Nüte‹ oder ›Ut de Franzosentid‹ als ›uneigentlich‹ zu betrachten, die Kraft der sozialen Darstellung und Anklage als Randphänomen zu erledigen, heißt Rückfall in die Antinomie von Inhalt und Form, deren Primitivität die Ästhetik längst ad absurdum geführt hat. [71]

---

[70] G. Hess: J. P. Hebel in: *Die großen Deutschen,* o. c., Bd. 2, S. 378–386.

[71] Heidegger: *Sprache und Heimat,* o. c., S. 115. – Heideggers

Von der Mundart her haben auch Jakob Schaffner und Emil Strauß ihren ersten Romanen ein Kolorit und eine Frische verliehen, die Samuel Fischer, den Herausgeber Hermann Stehrs, mit Recht zur Übernahme ihres Werks bewogen. Heimat- und Sprachvergötzung ließ sie auf das Niveau eines Ludwig Finckh und Anton Gabele herabsinken, während ihr einstiger Freund Hermann Hesse in ganz andere Horizonte hineinwuchs und zuletzt für Deutschland Weltgewissen und -vernunft repräsentierte. Daß Bert Brecht, der Augsburger mit der Schwarzwälder Vergangenheit und dem Vagantenleben, als der wahre Erbe der Hebelschen Kalendergeschichten gelten kann, wird an einer anderen Stelle dieses Buches ausgeführt. Auch Kafka erscheint dort als europäischer Dichter in der Hebel-Nachfolge, ohne daß sein Werk von irgendwelchem Dialekt getragen wurde noch werden konnte: das Pragerdeutsch mit seinem jiddischen Unterton und den tschechischen Brocken war alles andere als Jungbrunnen und Kraftquelle.

Der Dialekt ist in Deutschland längst bedroht. Schon 1938 sprach ihn kaum noch $\frac{1}{3}$ der Bevölkerung. Der Prozentsatz ist seit 1945 ständig zurückgegangen zugunsten der Umgangssprache, jenes »Wechselbalgs zwischen einer liederlich gesprochenen Hochsprache und einer Menge hineingeschobener mundartlicher Brocken und Wendungen«, wie Willy Hellpach es einmal formuliert. [72] Derselbe gute Beobachter weist darauf hin, daß bei der Mutation zum Industriestaat die deutsche Sprache – »neben der griechischen die mächtigste und geistigste zugleich«, nach Heid-

---

Formel: »Das im dichterischen Sagen Gesagte hat keinen Inhalt, sondern ist Gebild« expediert allzu bequem den ›Inhalt‹ ins Jenseits und schließt *faktisch* bei ihm das Gebild im Elfenbeinturm Georges und der Symbolisten ein.
[72] Willy Hellpach: *Der deutsche Charakter*, 1954, S. 50 (Mundart, Umgangssprache und Hochdeutsch).

eggers superlativistischem Ausspruch – gefährdeter ist als
z. B. die französische, wo neben dem jeweiligen Dialekt,
patois oder argot, die literarische Hochsprache sich seit
Jahrhunderten richtunggebend durchgesetzt und ein allgemeines Sprachniveau geschaffen hat, das viel Originelles
zwar eingeglättet haben mag, dafür aber auch eine ungleich robustere Widerstandsmöglichkeit gegenüber der
ungezügelten Invasion einer radikal technisierten Welt an
den Tag legt.

Daß für alle Länder diese Technisierung eine Sprach-
und Ausdruckskrise von ungeahntem Ausmaß mit sich gebracht hat, dafür zeugt das Werk der großen Dichter von
Mallarmé bis James Joyce und Ezra Pound; ganze Bewegungen wie Dadaismus und Surrealismus sind Ausdruck
dieser Krise und Ansätze zu ihrer Überwindung. Selbst im
Osten beginnt die Alleinherrschaft des sozialistischen Realismus in Frage gestellt zu werden durch kritische Reflexionen über die mangelnde dichterische Tragfähigkeit einer reinen Pionier- und Ingenieursprache. Der Jugoslawe
Sreten Maritch denkt hierüber nicht anders als der Italie-
ner Paolo Pasolini und der Franzose Etiemble. [73]

Heidegger steht auch hier in einer Tradition. Er belastet
sie mit der Grundvorstellung vom ewig zeitlosen Bauern
und Bauernwesen – einem Leitbild, das dem 19., nicht
dem 20. Jahrhundert zugehört und das schon dem galli-

---

[73] Sreten Maritch: in der Zeitschrift ›Critique‹, Paris, Nr. 131.
– Pier Paolo Pasolini: *Ragazzi di vita, vita violenta* in:
der Zeitschrift ›Rinascita‹, Weihnachten 1964. Dazu die vehemente Polemik, die sich in der ganzen Presse im Anschluß an diese von A. Gramsci beeinflußte Sprachtheorie ergeben hat. – Etiemble: *Le franglais,* Paris, 1964, und *Le jargon
des sciences,* Paris, 1966. – Von Heidegger beeinflußt ist der
Basler Naturwissenschaftler Adolf Portmann in: *Die Sprache
im Schaffen des Naturforscher* (Jahrbuch 1965 der Deutschen
Akademie für Sprache und Dichtung, S. 61–75), definiert aber
auf subtilere Weise die Muttersprache als Ausdruck für den
Mediokosmos, in dem der Mensch lebt.

schen Nationalismus eines Maurice Barrès seine regressive Virulenz gegeben hatte. Gegen den Leitbegriff von Barrès – die Einwurzelung – hat seinerzeit André Gide Argumente ins Treffen geführt, die gültig bleiben: Der Mensch ist keine Pflanze, Mobilität gehört zu seinem Wesen. [74]

Besondere Beachtung verdient die Einwurzelung oder Wiedereinwurzelung der deutschen Sprache im ›vorlateinischen Deutsch‹, für die der Philosoph immer energischer eintritt und für die sein eigener Stil Musterbeispiele zu geben versucht.

Hat Heidegger die Werke des rabiatesten Vorkämpfers für ein gereinigtes Deutsch, des pangermanistischen Literaturhistorikers und Polemikers Eduard Engel gekannt, dem im hohen Alter (das war der Dank Deutschlands) vom Hitlerreich der Judenstern angeheftet wurde? Sein Fremdwörterbuch, 1918 unter dem Titel ›Entwelschung‹ erschienen, war in zahlreichen Auflagen verbreitet. Bei Heidegger setzt – laut Schöfers Erhebungen – in der zweiten Hälfte von ›Sein und Zeit‹, 1927, eine Tilgung der Fremdwörter ein, die schließlich zum System wurde und die durchaus dem puristischen Ideal des Banausen Eduard Engel und seiner Anhänger entspricht. Ein einziges Beispiel verdeutliche die Analogie der Stimmlage. [75]

Im Vorwort zu seinem Buch ›Gebt den Kindern deutsche Namen‹ schreibt 1928 der österreichische Priester und Volksschriftsteller Ottokar Kernstock, der Verfasser von ›Der redende Born‹: »Gerade in diesen unseligen Zeiten ist es eine Ehrenpflicht, Mutter Germania, die gramgebeugt in Trauerkleidern geht, mit treuerer Liebe zu trösten und uns eifriger zu ihr zu bekennen als in den Tagen des

---

[74] Zur ersten Orientierung über Barrès cf. die Monographie von J. M. Domenach, 1954. – Zahlreiche Bemerkungen über Barrès in den Tagebüchern von André Gide.

[75] Fremdwörter bei Heidegger: einige Angaben bei E. Schöfer, *Die Sprache Heideggers,* o. c., S. 24 und 272 sq. – Über E. Engel cf. Nr. 1 der Anm.

Glücks ... Es ist von einem volkstreuen Mann für volks-
treue Volksgenossen geschrieben. Es gehört in jedes Schul-
haus, in jede Pfarrbücherei, und wenn ein deutsches Mädchen Brautlauf hält, sei das Büchlein als schlichter, aber
kostbarer Mahlschatz in den Hochzeitschrein gelegt.«

Heidegger in seiner Hebel-Rede ebenso muffig treu-
deutsch und ländlich verzückt: »Hebel wählte nach eigenem dichterischem Ermessen die schönsten Stücke, die er in
den Kalender des Rheinischen Hausfreundes gegeben hatte, aus. So schränkte er den Schatz auf das Kostbarste ein,
baute ihm ein Schränklein und schenkte es im Jahre 1811
der ganzen deutschen Sprachwelt als ›Schatzkästlein‹.«

Vier Phasen lassen sich in seinem Verhältnis zur Sprache
nachweisen. In der ersten schreibt der angehende Philosoph ein scholastisch trockenes Universitätsdeutsch. Der
Durchbruch zu eigenem Ausdruck und damit zur zweiten
Phase findet in jenen Partien von ›Sein und Zeit‹ statt, die
bekenntnisartigen Charakter tragen und Chaos, Bedrohung, Angst und Anruf, Überschwang und Sorge einer
ganzen Epoche durchs Medium des Schreibenden widerspiegeln in einer Art Schwarzwälder Version des deutschen Expressionismus. Das disparate Wortmaterial wurde durch den Rhythmus des inneren Erlebens zusammengehalten und besaß in seinen besten Momenten etwa von
holzschnittartig gekerbter und gefurchter Kantigkeit, die
selbst deutsche Gegner zu beeindrucken imstande war und
erst recht gewisse französische Ästheten, die ephebenhaft
den starken Mann umschwärmen. (Sartre ist aus anderem
Holz geschnitzt. Die wichtigen Anregungen, die in seiner
ersten Periode von Heidegger auf ihn ausgingen, hat er
alsbald in eigene Philosophie transponiert.)

Sprachinstinkt und Stilgefühl garantierte Heideggers
Verbundenheit mit der mundartlichen Muttersprache we-
niger als Sartres Verbundenheit mit dem großstädtischen
Französisch. Ob bei Sartre politische Irrtümer vorliegen

oder nicht – die Sprache hat er in ihrem Dienst nie prosti-
tuiert, wie Heidegger es in seiner dritten, nazistischen Stil-
phase getan hat. Daß Stilelemente davon bis in seine heutige, manieristische Spätphase nachwirken, dürfte aus unsern Belegen evident geworden sein.

In den letzten Jahren ist der Philosoph auch als Dichter
hervorgetreten, hat sich in eigenen Versen und freien
Rhythmen versucht:

»Wenn es von den Hängen des Hochtals, darüber langsam die Herden ziehen, glockt und glockt...«

Oder: »Wälder lagern, Bäche stürzen, Felsen dauern,
Regen rinnt. Fluren warten, Brunnen quellen, Winde wehen, Segen sinnt«.[76]

Nirgends tritt der Gegensatz zu Nietzsches Sprachgeni-
alität eklatanter hervor als in diesen pseudo-dichterischen
Versuchen. Die tänzerische Prosa und die Gedichte Nietzsches sind ein Ferment der deutschen und europäischen Literatur geworden; Heidegger gerät in gefühlsdumpfe
Heimatdichterbastelei – eine Friederike Kempner des
Hochschwarzwalds.

In seiner Prosa umkreist er anderseits mit endlosen Li-
taneien das Problem Sprache, Denken, Dichten und Sein
und will durch etymologisches Abschälen der Worthülsen
zum Urwort mit der gleichen fixen Energie vordringen,
die hintersinnige Waldbauern an das Austüfteln eines per-
petuum mobile setzen. Die Sprache ist damit pure Verbal-
virtuosität geworden, Eiertanz zwischen Wagner-Asso-
nanzen in Engführung.

»Das Waltende des Wortes blitzt auf als die Bedingnis
des Dinges zum Ding.« »Das dichtende Sagen bringt erst
das Gesicht des Gevierts hervor im Scheinen.« »Die Dinge
ruhen in der Rückkehr zur Weile der Weite ihres Sichge-

---

[76] Heidegger: *Aus der Erfahrung des Denkens,* 1954, S. 22 und
27. Cf. auch den Kommentar von ADORNO: *Jargon der Eigentlichkeit,* o. c., zu diesen Stellen, S. 46.

hörens.« »Das jäh erblickte Walten und Weilen des Wortes, sein Wesendes, möchte ins eigene Wort kommen.«
»Die Schicklichkeit des Sagens vom Sein als dem Geschick
der Wahrheit ist das erste Gesetz des Denkens, nicht die
Regeln der Logik.« »Das verlautende Wort kehrt ins
Lautlose zurück, dorthin, von woher es gewahrt wird: in
das Geläut der Stille, das als die Sage die Gegenden des
Weltgevierts in ihre Nähe be-wëgt.« [77]

Immer wieder treibt das ›Kuinzige‹ in Heidegger – der
hintersinnige Mutwille – ihn zu Formulierungen mit Hilfe
von Wortspielen, wie sie Abraham a Santa Clara als Barockprediger geläufig waren. »Wann der Prediger auf solche Weis wird Wahrheit reden, so bringen ihm solche
Wörter Schwerter, so bringt ihm solches Sagen Klagen«:
diesem Satz des Ahnherrn Ulrich Megerle entsprechen mit
weniger Suada und betont denkerischer Absicht Sätze des
jüngeren Meßkirchers, die zuletzt in die Nähe des Kalauers geraten: »Das dichtende Wesen des Denkens verwahrt das Walten der Wahrheit des Seins: daß Danken
und Denken zueinander verwiesen und zugleich geschieden.« »Für das Kind im Menschen bleibt die Nacht die
Näherin der Sterne. Sie fügt zusammen ohne Naht und
Saum und Zwirn. – Sie ist die Näherin, weil sie nur mit der
Nähe arbeitet. – Falls sie je arbeitet und nicht eher ruht,
indem sie die Tiefen der Höhe erstaunt«. [78]

Etymologisierende Wortspielereien florieren in allen
manieristischen Epochen – so auch am Ende des 19. Jahrhunderts bei den französischen Symbolisten niederer Grade, die um die Wette phantastische sprachliche Bezüge her-

---

[77] ›Das Waltende des Wortes‹ in: *Unterwegs zur Sprache,* o. c.,
S. 237. – ›Die Dinge ruhen‹ in: *Gelassenheit,* o. c., S. 43. –
›Das jäh erblickte Walten‹ in: *Unterwegs zur Sprache,* S. 236.
– ›Die Schicklichkeit des Sagens‹ in: *Humanismus,* S. 47. –
›Das verlautende Wort‹ in: *Unterwegs zur Sprache,* S. 216.
[78] ›Das dichtende Sagen‹ in: *Heimat und Sprache,* S. 124. ›Für
das Kind im Menschen‹ in: *Gelassenheit,* S. 73.

stellten, wo doch »das Wesen der Sache mit der Etymologie selten etwas zu tun hat« (Dolf Sternberger).

Hans Arp hat in unserer Zeit die Wörter nach Klangfarben assoziiert, aber unbeschwert und ohne bleiernen Ernst und sie damit im Spiel freigesetzt. Verse wie die folgenden führen ungewollt Heideggers Etymologisieren ad absurdum:

> »Herr von So und So
> Zerstampft seinen Papageien
> Bis sich der Papa von der Mama scheidet
> Und die Geien als Saft frei werden.«[79]

Sind die Glanzlichter einmal aufgesetzt, so dämpft sich der Ton Heideggers wieder. Die bewußt kurz gehaltenen Sätze schreiten mit kräftigem Schritt voran, der in der Literaturinterpretation Schule gemacht hat, und weisen doch bei genauem Hinsehen eine innere Brüchigkeit auf: sie leiden chronisch an jener ›Steigerung ins Einfache‹, wie Heidegger es mit verräterischem Ausdruck einmal nennt.[80]

Durch die Erfahrung gewitzigt, hatte er nach dem Krieg einen Privat-Kahlschlag veranstaltet. Aber in der Tiefe wabert Wagner weiter und bräunelt es von ewigem Volkstum. In allen Ehren! Ein Wurm bleibt doch im Holz.

Immer radikaler auf die vier Pfähle eines sklerotischen Grundschemas eingeengt, befriedigt sich hier eine total objektlos gewordene Sprache mit sich selber. »Vom Sein in die Wahrnis seiner Wahrheit geworfen, denkt das Denken das Sein. Solches Denken hat kein Ergebnis. Es hat keine Wirkung. Es genügt seinem Wesen, indem es ist.«[81]

---

[79] Hinweise auf die Wortspielmanie der Symbolisten bei Ed. Duméril: *Le lied allemand et ses traductions poétiques en France,* Paris, 1933, S. 328. – H. Arp: *Der gestiefelte Stern,* 1924.
[80] ›Steigerung ins Einfache‹: *Hausfreund,* o. c., S. 16.
[81] ›Wahrnis der Wahrheit‹ in: *Humanismus,* S. 29. – Cf. auch

Wenn Heidegger dennoch als Denker auf die Welt gewirkt hat und wirkt, so geschieht es gewissermaßen trotz seiner Sprache. Wie sehr sie sich auch mit dem Heimatjargon eines Hermann Burte, Anton Gabele, Wilhelm Schäfer, Kolbenheyer überschneidet, – der Mann, der dahintersteht, besitzt ein anderes Format. Der Impuls, der ihn trägt, bedeutet mehr als das Wort, mit dem er vorliebnimmt, und bestätigt damit seine eigene Formel: »(Das) Zerbrechen des Wortes ist der eigentliche Schritt zurück auf dem Wege des Denkens«. [82]

Heidegger ist ein rational geschulter Kopf, ein mit allen Wassern des Thomismus, des Hegelianismus, des Nietzscheanismus gewaschener Dialektiker, ein Techniker der Philosophie, dessen affektiert rustikale Bilderwelt, in die Fachsprache rückübersetzt, an differenzierte Probleme heranzuführen imstande ist und der auch als Poetologe manches zu sagen hat auf Grund eines angebornen Scharfsinns und einer umfassenden Belesenheit, die weder die antiken Tragiker noch avantgardistische Literaten und Maler wie René Char und Georges Braque ignoriert. [83]

Wir haben keinen Augenblick daran gedacht, mit unsern Bemerkungen Heideggers Philosophie zu ›erledigen‹. Sie ist auf ihre Weise etwas so Reelles, faktisch Dastehendes, nicht aus der Welt zu Schaffendes wie das preisge-

---

Karl Löwith (Verfasser von ›Heidegger, Denker in dürftiger Zeit‹, 1953) in der Studie ›Hegel und die Sprache‹ (›Sinn und Form‹, I/II, 1965, S. 114): »Heideggers ›Wege zur Sprache‹ ist eine totale und radikale Destruktion aller bisherigen Ontologie und Philosophie der Sprache ... Das Phänomen der Sprache läßt sich aber nicht dadurch erhellen, daß man auf rationale Analyse verzichtet und statt dessen mit einer Metapher sagt, sie sei das ›Haus des Seins‹ und das in ihrer Sage ›waltende Ereignis‹.«

[82] ›Das Zerbrechen des Wortes‹ in: *Unterwegs zur Sprache,* o. c., S. 216.
[83] G. Wolfer-Rau: *René Char und Heidegger,* Literaturblatt der ›Neuen Zürcher Zeitung‹, 18. 4. 1965.

krönte Meßkircher Zuchtvieh. Generationen von Denkern
sind durch diese Philosophie beeinflußt, über sich hinaus-
gerissen oder aus den Angeln gehoben worden. Das stolze
Schiff zieht weiter seine Bahn; ob es später als Gespenster-
schiff herumgeistern wird, wie Georg Lukács meint, ist
heute nicht zu eruieren. [84] Unsere paar Seitenschüsse werden es nicht leck gemacht haben. Der Freibeuter verschwindet nach getaner Arbeit mit seinem Boot und steu-
ert wieder den eigenen Gewässern, den literarischen, zu.
Vom Literarischen her hat er versucht, die Schwächen des
Werkes und die Beharrlichkeit dieser Schwächen aufzuzei-
gen und hat damit vielleicht an bisher wenig beachtete
Konnexe gerührt. Zum Grenzübertritt ins Philosophische
hat den Literaten der Philosoph selber provoziert mit Sätzen wie den folgenden über Hölderlin: »Es gilt, einen
Versuch zu wagen, unser gewohntes Vorstellen in eine un-
gewohnte, weil einfache, denkende Erfahrung umzustim-
men. Der Bereich aber, wo diese Umstimmung spielt, ist
der eines Sagens aus einem Dichtertum, das wir am Leitfaden von historischen und ästhetischen Kategorien nie
begreifen können.« [85]
    Die Erinnerung an die Manifeste von 1933 schwingt in
diesen diktatorischen Behauptungen immer noch nach,
auch wenn sie dem dichterischen Phänomen gelten: »Nicht
Lehrsätze und Ideen seien die Regeln Eures Seins, der
Führer selbst und allein *ist* die heutige und deutsche Wirklichkeit und ihr Gesetz« – hatte er seinerzeit den Studenten zugerufen. Man setze statt des ominösen Namens Hitler den noblen Namen Hölderlin: das autoritäre Denkschema hat sich nicht gewandelt.
    Die erniedrigte Literatur- und Kunstwissenschaft revol-
tiert, schlägt zurück und läßt weder sich noch Hölderlin

---

[84] G. Lukács: *Die Zerstörung der Vernunft*, 1954.
[85] Hölderlin-Jahrbuch, 1958/60, S. 18 (›Hölderlins Erde und
Himmel‹).

oder Hebel auf Meßkirch umstimmen. Denn darauf läuft
es ja schließlich hinaus. Heidegger hat in den letzten Jahren selber bezeugt, wie ortsgebunden sein Standpunkt ist,
wenn er in der Festrede zum 700jährigen Bestehen der
Heimatstadt ihr und ihresgleichen – »ländlichen Bezirken
und kleinen Landstädten« – die Fähigkeit zuschreibt, vielleicht einmal »die Kraftquellen des Heimischen wieder
zum Fließen zu bringen« und den Menschen des Industrie-
zeitalters den ›Machenschaften‹ der Technik entrinnen zu
lassen durch »Rückzug auf eine Besinnung, die der Bewahrung ihres Herkommens, ihrer alten Herkunft,« gelten
soll. [86]

Rückzug auf ethische Besinnung wäre das Dringlichere:
Hebel jedenfalls setzte sie vor und über die Heimat und
wirkte durch seine öffentliche Tätigkeit in diesem Sinn –
im Sinn einer Aufklärung, über die er Johann Gottfried
Seumes Definition geschrieben hätte:»Aufklärung ist richtige, volle, bestimmte Einsicht in unsere Natur, unsere Fähigkeiten und Verhältnisse, heller Begriff über unsere
Rechte und Pflichten und ihren gegenseitigen Zusammenhang.« [87] Heidegger schreibt: »Weder moralische, noch
kulturelle, noch politische Maßstäbe reichen in die Verantwortung hinab, in die das Denken seinem Wesen nach gestellt ist.« [88]

Der Philosoph und Polyhistor Heidegger markiert den
Bauer, kehrt den Meßkircher heraus, pocht auf den schwäbischen Urkern seiner Herkunft. Im einzigen Gespräche,
das ich vor Jahren mit ihm geführt habe, zuckte er entrüstet bei der Frage auf, ob er, der in Freiburg doziere

---

[86] *Ansprache zum Heimatabend der 700-Jahresfeier der Stadt
Meßkirch* 1961/62. Zitiert bei A. Schwan, *Politische Philosophie in Heideggers Denken*, o. c., S. 188.
[87] J. G. Seume: *Apokryphen*, Hg. H. Schweppenhäuser, sammlung insel 18, S. 125. Das Zitat von Heidegger in: Nietzsche,
I. Bd., S. 603.
[88] Zitat bei A. Schwan, o. c., S. 171.

und auf dem Todtnauberg hause, als Badener zu gelten habe: ein Stockschwabe sei er, war die Antwort, und ein Ausspruch über die zwei Menschenschläge illustrierte sie: »Wenn der Badener Wurst sagt, hat der Schwabe sie längst verschlungen.« [89]

Der Badener Hebel ist auf diese radikale Weise vom schwäbischen Philosophen verschlungen, verdaut und verheideggert worden, und dagegen sollte hier Einspruch erhoben werden. Denn Hebel gehört nicht zu Heidegger und nicht zum schwäbischen Heuberg: er gehört zum badischen Schwarzwald und zu jener Rheinebene, in der er den größten Teil seines Lebens zugebracht hat. Er gehört als Humanist und Kosmopolit in den Umkreis eines Mannes, den er zeitlebens verehrt und den Heidegger zeitlebens bekämpft hat: Goethe. Er ist gewissermaßen ein Goethe in Duodezformat, hoher Staatsbeamter und Dichter, treuer Diener seines Herrn und heimlicher Frondeur, eminent kritischer Kopf und wortverliebter Artist, toleranter Christ und urbaner Schüler der Antike wie jener Begründer der modernen italienischen Kunstprosa, Manzoni, dessen ländlichen Roman ›Promessi sposi‹ Goethe 1825 mit der gleichen Begeisterung rühmte wie 1804 Hebels ›Alemannische Gedichte‹, weil er in beiden den gleichen jonischen Geist der Ausgewogenheit am Werke sah. [90]

(1966)

---

[89] Gespräch mit Heidegger auf dem Todtnauberg am 10. 8. 1950.

[90] Cf. die schöne Studie von Walther Rehm: *Goethe und Hebel* (Universitäts-Rede, Freiburg i. Br., 1949, S. 20), worin auch die Bezüge festgehalten sind, die Goethe zwischen Hebel und Longinus (Daphnis und Chloe) sehen mochte.

WOLFGANG PROMIES

HAMMER UND GRIFFEL

Literatur in einer Industrielandschaft

> Solche sachliche Scharwerkerei bringt uns
> weiter als alle schöngeistige Flitterdichtung.
> *Richard Dehmel an Paul Zech, 19. 2. 1913*

Mit dem Namen Dortmund pflegte der Zeitgenosse, der darum nicht einmal ungebildet zu sein braucht, bislang das vortreffliche Bier, das dort gebraut, den begeisternden Fußball, der dort gespielt wird, kaum jedoch ein Literaturwesen zu verbinden. Ein unlängst erschienener »Reiseführer für Literaturfreunde« zitiert wohl Hermann Löns, der ehemals den »schwarzen, wildwirbelnden Kohlenstaub« und des »Rauches verworr'ne Gespenster« der inzwischen weit über 600 000 Einwohner zählenden Industriestadt im Westfälischen schaudernd besang. Von Dichtern aber, die da gelebt haben, geschweige gestorben sind, ist nicht die Rede. Der Reiseführer nennt Dortmund lediglich in Zusammenhang mit seiner exquisiten Bibliothek. Tatsächlich ist es Dortmunds Haus der Bibliotheken, in dem eine neue literarische Gruppe Heimstatt fand: man könnte sich keinen geeigneteren Ort denken. Die Manuskripte, die auf den Tagungen dieser Gruppe verlesen werden, finden ein paar Räume weiter Aufnahme in dem »Archiv für Arbeiterdichtung und soziale Literatur«. Seinen Beständen aber entnimmt man unter anderem, daß Ruhrgebiet und Westfalen schon zu Anfang unseres Jahrhunderts eine eigenartige Rolle in der Literaturgeschichte gespielt haben.

In Hopsten im Münsterland gründeten kurz vor dem Ersten Weltkrieg – 1912 – die Schriftsteller Jakob Kneip (1881–1958), Wilhelm Vershofen (1878–1960) und Josef Winckler den »Bund der Werkleute auf Haus Nyland«, der sich zur Aufgabe setzte, die technisch-soziale Gegenwart darzustellen. Seine Gründer waren – wohlgemerkt – keine Arbeiter; aber sie fühlten sich ihnen aus sozialen Beweggründen verbunden und von der industrialisierten Arbeitswelt zur künstlerischen Bewältigung aufgerufen. Der im Januar dieses Jahres verstorbene Zahnarzt Josef Winckler, Jahrgang 1881, ist mit dem gleichaltrigen Paul Zech der erste deutsche Dichter der modernen Industriewelt. Ihr Vorbild wirkte auf die Dichtenden unter den Arbeitern zurück. Dem ostfriesischen Tüncher Gerrit Engelke (1890–1918), den Julius Bab 1924 die vielleicht »größte sprach-schöpferische Begabung in der letzten deutschen Generation« nannte, wurde jener Kreis zur dichterischen Heimat, Jakob Kneip und Heinrich Lersch seine besten Freunde. Zu den Arbeiterdichtern schließlich, die vor, während und – vor allem in der etwa 1926 in Gelsenkirchen gegründeten Gemeinschaft »Ruhrland« – nach dem Ersten Weltkrieg in Verbindung mit dem Kreis der »Werkleute« ihre Stimme erhoben, gehört der Bergarbeiter Otto Wohlgemuth, der, einundachtzigjährig, voriges Jahr verstarb, so daß der 1893 geborene Max Barthel jetzt der älteste der noch lebenden Arbeiterdichter ist.

Die Tatsache, daß die Bestrebungen der Nylanddichter weithin unbekannt, die Arbeiterdichtung eigentlich kurios und literarisch suspekt geblieben sind, erübrigt beinahe die Frage nach Wirkung und Erfolg dieser Kombinate von Technik und Kunst. Josef Winckler, der durch seinen »Tollen Bomberg« berühmt geworden ist, schrieb im Jahre 1926: »Mein Verhältnis zur Industrie entsprang der Tatsache meines Erlebnisses in der Industrie und meiner Existenz durch sie. Ich war in Deutschland mit Paul Zech der erste, der ihr bis dahin als unkünstlerisch verschrieenes

Problem dichterisch zu meistern versuchte, nachdem in Europa nur Verhaeren uns vorausgegangen war ... Der Triumph menschlicher Arbeitsgröße, die Dämonie industrieller Erscheinungen rissen mich hin; aber ich war nicht, wie oft mißdeutet, ein blinder Lobpreiser – ich habe auch den Industrieherren kulturelle Verpflichtungen in meinen ›Eisernen Sonetten‹ (zuerst 1912) gepredigt, huldigte nur nie dem Masseninstinkt, sondern dem schöpferischen Tatmenschen. Dabei hat es gerade mir an schmerzlichen Enttäuschungen nicht gefehlt, und meine Überzeugung heißt, daß unter den deutschen Großindustriellen nicht ein einziger Kulturschöpfer vorhanden ist, nur ödeste Geschäftsfanatiker, wie die Masse der Industriearbeiter eine blöde Helotenherde bisher blieb.«

Inzwischen ist fast eine Generation vergangen. Wincklers ehemalige Geschäftsfanatiker haben sich zum ›Kulturkreis der deutschen Industrie‹ zusammengefunden, der sogenannten Helotenherde sind von der Gewerkschaft die Ruhrfestspiele bereitet; Dortmund beherbergt Gruppe und Archiv. Ob der Kulturkreis und Recklinghausen freilich Wincklers Pessimismus zu widerlegen vermögen, steht auf einem anderen Blatt. Das Archiv kündet zumindest von der Quantität der Dichtung, die von Arbeitern, aus der Welt der Arbeit geschrieben wurde; die Gruppe vielleicht von ihrer Qualität, gewisser jedoch von dem Wert einer Beschäftigung mit dem Komplex Arbeitswelt. Sein Gründer und ihr Leiter sind ein und dieselbe Person: der Bibliotheksdirektor Fritz Hüser. Auf seine Initiative geht das Archiv zurück. Es ist das erste dieser Art in der Bundesrepublik. Seine Bestände sind so bedeutend, daß von überall die Wißbegierigen, Studenten und Professoren, nach Dortmund kommen – aus allen Ländern eher als aus Westdeutschland, aus dem Arbeiter- und Bauernstaat viel mehr als aus der Bundesrepublik. Das fordert eine Digression.

Es ist ohne Zweifel fragwürdig, ob man mit Schriftstel-

lern und Gelehrten jenseits des eisernen Vorhangs noch gewinnbringend reden kann; jedenfalls kann die eigene Information über das, was drüben geschrieben wird, nicht
schaden. Es ist unfaßlich, daß von 60 Studenten der Germanistik, die unlängst in einer Prüfung nach zwei in der
DDR lebenden Dichtern gefragt und gebeten wurden, je
eins ihrer Werke zu nennen, nur neun Kandidaten befriedigend antworten konnten. 30 Prozent schwiegen sich
überhaupt aus, zehn Prozent nannten in der Bundesrepublik lebende oder bereits verstorbene Dichter; ein großer
Teil machte falsche Angaben, nannte Kästner, Gradd, Lukács Autoren von drüben. Summa: es grassiert hierzulande eine ärgerliche Art von Kannitverstan, der willentliche
Verzicht darauf, Themen zu erörtern, nur weil sie der andere ständig im Munde führt und obendrein in einem Vokabular, das oft jeder Erörterung von vornherein zu überheben scheint. Aus diesem Grunde wurde der Aufsatz des
Hallenser Germanisten Wolfgang Friedrich mit Vorbedacht unter die Materialien dieses Almanachs aufgenommen. Es wäre töricht, wollte man verschweigen, daß die
Gruppe 61 in der DDR auf größtes Interesse gestoßen ist;
spricht das allein gegen ihre Mitglieder und deren Veröffentlichungen? Sie stellt einmal ein Politikum dar: es ist
weniger belangvoll, ob ihre Niederschriften aus der Welt
der Arbeit eine Lücke der Gegenwartsliteratur füllen mögen; sie weisen jedenfalls auf den Hohlraum hin, der im
Bewußtsein vieler Bundesbürger zwischen der Illustrierten-Serie: Junge Millionäre und der lakonischen Notiz
von Zechenstillegungen in Sowiesoort klafft. Friedrich
korrigiert selbst gewisse Fehleinschätzungen, die in der
DDR über die Gruppe 61 im Umlauf sind; aber sein Aufsatz regt eigentlich desto mehr an, je parteiischer er urteilt.
Im übrigen: an einer Hand sind hierzulande die Germanisten zu zählen, die sich überhaupt mit dem Gebiet der Arbeiterdichtung beschäftigen – es genügen zwei Finger.
Denn es ist nicht zu leugnen, daß die westdeutsche Germa-

nistik – um hier nur von ihr zu reden – der im Osten gleichsam stillschweigend die Erforschung literarischer Bewegungen überläßt, die vormals von einer gesamtdeutschen Germanistik vernachlässigt worden waren und hierzulande um so mehr ignoriert werden, als die andere Seite sie politisch und durchaus nicht ästhetisch auswertet. Man wird die Skrupel des einzelnen Professors respektabel finden; Tatsache ist, daß etwa die Aufklärung von DDR-Staats wegen und unter marxistischer Voraussetzung zu einem planvollen Forschungsunternehmen ostdeutscher Germanisten und Romanisten wurde, die Texte edieren und Schriftsteller traktieren, welche das eingefleischte Bild des Rationalismus in Deutschland nicht unerheblich zu verändern vermögen. Und während hier der Interpretationen einzelner und immer derselben Autoren, einzelner und immer derselben Werke kein Ende ist, konnte man 1964 in Heft 5 der »Weimarer Beiträge« – der repräsentativen Zeitschrift für Literaturwissenschaft in der DDR – eine bemerkenswerte Zusammenschau der neueren deutschen Literaturgeschichte nachlesen. Diese Arbeit eines ungenannten Germanistenkollektivs, auf die Wolfgang Friedrich unter einem anderen Gesichtspunkt Bezug nahm, nennt sich vorsichtig »Skizze zur Geschichte der deutschen Nationalliteratur von den Anfängen der deutschen Arbeiterbewegung (sprich: Goethes Tod) bis zur Gegenwart« (das ist die 2. Bitterfelder Konferenz vom April 1964).

Die Skizze macht den – spannenden – Versuch, die literarischen Größen des neunzehnten und zwanzigsten Jahrhunderts marxistisch zu interpretieren, und sie tut das einigermaßen vorurteilslos und gar nicht ungeschickt. Weitaus interessanter ist die im Vergleich zur landläufigen Literaturgeschichte wie selbstverständliche und ausschweifende Darstellung der ›revolutionären‹ Bürgers- und vor allem der sozialdemokratischen Arbeiterdichtung des neunzehnten Jahrhunderts, die marxistischem Gedankengang entsprechend mit den Jahren bis zur Weimarer Re-

publik immer reaktionärer wird, während die radikale
Linke in der Literatur unter Einfluß des revolutionären
Rußland erstarkt. Schwarz auf weiß erhält man schließlich, mit knapper Analyse repräsentativer Schriftsteller
von hüben und drüben, die klärliche und sozusagen
zwangsläufige Zweiteilung der deutschen Literatur nach
dem letzten Kriege präsentiert, samt der Moral aus der
Geschichte. Den Beschluß der Skizze machen Ausblick und
Richtlinien, die die 2. Bitterfelder Konferenz gegeben hatte, Thesen wie diese: »Die großen gesellschaftlichen und
ökonomischen Umwälzungen, die sich in unserer Epoche
vollziehen, verlangen vom Schriftsteller die Kenntnis der
wichtigsten Erscheinungen und Prozesse, die die technische Revolution bei der grundlegenden Veränderung der
Lebens- und Arbeitsweise der Menschen in der sozialistischen Gesellschaft bewirkt. Es genügt nicht mehr, Einzelheiten der menschlichen Probleme im Produktionsprozeß
aufzuspüren, sondern der Schriftsteller muß die großen
politischen, ökonomischen und technischen Zusammenhänge kennen, um von dieser Warte die Entwicklung der
Menschen und ihrer Beziehungen künstlerisch zu gestalten.« Streicht man die Vokabel ›sozialistisch‹ vor Gesellschaft weg, unterstreicht man kräftig das Adverb ›künstlerisch‹, so erhalten wir Thesen, die auch im Westen durchaus lesbar und bedenkenswert anmuten.

Warum so viel Aufhebens von einer bloßen Skizze?
Weil sie doppelt bestürzend wirkt. Sie entfernt die literarische Entwicklung in Ostdeutschland planvoll und in voller Absicht von dem hiesigen Literaturwesen, das sie jedoch nicht ignoriert, sondern interpretiert, wenngleich auf
eine Weise, die anfechtbar scheint. Die Fülle zumeist unbekannter Namen, mit denen sie aufwartet, macht aus der
deutschen Literaturgeschichte seit Goethes Tod ein Feld,
das der Skizze zufolge über weite Strecken hin brach gelegen hat. Gewiß würden so und so viele der dort namhaft
gemachten Autoren, ob sie nun in der frühen Arbeiterbe-

wegung, im Banne des Kommunismus standen und stehen und in der DDR ihre geistige Heimat zu finden beteuern, strengen Qualitätsmaßstäben nicht genügen; aber darum geht es nicht. Die westdeutsche Germanistik hat allem Anschein nach den Begriff der Literaturgeschichte allzu luxuriös zu fassen begonnen. Literaturgeschichte heißt ja nicht bloß die Beschreibung von Werken der Kunst, des Bleibenden: mit welchem Recht findet dann der muffige Göttinger Hain ebenso ausführliche Erwähnung wie die klassischen Prosaisten Lichtenberg und Forster zusammen, warum das Junge Deutschland? Wie man schon dem Rationalismus nicht gerecht wird, wenn man ihn nach dichterischen Maßstäben mißt, die er gar nicht intendierte, so wenig wird man dem ausschweifenden Schrifttum gerecht, in dem sich die sozialpolitische Entwicklung niederschlägt. Man mag zu ihr stehen, man mag es beurteilen wie man will – die wissenschaftliche Redlichkeit, wenn schon nicht eine wache Wißbegier, verlangt es, die literarischen Zeugen und Zeugnisse dieser Entwicklung gebührend zu berücksichtigen. Der in sich spielende ästhetische Wertbegriff ist gut und schön; der Maßstab der Tendenz, des à quoi bon kann jenem wenigstens zum nüchternen Regulativ dienen: er hat, nicht doktrinär verstanden, ihm selbst eine ganze Menge voraus.

Das Unternehmen ist zweifellos delikat. Die Abwehr eines ausgemachten Tendenzdenkens, wie es der Osten übt, ist verständlich und nicht weniger groß als das Unbehagen an westlichen Glasperlenspielereien, die mitunter daran denken lassen, daß, wie es im neunzehnten Jahrhundert die inzwischen ausgestorbene Gattung des Privatgelehrten gab, es nun den Privatkünstler gibt: um so besser für die Wissenschaften; desto mißlicher für die Kunst. Sie droht selbst nichtssagend zu werden, wo man hartnäckig beteuern hört, es liege einmal in ihrem Wesen, nichts besagen zu wollen. Das Gegenteil heißt ja nicht sozialistischer Realismus, dessen Gefahr es ist, daß man vor Spruchbändern und der minutiösen Beschreibung von Mauerfugen und Schraubenmuttern keine Welt erfährt. Man wünscht sich nur die Literatur durchlässiger für die Wirklichkeit, mitteilsamer, geselliger, selbstsicherer, was die Humanisierung des Stoffes, die Verwirklichung des Humanen betrifft. Eben um ihrer Tendenzen willen ist die Gruppe 61 aller Aufmerksamkeit wert. Wenn sie – auf den ersten Blick – kurios wirkt, dann liegt es an der Situation in der Bundesrepublik; wenn dubios, dann an dem irrigen Beifall aus der DDR, wenn scheinbar nicht literaturfähig, dann an ihrem Herkommen und mehreren Vorurteilen, nicht aber an dem Ziel, das sie sich setzt.

Am Anfang dieser Gruppe war eine Anthologie von Bergmannsgedichten, welche die Industriegewerkschaft Bergbau finanziert hatte. Autoren dieser Anthologie kamen an einem Karfreitag des Jahres 1961 erstmals in Dortmund zusammen. Die Gruppe konstituierte sich und trifft sich seither zweimal jährlich. Es werden Gedichte gelesen, Prosastücke; unter dem Titel »Neue Industriedichtung« sind mittlerweile die ersten Bändchen mit Beiträgen der Gruppenmitglieder erschienen. Es wird diskutiert: im Gegensatz zu den Gepflogenheiten der Gruppe 47 darf der Rezitator auf die zumeist recht unverblümte Kritik unverblümt entgegnen. Der Ort blieb stets der gleiche. Der Kreis erweiterte sich mit den Jahren. Gruppensenior ist der 66jährige Bruno Gluchowski: ein sicherer realistischer Erzähler, der kürzlich mit Romanen aus der Welt des Bergmanns, mit dem Versuch hervortrat, an Hand einer Familiengeschichte die Geschichte der sozialen Bewegung im Bergbau zu schreiben. Das berühmteste ist beinahe das jüngste Mitglied der Gruppe: Max von der Grün, Jahrgang 1926. Der »Autobiographischen Notiz« entnimmt man, daß die Mitglieder der Gruppe von Berufs wegen Maurer, ehemaliger Bergmann, Schlosser, Lehrerin, Gewerkschaftsfunktionär, kaufmännischer Angestellter – Schriftsteller sind, welche auf einem grünen Vordruck mitteilen, was sie wollen. Das Programm der Gruppe 61 braucht hier nicht wiederholt zu werden. Uns interessiert an dieser Stelle lediglich sein vierter und letzter Punkt, die »Kritische Beschäftigung mit der früheren Arbeiterdichtung und ihrer Geschichte«.

Arbeiterdichter sind, wie es scheint, traditionsbewußter als andere Schöngeister. Allerdings liegt die Betonung auf der Vokabel »kritisch«. Klassenkämpferisches Pathos oder der sozusagen auf den Prolet gekommene Wortschatz des Pietismus, wie sie der klassischen deutschen Arbeiterdichtung vor und nach dem Ersten Weltkrieg zu eigen waren, liegt den Mitgliedern der Gruppe 61 im allgemeinen nicht. Bei Winckler konnte man lesen: »Des Werktags Stirn gebe ich dem Heiligenschein!« Für diesen frommen Wunsch fehlen ihnen zum Glück die Worte; andererseits wird man bei ihnen lange (oder ganz und gar vergeblich) nach der dilettantischen Inbrunst, der ehrenwerten Empörung suchen, die dem deutschen Arbeitergedicht einmal seinen zumeist schwer erträglichen Ton gaben. Die ehrenwerte Empörung haben drüben der saure Apfel des Sozialismus, hier die süßen Früchte der freien Marktwirtschaft erstickt. Die beinah einzige Ausnahme unter den Autoren der Gruppe 61 bildet die 1917 geborene Lehrerin Hildegard Wohlgemuth, die im Ruhrgebiet groß geworden ist. Sie kennt, was sie in Worte zu fassen versucht, die Elendsviertel:

> Unseren Frauen und Kindern
> bleibt der Wandspruch
> an der Nordseite:
> Hab Sonne im Herzen.

Aber man liest und hört solche dringliche Metaphorik eher wie den unzeitgemäßen Ausbruch eines expressionistischen Zech-Bruders. Im allgemeinen möchte man den Autoren jedoch eher den Vorwurf machen, sie schrieben allzusehr in der Gewißheit, Neuland zu bestellen, als in dem Bewußtsein einer Nachfolgeschaft. Man wüßte auch nur schwer zu sagen, an wen sich ein Schriftsteller halten soll, der sich 1966 die literarische Aufgabe stellt, die industrielle Arbeitswelt der Gegenwart so niederzuschreiben, daß Literatur entsteht. Der Rückgriff auf die sogenannte Arbeiterdichtung wenigstens scheint nicht rätlich. Sie hat den leidigen Geruch des literarisch minder Gelungenen niemals eingebüßt und findet sich noch dieser Tage als eine »Erscheinung am Rande der Literatur« apostrophiert. In der Tat blättert man nicht selten überaus erheitert in alten ernstgemeinten Anthologien dichtender Arbeiter, deren einer folgende Ars poetica und künstlerische Beichte zum besten gibt:

> Wie ich dichte
>
> Indes mein Arm die Keilhau' schwingt,
> sinnt Kopf und Herz auf schöne Lieder,
> und wie die Arbeit sich verringt,
> so mehren sich der Verse Glieder.
>
> Und wird zu lang der Reime Zahl,
> daß ich den Text nicht kann behalten,
> so macht auch dies mir keine Qual,
> ich lasse dann den Bleistift walten.
>
> Ein Stückchen hab' ich stets bei mir,
> dazu ein Stück der Butterdüte,
> so ist zur Hand auch das Papier
> und meine Dichterei in Blüte.
>
> So hab' ich manches Lied gemacht,
> indes die Keilhau' ich geschwungen,
> in Dunst und Qualm, im tiefen Schacht,
> was ihr am Tage froh gesungen.

Wie es da steht, liest sich das Poem wie ein anderer Beitrag zu einem Sammelbande unfreiwillig komischer Dichter, die im neunzehnten Jahrhundert im Schwange waren.

Im obigen Fall handelt es sich jedoch um das 1909 geschriebene Geständnis des ersten Dichters der deutschen Arbeiterbewegung, Heinrich Kämpchen! Er wurde 1847 geboren, war zeitlebens Bergmann, starb 1912. Kaum ein politisches oder gewerkschaftliches Ereignis seiner Zeit, das er nicht zum Vorwurf seiner Gedichte nahm, die von den Arbeitern viel und, wie man hört, gern gelesen wurden. Es hält schwer, Klassenkampf und Streikbegehren mit dem unbedarften Bossler schöner Lieder, frohgesungener Weisen zusammenzureimen. Dennoch darf man die Bedeutung des liederseligen Arbeiterdichters innerhalb der sozialpolitischen Bewegung nicht unterschätzen. In der »Skizze« liest es sich so: »Die deutsche Arbeiterklasse bewährt sich als kulturschöpferische Kraft vor allem im Zusammenwirken von Arbeiterdichtern mit der proletarischen Sängerbewegung. Das Chorwesen blüht auf, das politische Kampflied ist weit verbreitet. Es entsteht eine eigene Chorliteratur der Arbeiterbewegung (Lenin sprach von einer Propagierung des Sozialismus durch das Arbeiterlied in Deutschland). 1908 werden über 100 000 Arbeitersänger gezählt.«

Das kuriose Odeur haben der Arbeiterdichtung auch die wenigen Ausnahmen der Vergangenheit nicht benehmen können. Ein Dichter wie Paul Zech etwa, der, vor dem Faschismus emigriert, 1946 in Buenos Aires gestorben ist, gehört in die Literaturgeschichte, weil er eine ungemeine sprachschöpferische Begabung des Expressionismus gewesen ist. Seine Neigung zu der Welt der Arbeitenden hat fast nurmehr biographische Bedeutung, auch wenn sein »Hauer« und »Das Grubenpferd« einschlägige Anthologien zu zieren pflegen und Franz Blei in seinem »großen Bestiarium der modernen Literatur« 1922 Zech dergestalt konterfeite: »So heißt ein in Kohlenbergwerken lebender Höhlenkäfer, wo er das einförmige Geräusch der Spitzhacke mit seinem guten Takte begleitet. In den belgischen Kohlengruben nannten die dortigen Leute den Zech auch

Verhaeren.« Die Vokabel Arbeiterdichtung ist einmal un-
glücklich. Was meint sie denn? Dichtung von Arbeitern
für Arbeiter? »Heinrich der Kesselschmied«, wie Lersch
sich in Erinnerung Heinrich des Vogelers einmal nannte,
war guten Willens, dem Arbeitsmann mit Hilfe der Dichtung Worte zu leihen. Nie meinte es ein Dichter ehrlicher,
nie naiver als er mit diesem Vorsatz, der ja nie zu realisieren ist. Der Arbeiter, der seiner Fron entfliehen will, hat
andere Surrogate als das Gedicht; zum Selbstverständnis
sind »Hymnen«, wie Lersch sie den werktätigen Frauen
anheimgab, notwendig weniger nütze als die politische
Aufklärung und Agitation: der amusischste Gewerkschaftsfunktionär hat insofern mehr Verdienst als der
mitfühlende Arbeiterdichter, der nicht Partei sein will.
Können aber bloß Arbeiter von sich schreiben? Es ist eine
Binsenwahrheit, daß die instruktivere Literatur über den
Arbeitsmann und seine Welt vielfach von anteilnehmen-
den Bürgerlichen geschrieben wurde. Die Gruppe 61 ist,
nach den Berufen ihrer Mitglieder geurteilt, ein bunt-
scheckiges Konglomerat von Angestellten fast mehr als
von Arbeitern, die Schar von Gästen gar nicht gerechnet:
Journalisten, Autoren anderer Couleur, Verlagslektoren,
Studenten. Neuerdings stießen auch Beamte hinzu, Haus-
frauen, Vertreter. Man kann diese soziologische Streuung
nur begrüßen: nicht Selbstaussprache des Arbeiters muß
das heute allgemein interessierende Ziel sein, sondern die
literarische Erarbeitung der industriellen Wirklichkeit und
der Situation des Arbeitnehmers schlechthin, nicht bloß
des Arbeiters. Ihre genaue Kenntnis vermag sich auch der
Werkstudent, der Hospitant zu verschaffen. Der durch
seine sozialkritischen Fernsehspiele bekannt gewordene
Schriftsteller Christian Geissler arbeitete beim Bau eines
Streckenabschnitts der Bundesautobahn. Günter Wallraffs
Reportagen sind das Ergebnis der in Fabriken, auf Werf-
ten erarbeiteten eigenen Anschauung.
   Übrigens hat die Arbeiterbewegung selbst schon früh

von der eng determinierten Vokabel »Arbeiterdichtung«
fortgestrebt. An seine Stelle trat in der parteioffiziellen
Bezeichnung um die Jahrhundertwende der Terminus
»Soziale Lyrik«. Auf diese Weise erfährt man überhaupt,
daß die von Arbeitern für ihre Klasse geschriebene Literatur fast ausschließlich Poesien gewesen sind, Reime in
Spätromantikerweise. Bezeichnenderweise war noch 1924
die Betrachtung Julius Babs über Arbeiterdichtung der
Gegenwart mangels anderer eine Betrachtung hauptsäch-
lich der lyrischen Dichtung. Das Kennzeichen der heutigen
sozialen Literatur der Gruppe 61 ist dagegen das wie
selbstverständliche Vorherrschen der Prosa, des Romans
(und nicht mehr der Autobiographie schreibender Arbeiter). Poetische Proben dieses und jenes Gruppenmitglieds
legen die grundsätzliche Frage nahe, ob die herkömmliche
lyrische Form überhaupt dem Gegenstand gerecht werden
kann, der behandelt wird: Automation, Nummernlos, Ar-
beitsalltag in einer Arbeitersiedlung, ohne auf die Reflexion oder ein exzessives Wortmaterial zu verfallen. Die
im Almanach vertretene Lyrik nähert sich in der Mehrzahl denn auch dem Spruch, der epischen Fügung, sie ist
kurzangebunden, macht eher einen linkischen Witz als
reimklappernde Jeremiaden.

Wie die Gruppe 61, prosaisch geworden, bestimmte ästhetische Ausdruckszwänge der eigentlichen Arbeiterdichtung zu vermeiden sucht, so vermeidet sie auch politisch
gewisse naheliegende Denkzwänge. In ihrem Informa-
tionsblatt heißt es dazu: »Die Dortmunder Gruppe 61 ist
in jeder Beziehung unabhängig und nur den selbstgestell-
ten künstlerischen Aufgaben verpflichtet – ohne Rücksicht
auf andere Interessengruppen.« Die Arbeiterdichtung ist,
historisch völlig richtig, einmal Instrument des Klassen-
kampfes gewesen. Ihre Geschichte dokumentiert freilich,
daß auch ihre Dichter ideologisch manipulierbar waren.
National dachte und reimte die deutsche Arbeiterdichtung
spätestens seit Lersch – »Deutschland muß leben, und

wenn wir sterben müssen« – und Bröger zu Beginn des Ersten Weltkrieges. Von Bröger ist bekanntlich das Bekenntnis, daß Deutschlands »ärmster Sohn auch sein getreuester
war«. Es hat eine schlimme Konsequenz, daß Lersch neben
anderen Dichtern aus der Arbeiterklasse zu denen gehörte,
welche den Nationalsozialismus ebenso begrüßten, wie sie
dem Faschismus willkommen waren, dessen Staatspartei
sich bekanntlich deutsche Arbeiterpartei nannte. Sie haben
der Propaganda und Ideologie des Dritten Reiches eine
ganze Reihe fataler Vokabeln und nationaler Schlagzeilen
geliehen. Lersch ist ein exemplarischer Fall. Der selbst die
Arbeit des Kesselschmiedes als Fron empfand, beliebte
vom »Rausch des Arbeitens« zu sprechen; beharrlich nahm
sein Ohr die Kakophonie der Werkstätten als »Lied« (der
Arbeit) auf. Er imaginierte die Segnungen des Kollektivs,
in der der einzelne aufgeht, um am Ende »ein werklustdurchbraustes, fünffachgekuppeltes, totlustdurchbraustes
Mensch-Maschinen-Werk« zu werden! Es scheint sündhaft, in diesem Zusammenhang von einer mystischen
Union zu reden, die Lersch seine Arbeiter vollziehen läßt.
Aber Tatsache ist, daß er gern geistliches Sprachgut verwandte, um die Technik zu beseelen: Werktagskirchen
heißen dann Fabriken, Arbeiterinnen Madonnen. Verstörender ist der üppige Gebrauch militärischer Vokabeln für
Arbeiter und ihre Welt. Das geht so weit, daß schließlich
sogar die Metapher »Soldaten der Arbeit« Eingang findet,
»Arbeitsschlacht« zu registrieren ist, der Dichter »Gesangsgranaten« von sich gibt. Heinrich Lersch starb 1936;
der Tod nur kündigte eine Gefolgschaft auf, von der man
nicht weiß, ob der Lebende sie je zu verweigern stark genug gewesen wäre. Die neuen Machthaber brauchten
Lerschs Weisen oft gar nicht umzumünzen: sie sagten das,
was dem Staate lieb zu hören war. Der Dichter selbst
fühlte sich seinerseits bemüßigt, Gedichte, die auf Mißverständnis hätten stoßen können, umzuformulieren, zu –
nazifizieren. Solcher Sophismus eignete nicht ihm allein.

Wolfgang Friedrich wies in diesem Zusammenhang auf Otto Wohlgemuth hin.

Es gibt das beredte Beispiel einer Anthologie von Arbeiterdichtung, die zuerst 1929 erschienen war und 1935 abermals erschien: als eine neugeformte, als NS-Anthologie. Der Herausgeber war der gleiche: Hans Mühle, der bezeichnenderweise in seinem Vorwort zur ersten Anthologie als das positive Kennzeichen der Arbeiterdichtung gegenüber der anderen zeitgenössischen Literatur hervorhob, daß sie »so wenig vom Intellektualismus angekränkelt ist«! Der Titel war der Zeit entsprechend geändert. Während die Auswahl 1929 noch unter der Überschrift »Das proletarische Schicksal« stand (Paul Zech war in ihr mit vier Gedichten vertreten), intonierte sie sechs Jahre später schönläufig »Das Lied der Arbeit« (von Paul Zech war nun keine Rede mehr), war dem schaffenden Volk und seinem ersten Arbeiter gewidmet, hatte die Parteiamtliche Prüfungskommission zum Schutze des NS-Schrifttums anstandslos passiert und wies obendrein das Geleitwort Robert Leys vor. Der Herausgeber sprach neutönerisch vom Adel der Arbeit, den der Nationalismus dem deutschen Volke verliehen und der auf die Arbeiterdichtung zurückgewirkt habe. »Ein Aufruf, der durch ganz Deutschland ging und einlud, Verse des Arbeitserlebnisses einzusenden, brachte Tausende von Liedern der Arbeit.« Fast erübrigt es sich, Namen der darin vertretenen Autoren zu nennen. Natürlich findet man Max Barthel – »Einer für Alle! Alle für Einen« –, Heinrich Anacker, das Modell des NS-Arbeiterdichters; ferner Billinger, Bröger, Lersch, Otto Wohlgemuth, Hannes Razum; aber auch Peter Huchel, den Herausgeber Hans Mühle selbst, der von sich berichtet, daß er 1897 in der Lüneburger Heide geboren wurde, als Siebzehnjähriger in den Krieg zog, den Kampf gegen die Kriegsschuldlüge kämpfte, mit einer Arbeit über Deutschlands Notrecht im Weltkrieg zum Dr. jur. promovierte, Leiter in Arbeiter- und Grenzland-

Volkshochschulheimen war. Aus dieser unmittelbaren Lebensgemeinschaft mit dem Werkvolk entstanden nach seinen Worten Volksspiele, Dramen, der Entwurf zum Chorwerk des Reichsparteitages 1934 »Deutschland gestern, heute und morgen«. Er war Assistent für Sozialethik der Universität Berlin. Über sein ferneres Schicksal war nichts in Erfahrung zu bringen.

Akademiker gleich Mühle ist ein anderer Herausgeber einer unter dem Dritten Reich erschienenen Anthologie, Heinz Kindermann, seinerzeit berühmter Professor der Germanistik in Münster, heute berühmter Professor der Theaterwissenschaft in Wien. »Ruf der Arbeit« ist seine 1942 edierte Anthologie überschrieben. Auf über 90 Seiten sinniert der Herausgeber vom Sinn der Arbeit in 1000 Jahren deutscher Dichtung, an deren Ende die Erkenntnis steht, daß die Arbeiterdichtung »wehrhaft« geworden sei. In zeitgemäßer Metaphorik sagt es J. H. Nierentz im Innern des Buches: »Wir sind der Arbeit gläubige Soldaten.« Die rühmlichste Zutat der neuen Arbeiterdichtung sieht Kindermann in der Feier des Arbeitsdienstes – »dieser sinnfälligsten Einrichtung der wehrhaften Arbeitsgesinnung und der ausnahmslosen Teilhabe an der neuen Arbeitsgemeinschaft unseres Volkes«. Als den »Urgrund der neuen Dichtung« erschaut er den Hymnus auf die ewige Arbeit, die letzter Daseinssinn ist. Die Parole, getreu der von Hermann Claudius zur Feier des 1. Mai geschaffenen »Hymne an die Arbeit«, heißt: »Arbeit allein macht frei.« Was steht doch über dem Eingangstore von Auschwitz? Man kann nicht leugnen, daß dieser Band, wie der Herausgeber wollte, »ein kulturhistorisches Dokument« aus einer Zeit ist, die mit der »Heiligung der Arbeit« rasch bei der Hand war, und siehe, was sie wirkte, war Mord und Totschlag. Bilder zieren die Anthologie, Reproduktionen von Gemälden deutscher Kunstschaffender, die auf Wunsch eines Gauleiters zu den Werktätigen in Betriebe und auf Höfe gegangen waren, das Volk der Arbeit in

Bild und Plastik festzuhalten. Was entstand, sind
Schwerstarbeiter in Pastell, ölfarbige Eisengießereien; der
Gipskopf eines Arbeiters aus der Rüstungsindustrie . . .

»Allen aber, die Kunst suchen und Kunstwerke sehen
wollen, möchte ich gerade angesichts des in den vorliegenden Seiten geborgenen Gutes sagen: geht in die Fabriken
und Werkstätten! Hier ist jeder Arbeiter ein wahrer
Künstler!« So beschloß Robert Ley sein Geleitwort zu
Mühles Anthologie. Tendenz und parteiische Denkweise
machen es zu einem Zitat, das einem aus unserer Gegenwart bekannt vorkommt. Es gilt dieser Tage in gewissen
aufgeklärten Kreisen Westdeutschlands als indezent, aus
der kommunistischen Sphäre Faktisches der DDR mit faktisch Gleichem aus der faschistischen Periode zusammen-
zusehen. Aber was hat sich drüben an der Malweise geändert, was an der dort propagierten Zielsetzung der Arbeiterdichtung? (Gewiß wird man von Heiligung und Adel
der Arbeit nicht mehr reden hören.) Für die literarischen
und sozialkritischen Bestrebungen der Gruppe 61 bedeutet
es jedenfalls: es gibt in der Gegenwart das lehrreiche Beispiel des deutschen Arbeiter- und Bauernstaates und seiner
Ideologisierung aller Literatur, seiner von Staats wegen
geförderten Bewegung schreibender Arbeiter. Die »Skizze« nennt 1964 als das Ergebnis der 1. Bitterfelder Konferenz vom April 1959 300 Zirkel schreibender Arbeiter, die
ihren Teil zur Geschichte der Arbeiterliteratur beizutragen aufgerufen sind, deren Klassenkampf-Charakter nach
wie vor für aktuell befunden wird. Die Gruppe 61 scheut
das Gespräch mit den Schriftstellern aus dem anderen
Teile Deutschlands nicht: es kann nur der Klärung der eigenen Stellung dienen. Die Situation des Arbeiters in der
Bundesrepublik ist 1966 eine andere, sein Denken anders,
seine Wünsche und Nöte anderer Natur. Könnte es im
Schreiben anders sein? Das Bestreben, sich frei von Ideologien mit der Arbeitswelt in einem hochindustrialisierten
Lande auseinanderzusetzen und sie womöglich künstle-

risch zu bannen, hebt das Anliegen der Gruppe 61 erst in den Rang eines der Literaturbetrachtung würdigen Gegenstandes.

Wie stellt sich aber in den Texten der Gruppe 61, in den Beiträgen ihrer Gäste, wie sie der Almanach vereinigt, die industrielle Arbeitswelt dar, wo liegen demnach ihre sozialen Probleme? Folgendes sei vorausgeschickt: keinem der Beiträger wurde vorgeschrieben, worüber er sich äußern sollte; einziger Anhaltspunkt war der Titel des Almanachs: einen Gegenstand aus der Welt der Arbeit zu wählen. Daher erklärt sich eine gewisse Unvollständigkeit: man konstatiert zum einen den Schwund aller Landschaftsschilderei, die einschlägigen Lyrikern gern als Anlaß gut war, sentimental zu werden. Selbst die zur Unnatur gewordene Natur ist nicht mehr vorhanden; Max von der Grüns Erzählung bildet die einzige Ausnahme. Dieses Stück Industrielandschaft wirkt in seiner Begrenzung durch Autobahn und Kokerei, mit Wolkenformationen, von denen man nicht weiß, ob sie Gewitter oder Fabrikdämpfe anzeigen, desto exemplarischer. Das Haus, die Straße, die Werkhalle, das Büro, der Bus sind die Räume, in denen man vor Menschen den Menschen nicht mehr sieht. Ferner: mit Ausnahme von Günter Herburger und Karl Alfred Wolken, deren Erzählungen aus dem Handwerk genommen sind, dessen Gedicht zumindest ein Handwerk anspielt, fehlt die Welt der Handwerker und Bauern vollkommen. Darin steckt ein Gran Zufälligkeit: man hätte möglicherweise auch schreibende Dachdeckermeister ausfindig machen können, einen reimenden Hans Sachs und probaten Rehwinkel. Aber es ist bezeichnend, daß Wolkens Gedicht sozusagen die Vergangenheit beschwört, seinen Vater, der Schmied gewesen war. Diese Welt besitzt, wie alles Aussterbende, poetische Atmosphäre und anachronistische Schönheit. Aber Nachrufe sind im allgemeinen nur dem nächsten Leidtragenden nicht unerträglich zu lesen. Im übrigen: man weiß

sehr wohl, daß Texte aus der Welt der Arbeit, wie sie
Schullesebücher zu zieren pflegen, mit Vorliebe aufs Land,
in die Kleinbetriebe gehen, das Kleinmeisterliche der
Lärmigkeit heutiger Produktionsstätten vorziehen, weil
sie es schwer machen dürften, das obligate Bild des Menschen als feinsinniges Aufsatzthema zu stellen. Aber die
Wirklichkeit, gesehen durch *ein* Arbeitertemperament,
gibt jetzt weder Literatur noch Wirklichkeit; der Meister
Timpe und Fuhrmann Henschel gleichen altmodischen Pa-
triarchen: sie sind Bilder von einem Mann, Charaktere.
Für stellvertretend können sie nicht mehr passieren. Heute
besitzt die Maschine sozusagen mehr Persönlichkeit, und
der, der sie bedient, nur insofern, wie er sie bedient. Die
Behauptung des einzelnen gegenüber seiner Umwelt ist
nicht mehr der Rede und Darstellung wert. Das furchtbare, von der zweiten technischen Revolution gestellte
Problem ist, daß die Nummer sowieso menschlich und Individuum nur mehr wird, wenn sie angesichts der Perfektion versagt.

Die Welt der Arbeit nach dem Almanach ist Arbeit in
Fabrik, Bergwerk, Büro. Eine männliche Welt, der Frau-
en und Gastarbeiter beigemischt sind; am Ende steht der
Unfall, die Pension und Wartezeit auf den Tod. Noch nie
ist die Gestalt des Arbeitsinvaliden so in die Erinnerung
gerufen worden, wie es von der Grün hier tat. Natürlich
hängt das thematische Übergewicht der Industrie, des Büros auch mit der Herkunft der in der Gruppe 61 vertretenen Mitglieder, dem Ort zusammen, wo sie zu Hause sind.
Der Raum ist einmal das Ruhrgebiet; Schachtanlagen und
Fabriken prägen die Landschaft. Küther, von der Grün,
Gluchowski, Büscher haben, hatten mit dem Bergwerk zu
tun. Der Almanach trägt dem Rechnung. Überdies gibt er
günstige Gelegenheit, aus der Nähe zu erleben, wie dieser
unheimliche Prozeß der sogenannten Rationalisierung, des
Abbaus aus Gründen der Rentabilität aussieht. Büschers
Bericht zeigt die erschreckende Leichtfertigkeit, mit der

über Menschen verfügt wird. Man muß sich wundern, daß der betroffene Arbeiter nicht radikaler reagiert. Aber auch dazu erfährt man Einleuchtendes. Der Ausstand, der Streik, wie ihn das Dramolett von Erwin Sylvanus »zerredet«, ist sozusagen ein unverhoffter Feiertag, den diesmal nicht der Staat, sondern die Gewerkschaft schenkte. Gluchowskis Reportage eines Arbeiteraufstandes gegen die Polizeigewalt mutet dagegen fast wie eine – allerdings lebendige – Reminiszenz an die kämpferische Zeit von Crimmitschau an. Dabei ist die Erzählung aus der Gegenwart gegriffen, inspiriert von dem, was Anfang dieses Jahres in Limburg vorfiel, dem Bergarbeiterort – vielsagend genug – in Belgien.

Es ist wie ein boshaftes Paradies. Die Tatbestände, unter denen der Arbeitende zu leiden hat, zu leiden meint, sind anfechtbar, aber augenscheinlich unangreifbar. Lächelnd wird ihm der Sieg nach Punkten »mit Büroklammern an die Fahne geheftet«, wie es bei Elisabeth Wigger heißt. Eigentlich besteht kein Grund zu triftiger Beschwerde; dennoch gibt es unsäglich viel, das zum Himmel schreit. Aber der Arbeitnehmer schreit es, und sein Dichter schreibt es – nicht zum Himmel. Gott sei Dank, möchte man meinen. Es genügt, Undinge für sich selbst sprechen zu lassen. Was ist das eigentlich, das den Arbeitnehmer hierzulande nicht froh werden läßt: seines Lebens, seines Schaffens, seiner Freizeit? »Die Blauschicht« spricht sozusagen aus der Seele. Es scheint, daß das arbeitsscheue Element nun eine Vokabel ist, die mit der wilhelminischen Pickelhaube verschwand. Beunruhigender wirkt das Phänomen der jähen Unlust, das Grauen vor dem allmontaglichen Kleiderwechsel, der monotonen Uhr aller Tage, diesem wahren Fließband, an das ein Leben gebunden ist. Den unbehaglichen Zustand als eine Erscheinung des »Wohlstandsproletariats« zu erklären, wie es neulich geschah, geht wohl nicht an. Zu einer Zeit, da der Bürger eigentlich totgesagt ist, der wahre Bürgerstand sein Haus, sein Vermögen, sein Gesicht, seinen Charakter auch verloren hat, sieht man mit fassungslosem Erstaunen den Arbeiter, den Angestellten bürgerliche Träume träumen und nach Kräften (oft mit Hilfe der Ehefrau, die Kinder vorläufig nicht eingeplant) auch verwirklichen. Übrigens ein Phänomen, das, wie Friedrich zu erwähnen vergaß, offenbar gern auch sozialistische Länder heimsucht, die sich situiert, das heißt, eine Industriegesellschaft formiert haben. Das Unbehagen hat andere Ursachen. Soziologisch die Isoliertheit des einzelnen einerseits, die Abstraktheit des heutigen Arbeitslebens andererseits. Man hütet sich wohl, die Technik, Fabrik, Maschine wie einen Teufel an die Wand zu malen. Desto beklemmender: die Unpersönlichkeit ist der Dämon des Jahres 1966; die Geschichte Dieter Fortes setzt dem das rote Lämpchen auf. Isoliertheit herrscht nicht nur an der Arbeitsstelle, sondern auch auf dem Nachhauseweg, zu Haus, ja durch das Gehäuse selbst – wie Wiedemann zur Sprache bringt, ohne auf Kafka zurückzugreifen. Selbst die genau kalkulierte Menschlichkeit sozialer Betriebsmaßnahmen erhält etwas Maschinenmäßiges. »Sei gut zu den Maschinen« mag ein Kalauer sein; er besitzt gleichwohl niederschlagende Triftigkeit. Isolation und Abstraktion bedingen sich, wie es scheint. »Sie gehen daher wie ein Schemen« überschreibt Büscher in Erinnerung des 39. Psalms das folgende Gedicht:

Arbeitsstunde –
Dein Lastzug fährt
Dich in den Abend.

Du hast keine Eile.
Die Uhren laufen nach Plan.

Du hast kein Ziel.
Längst sind die Weichen gestellt.

Du hast keine Wahl.
Schienenzwang.

So gleitest du in die Nacht, welche dir nicht gehört.

Man arbeitet nicht mehr zusammen, sondern für sich,
fühlt sich nicht solidarisch – von der Gewerkschaft ist,
wenn überhaupt, nur ungut die Rede. In der 1965 veröffentlichten Erzählung »Kalte Zeiten«, aus der Christian
Geissler auf der vorjährigen Frühjahrstagung vorlas – eine exakte Studie eines Tages im alltäglichen Leben eines
jungen Arbeiterehepaares – ist eine Passage, die dem Gesagten zur Parabel dienen kann. Ahlers, die männliche
Hauptfigur, »redete plötzlich drauflos: Willst' mal'n Witz
hören, Opa? Paß auf. Zwei Leute treffen sich in der Wüste
und gucken sich an. Schätze, wir sind Freunde, sagt der
eine. Der andere holt seine Pistole raus, schießt dem, der
geredet hat, durch den Kopf und sagt: Verschätzt. Ahlers
lachte hinten im Hals ohne Luft. Der Alte rührte sich
nicht.« Dieses Motiv kehrt mit nicht geringerer Brutalität
in dem hier mitgeteilten Fernsehspiel wieder; von menschlichen Beziehungen zu reden, scheint beinah ein Euphemis-
mus; Wohnung wird dann zu einem notwendigen Gehäuse, Auto aber das Daheim, in dem man eigentlich auflebt.
Man hat keinen Kontakt zu seiner Arbeit, haßt sie und
fürchtet zugleich, den Platz zu verlieren und daher seine
Schulden an den Lebensstandard nicht abzahlen zu können. Es ist ein tückischer Lebenskreisel, aus dem man sich
höchstens vor das Bier oder in den Schrebergarten, auf den
Fußballplatz, ans Fernsehgerät retiriert. Die Autoren der
Gruppe 61 scheuen sich, Lösungen feilzuhalten. Wenn ihre
Texte also schon literarisch nicht vollendet sein sollten,
ehrlich sind sie immer. Und mich dünkt, in dieser Ehrlichkeit liegt die größere Chance zu einer wahrhaft sozialen
Literatur als in den landläufigen Entgegnungen von
Schriftstellern aus der DDR, die in Diskussionen mit Mit-
gliedern der Gruppe 61 als ihrer Weisheit letzten Schluß

sagen: wenn der Arbeiter nicht mehr weiß, woran und wozu er arbeitet, versuchen wir, es ihm zu sagen. Bei uns weiß er es. So wenigstens äußerte sich den Zeitungen zufolge Erwin Strittmatter, Verfasser des auch in der Bundesrepublik vor kurzem herausgekommenen ostzonalen Erfolgsromans »Ole Bienkopp« in einer öffentlichen Diskussion mit Max von der Grün über »Arbeiterdichtung in Ost und West«.

Diese Ehrlichkeit kennzeichnet den 1963 erschienenen Roman »Irrlicht und Feuer« Max von der Grüns. Das Buch wurde inzwischen in mehrere Sprachen übersetzt und erreichte sowohl in der Bundesrepublik wie im Ostberliner Lizenzverlag zweite und dritte Auflagen. Der langjährige Bergarbeiter von der Grün kritisiert darin die konformistische Wohlstandsgesellschaft, die Unternehmer wie Betriebsräte und Gewerkschaften, die Anpassungssucht der Arbeiter und ihre Bereitschaft, sich korrumpieren zu lassen. »Irrlicht und Feuer« ist, so sagt man, nach langen ästhetischen Jahren in der Bundesrepublik das erste Buch, das den Betrieb und die Arbeit zum Thema hat, dessen Landschaft das noch völlig unbekannte Ruhrgebiet ist. Max von der Grün kann sich rühmen, der einzige westdeutsche Autor zu sein, der dem »Spiegel« zufolge von Adenauer – »Da liest man die Wahrheit, wie es heute in Arbeiterfamilien aussieht« – wie von Ulbricht gute Zensuren bekam (Ulbricht lobte ihn vor »schreibenden Arbeitern« in der DDR als lebensnahen Arbeiterschreiber). Die »Skizze« beanstandet allerdings, daß von der Grün in seinen Romanen nicht den Sozialismus als Ausweg sichtbar macht oder akzeptiert: »Hierin offenbart sich nicht nur die weltanschauliche Begrenztheit des Autors, sondern das objektive Zurückbleiben der westdeutschen Arbeiterbewegung.« Das ist eine Verkennung des Phänomens Max von der Grün und der Gruppe 61, die er beredt und überzeugend repräsentiert. Daß er Arbeiter war, ist nur insofern ein Vorzug des Schriftstellers von der Grün, als er ihm die

nötige Kenntnis eines Stoffes wie selbstverständlich mitgegeben hat, eines Themas, das nicht der Arbeiter und
nicht die Zukunft der Arbeiterbewegung ist, sondern die
alle Menschen erfassende, durch und durch technisierte
Wirklichkeit in einer Landschaft, deren zweite Natur die
Industrieaufbauten geworden sind.

Schon 1960 erinnerte Walter Jens, irritiert von einem
ganz offenbaren Mangel der westdeutschen Literatur, die
»den Menschen im Zustand eines ewigen Feiertags« be-
schreibe: »Arbeiten wir nicht? Ist unser tägliches Tun so
ganz ohne Belang?« Es liegt uns fern zu sagen, daß die
Gruppe 61 diesen Mangel abgestellt habe. Das kann nicht
Aufgabe einer Gruppe sein, überstiege die Kräfte dieser
Gruppe. Es genügt ihre Existenz, den Mangel präsent zu
machen, fühlbarer gerade in Versuchen des einen und anderen Gruppenmitglieds, die sich der Wirklichkeit bislang
nur linkisch zu bemächtigen wissen. Aber sie stellt sich
doch der kompliziert gewordenen Wirklichkeit, ohne sie
zu reglementieren, hat den ernsthaften Willen, zu beweisen, daß sich die Welt der Technik durchaus nicht der Darstellung entzieht und daß das Schlagwort von der Des-
humanisation – sei es der Technik, sei es der Kunst im industriellen Zeitalter – lediglich das Eingeständnis vorzei-
tiger Resignation ist. Es hat den Anschein, als werde die
Gruppe 61 mehr und mehr von anderen, zumal jungen
Autoren so verstanden. Die Frage, ob es »Arbeiterdichtung« heute noch geben kann, ist irrelevant; entscheidend
ist vielmehr, daß die Gruppe 61 eine Richtung anzeigte,
von deren Bedeutung wir allerdings überzeugt sind. Dementsprechend ist das Ziel dieses Almanachs erreicht, wenn
er zu zeigen vermochte, daß es in Westdeutschland Autoren gibt, die mit geringeren oder stärkeren Kräften auf
einem, wie wir meinen, richtigen Wege sind. Daher konnte
es nie die Absicht sein, Schaulustigen ein Bestiarium zah-
mer Arbeiterdichter vorzuführen, den Almanach auf Beiträge von Mitgliedern der Gruppe 61 zu beschränken, ein

Gebilde, das zumindest seine geistige Nähe zum Archiv
für Arbeiterdichtung mehr und mehr aufgibt und vergessen macht. Gäste traten für diesen Almanach hinzu: Autoren, die mit der Zielsetzung der Gruppe sympathisieren,
auch wenn sie sich nicht mit der Gruppe selbst identifizieren wie etwa Christian Geissler; Autoren auch, die wie
Herburger mit der Gruppe überhaupt nichts und mit dem
Arbeiter als Gegenstand von Dichtung wenig im Sinn haben. Ausdrücklich betont er, daß »Saison«, sein Beitrag
zum Almanach, »nicht der Arbeiter wegen geschrieben
wurde, sondern um Verhaltensweisen zu zeigen.« Ich
glaube nicht, daß die Mehrzahl der Beiträge etwas anderes will, als Verhaltensweisen, Tatbestände zur Sprache
bringen.

Die Präsentation einer Wirklichkeit, die bislang nur in
den seltensten Fällen Gegenstand von Schriftstellern war,
erscheint als das Wesentliche – auch wenn dieser und jener
Beitrag noch nicht den Eindruck machen sollte, als sei eine
Bewältigung tatsächlich gelungen. Dieser erste Almanach,
dem sich andere in freier Folge anschließen sollen, will lediglich Anstoß geben, Anstoß auch erregen – nicht anders
als die Gruppe 61 selbst. Bücher von Autoren, die keine
Schöngeister sind, verraten dieser Tage oft mehr Einbildungskraft und Gestaltungswillen der künftigen gesellschaftlichen Wirklichkeit, deren Unheimlichkeit ihre Rationalität, deren Gefahr die Deformation des Menschen,
aber deren löbliche Absicht eine wohlabgestimmte Gesell-
schaftskomposition ist, die den einzelnen zur Geltung
bringt und doch das Allgemeine berücksichtigt.

Zwischen utopischem Roman und Sachbuch bietet die
Wirklichkeit Raum genug für eine exakte und sensible
Prosa. Nie hatte der Schreibende mehr Grund, mehr Mög-
lichkeiten, den Menschen zu verwirklichen, disparate
Wirklichkeit zu humanisieren.

(1966)

Dieter E. Zimmer

WOLF BIERMANN WIRD NICHT VERGESSEN

> Ihr Name muß zur Jahreswende
> Ganz ausgelöscht sein, Zug um Zug.
> Gefahrlos muß Ihr Ruhm am Ende,
> Der lange so viel Wellen schlug,
> Verblassen wie ein Teufelsspuk!
> Béranger

> Wenn die Kämpfer gegen das Unrecht
> Ihre verwundeten Gesichter zeigen
> Ist die Ungeduld derer, die in Sicherheit sind
> Groß. Brecht

Es ist so still geworden um den Ostberliner Liedermacher Wolf Biermann. Also gibt es keinen Grund, die Ruhe zu stören?

Die Zeit, da die Presse der DDR fast Tag für Tag kübelweise Beschimpfungen über Biermann ausschüttete, ist allerdings vorbei. Jene Kampagne, die mit einem Artikel von Klaus Höpcke Anfang Dezember 1965 im *Neuen Deutschland* eröffnet wurde, einem Artikel, der einmal ein Musterbeispiel für Polemik niederster Art abgeben wird, ist abgesagt. Niemand denunziert ihn mehr als den politischen Pornographen, der die Arbeiterschaft der DDR in den Schmutz ziehe; keine bestellte Volksentrüstung äußert sich mehr in den Leserbriefspalten.

Es war denn doch zu riskant, mit so viel amtlicher Druckerschwärze gegen einen Dichter vorzugehen, den anders als brockenweise zu zitieren man sich hüten mußte, denn jedes Zitat hätte die Beschimpfungen sogleich in das rechte Licht gerückt. Es sorgte dafür, den Mann populär zu machen, den man dem Volk gerade unterschlagen und ausreden wollte; und es erregte lästiges Aufsehen auch außerhalb der Grenzen – gerade von links her hagelte es Proteste, aus jenen Kreisen, auf deren Gewogenheit man einigen Wert legt und die ihrerseits Wert auf eine nicht den Kalten-Kriegs-Vorstellungen entsprechende DDR legen.

Das war entschieden nicht, was man wünschte – Tag für Tag zu demonstrieren, wie sehr Biermann recht hatte, als er seine »Antrittsrede des Sängers« so anfing: *»Die einst vor Maschinengewehren mutig bestanden / fürchten sich vor meiner Guitarre, Panik / breitet sich aus, wenn ich den Rachen öffne . . .«*

Unfreiwillig bezeugte der Aufwand jener Kampagne, was sie gerade widerlegen sollte: die Macht, die etwas so Ohnmächtiges wie das Wort eines Dichters haben kann, die Macht, die Biermanns Worte hatten.

Also wurde das Programm geändert. Seit nahezu anderthalb Jahren ist über Biermann ein systematischer Boykott verhängt. Er ist mundtot gemacht, er soll – das wohl ist der Kalkül dabei – eines Tages vergessen sein, und dann wird man, sollte er dennoch wieder versuchen, von sich hören zu lassen, um so leichteres Spiel mit ihm haben.

Seit den Tagen des französischen Liederdichters Pierre-Jean de Béranger, der für Biermann – neben Villon, Rimbaud, Brecht – ein Vorbild ist, *»weil sein Beispiel zeigte, wie stark selbst ein beschränktes Talent sein kann, wenn es sich mit der Wahrheit verbündet«*, seit den Tagen Bérangers, der seiner Obrigkeit ebenfalls wiederholt mißfiel und den sie dafür zweimal sogar ins Gefängnis steckte, ohne daß seiner immensen Popularität je Abbruch getan werden konnte, seit jenen altmodischen Tagen wurden die Methoden, einen unbequemen Dichter in der Versenkung verschwinden zu lassen, ganz kolossal verfeinert.

Seit nahezu zwei Jahren hat Biermann Auftrittsverbot. Seine beiden letzten vertraglich vereinbarten Auftritte auf den 7. Arbeiterfestspielen in Frankfurt/Oder im Juni 1965 wurden unterbunden, und das Nichterscheinen dieses »bestbezahlten Nichtsängers der DDR« honorierte man mit 1500 Mark – während die Zürcher Vereinigung »Kultur und Volk«, die Biermann zu einer Tournee in die Schweiz eingeladen hatte, gleichzeitig den Bescheid bekam, er sei bis Ende des Jahres ausgebucht.

Was es für Biermann bedeutet, vom Publikum abgeschnitten zu sein, ist vorstellbar: Es ist schlimm für jeden Künstler, aber besonders für den, der jung ist und kein abgeklärter Esoteriker; der sich seinen Vers nicht auf das Ewigmenschliche macht, sondern auf das, was er um sich her geschehen sieht, in Buckow und am Prenzlauer Berg; und dessen Lieder nicht nur seinem Vorsatz nach demokratisch für alle da sein sollen, sondern der genau wissen wird, in welchem Maße sie das unter anderen Verhältnissen auch wären.

Singen also darf er nicht mehr. Gedruckt werden ebenfalls nicht, auch nicht im Westen, seit am 7. Februar 1966 jene Anordnung in Kraft trat, die DDR-Autoren zwingt, vor jeder Veröffentlichung außerhalb der DDR die Genehmigung des Büros für Urheberrechte einzuholen, eine Anordnung, die denn auch auf den Spitznamen »Lex Biermann« getauft wurde.

Westreisen sind ihm sowieso nicht mehr erlaubt; daß man ihn Ende 1964 einmal hinausließ, wird man inzwischen bereut haben, denn jene Reise durch die Bundesrepublik und einige andere westeuropäische Länder begründete seine internationale Berühmtheit, um deretwillen man bis heute nicht mit ihm umgehen kann, wie man wahrscheinlich wollte. Auch das »sozialistische Ausland« ist ihm versperrt. Als er ein Ausreisevisum nach Warschau beantragte, eröffnete ihm ein Oberstleutnant Klein von der Volkspolizei: Er sei nicht würdig, die DDR im sozialistischen Ausland zu vertreten – so meldete es damals eine Schweizer Zeitung.

Das Haus des Fernsehfunks und die Kongreßhalle am Alexanderplatz darf er nicht betreten: Als er, Ehrenkarte in der Hand, dort am 31. Oktober 1965 zu einer »Lyrik- und Jazz«-Veranstaltung erschien, fing ihn Kriminalpolizei ab; und als er, wieder freigelassen, einen zweiten Versuch machte, der Veranstaltung beizuwohnen, deren seinetwegen streikende Mitwirkende man inzwischen mit der Versicherung, er sei freiwillig gegangen, zum Anfangen bewogen hatte, fing ihn diesmal der Veranstalter ab und eröffnete ihm, er habe hier Hausverbot seit einem Jahr: das wisse er leider erst seit einer Stunde.

Und seit einem Jahr wird der furchterregende Name Wolf Biermann in der DDR nicht mehr genannt.

So gibt es nur noch Gerüchte über den Verbleib dieses bespitzelt und zwangsweise still in Ostberlin lebenden und arbeitenden Mannes. Ist er nicht Kulturhausleiter in Zwickau? Hat er nicht eine Dozentur in Hamburg? Ist er nicht nach Schweden emigriert, und hat sich seine in Hamburg lebende Mutter deshalb nicht von ihm distanziert? Arbeitet er nicht im Salzbergwerk oder in den Stahlwerken Brandenburgs? Hat er sich nicht nach Prag abgesetzt? Ist er nicht zur Bewährung in eine LPG geschickt, nicht an der Mauer erschossen worden? Bringt nicht der Aufbau-Verlag demnächst einen Gedichtband von ihm heraus (eine besonders für Westgebrauch konzipierte Version)? Sitzt er nicht im Zuchthaus Bautzen? Oder im ZK (offenbar eine Verwechslung mit dem ZK-Mitglied Wolfgang Biermann)?

Und es gibt einen geheimen Ruhm, wie er so nur unterirdisch gedeihen kann: Von den 35 000 Exemplaren, die der Verlag Klaus Wagenbach seit 1965 von der »Drahtharfe« verkaufte (eine enorme Auflage für ein Buch zeitgenössischer Lyrik), dürften etliche Exemplare illegal in das Staatsgebiet ihres Ursprungs zurückgekehrt sein und sich dort hektographisch und handschriftlich vervielfacht haben.

Ganz und gar genehm war Biermann in der DDR nie. Seit er sich 1960 mit seinen Gedichten und Liedern zum erstenmal zu Wort meldete, bis zu dem Anathem des *Neuen Deutschland* und den Frostaufbrüchen des 11. Plenums schwebte er immer zwischen Verbot und Duldung.

Mit Freunden zusammen baute er in den Jahren 1961 bis 1962 ein altes Hinterhofkino in der Belfoter Straße am Prenzlauer Berg mühevoll zu einem Theater um: fast eine sozialistische Aufbautat nach dem Lehrbuch. Als es fertig war und eine Eröffnungsrevue, Molières »Georg Dandin« und Biermanns erstes und bisher einziges Stück »Berliner Brautgang« einstudiert, meldete die *Neue Berliner Illustrierte* noch stolz: »Bestärkt durch die Aufforderung des Genossen Ulbricht, Berlin zum vielseitigen, kulturellen Zentrum weiter auszubauen, entstand das Berliner Arbeiter- und Studententheater, kurz *b. a. t.* genannt ... das ein Kulturzentrum in diesem dicht bewohnten, tristen Mietskasernenbezirk werden soll.«

Ein Photo in dem historischen Heft zeigt »Wolf Biermann, Leiter des *b. a. t.*, bei der Probe seines Stückes ›Berliner Brautgang‹ mit dem Schlosser Bruno Behnke aus dem Berliner Bremsenwerk und dem Transportarbeiter Walter Brandt aus dem EAW Treptow«.

Indessen, ganz so vielseitig hatte Genosse Ulbricht das mit dem Kulturzentrum nicht gemeint: Das *b. a. t.* durfte nie eröffnet werden. Biermann verspottete sich damals selber: »*Wolf Biermann schrieb ein Drama / Er färbte darin schön / Doch färbte er zu wenig / Jetzt muß er singen gehn ...*«

Singen durfte er damals immerhin noch manchmal. Aber gedruckt wurden seine Gedichte in der DDR lediglich in Zeitschriften und ein paar längst vergriffenen Anthologien (»Liebesgedichte« 1962, »Sonnenpferde und Astronauten« 1964, »Nachrichten von den Liebenden«

1964), und fast ausnahmslos nur frühe und harmlose Liebeslieder.

Welche lächerlichen Folgen die halbe, mißtrauische Duldung dieses offiziell doch noch ganz unbekannten Poeten zuweilen mit sich brachte, zeigt sich etwa an dem Umstand, daß der Mitteldeutsche Verlag in Halle 1964 seinetwegen das Alphabet korrigierte. Seine Anthologie »Sonnenpferde und Astronauten« ist alphabetisch nach Verfassern geordnet. Der erste der zehn wäre Biermann gewesen, aber der erste durfte Biermann nicht sein: Also rückte man das R vors I und eröffnete das Buch mit Volker Braun; der zweite ist Biermann, dann geht es alphabetisch weiter bis hin zu Bernd Wolff.

Als Stephan Hermlin 1963 in einer vielbeachteten Veranstaltungsserie der Akademie der Künste eine Reihe junger DDR-Lyriker und darunter Biermann vorstellte, schrieb ein ununterrichteter junger Mann in der *Berliner Zeitung*, das habe ihm gefallen, und von Leuten wie diesem Biermann wünsche er auch einmal etwas zu lesen. Die Zeitung war schon ausgedruckt, als die Panne ruchbar wurde, und Polizeiwagen mußten ausschwärmen, um sie an den Kiosken wieder einzusammeln.

Eine Schallplatte der Eterna mit sechs Biermann-Liedern, in hoher Auflage bereits gepreßt, durfte nie ausgeliefert werden. Einige Zeit später war man dann noch strenger: Nur darum, weil unter vielen anderen auch ein Biermann-Lied darauf war, und zwar eins derjenigen, die sich genau ins politische Konzept der SED fügen müßten, nämlich die »Ballade vom Briefträger William L. Moore«, den amerikanische Rassisten ermorden, und obwohl es Biermann gar nicht selber sang, sondern der Schauspieler Manfred Krug, wurde eine große Langspielplatte, der Mitschnitt einer öffentlichen Folksong-Veranstaltung in der Ostberliner Kongreßhalle, auf Anweisung des Ministeriums für Kultur aus dem Verkauf gezogen.

Dergleichen ebenso groteske wie symptomatische De-

tails ließen sich noch manche zusammentragen: Erst im
Zusammenhang ergeben die Kleinigkeiten einen klaren
Text, der keine Kleinigkeit mehr ist.

Unerklärlich ist die Wut der Genossen nicht. Biermann
formulierte schließlich weitverbreitete Gedanken und Gefühle; er bedichtete gerade die Kluft zwischen Theorie
und Praxis dieser Sozialismus-Version, die zu allerletzt
zugegeben wird, das Glücksdefizit, das die freudigen Parolen kaschieren sollen und um so offenkundiger machen.
Er scheute sich nicht, die Dinge und auch die Leute beim
Namen zu nennen, denn, und das unterscheidet ihn von
manchem seiner Kollegen, die Sklavensprache ist ihm
nicht geläufig, und er hielt und hält den Kommunismus
für eine zu gute und zu gerechte Sache, um in ihrem Namen zu lügen, zu beschönigen, zu vertuschen. Auch war
es wohl so, daß das Bild von dem bärbeißigen Radaubru-
der und Kraftmenschen, das nach und nach von ihm aufgebaut wurde, seinen Erfindern schließlich Angst ein-
flößte.

Aber das war es nicht allein. Wichtiger war, daß er Unordnung in die gewohnten Denkschemata brachte, übrigens nicht nur in der DDR.

Einmal, weil er durch nichts sein Vertrauen in die Idee
des Kommunismus einbüßte. Er ließ sich in der DDR
ebensowenig zum »Klassenfeind« stempeln wie in der
Bundesrepublik zum Märtyrer und Widerstandskämpfer:
Den Beifall derer, *»die auf meinen roten Flammen / Sich
ihr braunes Süppchen kochen«* hat er sich verbeten, wie
Brecht es in einem berühmten Gedicht ebenfalls tat.

Zum andern, weil seine Biographie in jeder Hinsicht der
eines sozialistischen Musterknaben entsprach. Er kommt
aus einer Familie von Altkommunisten. Sein Vater,
Schirrmeister auf einer Hamburger Werft, war bis tief ins
Hitlerreich hinein im kommunistischen Widerstand tätig
und wurde 1943 in Auschwitz ermordet – sein Bild
hängt in Biermanns Arbeitszimmer. Als Schüler klebte er

in seiner Geburtsstadt Hamburg für die FDJ Plakate und versuchte seine Klassenkameraden, ohne Erfolg, zum Kommunismus zu bekehren.

Ein Photo in einer Ostberliner Zeitung vom Jahre 1950 zeigt ihn als Führer einer Pionierbrigade beim Weltjugendtreffen vor Wilhelm Pieck – der abgehärmte Arbeiterjunge aus Hamburg.

1953 wechselte er ganz in den Arbeiter- und Bauernstaat über, machte dort sein Abitur, studierte – die DDR hatte aus einem schlechten Schüler einen guten Studenten gemacht – Politische Ökonomie an der Humboldt-Universität, war zwei Jahre lang, von 1957 bis 1959, Assistent am Berliner Ensemble, wurde von dem Komponisten Hanns Eisler gefördert, gab die Theaterarbeit wieder auf, weil er noch nicht genug gelernt zu haben glaubte, und studierte weiter, diesmal Philosophie und Mathematik.

Und als er anfing zu schreiben und zu komponieren, schrieb er, wie erwünscht, für das Volk und über Gegenstände, die diesem Volk nahelagen, und mit einer großen Begabung dafür, komplizierte Sachverhalte auf anschauliche und schlagende Formeln zu bringen. Nur, daß seine Gedichte eben diesen einen Fehler nicht verhehlen konnten: Sie verbündeten sich mit der Wahrheit, und sie erstarkten unter dem Druck, der auf ihren Urheber ausgeübt wurde. Von den Produkten der augenblicklich forcierten Singbewegung (»Was machen wir zu Pfingsten wenn die Wiesenblumen blühn? / Wir fahren nach Karl-Marx-Stadt über Autobahn und Schien'...«) unterscheiden sich seine Lieder allerdings aufs auffälligste.

IM OSTEN MEINE FREUNDE STEHN

Die Existenz von Heiden aber nimmt ein absolutes System viel leichter hin als die von Häretikern. Da war jemand, dem die Genossen nicht abstreiten konnten, ein

Kommunist zu sein – und der sich nicht davon abbringen ließ, ihnen stolz und hartnäckig und sehr wortmächtig vorzuhalten, was sie aus dem Sozialismus, aus ihrem Staat zu machen versäumt hatten; daß der Kommunismus nicht als Vorwand für Spießigkeit, Bürokratismus und Heuchelei gemeint war. So etwas wie die Stimme des eigenen Gewissens – das ist peinlicher als ein Kommentar im RIAS.

Biermann in der Bundesrepublik – nicht auszudenken. Manchen von denen, die ihn jetzt als oppositionellen Märtyrer bedauern, würde seine rücksichtslos kritische Stimme am wenigsten behagen, etwa wenn er in Gelsenkirchen oder Leutershausen den gesamtdeutschen Mief auslüftete oder sein Vietnamlied sänge, dessen letzte Strophe lautet: »*Verflucht, das faule Mitleid! Übt Solidarität / – mit Geld und Waffen! / Wir wolln die Mörder nicht mehr nur / Mit Worten strafen. / Die Lunte brennt! Die Lunte brennt! / Die Lunte brennt in Vietnam und nicht zum Spaß / Die Erde ist / Die Erde ist / Die ganze runde Erde ist / gerammelt voll: ein knochentrocknes Pulverfaß!*«* Ästhetisch nicht auf seiner sonstigen Höhe – aber er hätte das Zeug, uns auch ästhetisch zu kommen.

Nein, die Bundesrepublik ist keine Alternative für ihn, Biermann will Bürger einer DDR sein. »*Ich kann nicht fort von dir gehn / Im Westen steht die Mauer / Im Osten meine Freunde stehn, / Der Nordwind ist ein rauher*«, heißt eine seiner besten, heineschen Strophen.

VERSUCHTE ERPRESSUNGEN

Die Funktionäre, die im Fall Biermann bis heute das Sagen haben, begnügen sich nicht mit dem Totschweigen in der DDR. Sie versuchen, den Boykott auch in das »westliche Ausland« zu tragen.

Verleger Klaus Wagenbach könnte ein Lied davon singen. Er und Biermanns Freund Wolfgang Neuss dürfen seit über einem Jahr die DDR nicht mehr betreten. Als Wagenbach Johannes Bobrowskis nachgelassenen Roman »Litauische Claviere« veröffentlichen wollte, verweigerte ihm der Union-Verlag, mit dem Hinweis auf Biermann, zunächst die Lizenz; den Vertrag bekam er erst, als er sich auf Bobrowskis Briefe berief, die ihn eindeutig zu seinem Verleger bestimmten, und drohte, er würde das Buch auch ohne Lizenz herausbringen – man möge ihn dann ruhig verklagen. Als er seine Auflage beim VEB Offizin Andersen Nexö in Leipzig mit herstellen ließ, weigerte man sich, am Ende auch die Verlagsanzeige zu drucken, weil sie die Zeile »Wolf Biermann: Die Drahtharfe« enthielt. Wagenbach rückte das Selbstinserat auf den Schutzumschlag und ließ den im Westen drucken. Das war nicht der einzige – erfolglose – Nötigungsversuch, dem Wagenbach um Biermanns willen ausgesetzt war.

Erpreßt werden sollte auch die Deutsche Philips, die die einzige Biermann-Platte herausgebracht hatte – »Wolf Biermann (Ost) zu Gast bei Wolfgang Neuss (West)«. Der Leiter der VEB Deutsche Schallplatten in Ostberlin, Harry Költzsch, schrieb nach Hamburg, man solle sie doch bitte aus dem Handel ziehen; als die Philips dem nicht Folge leistete, schickte er einen zweiten Brief hinterher mit der Drohung, man werde, wenn die zweite – bereits angekündigte – Biermann-Platte erscheinen sollte, die Koproduktionsverträge kündigen. Die erste Platte gibt es nach wie vor, und ihre Auflage nähert sich dem fünfundzwanzigsten Tausend; die zweite ist nicht mehr erschienen.

Eric Bentley, der die »Drahtharfe« gegenwärtig für den Verlag Harcourt Brace ins Amerikanische übersetzt, berichtet, daß ein Freund, Herausgeber einer linksorientierten amerikanischen Zeitschrift, die einige seiner Übersetzungen vorabdrucken will, von zwei Herren aus der

DDR besucht und beschworen wurde, es sein zu lassen – Biermann müsse ignoriert werden. Die Bitte verfehlte den Eindruck. Sinnigerweise handelte es sich bei den beiden Besuchern wahrscheinlich um die Professoren Heinz Kamnitzer und Wieland Herzfelde, PEN-Mitglieder wie Biermann. Denn Biermann wurde, ehe er ganz in Ungnade fiel, mit einer Stimme Mehrheit in jenes »PEN-Zentrum Ost und West« gewählt, das sich gerade in »PEN-Zentrum DDR« umbenannt hat; seine Wahl wurde Biermann monatelang nicht mitgeteilt, und als das *Neue Deutschland* die Liste der hinzugewählten Mitglieder druckte, verschwieg es Biermanns Namen; aber ihn einfach wieder hinauszuwerfen, traute man sich denn doch nicht – es hätte zuviel unliebsames Aufsehen erregt.

Da reisen also zwei Angehörige eines Vereins, der sich verpflichtet hat, gegen jede Zensur einzutreten, und in dem die Zensoren neben den von ihnen Zensierten sitzen, durch die Welt, um die Veröffentlichung eines anderen Vereinsmitgliedes zu hintertreiben.

Bei Feltrinelli, der ebenfalls im kommenden Herbst eine – italienische – Übersetzung der »Drahtharfe« veröffentlichen wird, hat dagegen noch niemand vorgesprochen: Der Pasternak-Verleger Feltrinelli gilt wohl als ein aussichtsloser Fall.

Künstler aus der DDR, denen hin und wieder noch Westreisen erlaubt sind, fühlen sich – wie unlängst Vera Oelschlegel auf dem Ostermarsch – bemüßigt, beschwichtigend-abschätzig über Biermann zu reden. Es scheint, sie wollen sich die Chance, auch in Zukunft Westreisen machen zu dürfen, nicht verbauen. Ohne jede Not schrieb Peter Hacks, ein Bundesrepublik-Emigrant gleich Biermann, an *Theater heute* einen witzelnden Brief, in dem er die Obrigkeiten beider deutscher Staaten einlud, ihre Aufsässiges schreibenden Untertanen – hier Grass, dort Biermann – mit einem Tritt in den Hintern zu verabschieden. Das sind die Kollegen.

Er habe ja recht, aber er gehe zu weit – sagen die, die
kurztreten und stillhalten. Sie persönlich hielten nicht sehr
viel von seiner Begabung – sagen die Minderbegabten.

Als der Münchner Scherz Verlag eine Anthologie deutscher Protestgedichte (»Linke Lieder«) plante, wandte er
sich an den Schriftstellerverband der DDR mit der Bitte,
neben Biermann auch Lieder von Heinz Kahlau und Günter Kunert aufnehmen zu dürfen. Die Antwort, unterschrieben von Dr. Horst Eckert: »... fällt uns die Entscheidung über eine evtl. Unterstützung des Vorhabens
schwer. Wir möchten aber darauf hinweisen, daß es uns
nicht richtig zu sein scheint, Arbeiten unserer Mitglieder
mit Texten von Wolf Biermann in einem Band zu ver-
einen.« Scherz zog die Konsequenzen: In den »Linken
Liedern« stehen dreizehn Gedichte von Biermann und
keine von Kunert und Kahlau.

Als Arbeitsunterlage zu einer Sendereihe des Schwedischen Rundfunks gaben Franz Stroh und Göran Löfdahl
Ende 1966 in Stockholm ein bemerkenswertes Buch in
deutscher Sprache heraus. Es heißt »Zweimal Deutschland?« und enthält Originalartikel aus beiden Teilen unseres Landes sowie eine literarische Anthologie. Ein paar
Seiten sind auffällig weiß geblieben – nämlich die, auf
denen Beiträge von Christa Wolf und Volker Braun hätten stehen sollen. An ihrer Stelle liest man einen Brief des
Rechte-Inhabers, des Mitteldeutschen Verlags in Halle:
»... Wir benötigten jedoch diese Zeit, um weitere Erkun-
digungen über Ihr Vorhaben einzuziehen. Nach der jetzt
erreichten Übersicht glauben wir nicht, daß wir ... Ihr
Vorhaben unterstützen können. Insbesondere geht es um
die Aufnahme der Arbeiten von Wolf Biermann. Durch
die Aufnahme dieser Arbeiten würde in erheblichem Maße das Ansehen der DDR geschädigt werden ...«

Die Schweden haben die Lektion in DDR-Kulturpolitik
verstanden: Gegen die deutliche Sprache der leeren Seiten
vermochten auch Alfred Kurellas originale Beteuerungen

nichts, man habe in der DDR die ersehnte Literatur, die Heldentaten preist, Schwächen und Dummheiten der Zeitgenossen geißelt, die Suchenden ermutigt – und so weiter.

Der Schriftsteller Sven Fagerberg bezeichnete in *Dagens Nyheter* das Verhalten der Hallenser Genossen als »komplette Idiotie«: »Die Behauptung, Wolf Biermann schädige sein Land, ist vollkommen falsch. Nichts ist nützlicher für ein Regime als die ›Liebeskritik‹, die er leistet, nichts flößt dem Ausland mehr Respekt ein als der Wille zur Objektivität . . .«

Ein Versuch von *Sveriges Radio,* Christa Wolf in dieser Angelegenheit zu interviewen, scheiterte – der Ostberliner Rundfunk antwortete gar nicht. Ebensowenig antwortete der Kulturminister der DDR, Klaus Gysi, auf ein vierseitiges Protesttelegramm des Intendanten von *Sveriges Radio.* Telephonverbindungen von Stockholm nach Halle erwiesen sich als sonderbar instabil, sobald die Rede auf Biermann kam.

Fälle alles, in denen die Nötigung mißlang.

DIE SO ENTSTANDENE LÜCKE

Nun erschien im Februar dieses Jahres nach anderthalbjähriger Verzögerung im Rowohlt Verlag eine Anthologie der neueren DDR-Literatur, betitelt »Nachrichten aus Deutschland«, herausgegeben von der Literaturwissenschaftlerin Hildegard Brenner. Dort, wo das Buch eigentlich schon aufgehört hat, an ganz unscheinbarer Stelle also und nicht etwa in der Vorbemerkung »Zur Auswahl der Texte«, steht der Vermerk: »Erwin Strittmatter und Wolf Biermann zogen ihre Erstdrucke, die sie uns freundlicherweise zur Verfügung gestellt hatten, wieder zurück. Herausgeberin und Verlag bedauern die so entstandenen Lücken . . .« Ein Vermerk, der sehr der – falschen – Versicherung gleicht, mit der die FDJ-Anthologie »Auswahl 64« Biermanns Fehlen entschuldigte.

Biermann hat also seine Beiträge freiwillig zurückgezogen?

Dreimal habe er, erklärt die Herausgeberin dazu, offiziell mitgeteilt, er wolle in einer Anthologie, die Rowohlt herausgibt, nicht vertreten sein – und für das letzte Rückzugsmanöver habe er politische Gründe geltend gemacht.

Wie verträgt sich diese Erklärung mit Rowohlts Brief an Wagenbach vom 13. April 1966: »... leider muß ich Ihnen heute mitteilen, daß Frau Dr. Brenner sich entschlossen hat ... keine Texte von Wolf Biermann aufzunehmen«? Wer hat sich hier wozu entschlossen?

Für den Rowohlt Verlag erklärte Fritz J. Raddatz: die Herausgeberin habe den Verlag mehrfach getäuscht.

Wolf Biermann selber kann sich nicht entsinnen, seine Beiträge je zurückgezogen zu haben – mit einer Ausnahme, einem Gedicht über Peter Weiss' »Ermittlung«, von dem er beim Überdenken fürchtete, es könnte als ein Gedicht gegen Peter Weiss ausgelegt werden. Dafür erinnert er sich genau an die letzte Begegnung mit der Herausgeberin vor dem Erscheinen des Buches, am 18. November vorigen Jahres in der Imbißhalle der Staatsoper Unter den Linden, nach der Aufführung von Brecht/Weills »Berliner Requiem«. Damals erkundigte er sich bei ihr, unter Zeugen, ob denn die Gerüchte zuträfen, denen zufolge sie seinetwegen Schwierigkeiten habe, die übrigen Lizenzen für ihr Buch zu erhalten, und ihn darum wegzulassen vorhabe. Antwort: er könne beruhigt sein, sie lasse sich nicht erpressen, er werde nicht fehlen. Ein paar Monate später hörte er es dann anders von ihr. Nämlich: er solle sich hüten, zu behaupten, daß er seine Gedichte nicht selber zurückgezogen habe; andernfalls gäbe es Handhaben gegen ihn, zum Beispiel die Veröffentlichung jenes zurückgezogenen »Ermittlung«-Gedichts.

Sich einer Pression zu beugen: rühmlich ist es nicht gerade, aber meinetwegen zu rechtfertigen, wenn nur so ein überlegener Nutzen erreicht werden kann. Ein Buch, das Nachrichten über die Literatur des anderen Deutschland vermittelt, wäre nützlich – sofern man nur sicher sein könnte, daß es ohne Pressionen zustande gekommen ist; aber daß ein eifriger Herausgeber in der Aufregung diese Einschränkung vergißt, ist immerhin verständlich. Daß der Herausgeber in seiner Zwangslage die Verantwortung für den Rückzieher dem nahezu wehrlosen Autor zuschiebt, ist ein erschwerender Umstand – schließlich muß ein Anthologist Auslassungen nicht unbedingt entschuldigen, und wenn er es doch tut, hindert ihn nichts, ohne nähere Erläuterungen zu schreiben: der Autor X. mußte aus dem oder jenem Grund weggelassen werden, oder meinetwegen: der Autor X. wird überschätzt, hier sucht man ihn darum vergeblich.

Wie aber soll man es nennen, wenn einer – nun sagen wir es ruhig: erpreßt wurde und, um diese Tatsache zu verbergen, seinerseits erpreßt? So etwas trägt sich zu: in viel zu gutem Glauben und in allerbester Absicht. Das ist vielleicht das Schlimmste.

Der Fall Biermann – eines Tages wird er vollständig beschrieben werden müssen, denn er ist ein deutscher Fall wie kaum ein anderer. Nur in diesem Land konnte er sich abspielen, das den Nationalsozialismus und Auschwitz hervorbrachte, dessen beide geschiedene Hälften »wie zwei Krüppel« aneinandergeklammert sind und sich greisenhaft gegenseitig ihre Krankheiten in die Ohren schreien – und jeder bezieht sein Selbstbewußtsein aus den Gebrechen des anderen.

Was können wir tun, da unter unseren Augen ein Dichter auf unabsehbare Zeit zum Schweigen verurteilt ist, der, daran besteht für mich kein Zweifel, einer der vitalsten und begabtesten Dichter dieser Jahre ist – und zwar aus eigener Kraft, ohne die Nachhilfe der politischen

Kontroversen um ihn? (Und daß man Biermann-Texte
eigentlich mit seiner Musik und von ihm gesungen hören
sollte, daß erst Wort, Musik und seine Interpretation ein
Ganzes ergeben, sollte niemanden dazu bringen, das Gen-
re für minder seriös zu halten: Es ist in ihm schon sehr
Haltbares hervorgebracht worden. Natürlich verdankt
Biermann sein Format mit den Widerständen, auf die er
sich tollkühn eingelassen hat; aber Begabung wird schließlich auch an den Aufgaben gemessen, die sie sich stellt.)
Wir können wenig tun. Wir müssen uns hüten, Biermann zu einem antikommunistischen Resistenzler umzu-
stilisieren, wie er manchem in der Bundesrepublik gerade
zupaß käme – vielleicht spricht es sich ja eines Tages hier
wie jenseits der Grenze doch noch herum, daß es verschiedene Arten von Kommunisten gibt. Daß die augenblicklichen Regierer der DDR noch das kleine Einmaleins begreifen, demzufolge ein unterdrückter Biermann (und Unterdrückung überhaupt) das Ansehen ihrer DDR weit
mehr schädigt, als es ein erlaubter je vermöchte, daß im
Gegenteil ihr Staat noch nie so gut angeschrieben war wie
in jenen Momenten, da es den Anschein hatte, daß sich ihr
Griff lockerte – darauf besteht leider wenig Aussicht.
Wir können sie nur daran erinnern, daß ihre Rechnung so
bald nicht aufgeht: Wolf Biermann wird nicht vergessen.

(1967)

ÜBER MEINEN LEHRER DÖBLIN

Ich habe ihn nie gesehen, und so stelle ich ihn mir vor: Klein, nervös, sprunghaft, kurzsichtig und deshalb über-nah an die Realität gerückt; ein stenographierender Visionär, dem der Andrang der Einfälle keine Zeit läßt, sorgfältige Perioden zu bauen. Von Buch zu Buch setzt er neu an, widerlegt sich und seine wechselnden Theorien. Manifeste, Aufsätze, Bücher, Gedanken treten einander auf die Hacken, ein unübersichtliches Gedränge: Wo ist der Autor?

Wenn wir heute von Alfred Döblin sprechen – sobald wir überhaupt von Döblin sprechen –, wird zumeist vom »Alexanderplatz« gesprochen. Diese Versimplung eines Schriftstellers, den ich neben wie gegen Thomas Mann, neben wie gegen Bertolt Brecht stellen möchte, diese ausschließliche Kenntnisnahme des einen einzigen Werkes hat Gründe: Die Arbeit eines Thomas Mann, mehr noch die Arbeit des Bertolt Brecht fügte sich bewußt in den von den Autoren entworfenen und im Detail vollendeten Plan der Klassizität. Überschaubar und nicht ohne Hinweise auf die durch sie verlängerte Klassik, fügten die genannten Schriftsteller Quader um Quader auf festumrissener Basis; und selbst wenn Brecht mit einem Stück wie »Die Maßnahme« das Konzept umzuwerfen versuchte, gab er rasch genug auf, um späteren Interpreten die Einebnung dieser Ausbruchsphase zu erleichtern.

Die Sekundärliteratur über den einen wie über den anderen Autor sprengt Bücherregale. Bald wird uns Brecht, ähnlich wie Kafka, weginterpretiert sein. Solche Entführung in olympische Gefilde blieb Alfred Döblin erspart: Dieser antiklassische Schriftsteller hat nie eine Gemeinde gehabt, auch nicht eine Gemeinde der Feinde; die von Walter Muschg besorgte, ausgewählte Ausgabe der Werke beim Walter Verlag liegt wie Blei.

Generationen wuchsen »platterdings« mit Thomas Mann auf; das Wörtchen kafkaesk geht uns, sobald wir mit Behörden Schwierigkeiten haben, leicht vom Munde; unsere Brechtomanen sind an ihren Partizipialkonstruktionen zu erkennen; nur Alfred Döblin bewegt keine Kongresse, lockt selten den Fleiß unserer Germanisten, verführt wenig Leser. Selbst der berühmte »Alexanderplatz« hat im heutigen Berlin keine Wiederkehr feiern können: Franz Biberkopf, sooft wir ihm in beliebigen Eckkneipen begegnen mögen, ist in Berlin-O geblieben, so verlockend dem gelegentlichen Verkäufer völkischer Zeitungen von damals heute der Vertrieb der »Morgenpost« sein könnte.

Deshalb sei es dem Vortragenden erlaubt, Mann, Brecht und Kafka, bei aller schattenwerfenden und oft angeführten Größe, respektvoll beiseite zu lassen und als Schüler dem Lehrer dankbar zu sein: Denn ich verdanke Alfred Döblin viel, mehr noch, ich könnte mir meine Prosa ohne die futuristische Komponente seiner Arbeit vom »Wang-Lun«, über den »Wallenstein« und »Berge, Meere und Giganten« bis zum »Alexanderplatz« nicht vorstellen; mit anderen Worten: Da Schriftsteller nie selbstherrlich sind, sondern ihr Herkommen haben, sei gesagt: Ich komme von jenem Döblin her, der, bevor er von Kierkegaard herkam, von Charles de Coster hergekommen war und, als er den Wallenstein schrieb, sich zu dieser Herkunft bekannte.

Wie der »Ülenspiegel« ist der »Wallenstein« kein historischer Roman. Döblin sieht Geschichte als absurden Prozeß. Ihm will kein Hegelscher Weltgeist über die

Schlachtfelder reiten. Seine Helden wider die Absurdität
– sei es Franz Biberkopf im »Alexanderplatz«, sei es
der Edward im »Hamlet«-Roman – haben das eine mit
de Costers Tyll Claes gemeinsam, Kierkegaards »Redlichkeit«, die sich allerdings im »Wallenstein«, dem von
de Coster unmittelbar beeinflußten Epos, kaum aufspü-
ren läßt: Im »Wallenstein«-Roman wird der geschichtliche Ablauf visionär übersteigerter Absurdität kalt und
wie ohne Autor aufgerissen, dann mehrmals zu Scherben
geworfen.

Doch bevor wir vom Buch »Wallenstein« sprechen, das
eigentlich »Ferdinand der andere« heißen müßte, soll versucht werden, dieses Buch zwischen Döblins Büchern zu
finden.

In einem seiner letzten Aufsätze, »Epilog«, behandelt,
ja, tut Döblin sein Werk ab. Wie mit linker Hand, nachlässig und ungeduldig, zählt er auf und nimmt gleichzeitig
Abstand: Wichtig ist ihm allein das letzte Buch »Hamlet
oder die lange Nacht nimmt ein Ende«. Er ist Katholik
geworden, mehr noch, mit der Unbedingtheit des kon-
vertierten Katholiken ist ihm das eigene Werk nichts als
eitel. Schon abgewendet, blickt er zurück: »Unser verruch-
ter Geist kann nicht still sein . . . Satan geht zwischen
uns.« Ihm, dem Phantasten der Vernunft, dem kühlen
wie unbeteiligten Beobachter getriebener Massen und wi-
dersprüchlicher Realität, dem Registrator gleichzeitiger,
sich bremsender, einander auslöschender Bewegungen,
ihm, dem utopischen Weltbaumeister, der die Enteisung
Grönlands auf Breitwand malte, hatte der Glaube geschlagen; ich kann ihm nicht mehr folgen.

Da liest jemand, der Emigrant Döblin, in der National-
bibliothek Kierkegaard und beginnt, unaufhaltsam zuerst Christ, dann Katholik zu werden. Ein anderer liest,
was weiß ich, die Bibel und wird Marxist. Als 14jähriger
las ich »Schuld und Sühne«, verstand nichts und verstand
zuviel. Die üblichen Lesefrüchte? Wohl kaum. Mehr das

Buch als Spätzünder: gelöst vom Autor, explodiert es im
Kopf des Lesers; doch da wir annehmen können, daß Döblin immer den Zünder bereitgehalten hatte, um eines
Tages, wie zufällig, auf der Suche nach Atlanten und Rei-
sebeschreibungen, und einsam, wie man nur in der Natio-
nalbibliothek zu Paris einsam sein kann, auf den Zünd-
stoff Kierkegaard zu stoßen, ist die oft über Jahrzehnte
verzögerte Wirkung des Buches zumindest angedeutet.
Denn wenig wissen wir von der Wirkung der Bücher.
Noch weniger weiß der Autor, wohin sein Wort fallen
wird.

Hier der Mann, der praktisch und weltlich dem Volk
aufs Maul schaut, der, besonders im »Alexanderplatz«,
die gesprochene Rede, direkt und indirekt mit dem inneren Monolog konkurrieren läßt; dort der erfinderische
Kopf eines Mannes, dessen Visionen und Utopien immer
unterwegs sind, mystische Entrückung zu suchen. Wo ist
der Autor? Eine Fixierbildfrage. Sollen wir ihn in den
Urwäldern eines Jesuitenstaates am Amazonas, sollen wir
ihn auf dem Berliner Schlachthof oder hingeworfen vor
einem Marienaltar suchen, dessen heidnischer Zuschnitt
uns an Vaneska, die Königin-Mutter seines utopischen
Troubador-Reiches nach der Enteisung Grönlands erinnert?

Soviel ist gewiß: Döblin wußte, daß ein Buch mehr sein
muß als der Autor, daß der Autor nur Mittel zum Zweck
eines Buches ist, und daß ein Autor Verstecke pflegen
muß, die er verläßt, um sein Manifest zu sprechen, die er
aufsucht, um hinter dem Buch Zuflucht zu finden.

So beginnt Döblins Epilog: »Es liegt ein Haufen Bücher da – ›da‹ ist ein falscher Ausdruck, es muß heißen: er liegt vor, ist geschrieben innerhalb von fünf Jahrzehnten, aber nicht da.«

Nach früh-expressionistischen Erzählungen, die später
in dem Band »Die Ermordung einer Butterblume« ge-
sammelt werden, veröffentlicht er 1912 seinen ersten Ro-

man »Die drei Sprünge des Wang-Lun« und ist sogleich unmittelbar da, wenn auch ohne augenblicklichen Erfolg.

Wang-Lun, der Führer der Schwachen und Wehrlosen, wird, indem er das Schwachsein zur Ideologie erheben will, schuldig. Die Greuel der Schwachen und Gammler der Mandschu-Zeit messen sich an den Greueln der Herrschenden; Wang-Lun, der sanfte Berserker, scheitert und löschte sich aus. Doch so sehr diese These bester deutscher Kohlhaas- und Karl-Moor-Tradition entspricht, neu, wenn auch nicht ohne ornamentale Bindungen an den Jugendstil, ist die Sprache, neu in diesem Roman und bestürzend revolutionär sind die Darstellungen der Massenszenen: Menschen, in Bewegung geraten, stürmen Berge, werden zum beweglichen Berg, die Elemente stürmen mit. Mit »Die drei Sprünge des Wang-Lun» gab uns Döblin den ersten futuristischen Roman.

Die Expressionisten um Walden, Hille und Stramm sehen fortan in ihm einen Abtrünnigen; aber auch den Schriftstellern unter den Futuristen - die futuristische Malerei schätzt er – erteilt Döblin in seinem offenen Brief an Marinetti eine Absage. Einer Meinung sei er, solange es heißt, näher heran an die Wirklichkeit, aber Marinetti reduziere die Wirklichkeit; die Technik, die bloße Maschinenwelt sei ihm Wirklichkeit. Döblin wendet sich gegen kategorische Erlasse, gegen die monomane Amputation der Syntax, gegen die Sucht, Prosa mit Bildern, Analysen, Gleichnissen zu stopfen, er, Marinetti, möge sich die Bilder verkneifen, das Bilderverkneifen sei das Problem des Prosaisten. Und wörtlich: ». . . ob mit, ob ohne Periode, ist mir gleich. Ich will nicht nur fünfzigmal Trumb-trumb, tatetereta etc. hören, die keine größere Sprachherrschaft erfordert . . . Ich will um die eigentümliche atemlose Realität einer Schlacht nicht durch Theorien betrogen werden . . .«

Der leidenschaftliche Brief endet abrupt: »Pflegen Sie Ihren Futurismus. Ich pflege meinen Döblinismus!«

Ein Jahr später versucht sich der selbstbewußte Arzt gleichfalls in kategorischen Erlassen. Er legt sein »Berliner Programm« vor. Hart geht er Romanautoren an, die mit Ausdauer die »Probleme ihrer eigenen Unzulänglichkeit« bewegen. »Dichten ist nicht Nägelkauen und Zahnstochern, sondern eine öffentliche Angelegenheit!«

Döblin befindet: »Der Gegenstand des Romans ist die entfesselte Realität, der Leser in voller Unabhängigkeit einem gestalteten gewordenen Ablauf gegenübergestellt; er mag urteilen, nicht der Autor!«

Döblin fordert, schließt aus, stellt Regeln auf: »Von Perioden, die das Nebeneinander des Komplexen wie das Hintereinander rasch zusammenzufassen erlauben, ist umfänglicher Gebrauch zu machen. Rapide Abläufe, Durcheinander in bloßen Stichworten; wie überhaupt an allen Stellen die höchste Exaktheit in suggestiven Wendungen zu erreichen gesucht werden muß. Das Ganze darf nicht erscheinen wie gesprochen, sondern wie vorhanden.«

Im Jahre 1917, während Döblin schon über einem Manuskript sitzt, das einen Teil seiner Theorien bestätigen und allzu einengende Regeln sprengen soll, setzt er die apodyktische theoretische Arbeit fort. Immer noch ist der Ton ausschließlich. In dem Aufsatz »Bemerkungen zum Roman« steckt der Autor, als wolle er sich gegen Versuchungen sichern, noch einmal die selbstgezogenen Grenzen ab: »Der Roman hat mit Handlung nichts zu tun; man weiß, daß im Beginn nicht einmal das Drama damit etwas zu tun hatte, und es ist fraglich, ob das Drama gut tat, sich so festzulegen. Vereinfachen, zurechtschlagen und -schneiden auf Handlung ist nicht Sache des Epikers. Im Roman heißt es schichten, häufen, wälzen, schieben; im Drama, dem jetzigen, auf die Handlung hin verarmten, handlungsverbohrten: ›voran!‹ Vorwärts ist niemals die Parole des Romans.«

Diesen Befund schreibt der Militärarzt Döblin mitten im Ersten Weltkrieg. Lazarette in Lothringen und im El-

saß fangen auf, was von Verdun zerstückelt zurück-
kommt. Während die Materialschlacht lehrt, was Fortschritt im Krieg heißt, versinkt der Arzt Döblin, sobald
sich zwischen den Visiten Pausen ergeben, in den Materialien des 30jährigen Krieges. Er, dem diese entlegene Zeit-
spanne anfangs nichts als eine Unzahl von Schlachten,
deren Parteiungen verwirrend und kaum zu erinnern sind,
beginnt, Chroniken, Dokumente, papierene Absonderun-
gen der Geschichte zu schichten, häufen, wälzen, zu schieben. Im »Epilog« schreibt er dreißig Jahre später: »Ich
plantschte in Fakten. Ich war verliebt, begeistert von diesen Akten und Berichten. Am liebsten wollte ich sie roh
verwenden.« Doch am Anfang, bevor er sich mit Hilfe
von Dokumenten wegzaubert in ein anderes Jahrhundert,
oder wie im »Wang-Lun« in ein China, das er nur von
Atlanten her kennt, vor diesem Wegtauchen steht der alles tragende Einfall, die funkenschlagende epische Vision.

Im Jahr davor hatte sich der Militärarzt Döblin seiner
angegriffenen Gesundheit wegen nach Bad Kissingen in
Kur begeben. Eine Zeitungsnotiz, die Anzeige eines Gu-
stav-Adolf-Festspiels, wirkte als Auslöser. Da sitzt er,
klein, unruhig, kurzsichtig unter den Bäumen des Kur-
parks und sieht die Ostsee, sieht das unablässige Fahren
der Koggen und Korvetten, sieht Gustav Adolf mit seiner
Flotte von Schweden her aufkommen.

Rennende Schiffe, brusthebend geschwollene Segler, ra-
heschlagend tauchen sie aus herabrieselndem Wasser, noch
namenlos, noch ohne Herkunft. Schweden bleibt dunkel,
ohne Ankunft und politische Bestimmung, ein bloßes Glei-
ten und Raumgewinnen, das einem erholungsuchenden
Militärarzt in Bad Kissingen die gegenwärtige Realität
Verdun verdrängt.

Diese Vision wird bald darauf benannt werden. Andro-
meda, Regenbogen, Storch, Delphin, Papagei, Schwarzer
Hund heißen die Schiffe. Das Admiralschiff »Merkur« ist
mit zweiunddreißig Kanonen bestückt. Aus Svealand und

Gotland, aus dem seenreichen Finnland kommen die Männer: bei Wolgast in Pommern gehen sie an Land.

Was dem Militärarzt Döblin als Bild durch die Kurgartenbäume schwamm, hat nun seinen Platz gefunden, ja, hat sich, gemessen am gesamten Vorhaben, reduziert. Eine Seite lang darf die übersetzende schwedische Flotte den Anfang des fünften Buches einläuten, aber das Motiv der großen, gleichzeitigen Bewegung teilt sich dennoch dem gesamten Epos mit. Der eine einzige, zielstrebige Ablauf hier mit dem ersten Satz des Buches »Schweden« angedeutet: »Über die Wogen der graugrünen Ostsee kam die starke Flotte der Schweden windgetrieben her, Koggen Gallionen Korvetten«, wird in aller Breite von Beginn bis Ende des sechsteiligen Buches variiert.

Es beginnt mit dem Siegesmahl des Kaisers Ferdinand. Der Ablauf dieses Bacchanals, die Vielzahl der überbordenden, teils kulinarisch, teils allegorisch dekorierten Speisegänge, die Hierarchie der Gäste in spanischen Krausen, in ungarisch-grün verschnürten Wämsern, in französischen Westen, unter Purpur-Überwürfen, wird genutzt, um zwischendurch die böhmische und des armen landlosen Pfalzgrafen Friedrich Niederlage gleichfalls zu Tisch zu tragen: »Ein Abt biß einem Kapaun das Bein ab, addierte, während es zerkrachte, das zurückgebliebene kurpfälzische Silbergeschirr, das ihm in Böhmen von frommen Wallonen überreicht war.« Und mit der Tafelmusik, kurz vor den Törtchen und Konfitüren, sehen die platzvoll gemästeten Kardinäle, Äbte, Generale und Fürsten das geschlagene Heer des ».... blondlockigen prächtigen Friedrich durch den Saal ziehen, reiten durch das Klingen, Tosen der Stimmen, Becher, Teller von dem herabhängenden Teppich des Chors herunter auf die beiden flammenden Kronleuchter zu, brausend gegen den wallenden Vorhang, den die Marschälle und Trabanten durchschritten: prächtig zerhiebene Pfälzerleichen, Rumpf ohne Kopf, Augen ohne Blicke, Karren, Karren voll Leichen, eselgezogen, von Pulverdunst und Gestank eingehüllt, in Kisten wie Baumäste gestaucht, kippend, wippend, hott, hott durch die Luft.«

So setzt Döblin die Akzente: Sieg, Niederlage, Staatsaktionen, was immer sich datenfixiert als Dreißigjähriger Krieg niedergeschlagen hat, ist ihm einen Nebensatz, oft nur die bewußte Aussparung wert. Ihm liegt am wirren Hin und Her der Winterquartiere suchenden Heere; ihm liegt an labyrinthischen, durch Kanzleien, Hofgärten und verschwiegene Galerien, in Beichtstühle verschleppten Hofintrigen. Von kaum bewegten Lippen liest er das Jesuitengeflüster ab; Rosenkränze und Absolutionen lösen Geschichte aus, deren Resultate er knapp am Ende vermerkt. Die verstrickten Zeremonien listiger Vorbereitung in Wien, oder bei Hof des Maximilian von Bayern gesponnen, wälzen sich, verzerrt und wie vor Hohlspiegel gestellt, mystisch gesteigert über Seiten, während das Ergebnis höfischer Anstrengungen, sei es die Absetzung Wallensteins, sei es die Weigerung des sächsischen Kurfürsten, Gustav Adolf und sein Heer durch kursächsisches Land passieren zu lassen, lediglich mitgeteilt wird, betont achtlos, weil es nun mal dazu gehört; aber Geschichte, und das heißt die Vielzahl widersinniger und gleichzeitiger Abläufe, Geschichte, wie Döblin sie bloßstellen will, ist das nicht.

Der Dreißigjährige Krieg war und ist wohl immer noch Quelle wie Stimulans deutschsprachiger Literatur. Der Beginn des deutschen Romans läßt sich mit dem »Simplizius Simplizissimus« datieren. Ähnlich wie später Döblin, hat Grimmelshausen das große Schlachtgeschehen beiseite gelassen; ja, mehr als Döblin hat er die beschränkte Perspektive des tumben wie schlauen Überlebenden, der nicht mehr sehen kann, als das jeweilige Winterquartier, als die sich über Wochen hinschleppende Belagerung, als die Lust am Furagieren zur Erzählerperspektive überhaupt gemacht. Wallenstein kommt bei Grimmelshausen nicht vor.

Bertolt Brecht hat später diese Perspektive auf die Bühne transportiert und den bewußten Gegensatz zu Schillers Wallenstein-Trilogie gesucht, die fortwährend Staatsaktionen in Szene setzte.

So sehr es lockt, von Grimmelshausen bis Döblin, womöglich weiter bis Alexander Kluges »Schlachtbeschreibung«, die Zeugnisse deutscher Literatur und ihre jeweilige Perspektive im Hinblick auf den Dreißigjährigen
Krieg und auf das »Unternehmen Barbarossa« zu vergleichen, es sei mir allenfalls erlaubt, Schillers »Geschichte
des Dreißigjährigen Kriegs» unserer Aufmerksamkeit zu
empfehlen; denn wir dürfen in Döblin einen faktenversessenen Leser dieser Chronik vermuten. Offenkundig hat
er den Fleiß des Klassikers ausgebeutet; Schillers historische Abhandlung war ihm Material. Mehr nicht? Einige
Übereinstimmungen, so Schillers Erkenntnis, daß Wallenstein dem Grafen Mansfeld den Grundsatz abgelernt habe, daß der Krieg den Krieg ernähren müsse – eine Erkenntnis übrigens, die bei Grimmelshausen praktiziert
und bei Brecht zur Tendenz erhoben wird –, doch gießt
Döblin das Bild des sich selbst ernährenden Krieges über
alle Seiten aus. Er zeigt uns Heere, die Plagen gleich übers
Land fallen, kahlfressen, weiterziehen und ihre Schlachten
wie nebenbei, zwischen Kahlfraß und Kahlfraß, schlagen.

Schiller war bemüht, uns den Dreißigjährigen Krieg
überschaubar gegliedert darzustellen. Da ergibt sich eines
aus dem anderen. Seine ordnende Hand knüpft Bezüge,
will Sinn geben. Das alles zerschlägt Döblin mehrmals
und bewußt zu Scherben, damit Wirklichkeit entsteht.
Doch auch der Herzog von Friedland stellt sich, jeweils
im Blick des einen und anderen, konträr dar.

Vereinfachend gesagt: Schillers aufgeklärter Idealismus
betont im Wallensteinbild den Feldherrn und Staatsmann; Döblin entwirft uns einen von der Podagra geplagten Bankier. Immer wieder weist er darauf hin, daß
Wallensteins Steigbügel, sobald er nicht umhin kann, ein

Pferd zu besteigen, mit Watte, mit Seide umwickelt werden. Wallensteins Heer unterscheidet sich von den anderen Heeren grundsätzlich dadurch: es ist ein Produkt des Finanzgenies.

Es muß hier ununtersucht bleiben, inwieweit Döblins These Schillers Wallenstein historisch verbindlich korrigiert; auch sehe ich davon ab, Döblins visionären Entwurf mit den Erkenntnissen der heutigen Wallenstein-Forschung zu messen, zumal mir keine historische Arbeit bekannt ist, die von Döblin Kenntnis genommen, ihn widerlegt, bestätigt oder korrigiert hätte. Döblins Wallenstein ist, wie nebenbei, auch ein Feldherr, der sich gelegentlich gezwungen sieht, Schlachten zu schlagen, die er nicht hat verzögern, vermeiden können; in der Hauptsache aber ist Döblins Wallenstein der erste moderne Manager langfristiger Kriegsplanung, der erste Baumeister eines finanzmächtigen Kartells, das, vom Krieg gespeist, den Krieg speiste und bis heute nicht entflochten worden ist. Wallenstein verstand es, die verschiedensten Interessen wachzuhalten und – wie wir sehen werden – zu verbinden.

Vier Namen: Der Serbe Michna, der holländische Bankier de Witte, der Prager Judenrichter Bassewi und der berüchtigte Oberst von Wallenstein, sie beuten das geschlagene Böhmen aus. Michna, ein Metzgergeselle, plündert, geschützt von Wallensteins Truppen, die reichen Häuser der Böhmen. Bilder, Juwelen, Gold und Silber häufen sich im Prager Judenghetto.

Sie, die Ausgeschlossenen mit dem gelben Barett, mit dem gelben Stern, haben gelernt, zwischen Verfolgungen, den Reichtum ihrer Unterdrücker an sich zu ziehen, zu vergraben; beginnen können sie wenig damit, aber ihn stapeln und an das zerstörte Jerusalem denken, sobald sie den Reichtum besichtigen; das dürfen die Prager Juden mit verquälter Lust, bis Wallenstein kommt.

Der Bankier de Witte schlägt vor, den Reichtum anzu-

legen. Man möge die böhmische Münze pachten. Ein Vorschlag, wie er zugibt, den ihm zwei seiner besten Klienten
gemacht haben: der angesehene Judenrichter Bassewi, der
schon oft den römischen Kaiser mit Geld gestützt hat, und
ein Soldat, der trotz gewisser Tapferkeiten in Venedig,
auch während der Schlacht bei Prag, in Böhmen anrüchig
ist: der derzeitige Oberst und Kommandant der Stadt,
Eusebio Albrecht von Wallenstein.

Der Kaiser braucht Geld, der Kaiser braucht immer
viel Geld, man möge das vielversprechende Geschäft machen. Ein Konsortium bildet sich. Für sechs Millionen
jährliche Pachtsumme fällt den vier Geschäftsleuten die
Prager kaiserliche Münze zu. Bald sind es nur drei, die mit
Hilfe der Münze den Umlauf des Geldes regulieren, denn
Wallenstein setzt den serbischen Metzgergesellen Michna
unter Druck und bald darauf in Haft. Er droht, ihn der
Plünderei anzuklagen: Michna verstecke seinen Raub, Silber möge er liefern, es fehle der Münze am Material.

Und dann prägen sie, soviel sie wollen. Sie beschneiden
das Geld, sie untermischen unedles Metall, bis sich das
Silber nur noch erahnen läßt. Wallensteins kriegsstarke
Fähnlein sichern Tag und Nacht die Münze. Sie dingen
gemietete und freiwillige Ankäufer. Sie dringen in die
Bauernhäuser ein, pressen die letzten Dukaten heraus.
Banden bilden sich, kaiserliche Trompeter verkünden auf
den Plätzen, alles Silber müsse abgeliefert werden an die
Münze. Darauf verschwindet das Silber. Schon werden
für einen alten Reichstaler vier neue Gulden geboten. Oft
steht der größte Spekulant des Landes, von Wallenstein,
»lang, hohlbrüstig, mit schwarzem Knebelbart, eine kost-
bare Diamantkette am Hut«, vor den Prägestöcken. Er
sieht etwas. Die Zeit ist bald reif für ihn.

Nachdem der Münzvertrag abgelaufen war, versuchte
der Kaiser, weiter zu münzen. Aber er fand nichts mehr
vor, was sich zu Münzen hätte schlagen lassen. Bassewi
und de Witte hatten sich zurückgezogen, bevor das auf-

gebrachte, verarmte Volk die Münze stürmte und dort nichts fand, außer leeren Prägestöcken.

Nur drei Monate lang durfte Wallensteins Schwindelwährung im Umlauf bleiben. Durch Dekret wurde der »lange« Gulden auf den sechsten Teil seines Wertes herabgesetzt. Der Staatsbankrott wurde erklärt. Die Truppen liefen davon. Und Wallenstein ersteigerte mit seinem rasch angeschwollenen Vermögen neue Güter und Ländereien: Friedland und Reichenberg, Welisch, Schuwigara und Gitschin.

Und all dieses: Reichtum und Ländereien setzt Wallenstein auf eine Karte. Er bietet sich dem Kaiser an, will ihm das große Reichsheer gegen die Feinde von innen und außen aufstellen, damit er nicht abhängig sei von Maximilian von Bayern und dessen Heer unter Tilly, damit er eine Waffe habe gegen den einfallenden Christian von Dänemark.

Wie spiegelt das Diplomatengeflüster Wallensteins Großmut? – »Wißt, liebe Freunde, ich habe es ganz heraus, woher der von Wallenstein so toll kaiserlich gesinnt ist. Er streckt uns das Geld für das Heer vor, das Heer aber soll ihm aus dem Reiche sein Geld wiederbringen mit Zins und Zinseszins . . .«

Die Armee als Kapitalanlage. Döblins rückblickende Vision läßt uns erschrecken: lange bevor Krupp vor Verdun *sein* großes Geschäft machte, investierte Wallenstein sein Vermögen in Rüstungsgeschäfte. Krupp wie Wallenstein kauften sich je einen Kaiser. Und wir wollen immer noch nicht erkennen, daß Hitler sich nicht die Industrie, daß vielmehr die Industrie – Wallensteinsche Adepten – sich ihren Hitler kauften. Nicht ohne Grund blickte der Militärarzt Döblin im Jahre 1917 von Verdun aus zurück. Krupp, wie alle, die nach einem Krupp verlangen, wie alle, die einen Krupp möglich machen, haben Vorfahren: ein Metzgergeselle, ein Bankier, ein Judenrichter und ein Oberst bilden ein Konsortium und damit die materielle Voraussetzung für die anhaltende Dauer eines Krieges, der, mit Atempausen dazwischen, die wir Frieden nennen, bis heute anhält. Schillers Helden und ähnliche Pappenheimer sind allenfalls Spitzenwerte in einem Aktienpaket, dessen kletternder Kurs nur durch drohende Friedensverhandlungen zum Stolpern gebracht werden kann. Seitdem Döblin uns lehrte, Wallenstein als Meister der Hochfinanz zu begreifen, wissen wir, daß Abrüstungsverhandlungen nicht immer am begrenzten Willen der Verhandlungspartner, wohl aber oft genug an den Interessen einer Industrie scheitern, die es verstanden hat, jedermanns wirtschaftliche Interessen zu vertreten: Abrüstung könnte uns in Schwierigkeiten bringen. Das System Wallenstein verlangt stehende Heere.

Dieser Bankier und eigentliche Gewinner der Schlacht am Weißen Berge zieht mit zwanzig Karossen nach Wien. Beklemmung, ja, Abscheu erwartet ihn und will doch sein Geld. Festlichkeiten wie Schauspiele und Judenverbrennungen sollen zu seiner Erbauung veranstaltet werden. Das Wort geht um: ».. da komme einer von den neuen Alchimisten, die machen Gold aus böhmischem Blut.«

Im Haus eines Kaufherrn steigt er ab, in dem schon der eine Kompagnon aus Prag, der Judenrichter Bassewi, wohnt. Draußen staut sich das gemeine Volk. Die Rauchfangkehrer gröhlten Judenspottlieder. Einen Judenfürsten nennt man Wallenstein, denn bewußt will er das hochmütige Wien beleidigen; er, vom Kaiser geladen, kehrt bei einem Juden ein. Dieser Pakt Wallensteins mit den Juden, ein Motiv, das durch das gesamte sechsteilige Werk Akzente setzt, verdient unsere Aufmerksamkeit, weil Döblin hier die Ursachen des mittelalterlichen Antisemitismus, der christlicher Natur war, mit der vorweggenommenen Emanzipation der Juden im 19. Jahrhundert konfrontiert und gleichzeitig den Beginn des Zionismus formuliert, seine kraftvolle Beharrlichkeit und seine ideologischen Gefahren.

Kurz bevor Wallenstein seine Monopolstellung einhandelt, sehen wir den Judenrichter Bassewi in der Prager Synagoge mit fünf alten Männern zu Rate sitzen. Sorgen hat der eine: wenn man mit Wallenstein zusammengehe und so zu Ruhm und Ansehen gelange, werde es den Prager Juden ergehen wie den Frankfurter Juden: vor die Stadtmauer werde man sie treiben; worauf der zweite alte Mann weiß: das hat nur drei Jahre gedauert, dann kam der gleiche Trompeter, der sie ausgewiesen hatte, und blies zu ihrer Rückkehr. Bassewi weist darauf hin, daß die Katholischen alle Calvinisten und Reformierten aus Böhmen verjagt hätten, Platz sei jetzt da für die armen gedrängten Juden; man möge sich ausdehnen im Böhmischen. Der Einwand dagegen lautet: Selbst, wenn sie uns hereinlassen ins Land, wir gehen nicht hin, wir siedeln nicht: »Was steht geschrieben vom Lande Böhmen? Wo steht etwas geschrieben vom Lande Böhmen? Nirgends. Werd' ich ein alter Narr sein, aus meinem Haus gehen, mich in Böhmen ansetzen.« Sein Nachbar darauf: »Und wie lange denkst du und deine Kinder hier in der Finsternis zu sitzen?«

Die uralte Antwort, die bis heute gilt, lautet: »Was werd' ich fragen? Ist doch alles klar für uns Juden. Wird es heißen, wir sollen wieder das Bündel schnüren, nach Jerusalem wandeln, gelobt, gelobt sei unser Herr – so werd' ich's tun.«

Bassewi strebt einen Kompromiß an. Man könne geduldig auf Jerusalem warten und trotzdem und neben den Christen mitten im Licht sitzen. Dem wird widersprochen: Wenn die Kinder Israels einmal im Licht sitzen, werden sie Jerusalem vergessen und sich schämen, beschnitten zu sein; Judäa werden sie verkaufen für ein kleines Dorf in Böhmen.

Der Judenrichter und die fünf alten Männer seufzen in der Synagoge. Die Lösung findet Bassewi: Man wolle dem Kaiser Geld geben und dafür einen kleinen Brief er-

halten, damit die böhmischen Juden fortan Handel treiben dürfen auf dem Land, in den Dörfern, auf den
Marktplätzen. So geschieht es. Aber das katholische Böhmen, das soeben noch mit scharfen Hunden, mit Brand
und Folter seine Mitchristen verfolgt und vertrieben hat,
empfindet den Freibrief für die Juden als Kränkung.
Rasch wächst der Haß. Vorerst kann Wallenstein die böhmischen Juden schützen; vorerst bedarf der Bankier Wallenstein der Unterstützung aller Ausgestoßenen mit dem
gelben Barett, mit dem gelben Stern. Deshalb trumpft er
in Wien auf und erträgt es gelassen, Judenfürst genannt
zu werden.

In den folgenden Tagen wird die Stadt Wien mit Geld-
geschenken überschüttet. Wallensteins Depeschen durchlaufen die Wiener Kanzleien. Grob, unvermittelt knallt
er den Würdenträgern, Beichtvätern und Gesandten die
mehrstelligen Anweisungen seines Bankhalters de Witte
auf den Tisch. Man lacht entsetzt, ja, peinlich berührt
über die Höhe der Dotationen und streicht sie ein.

Nicht die Türken, kein Heer der protestantischen Stände und Kurfürsten, Wallensteins Geld zermürbt das kaiserliche Wien. Denn der Kaiser empfängt Wallenstein.
Froh sind die Kammerherren, weil er alleine, ohne seinen
Juden Bassewi, kommt. Döblin spart die Begegnung zwischen dem Wucherer aus Prag und dem Kaiser aus. Ein
kurzes Warten und Mantelablegen im Vorzimmer, ein
filmischer Schnitt, Wallenstein kehrt zurück, läßt den Kaiser allein. Der verwundert sich und legt die Hand vor die
Augen. Wer war bei ihm gewesen? Es ist ihm, als habe er
diesen Kopf schon gesehen; es ist ihm, als sei er diesen
»lautlos hellen, kleinen Augen schon öfter begegnet«.

Dieses erste Treffen zwischen Wallenstein und Ferdinand rafft der Autor in einem Traumgesicht des Kaisers
zusammen. Er verzichtet auf Dialoge, Verhandlungen,
Finten und blendet auf zur Totale des Kaisers, wie er
die Schnallenschuhe übereinanderlegt, die Armstütze

sucht, die Hand vor die Augen hält, bis das Bild sich einstellt: Er reitet auf moosigem Waldboden, ein sanfter Wind bläst. »Es wird heller; es ist die Helligkeit, die der Mund junger Kätzlein hat, bleiches Rosa. Er bemerkte, daß er ein Gießen, Rinnen überhört hatte bis eben. Und dann lag es am Himmel, über der Erde, etwas Schwarzes, Breites, langsam Bewegliches. Das Pferd lief noch weiter. Er konnte den Rumpf nicht wenden, den Kopf nicht abdrehen, um dem Atem zu entgehen, der von oben gegen ihn anwehte ... Menschliche behaarte Brust, die sich über ihn schob, Haare, die wie Wolken, Spinnweben über ihn flockten, menschliche Arme, denen er entgegenritt. Aber ein Wulst, fleischige glatte schlüpfrige Säulein und kalt wie die Haut eines Salamanders. Federnde Bewegungen machte es, mit Ruck, her und hin kam es dichter über ihn. Und unter immer neue Arme glitt er, er schnappte nach Luft, keuchte auf. Ein Tausendfuß, unter dessen Bauch er ritt. Tiefer mußte er sich krümmen auf dem wogenden rastlosen Pferderücken. Ein weiches Wallen des Bauches benahm ihm den Atem, es waren geblähte luftgefüllte schwappende Säcke; sein Bewußtsein schwand auf Sekunden. Seine Kehle suchte ein ›Äh, äh‹ auszusprechen, seine Ohren rangen nach Klang. Und der Schwanz des Unwesens schlug von oben herunter, herum von unten wie eine Peitsche, erst unter die Fußsohlen, daß es mit elektrischem Zucken ans Herz drang und stach, dann mit feinen Nadeln gegen die Nasenlöcher, tief tief ins Gehirn herauf tötend. Dann fuhr es gegen den Nabel von vorne her, wirbelte wie ein Drehbohrer, in den Magen, den Leib, den Rücken. Und jetzt dröhnte es auf einmal, ein volles Orgelwerk, sinnlos ungeheuer von der Tiefe in die Höhe tosend, bei einem grellen pfeifenden Ton verharrend, knirschend an- und aussetzend, wie ein Hund, den man an einen Pflock mit den Pfoten angebunden hat, der sich krampft, streckt, krampft, streckt, beißt, beißt. – Er war mit heiserem Gekreisch aufgewacht. Er nahm die

Hand langsam von den Augen, besah sich seinen Hand-
teller, als wenn etwas von dem Traum daran klebe, rieb
ihn am Knie.«

Dieses Traumgesicht, diese Raffung aller Wallenstein-
schen Faszination und Bedrohung verstärkt die Wirkung
der Dekrete und Freibriefe, die der Kaiser dem Tausendfuß und Kartell-Baumeister ausgestellt hat. Einfach ist die
Rechnung und allen Beteiligten bekannt: »Stellt Habsburg keine Armee auf, ist es voraussichtlich verloren, samt
der ohnmächtigen Liga. Gewinnt die Liga allein, ist der
Kaiser in einigen Jahren erdrückt von dem Bayer.«

Also wurde dem frischernannten Herzog von Friedland ein kaiserliches Dekret ausgestellt, wodurch er zum
Kapo über alles Volk aus dem Reich und den Niederlan-
den ernannt wurde. Bassewi und de Witte arrangierten
die Geldgeschäfte: Gegen ein Darlehen von neunhundert-
tausend rheinischen Gulden zu 6 Prozent war dieses Er-
mächtigungsgesetz zu haben.

Was jetzt kommt, abrollt, ist nur die Folge der großen
Finanzaktion. Breit ausgemalt, verwirrend in seiner Widersprüchlichkeit und doch folgerichtig in Wallensteins
Kopf entworfen. Rasch werden die Regimenter aufgestellt: »Nehmt, was ihr kriegt!« – »Wenn man keinen
Falken hat, muß man mit Raben beizen.« Gefährliches,
beutelüsternes Volk rottet sich unter Wallensteins Fahnen
zusammen: Die Städte werden erpreßt, Kaution zu zahlen gegen drohende Einquartierung. Ein wachsendes Heer,
dem der inzwischen begnadigte und frischgeadelte Metzgergeselle Michna das Getreide zu requirieren hat, über-
schwemmt das Land, beginnt, sich vom Krieg zu ernähren, rüstet sich – anfangs ein schlecht armierter, bunt-
scheckiger Haufen – zur perfekten Kriegsmaschine. Wallensteins Rechnung geht auf.

Hier findet sich nicht Gelegenheit, Döblins Fresco bis
ins Detail zu betrachten. Wenn dieses Buch auch »Wallenstein« heißt, breiten Raum nehmen Maximilian und die

Liga, der puritanische Kreuzfahrer Gustav Adolf, die sächsischen und kurpfälzischen, die französischen und die böhmischen Intrigen des Grafen Slawata ein. Und immer wieder Ferdinand, von dem es heißt, er vertraue Wallenstein, wie eine Frau ihrem Mann vertraue. Ein verfallener, blindlings hingerissener Kaiser, dessen Plan, ihn, den Besitzer der Macht, ihn, den personifizierten Willen, zu demütigen, mit der Verfallenheit wächst.

Döblins epischer Aufriß – denn einen geschlossenen, wohlausgewogenen Roman kann man den »Wallenstein« nicht nennen – endet mit einer Szene, die alle historischen Fakten hinter sich läßt und nicht mehr Rücksicht nimmt auf den Dokumentenwust der Geschichte. Ins Fabelreich enthoben, flieht der Kaiser. Er entzieht sich dem Hof, dem Reich, der weltlichen Macht. Am Ende sehen wir ihn lallend, schon närrisch, aus seiner Verantwortung gerückt und anonym gleichgemacht mit Marodeuren herumziehen. Während Wallensteins Ermordung noch mit den Fakten vorformulierter Geschichtsabsonderungen inszeniert wird und sich dennoch nicht parallel zu Schillers Szenarium verhält – denn nicht der Verräter stirbt, vielmehr der Gläubiger, dem Kaiser und Reich verschuldet sind –, wird Ferdinand, der entflohene Kaiser, von einem koboldartigen Waldzwerg ermordet. Lust und Verzückung führen die Waffe. Vom Kaiser ist nichts mehr. In entmaterialisierte Heiterkeit und geschichtslose Unwirklichkeit mündet ein Buch, das schwer zu tragen hatte an dokumentarischen Abläufen und langsam sich wälzendem Fakten-Geröll. Ferdinand sucht und findet den Stillstand; er löst sich auf.

Doch dieses Kapitel, visionär wie die Auslösung des gesamten Komplexes, also die Überfahrt der schwedischen Flotte, greift schon über in Alfred Döblins nächsten epischen Entwurf: »Ferdinands Tod« ist einerseits Abschluß des »Wallenstein«-Epos und andererseits Beginn des utopischen Abenteuerromans »Berge, Meere und Giganten«.

In seinen Bemerkungen zu diesem Buch schreibt Döblin:
»Wie ich zu Kriegsende aus Elsaß-Lothringen den Wallenstein ohne Schlußkapitel nach Hause brachte, fühlte, suchte ich in mir herum, wie ich ihn enden sollte. Am besten, dachte ich manchmal, gar nicht. Dann wurde ich damals, Anfang 1919 in Berlin, von dem Anblick einiger schwarzer Baumstämme auf der Straße tief betroffen. Er muß dahin, dachte ich, der Kaiser Ferdinand.«

Es lohnte die Untersuchung, inwieweit und wie oft das Bild von Baumstämmen, glatten, trockenen wie schwarzen, feuchten, schwitzenden Rinden, zwischen denen etwas geschieht, Döblins Werk beeinflußt hat, oder wieweit sich der Autor dieser Fixierung bewußt gewesen ist.

Wir erinnern uns: Im Kurpark sitzt der kurzsichtige Militärarzt und sieht zwischen Kurparkbäumen die schwedische Flotte schwimmen; wir erinnern uns: zum erstenmal begegnet Wallenstein dem Kaiser Ferdinand und löst ein Traumgesicht aus; zwischen Baumstämmen auf Moosboden reitet der Kaiser, über ihm der haarige atmende Bauch eines Tausendfüßlers; wir hören: ein Waldzwerg ersticht im Walde den Kaiser. »Es war Regenwetter. Die Tropfen klatschten. Ferdinand lag auf zwei sehr hohen Ästen. Das dünne kühle Wasser floß über die hellen Augen. Der Kobold hatte kleine Zweige zu sich heruntergezogen, er saß vom Laub gedeckt. Schaukelte den Körper auf den großen Ästen, knurrend stirnrunzelnd.«

Auch im »Alexanderplatz« endet das siebente Buch im Wald. Abermals ist der Wald Zeuge eines Mordes. Reinhold erwürgt Biberkopfs Mieze. Nach dem Mord setzt ein Sturm den Wald in Bewegung. Die Natur spielt mit. Doch, wenn der »Wallenstein«-Roman den weltflüchtigen Kaiser in einen ortlos mythischen Wald führt, wird im »Alexanderplatz« im Freienwalde bei Berlin, also genau lokalisiert und wie mit Hilfe eines nachträglichen Polizeiberichtes, gemordet.

Schon lockt es mich, dieses Waldmotiv, diese nassen schwitzenden Stämme in »Berge, Meere und Giganten« zu suchen. Die große Szene nach dem uralischen Krieg: Marduk, der Präfekt der märkischen Landschaft, sagt sich los von der Forschung, Technik, vom Fortschritt. Er, selber ein Forscher, setzt die wissenschaftliche Elite des Landes gefangen, treibt sie in einen von ihm gezüchteten Versuchswald; und dieser Wald beginnt zu wachsen; die Stämme schwellen, scheiden klebrige Säfte aus, nehmen den Wissenschaftlern Platz, Luft und Atem, saugen sie auf, verwandeln sie in Bäume, die gleichfalls Stamm in Stamm ineinander übergehen, bis am Ende ein Klumpen tropische Wucherung menschlichen Geist, Forscherdrang und Zerstörungswille in sich aufgenommen hat.

Zwischen dem Tod im böhmisch-mythischen Wald und der Ermordung der Mieze im Freienwalde bei Berlin entwarf Döblin den utopischen Massenmord in einem utopischen Wald, wobei mir, dem Leser, kein Wald wirklicher aus dem Buch wuchs als die synthetische Zucht des Forschers Marduk, der aller Wissenschaft ein Ende setzen wollte, der, selber ein zerstörender Denker, das Denken als Ursache aller Zerstörung in Vegetation einschloß, nur sein Gedanke blieb außerhalb und setzte sich fort.

Doch ehe ich Sie zu utopischen Abenteuern verführe, ehe ich mich in »Berge, Meere und Giganten« verliere und den Turmalinschleiern wie der Enteisung Grönlands das Wort rede, ehe also die nach der Enteisung wuchernden Wälder tierisch in Bewegung geraten und Europa überschwemmen, – »... an der Westgrenze Hamburgs, an der See verwüsteten die anwandernden Untiere ganze Stadtteile. Die starken Sicherungen des Senats nutzten nichts, sie fielen nur zum Verhängnis der Stadtschaft aus. Durch die brennenden Würfe, die Strahlen wurden die Tiere zerrissen, ihre Teile aber, Flüssigkeit spritzend, schleppten sich verendend und andere aufspießende Wesen mit sich schleppend in den Straßen und Anlagen. Die

grausigsten Mißformen wurden da sichtbar. Verbackene
Bäume, aus deren Wipfeln lange Menschenhaare heraus-
ragten, übergipfelt von Menschenköpfen, toten entsetzlichen häusergroßen Gesichtern von Männern und Frauen.
Die Schwanzflossen eines Seetiers in eine Siedlung vor der
Stadt fallend sammelten um sich Haufen toten Materials,
Eggen, Wagen, Pflüge, Bretter. In die wandernde, sprie-
ßende, dampfende Masse gerieten Kartoffelfelder, lau-
fende Hunde, Menschen. Das wallte wie ein Kuchen auf,
quoll hoch, zappelte über die besäte Ebene, rollte sich
wie eine Lavamasse verheerend langsam vorwärts. Und
überall wuchsen aus der sich rundenden schlagenden Masse Stämme, stockhohe Blätter hervor« – ehe ich also Mar-
duks Versuchswald die Stadtschaften verheeren, sich aus-
wachsen lasse – und kein Wort sagte ich über die Ur-
wälder im Amazonas-Roman, kein Wort über die Rich-
terfunktion des Waldes in der frühexpressionistischen
Butterblumen-Erzählung –, ehe ich also bis zum Ende
seines Lebensberichtes – Döblin verabschiedet sich als
Apfelbaum – diesem Motiv nachgehe, will ich mich in
die Schlußphase meiner Verbeugung vor meinem Lehrer
retten: Wer sich mit ihm und seinen mythischen, realen
wie utopischen Wäldern einläßt, läuft am Ende Gefahr,
zwischen nassen, schwitzenden, wuchernden Bäumen den
Ausweg zu versäumen; zwischen Büchern und Theorien,
die einander aufheben und widerlegen wollen, den Autor
zu verlieren.

Aber das wollte Döblin: hinter seine Bücher zurücktreten. Auf Anfrage einer Zeitung sagte er 1928: »Mir ist als
Arzt der Dichter meines Namens nur von weitem bekannt.« Eine autobiographische Skizze verrät uns, daß er
im Jahre 1878 in Stettin geboren wurde. Und weiter:
»Medizinstudium, eine Anzahl Jahre Irrenarzt, dann zur
Inneren Medizin, jetzt im Berliner Osten spezialärztlich
praktizierend.«

Stichworte begleiten die Suche nach dem Autor. Wie

weit hat ihn der Vater geprägt, ein Stettiner Schneider, der mit vierzig Jahren die Frau samt fünf Kindern sitzen läßt und sich übers Meer davonmacht? Seinen Motiven nachgrübelnd, hat Döblin die Geschichte des flüchtigen Vaters mehrmals mit bissigem Spott variiert; doch seine Reiselust, sein Verlangen auszubrechen, tobte sich auf Landkarten, in Archiven aus. Preußische Strenge fesselte ihn an Berlin-O. So sehr ihn ein Ausflug nach Leipzig im April 1923 verlockte, den kleinen Ausbruch zu wagen; er mußte zurück in die Pflicht und überlieferte uns nur den Seufzer: »Ach, habt Ihr's gut in Leipzig. Ich muß wieder zu Ziethen und Scharnhorst.«

Also jemand, der sich beschieden hat: die Technik findet er bei Siemens und Borsig, den Turbinen-Mythos liefern die hausgemachten Manifeste. Etwa ein Weltbaumeister mit festem Wohnsitz? Ein neuer Jean Paul zwischen Zettelkästen?

Immer noch auf der Suche nach dem Autor, bleibt er klein, nervös, sprunghaft, kurzsichtig und ist dennoch ein Mann der Tagespolitik, der sich nicht scheut, direkt einzugreifen. Mitglied der USPD seit 1921, später Mitglied der SPD. Sein preußischer Zuschnitt befähigt ihn, einerseits mit Langmut den Parteikleinkram mitzubetreiben und später andererseits, als die Sozialdemokraten das »Schund- und Schmutz-Gesetz« mitverabschiedeten, die Partei zu verlassen, ohne sogleich verkünden zu müssen, er habe sich radikalisiert, Brücken hinter sich abgebrochen, die große Enttäuschung erlebt. Döblin wagte es, mit seinen Widersprüchen zu leben. Der bis heute fleißig geübte Modetanz des Sichdistanzierens war nicht seine Bewegungsart. In unzähligen Aufsätzen hat er der sozialen Demokratie das Wort geredet. So sehr er in Marx' Schriften die »klare, historische und ökonomische Durchdringung der Realität« bewunderte, – der Marxismus des 20. Jahrhunderts war für ihn nur noch die Lehre eines schroffen Zentralismus, die Lehre der Wirtschaftsgläubigkeit

und des Militarismus. Der Kassenarzt im Berliner Osten
bekannte, er gehöre weder einer deutschen noch einer jüdischen Nation an; seine Nation sei die der Kinder und
Irren.

Also ein Menschenfreund und Phantast? Ein produktiver Spinner? Ein aktiver Sozialdemokrat, der in seiner
epischen Dichtung »Manas« ein mystisches Indien besingt?
Was war er noch? Ein wortreicher Kunstverächter und ein
Mitglied der Preußischen Akademie der Künste, ein
emanzipierter Jude und ein Kierkegaardscher Katholik;
ein seßhafter Berliner und solange ein unsteter Landkar-
tenreisender, bis mit Hitler die Kolbenheyer und Grimm
die Macht ergriffen hatten, bis er vertrieben wurde und
ihn die Emigration wider seinen Willen in Bewegung zu
setzen verstand.

Als französischer Offizier kehrt er mit seinem letzten
Roman heim und findet in der Bundesrepublik keinen
Verleger. Erst 1956 erscheint in der DDR bei Rütten
& Loening der Hamlet-Roman. Wie heißt die hausbak-
kene Redensart im Land der Dichter und Denker: Zu
Lebzeiten vergessen. Döblin lag nicht richtig. Er kam nicht
an. Der progressiven Linken war er zu katholisch, den
Katholiken zu anarchistisch, den Moralisten versagte er
handfeste Thesen, fürs Nachtprogramm zu unelegant, war
er dem Schulfunk zu vulgär; weder der »Wallenstein«
noch der »Giganten«-Roman ließen sich konsumieren; und
der Emigrant Döblin wagte 1946 in ein Deutschland
heimzukehren, das sich bald darauf dem Konsumieren
verschrieb. Soweit die Marktlage: der Wert Döblin wurde
und wird nicht notiert. Einem seiner Nachfolger und
Schüler fiel ein Stück Erbschaft als Ruhm zu, den in kleiner Münze zurückzuzahlen ich mich heute bemühte.

Indem ich mich auf den einzigen futuristischen Pro-
duktionsweg innerhalb des Döblinschen, vielsträngigen
und bis zum Schluß produktiven Arbeitssystems beschränkte, indem ich unsere Aufmerksamkeit auf den

»Wallenstein«-Roman als Zeugnis futuristischer Roman-
technik zu lenken versuchte, also den politischen, essayi-
stischen, katholischen Döblin aussparte, indem ich aus dem
Komplex »Wallenstein« nur die Analyse des Feldherrn
als Großbankier hervorhob, kann diese Referenz, zehn
Jahre nach dem Tod meines Lehrers, allenfalls dazu beitragen, Sie neugierig zu machen, Sie zu Döblin zu ver-
führen, damit er gelesen werden möge. Er wird Sie beunruhigen; er wird Ihre Träume beschweren; Sie werden zu
schlucken haben; er wird Ihnen nicht schmecken; unver-
daulich ist er, auch unbekömmlich. Den Leser wird er ändern. Wer sich selbst genügt, sei vor Döblin gewarnt.

(1967)

Franz Mon

LITERATUR IM SCHALLRAUM

Zur Entwicklung der phonetischen Poesie

Abseits der gängigen Literaturformen von Prosa, Lyrik, Drama oder Hörspiel tauchen seit über einem halben Jahrhundert sprachkünstlerische Gebilde auf, die bisher keinen offiziellen Rang erhalten haben, weder im öffentlichen Literaturbetrieb noch in der Literaturwissenschaft: die Klang- und Lautgedichte, auch poèmes phonetiques, sound poetry, phonetische Dichtung genannt, die sich auf die tönende Sprache, auf das Schallmaterial stützen, das wir beim Sprechen benutzen bzw. mit den Artikulationsorganen hervorbringen. In der Regel bestehen sie aus Klanggebilden ohne Wort- oder Satzsinn, sind vielleicht sogar spontan gesprochen, vielleicht mit Hilfe technischer Apparaturen verfremdet, schwebend zwischen verständlichen und unverständlichen Sprachteilen. Weniges davon ist publiziert. Man kennt ein paar Namen: Hugo Ball, Kurt Schwitters, Raoul Hausmann, die Veteranen dieser eigentümlichen Sprachkunst. Ein paar verschollene oder abseits erschienene Schallplatten gibt es.

Hugo Ball, einer der Initiatoren der Lautpoesie, nannte mit Absicht seine aus Silben ohne Wortsinn gebildeten Texte »Klanggedichte«, schloß sie also der Lyrik an. Kurt Schwitters, ein paar Jahre später, glaubte, eine »Sonate in Uurlauten« zu komponieren. Er orientierte sich an einem musikalischen Formmuster. Beides kennzeichnet die Unsicherheit des Anfangs. Inzwischen haben wir uns daran gewöhnt, in den Künsten nicht mehr auf den stabilen Gattungsbegriffen zu bestehen, sondern zwischen den bekannten Gattungen, ja zwischen den verschiedenen Disziplinen völlig neue Erscheinungen auftauchen zu sehen, die sich nicht mehr ohne weiteres einordnen lassen. Auch die Stücke aus dem Sprachschall haben längst die Nabelschnüre zur Lyrik oder zur Musik abgetrennt, und so ist es auch müßig zu diskutieren, ob sich in ihnen Sprache manifestiert oder nicht: sie tut es, und tut es wieder nicht. In umfassenderem Sinn als die überlieferte Literatur haben sie es mit der Sprache zu tun, weil sie gesprochenes Schallmaterial, auch das konventionelle ertönende Wort, als Grundlage haben; weil sie ausdruckssprachliche Möglichkeiten aufgreifen, Emotionales, Gestisches, das zur gesprochenen Sprache gehört, auch wenn es sich nicht in Wortbedeutungen darstellt. Aber sie greifen unbedenklich auch nach Verfahren, die nichts mit der Sprache zu tun haben: längst spielen die Tonbandapparatur mit ihren technischen Möglichkeiten, Schallphänomene zu bearbeiten und zu verändern, und auch elektronische Manipulationen eine wesentliche Rolle.

Das Schallmaterial, das die phonetische Poesie verwendet, ist primär von den menschlichen Sprechorganen erzeugt. Es ist vielfältiger Natur und reicht von bloßen Geräuschen, die bei der Tätigkeit der Artikulationsorgane mitentstehen, über die Ausdruckslaute zu sinnfreien Silben und verfremdetem Wortmaterial. Schon allerprimitivste Schallerzeugnisse, wie Schnalzen, Räuspern, Husten, Schmatzen, können emotional besetzt sein und bilden so die unterste Materialschicht auch des Sprechens.

Welche Art Schallmaterial gemeint ist, belegen etwa die Stücke des Franzosen François Dufrêne, der aus dem Kreis der Lettristen herkommt, sich jedoch von ihnen getrennt hat. Er verläßt sich ganz auf die spontanen Bewegungen der Mundorgane und kennt keine Hemmungen bei der Verwendung aller nur möglichen Mundgeräusche. Es sind Äußerungen der Kreatur im Stimmbereich, die Beklemmung und Behagen, Abwehr oder Lust anzeigen.

Damit ist schon der nächste Herkunftsbereich phonetischer Texte, nämlich der der Ausdruckslaute, wie ach und oh, erreicht; aber auch das Lachen, Hecheln, Gurren gehören dazu. Beim frühmenschlichen Prozeß des Spracherwerbs haben sich solche unwillkürlichen Ausdruckslaute, da sie immer wieder in der gleichen Situation und in der gleichen Form ertönten, zu Symbolen verfestigt, und daraus hat sich allmählich eine elementare Schicht von Symbolen gebildet[1].

Es bleibt noch eine dritte vorsprachliche Quelle zu nennen: die motorischen Artikulationen, die aus dem Spaß am bloßen Spiel der Sprachwerkzeuge entstehen. Kinderreime und Nonsensverse beweisen, daß auch die pure Sprechmotorik lustbesetzt sein kann. So haben sich die russischen Futuristen, die vor dem I. Weltkrieg zu den Erfindern der Lautpoesie gehörten, auf motorisch-rhythmische Verse ohne Sinn bezogen, mit denen sich die Mitglieder bestimmter Sekten in Ekstase versetzten. Überliefert ist folgender Vers:

(schneller:)	fente rente finiti funt
	fente rente finiti funt
(noch schneller:)	fente rente finiti funt
	fente rente finiti funt

Wir hüten uns natürlich vor der Meinung, die phonetische Poesie sei analog den frühmenschlichen Sprachzuständen aufzufassen. Wir beschreiben zunächst nur die Sprachschichten, deren sie sich bedient, wissen im übrigen aber, daß es sich bei ihr nicht mehr um eine naive Sprachäußerung, sondern um bewußte Kunstprodukte handelt. Sie werden auf dem Hintergrund einer hochdifferenzierten Gebrauchssprache formuliert und sind, auch wenn sie nichts als expressive Lautung, emotionaler Ausdruck zu

---

[1] Vgl. F. Kainz, Psychologie der Sprache. Stuttgart 1954, Band I, S. 277.

sein scheinen, einer ästhetischen Konzeption verpflichtet und in eine Komposition einbezogen. Sie sind auch noch im expressiven Schrei reflektiert gebraucht.

Aufschlußreich für die Weise, wie phonetische Poesie in ihrem frühen Stadium erfahren wurde, ist eine Notiz, die Hugo Ball 1917 in seinem Tagebuch festgehalten hat. Auf einer Soirée der von ihm geleiteten Galerie Dada in Zürich zeigte die Tänzerin Sophie Täuber, die spätere Lebensgefährtin Hans Arps, »abstrakte Tänze«. Das heißt, sie übersetzte Lautgedichte von Hugo Ball ins Tänzerische, indem sie sie mit den Gliedern des ganzen Körpers artikulierte. Das erinnert an die vorhin erwähnte motorisch-akustische Gesamtbewegung früher Sprachverfassung. Ball schreibt: Es »genügte eine poetische Lautfolge, um jeder der einzelnen Wortpartikel zum sonderbarsten, sichtbaren Leben am hundertfach gegliederten Körper der Tänzerin zu verhelfen. Aus einem ›Gesang der Flugfische und Seepferdchen‹ wurde ein Tanz voller Spitzen und Gräten, voll flirrender Sonne und von schneidender Schärfe«[2].

Dies phonetische Gedicht wird als Äußerung des Organismus vollzogen und tritt bedeutungslos-sinnvoll buchstäblich vor Augen. Es lohnt sich, den Text Balls selbst zu hören, der dem Tanz der Sophie Täuber zugrunde lag:

tressli bessli nebogen leila
flusch kata
ballubasch
zack hitti zopp

zack hitti zopp
hitti betzli betzli
prusch kata
ballubasch
fasch kitti bimm

---

[2] Die Geburt des Dada. Zürich 1957, S. 134.

zitti kitillabi billabi billabi
zikko di zakkobam
fisch kitti bisch

bumbalo bumbalo bumbalo bambo
zitti kitillabi
zack hitti zopp

tressli bessli nebogen grügrü
blaulala violabimini bisch
violabimini bimini bimini
fusch kata
ballubasch
zick hiti zopp [3]

Hugo Ball hat leider keine Hinweise aufgezeichnet, wie
er dieses Gedicht vorgetragen hat. Vermutlich mit einem
intensiven, das ganze Gedicht tragenden Rhythmus, in
einer Art Sprechgesang, wie er es von anderen Lautgedichten berichtet. Wie in den Abzählversen der Kinder
spielt die Sprache mit sich selbst. Sie wiederholt in der
Abwandlung: »flusch kata – prusch kata – fusch kata«.
Sie formuliert einförmige Vokalreihen: »zitti kitillabi
billabi billabi«, imitiert Phänomenisches, irgendwelche Physiognomien oder Bewegungen, Haltungen. Sie
nutzt dabei die Symbolik, die den Lauten innewohnen
kann, die sie im jahrhundertelangen Gebrauch angezogen
haben und die auch im täglichen Handhaben der Sprache
gegenwärtig ist. Freilich läßt sich die Lautsymbolik hier
nicht mit etwas Bestimmtem identifizieren, da nur die
Überschrift »Gesang der Flugfische und Seepferdchen«
den Bereich andeutet, in dem sie gilt. Die silbische Sprach-
bewegung kehrt sich vielmehr immer wieder auf sich
selbst, ihre eigene Sinnlichkeit zurück, wie es etwa die
beiden ersten Versgruppen zeigen: die zweite wiederholt

---

[3] Die Geburt des Dada. S. 55.

Silbenfolgen der ersten, wenn auch teils mit leichter Abwandlung; sie läuft zurück, wobei sie das Gehörte variiert und so schließlich bei einer anderen Fassung mündet. Man kann das artikulatorische Ornament dieser Silbenfolgen mühelos nachzeichnen.

Entgegen dem Selbstverständnis der damals agierenden Künstler des Cabaret Voltaire in Zürich muß festgestellt werden, daß ihre phonetischen Gedichte kein revolutionäres Alibi haben. Hugo Balls eben vernommenes Klanggedicht gehört, verspielt und ein bißchen versponnen, einem arabesken Jugendstil an, der zu der Zeit, als das Gedicht vorgetragen wurde, schon sehr gealtert war. So sind bezeichnenderweise vom jungen George, also Jahrzehnte früher, zwei Zeilen eines Versuches erhalten, die Odyssee in eine selbst erfundene Klangsprache zu übertragen. Und Else Lasker-Schüler formulierte ebenfalls Jahrzehnte vor Hugo Ball Gedichte zuerst in einer Art »Ursprache«, wie sie es nannte: »Ich hatte damals meine Sprache wiedergefunden, noch aus der Zeit Sauls, des königlichen Wildjuden herstammend«, fabuliert sie, »ich verstehe sie heute noch zu sprechen, die Sprache, die ich wahrscheinlich im Traum einatme . . .« Das mystische Idiom der Lasker-Schüler imaginiert eine unbekannte, exotische Sprache, den Traumlandschaften des Jugendstils entsprechend. Dabei hat sie die Absicht, etwas Bestimmtes auszusagen, mag es auch nur im Medium des reinen Klanges mitgeteilt werden können und der zusätzlichen Übertragung in den Klartext eines gewöhnlichen Gedichtes bedürfen. Jedenfalls formuliert sie wohl zum erstenmal, abseits irgendwelcher Onomatopoetik, ein Klangsymbolgedicht im Sinn der romantischen Sprachtheorie.

Sie zielt damit in eine etwas andere Richtung als Christian Morgensterns beinahe gleichzeitiges und viel berühmteres »Großes Lalula«, das 1905 in den »Galgenliedern« erschien. Die reichhaltig verwendeten Satzzeichen aller Art vom Komma bis zum Ausrufezeichen deuten an,

daß Morgenstern konventionelle Redeweise nachahmen
und ironisieren will. Das Moment der Ironie, von Morgenstern selbst mit anderen Mitteln erfolgreicher fortgeführt, verschwindet lange Zeit aus den Lautgedichten.
Erst bei jüngsten Autoren, wie Ernst Jandl oder Bob Cobbing, macht es sich wieder, und zwar auf ganz anderen
Wegen, bemerkbar. Jahrzehntelang schien sich in der ima-
ginativen Lautsymbolik und dem arabesken Lautspiel,
wie sie Lasker-Schüler und Hugo Ball vorgeführt hatten,
die Möglichkeit dieser Kunst zu erschöpfen. Die Beziehungen zur konventionellen Sprache waren jedenfalls völlig gekappt.

In die beiden genannten Richtungen stießen Raoul
Hausmann und Kurt Schwitters vor. Hausmann wandte
sich ganz dem elementaren, emotional besetzten Artiku-
lieren zu, um eine Sprache diesseits der Sprache zu schaffen; Schwitters, von Hausmann angeregt, orientierte sich
an dem klanglich-musikalischen Aspekt des Materials, als
er es zu seiner »Sonate in Uurlauten« komponierte. »In
den Lautgedichten«, schreibt Raoul Hausmann, »handelt
es sich nicht nur um haltloses Gestammel anarchistischer
Ungehemmtheit, sondern sehr oft um Wortballungen, die
aus der Epimneme verschiedener Sprachen ins Bewußtsein steigen« – eine Theorie, die ihre Schwächen hat, für
Hausmann selbst, der im Deutschen wie im Tschechischen
beheimatet ist, einen wahren Kern haben mag. Sympto-
matisch daran ist die Behauptung des Sprachcharakters
entgegen dem chaotischen Anschein. Hausmanns phonetische Stücke kennzeichnet eine unerhörte Verfeinerung der
Artikulationsbewegung, er tastet sich in alle Richtungen
einer Artikulationsgestik hinein, die uns im gewöhnlichen
Sprachgebrauch nicht so zur Hand ist. Er kommt zu einer
andeutenden Lautgestik, die der Hörer nachvollziehen
soll:

bbbb

N'moum   m'onoum   onopouh
                    p
                    o
                    n
                    n
                    e

     ee   lousoo   kilikilikoum
   t'   neksout   coun'   tsoumt   sonou
correyiosou   out   kolou
     Y'   IIITTITTTTIYYYH
                 kirriou   korrothum
              N'   onou
              mousah
                 da

                 ou
         DADDOU
              irridadoumth
              t'   hmoum
              kollokoum
       onoooohhoouuumhn[4]

Die Absicht der Lasker-Schüler auf eine neue, nicht-
konventionelle und dennoch irgendwie mitvollziehbare,
kommunizierbare Sprache wird von Hausmann mit viel
geschickteren Mitteln fortgeführt. Hausmann bettet seine
Erfindungen von neuen Klangsilben in Sprechgewohnhei-
ten ein, die uns allen geläufig sind, wenn wir miteinander
Kontakt aufnehmen: Er arbeitet mit wechselnden Stimm-
lagen, hoch oder dumpf, er mobilisiert die Ausdrucksele-
mente des Sprechens, wimmert, jammert, wehrt ab, beschwört, bestärkt, sabbert, zerfasert das Redezeug. Er
sitzt dichter am Sprechen als die vor ihm, er beobachtet

---

[4] R. Hausmann, Courrier Dada. Paris 1958, S. 67 f.

es genauer. Zwar notiert auch er seine Stücke auf dem
Papier, aber zu realisieren sind sie nur, wenn sie ertönen.
So gibt es außer der Aufzeichnung durch das Tonband
keine Möglichkeit, sie zureichend festzuhalten.

Hausmann kennt keine ästhetische Auswahl, er bringt
alle Laute, die er für sein Sprachtheater braucht, auch
häßliche, unförmige, wie sie in den wohllautenden Arabesken Hugo Balls oder der Lasker-Schüler keinen Platz
hatten. Sie erscheinen, weil sie einer bestimmten Artiku-
lationseinstellung entspringen, Verlautung einer Artikulationsgestik sind. Obwohl ihr Ausdruckswert für den Zuhörer verständlich ist, bleiben solche Stücke doch durch
und durch monologisch, nazistische Lautgebärden, die mit
keiner Antwort rechnen. Es ist eine Art Lyrik, die aller
lyrischen Kennzeichen beraubt ist bis auf das eine, Ausdruck und Äußerung zu sein. Bis zu dieser Konsequenz
ist kein Expressionist vorgedrungen.

Hausmann probt alle Schichten durch, die unser Sprechen aufweist. Bezeichnenderweise vergrößert er beim
Vortrag seiner Stücke die Artikulationsgestik zur Körper-
gestik und mimt, was er imaginiert. Damit nähert er sich
einem Sprechspiel aus den autonomen Mitteln der körper-
lichen Artikulationsorgane.

Ehe diese Spur weiterverfolgt werden kann, ist es erforderlich, die Strukturschichten des Sprechens faßlicher
zu machen. Wir haben es dabei mit zwei verschiedenen
Hinsichten zu tun. Einmal mit den Eigenschaften des
Sprachschalls. Es sind dieselben wie in der herkömmlichen
Lyrik und in der Musik: die Klangfarbe, die Klanghöhe,
mit der melodischen Führung der Stimme, die Klang-
stärke mit der dynamischen Akzentuierung und die zeitliche Ordnung des Sprachablaufs. Diese Hinsichten sind
auch für die gewohnte Dichtung, vor allem die lyrische,
von großer Bedeutung und wurden bereits vielfach analysiert. In der Dichtungsanalyse völlig unbeachtet geblieben
ist dagegen die andere Strukturschicht, die der Artikula-

tion. Darunter verstehen wir lautphysiologisch die Aus-
gliederung der Sprachlaute durch die Organe zwischen
Lippen und Kehlkopf, die zusammenfassend als Ansatz-
rohr bezeichnet werden. Der aus dem Kehlkopf hervor-
tretende tönende Lautstrom wird von Zunge, Gaumen,
Zähnen, Lippen artikuliert. Bei jedem Laut sind wenigstens zwei Organe beteiligt; der Laut entspringt also einer
koordinierten Bewegung, die in den tönenden Atemstrom
eingreift. Die vokalischen Laute entstehen als Gestaltung
des Resonanzraumes der Mundhöhle, die Konsonanten,
indem der Atemstrom an bestimmten Stellen der Mundhöhle beengt oder unterbrochen wird. Da immer Atemstrom und artikulierende Bewegung zugleich beteiligt
sind, ist es fragwürdig, im landläufigen Sinn Vokale und
Konsonanten zu unterscheiden. Auch dem scheinbar reinen Vokal ist ein konsonantisches Geräusch, und sei es ein
h-Laut, beigemischt, und jeder Konsonant hat mittönen-
des vokalisches Element. Man spricht daher besser von
Lautdyaden als den kleinsten phonetischen Einheiten, und
Lautdyaden bilden zugleich die einfachste Form der Silbe.
Im Grunde ist es unmöglich, die Grenzen zwischen den
Lauten abzustecken. Die Laute bilden ein gleitendes Arti-
kulationsband zwischen den extremen Polen der vokalischen Klanggeräusche und der scharfen konsonantischen
Verschlußlaute. Der Atemstrom und die Koartikulation,
also das Miteinanderartikulieren der benachbarten Laute,
bewirken Angleichungen, die je nach dem Nachbarn anders ausfallen. Die kleine Artikulationseinheit ist daher
nicht der Laut, sondern die Silbe, die aus einem vokalischen und einem konsonantischen Element besteht. »Die
Silbe«, sagt der Sprachwissenschaftler Porzig, »entsteht
durch die Gliederung des Atems innerhalb des Laut-
stroms.« Der Atem staut sich an den Konsonanten und
strömt dann freier weiter. »Der Wechsel von Behinderung
und Freigabe des Atems macht die Silbe aus.« (Porzig)
Für die phonetische Poesie war die Silbe und nicht der

Einzellaut von Anfang an das wichtigste Bauelement, wie etwa die Texte von Morgenstern oder Ball beweisen.

Diese artikulatorische Beobachtung läßt sich auch an Texten machen, die zunächst gar nicht darauf abgestellt sind, wie an dem Schützengraben-Poem von Ernst Jandl [5]. Um der Lautsymbolik willen unterdrückt Jandl in diesem Text bewußt alles Vokalische, und so läßt sich beim Sprechen gut beobachten, wie die Konsonanten vokalisch mittönen.

Ein anderes artikulatorisches Phänomen, das der Lautabtönung je nach der konsonantischen Nachbarschaft, liegt dem folgenden Text von Bob Cobbing zugrunde und zwar planmäßig, wie eine Anmerkung des Autors erkennen läßt. Das Stück dreht sich um die beiden »o«,- Laute, wie sie im englischen »pot« und in »go« zu unterscheiden sind. In koartikulierender Angleichung spricht Cobbing das als Material verwendete Wort »oberammergau« als »omeramergau« aus. Das Stück zeigt zugleich, wie der Rhythmus als selbständiges Moment sich über den Text legt, ebenso aber auch die poetische Lust an Reim- und Echobeziehungen:

pot/pot/potpourri pot/ollapodrida pot/omeramergau
om/omeramergau om/om/potpourri om/ollapodrida
oll/ollapodrida oll/omeramergau oll/oll/potpourri
poc/pocahontas poc/popocatapetl poc/poc/opossum
op/op/opossum op/pocahontas op/popocatapetl
pop/popocatapetl pop/pop/opossum pop/pocahontas
on/onondaga on/on/opopanax on/pomological
pom/pomological pom/onondaga pom/pom/opopanax
op/op/opopanax op/pomological op/onondaga [6]

[5] E. Jandl, Laut und Luise. Olten 1966, S. 47 ff.
[6] Bob Cobbing, sound poems, writers forum. poets fifteen. [London] 1965.

Kurt Schwitters hat als Erster mit seiner »Sonate in Uurlauten« (seit 1923) eine Lautdichtung geschaffen, in der die Klangeigenschaften der Sprache autonom und ohne Rücksicht auf eine inhaltliche Mitteilung verwendet werden. Schwitters setzte die Silben ihrem Klangwert entsprechend als quasimusikalische Bausteine in die Komposition ein. Planvoll wechselt er zwischen langen und kurzen, hellen und dumpfen, harten und weichen Silben. Er wiederholt und permutiert silbische Gruppenmotive, deren beherrschendes das Grundmotiv »fömsbäwätäzäu« ist. Schwitters hat sein Grundmotiv von Hausmann übernommen, es aber in einer Weise verarbeitet, die der Raoul Hausmanns diametral entgegengesetzt ist: Während dieser sich im spontanen Sprechvollzug vorantastet, plant Schwitters bewußt Abfolge, Tempo, Tonstärke, Dauer der silbischen Elemente. Wenn er die Teile als Largo, Scherzo und Presto bezeichnet, zeigt er, daß er sich bewußt an musikalischer Arbeitsweise orientiert:

lanke tr gl
pe pe pe pe pe
ooka ooka ooka ooka
lanke tr gl
pii pii pii pii pii
züüka züüka züüka züüka
lanke tr gl
rmp
rnf
lanke tr gl
ziiuu lentrl
lümpf tümpf trl
lanke tr gl
rumpf tilf too
lanke tr gl
ziiuu lentrl
lümpf tümpf trl

lanke tr gl
pe pe pe pe pe
ooka ooka ooka ooka
lanke tr gl
pii pii pii pii pii
züüka züüka züüka züüka
lanke tr gl
rmp
rnf
lanke tr gl? [7]

Alle diese Texte benutzen die Silbe als Bauelement,
wenn auch mit ganz verschiedenen kompositorischen Methoden. Es lag nahe, die Permutationsmöglichkeiten, die
in einer Silbe liegen, zu entwickeln, wie es in meinen Ar-
tikulationsstücken geschieht, die jeweils eine bestimmte
Artikulationsform, wie »was«, »er«, »se«, »henk«, in
winzigen Schritten allmählich verändern und in ihren verschiedenen Bewegungsrichtungen durchspielen. Mit der
Verschiebung der Artikulationsstellungen der Organe
zwischen Lippen und Kehlkopf verändern sich nicht nur
die Konsonanten erzeugenden Engen und Durchlässe, sondern es verändert sich auch der Resonanzraum der Vokale, so daß die Vokalfärbung ständig wechselt. Es entsteht eine Folge von permutierenden Silben, die trotz allen Veränderungen untergründig ihre Ausgangsform mit-
führen. Unversehens schießen Bedeutungen an, nuancie-
ren sich mit der artikulatorischen Bewegung, springen in
eine andere über und verschwinden wieder [8].

---

[7] nach »Poètes à l'Ecart« Hg. von L. Giedeon-Welcker, Bern
1946, S. 183.
Schwitters hat die Lautsonate als eine Nummer seiner Zeitschrift Merz gedruckt. Einen kleinen Teil hat er auf Schallplatte gesprochen.
[8] vgl. das Stück auf der Schallplatte »Konkrete Poesie«, hg.
von A. Bitzos, Bern 1966.

Das Wort als phonetische Einheit tritt hier zurück: es kann erst wieder erfaßt werden, wenn über die Silbe und ihre Struktur Klarheit besteht. Das Wort verwirrt zunächst nur durch seine Imprägnierung mit Bedeutungen, oft genug mit verwaschenen, mißbrauchten, entgleitenden Bedeutungen. Der Bedeutungskosmos, der einem Wortkörper anhängt, der milchige Bedeutungshof ist ein eigener Gegenstand des poetischen Experiments, und es gibt bisher nur wenige Stellen, an denen sich beide Aspekte: der des phonetischen Wortkörpers und des milchigen Bedeutungshofes berühren. Erinnert sei an »Finnegans Wake« von James Joyce. Doch hat in den letzten Jahren die Spannung zwischen semantisch klarem und verunklärtem Text, die Auflösung der semantischen Worthinsicht im phonetischen Substrat oder umgekehrt die Kristallisation von Semantik aus einem phonetischen Ablauf eine ganze Reihe von Autoren beschäftigt.

Das Wortmaterial kann dabei auf verschiedene Weise verfremdet, in seinem semantischen Wert herabgesetzt werden, bis es den phonetischen Pol erreicht: etwa durch die simple monotone Wiederholung, durch silbische Auflösung, durch die Verformung von Einzellauten. Brion Gysin hat ein Stück gesprochen, das nur aus der Wiederholung von »I am – am I« besteht [9]. Behauptung und Infragestellen wechseln miteinander. Durch das penetrante Wiederholen intensiviert sich die Bedeutung und löst sich zugleich auf zum bloßen Vokabelgeräusch. Konsequent verfremdet sich die Stimme dabei, was durch Beschleunigung des Bandes bewirkt wird.

Völlig ohne jede technische Hilfestellung arbeitet Ernst Jandl seine Texte. Oft liegt ihnen nur ein einziges Wort zugrunde, das sich kaleidoskopisch in seine Silben auflöst

---

[9] Wiedergegeben auf der Schallplatte der Revue OU, Nr. 20/21. Abgedruckt in »Anthology of concrete poetry«, hg. von E. Williams, New York 1967.

oder im Hin und Her artikulatorischer Übungen allmählich
aus Silben zusammentritt. Die Silbe erscheint als autono-
mes sprachliches Element mit einer lockeren Verbindung
zum Wort, die sich verdichten, aber auch ganz lösen kann.
Es kommt vor, daß das steuernde Wort selbst gar nicht
auftritt, daß es nur durch das Würfelspiel seiner Silben
hindurchschimmert, wobei die Silben sich von ihm abkeh-
ren und eigene Bedeutungen anziehen, wie in dem Stück
»viel vieh o sophie« [10].

Die Verschiebung aus dem hinfälligen Redegebrauch in
die konzise Form einer konkreten phonetischen Poesie erreichen auch die beiden Wiener Friedrich Achleitner und
Gerhard Rühm. Sie entdeckten zunächst die groteske Seite
des Dialekts, insbesondere des Wiener Dialekts, und zeig-
ten, wie diese Sprache zur artikulatorischen Form gerin-
nen kann, die auf jede Semantik verzichtet hat [11].

Die phonetische Feinstruktur solcher Texte läßt sich
mit keiner Schrift, nur mit Hilfe des Tonbandes aufzeich-
nen. Erst das Tonband hat dem Zwischenbereich der phonetischen Poesie seine Entwicklung ermöglicht. Es objekti-
viert den subjektiven Vollzug einer Sprechbewegung; es
dient aber auch dazu, das phonetische Material zu bearbeiten, zu verformen, zu mischen usw. Typen eines völlig
neuen Hör-Spiels, oder besser: Sprechspiels zeichnen sich
ab, die die Möglichkeiten der Apparatur ausnutzen.

Denn Schnitt, Blende, Mischung, Schichtung sind nicht
nur – wie für das herkömmliche Hörspiel – technische
Tricks, ein akustisches Szenarium abrollen zu lassen, sie
entsprechen Formen des Sprachvollziehens selber – wenn
man sie aus dem technischen ins kommunikative Vokabular überträgt, könnte man sie auf das Verstummen, Das-
Wort-abschneiden, In-die-Rede-fallen, Überschreien, Ein-
schmeicheln, Eines-Sinnes-sein und worauf auch immer be-

---

[10] E. Jandl, Laut und Luise. Olten 1966, S. 144 f.
[11] hosn rosn baa. Wien 1959.

ziehen. Die technischen Handlungen selbst haben bereits
eine Gestik, die mit der sprachlichen korrespondiert, und
an den Stücken von Raoul Hausmann war abzulesen, daß
sprachliche Gestik nicht ans Wort gebunden ist, sondern
dem artikulierenden Lautwerden selbst bereits innewohnt.
Diese vom Sprechen wie von der Apparatur angebotene
Gestik kann für sich, ohne Bezug auf die übliche Handlung komponiert werden. Ja, der Apparat erschließt Möglichkeiten, mit den Sprechbewegungen in einer Weise zu
verfahren, die uns sonst nicht in den Sinn kommt, obwohl
sie passieren kann, obwohl sie tatsächlich passiert. Er macht
es nicht von selbst; das Tonband ist kein Automat, sondern ein Instrument, dessen Reichweite und Gesetzlichkei-
ten man kennen muß, wie der Musiker die seines Instru-
mentes kennt.

Als Beispiel dienen die »phonèmes structures« von Ar-
rigo Lora Totino. Jedes Stück wird nach einem genau
festgelegten Zeitplan komponiert, nichts der Improvisa-
tion überlassen. Eines seiner Stücke ist zusammengesetzt
aus Lauten, die für die italienische Sprache eigentümlich
sind. Die ertönenden Laute sind nicht in dieser Reihenfolge und nicht in einem Redezusammenhang gesprochen,
sondern nachträglich mit Hilfe des Bandes montiert worden. Beim genauen Hinhören erkennt man die Schnitt-
grenzen – und wird daran erinnert, daß der natürliche
Sprechablauf ein Lautkontinuum erzeugt, das keine
scharfe Abgrenzung der Einzellaute zuläßt. Bei Totino
steht die Apparatur senkrecht zur Sprache, wenn man so
sagen darf; und sie schärft dabei zugleich die Aufmerksamkeit für ihre Erscheinung und ihre Struktur. Das Maß
des apparativen Eingriffs nimmt im Laufe des Stückes zu.
Hallraum und Vibration verfremden die Sprache, facet-
tieren die Laute, bis sie fast ganz in einem denaturierten
Geräusch aufgehen.

Wenn man die Stücke von Totino aus dem Jahr 1966
mit einem beliebigen Ausschnitt aus den Poèmes phone-

tiques Raoul Hausmanns vergleicht, die 1918 konzipiert
wurden, so wird das Ausmaß deutlich, in dem inzwischen
die instrumentale Apparatur mit ins Spiel gekommen ist.
Bei Hausmann stellt sich die Ausdrucksgestik, die allem
Sprechen innewohnt, ganz selbstverständlich ein. Bei Totino dagegen ist die Gestik technisch vermittelt. Durch die
Montagetechnik wird die natürliche Sprechgestik zudem
von vornherein ausgeschaltet, weggeschnitten, so daß die
instrumental bedingte allein hervortreten kann.

Noch weiter in der Instrumentierung des sprachlichen
Schallmaterials geht Henri Chopin in dem Stück »Vibres-
pace, Audiopoème«, das 1964 publiziert wurde [12]. Alle
Schallphänomene, die dabei hörbar werden, sind sprach-
licher Herkunft, allerdings weitgehend durch technische
Medien verfremdet. In der Nachfolge Raoul Hausmanns
und der Lettristen verwendet Chopin allerlei Mundgeräusche, wie Atmen, Hauchen, Zischen, Schmatzen. Das
Stimmaterial dient ihm nur noch zur Tonfärbung. Das
Ganze wird durch den Wechsel der Tonlagen komponiert.
Die Konfrontation der menschlichen Stimme mit dem
technischen Instrument ist bewußtes Programm. Die Instrumentierung des Stimmaterials wird vollzogen in der
Absicht, dadurch ihre unendlichen Möglichkeiten freizule-
gen.

Wir brechen hier unsere Erkundung der phonetischen
Poesie ab. Vielleicht sollte man die Frage stellen, ob ihrer
Entstehung ein spezielles Motiv jenseits des bloßen poetischen Äußerungsdranges zugrunde liegt. Ein Motiv, das
aus der gegenwärtigen Situation von Sprache und ihrer
ästhetischen Verfassung entspringen könnte. Vielleicht
sind die phonetischen Sprachwerke Ausgleichsbewegun-
gen gegen eine rationale Austrocknung der Gebrauchssprache, wobei Sprachdimensionen zu Wort kommen, die

---

[12] s. Revue OU. Cinquième Saison. Hg. von Henri Chopin.
Nr. 20/21.

längst verschliffen oder verloren schienen. Sie könnten
auch der Versuch sein, Sprache in einer grassierenden
Sprachlosigkeit in Gang zu halten und zugleich ihre Ko-
pulation mit dem technischen Medium zu erproben, ohne
das unsere Existenz nicht mehr denkbar ist. Auf jeden
Fall zeigt sie an, daß die Differenzierung unseres Wahrnehmungsvermögens und unserer Kommunikationsmittel
längst noch nicht abgeschlossen ist, sondern weitergeht.
Und sie zeigt an, daß die künstlerischen Disziplinen immer in Bewegung bleiben und kein System sie festzulegen
vermag.

(1967)

PHILOSOPHIE UND KOMÖDIE

Zu Peter Hacks' »Amphitryon«

Dies ist das achte Stück von Peter Hacks. Oder muß man auch die Bearbeitungen mitzählen, die vom »Frieden« des Aristophanes, von der »Kindermörderin« Wagners, von John Gays »Polly«, von Meilhacs und Halévys »Schöner Helena«?

Dann wär's das zwölfte Opus des vierzigjährigen Stückeschreibers. (Das dreizehnte, die gemeinsam mit Uta Birnbaum unternommene Dramatisierung des eignen Märchens vom »Schuhu und der fliegenden Prinzessin«, wollen wir wirklich nicht mitzählen.) In dieser Zeitschrift sind fünf davon (und die letzten drei nur hier) gedruckt: »Das Volksbuch vom Herzog Ernst« (9/61), »Der Frieden« (5/63), »Moritz Tassow« (2/65), »Margarete von Aix« (2/67), »Amphitryon« (in diesem Heft). Wir halten an Hacks fest? Warum?

Seiner Sprache wegen. Der »Amphitryon« ist in makellosen fünffüßigen Jamben geschrieben, im Blankvers. So wie ihn Hacks verwendet, schreibt er sich von August Wilhelm Schlegels deutschem Shakespeare-Vers her, dem beweglichsten Klassiker-Vers. In einem Punkte allerdings knüpft Hacks (über die Vermittlung durch Brecht) an Kleists schwereren, angestrengten Vers an: durch die Enjambements, die die Sätze so brechen, daß durch die Zäsur, dem Metrum entgegen, der Versanfang eine Betonung erfährt. (»Mit besserer Überzeugung, ohne diesen/ Scherzhaften Vorbehalt im Unterton.«) Einen klassizistischen Charakter bekommt der Hackssche Vers durch die preziösen Verkürzungen, Füllwörter, Satzteil-Umstellungen um des Metrums willen – sie machen meist einen eleganten, gewitzten Effekt: nicht so sehr die Vertracktheit drängt sich auf (wie bei Kleist, wo sich die vertrackte Beschaffenheit der Wirklichkeit in der Form widerspiegelt), vielmehr die Leichthändigkeit, mit der unser Autor so etwas bewegt. Pointen weicht er nicht aus, aber schwerlich kann man ihm vorwerfen, daß er sie sucht: sie scheinen ihm aus dem Vers – und dem Gedankenfluß zuzuwachsen. Und doch wird man ihm, sein Stück an dem Kleistschen messend, den Vorwurf der Leichtgewichtigkeit, vielleicht sogar der Possenhaftigkeit machen. Verdient er den? Da muß ich auf einen zweiten Vorzug Hacksscher Stücke zu sprechen kommen: auf ihre Philosophie. Sie steckt in den Figuren und in der Fabel. Reden wir von denen.

Vorerst: Dieser »Amphitryon« ist *keine* Umfunktionierung eines klassischen Werkes. Der Brechtsche Ausdruck ist hier schon deshalb unangebracht, weil es keinen kanonischen »Amphitryon« gibt. Die griechische, die mythologische Grundlage ist (bei Hesiod) überliefert, und die drei wichtigsten Stücke über das mythologische Thema, von Plautus, Molière und Kleist, stehen – jedes auf seine Weise vollkommen – nebeneinander. Hacks schreibt wiederum einen, *seinen* »Amphitryon«, keine Variation eines der Vorgänger-Stücke. Das, was ich die Philosophie darin nannte, tritt am deutlichsten als vom Autor negativ bewertete Position in Erscheinung: im Sosias. Er ist des Amphitryon Weisheitslehrer, verachteter als ein Sklave, und zu Recht: denn er lehrt nichts als Quietismus, er ist ein Vertreter der Schule des Antisthenes. *Der Weisheit Krone ist die Seelenruhe,* sagt er mehrmals, er bescheidet sich sofort und frohlockt: *Drum gilt für weise, wer nichts wissen will/Denn zweifellos ist alles zweifelhafte/Des Forschens Ende ist, daß man es läßt* – so lautet sein Credo. Er akzeptiert jede Erniedrigung, läßt sich prügeln und verblüfft den Merkur, der ihm in des Sosias eigener Gestalt gegenübertritt, dadurch, daß er sogar willig ist, auf sein Ich zu verzichten. Wie die Griechen damals den Antisthenes findet Hacks den Sosias »kynisch«, also hündisch, heißt: weniger als menschlich; er (an seiner Stelle Jupiter) verwandelt ihn am Ende in einen Hund und versetzt ihn als Sternbild an den Himmel, in den *Karst seiner platten Denkart.*

Woran fehlt's dem Sosias? Am Ungenügen. Mensch ist er nicht, weil er nicht Mensch werden will. Weil er Veränderungen scheut. Weil er sich mit dem Unveränderlichen abfindet. Jupiter formuliert den Vorwurf im Paradox: *Weil er nichts glaubt, als was ewig ist/Glaubt er an nichts, der Flachkopf.* Der Merkur nun, das wird nicht ausgesprochen, läßt sich aber leicht erschließen (Arbeit für denkende Zuschauer), ist nicht viel anders als der Sosias – er birgt sich in steriler Göttlichkeit: *ich weiß mich gern vollkommen* – und wie Sosias leitet er daraus Überheblichkeit ab: *Er* (Jupiter weiß) *sich ungern (*vollkommen)? */Ist ers am End mit minderem Grad als ich?*

Vollkommenheit, statische, sterile, ist nicht der Leitstern der positiven Figuren des Stückes. Jupiter ist Gott, weil er auf gar stürmische Weise Mensch ist: *Gelassenheit* (die einzige Tugend des Sosias und der Kyniker), *mir tief verächtlich.* Er will viel, alles. *Kleine Portionen stinken*, er will das Werden, gar das Chaos, den Werde-Schoß – er will die Liebe, die glühende, fleischliche, als das Bewegende schlechthin. Eigentümlich und nicht unkomisch (was nicht heißt: unseriös) verbindet Hacks in solcher Position den deutschen Idealismus und den Marxismus. Goethesche Werdelust und marxistische Schaffenslust (Produktivität), verklammert durch sexuelle Potenz, Zeugungsüberschwang. In dieser Dreiheit ist der Gott Jupiter der vorbildliche – Mensch. (In ihm ist, wenn man so will, der Sauhirt Moritz Tassow aus Hacksens sechstem Stück, der am Ende in die Utopie entwich, auf die Erde – oder leider nur: die Bretter – zurückgekehrt.)

Alkmene, anders als in den Stücken der Vorgänger, »erkennt« den Jupiter bald. Was wäre auch anderes für Hacks, der Fleisch und Geist so eng verschwistert, in einer Liebesnacht denkbar? Und sie zweifelt auch nicht kleistisch an sich, sondern wendet alsbald ihre Zweifel gegen ihren Gatten. Was für ein schöner Kunstgriff, wenn Hacks mit plumpen Vorwürfen vom Amphitryon Bedrängte ins kühle, romanische »Sie« zurücktreten und den Spieß umdrehen läßt: *Ich bin kein Mensch mehr? War an Menschlichem/Sonst nichts an mir als unbesuchtes Fleisch,/So daß, verlor ich das, ich für die Menschheit/Verloren war? Bin ich abzüglich dessen,/Was ich für Sie bin, nichts? Nur Gattin/Nicht Alkmene?*

Und als er nachdenklich wird, stößt sie nach: Sie hat mit Jupiter den besseren, liebesfähigeren Amphitryon gewählt:

Als du so weiter fragtest, welcher ist
Der wahre, wirkliche Amphitryon?
Erkor ich den, der, wie du solltest, war:
Den, der aus deinem Leibe, was aus ihm,
als nach dem angeerbten Muster möglich
Du hättest machen können, hat gemacht.

Damit es aber kein plattes Belehrungsstück werde, sondern eine Komödie (die keine Fragen löst), gibt Hacks dem Amphitryon – zum erstenmal in der Dramengeschichte des Stoffes? – auch eine Argumentation. Er ist – um Alkmenes willen – in die Welt, in Arbeit, Härte, Müdigkeit verstrickt. Er schildert Schlachten, Politik und Verbrechen. (Hacks greift hier auf Hesiod und die bei ihm berichtete Vorgeschichte des Amphitryon, eines verstoßenen Königs, zurück): *Und weil beim Menschen, anders als beim Gott/Freiheit Gewalt heißt und Gewalt Verkettung/Mußte, dich liebend, ich ein Schurke sein.* Sie, Alkmene, sei *so rein, weil unvermischt in die Gesetze unserer Nahrungssuche.* Ja, Amphitryon, fast ein Dialektiker, wendet die bisherige Argumentation, daß der

Mensch als sich Verändernder aufs Göttliche hin angelegt sei ins Gegenteil um:

Es ist von solchem Ernst die Welt beschaffen/Daß nur ein Gott vermag ein Mensch zu sein. Zwar warnt darauf Jupiter: *Mann, Mann, Mann/Nimm deine Mängel nicht als selbstverständlich* ... aber er tröstet auch: *Die Einsicht macht, daß er kein Mensch noch ist/Den Menschen beinah menschlich* – doch schließlich läßt er sich nur allzugern (vom vorher dazu bestellten Merkur) in den Olymp zurückrufen: *Nichts ist gelöst im Denken und im Sein* – das Werdeprinzip, das dialektische, bleibt über dies Theaterstück hinaus in Kraft, bleibt als Unruhe. Komödien enden offen.

Was bleibt vom Vorwurf der Leichtgewichtigkeit, der Fadheit? Gewiß, der Marxist Hacks ist Anti-Metaphysiker, also ist der Götter- und Zauberapparat des Stückes bloßes Kunstmittel – aber beileibe nicht Parodie. Denn gerade Jupiter repräsentiert das Beispielhafte. Liegt darin Kühnheit? Oder flüchtet sich Hacks mit seiner Philosophie und seiner erotischen Lehre aus der Realität auf die Bretter? Ist sie anderswo nicht zu behausen?

Das sind so Fragen. Das drittletzte Stück, »Moritz Tassow«, wurde in Ost-Berlin verboten, das vorletzte »Margarete von Aix« bisher überhaupt noch nicht aufgeführt. Die Uraufführung des »Aphitryon« am Deutschen Theater in Göttingen kann man (leider) nur einen Notbehelf nennen. Sie ging (Regie Eberhard Pieper) ganz auf eine äußerliche »Stil«-Vorstellung aus, puppte die Darsteller in Muskelmännertrikots und dicke Masken ein, ließ sie mit ungekonnter Artistik Beine und Arme wie signalhaft bewegen – und erstickte so den Text, der vorbeifloß, ohne daß man seine gedankliche Bewegung zu erkennen vermochte. Ganz unerträglich, am marionettenhaftesten der Merkur (Rolf Jülich), nur ein grinsender Langsamsprecher der Sosias (Hans Weicker), ölig der Jupiter (Friedhelm Lehmann), ein spuckender Klotz der Amphitryon (Kurt Mejstrik). Das Beispiel der Bessonschen »Frieden«-Inszenierung wurde mißverstanden, die Theaterhaftigkeit des Stückes – aber nur sie – auf massive Weise unterstrichen. Am ehesten gelang es der Alkmene (Rosemarie Pruppacher) noch, durch die mehlweiße Gesichtsmaske hindurch, mit manieristischer Sorgsamkeit der Artikulation, die Philosophie des Stückes in die Bühnenerscheinung treten zu lassen. Die Pointen vereinzelten sich, lösten Gelächterstöße bei dem Teil der Zuschauer aus. Freundlicher Beifall am Ende. Die Komödie bleibt zu entdecken.

(1968)

WOLFGANG HILDESHEIMER

JÜRGEN BECKER »RÄNDER«

Vor vier Jahren erschien, schmal, flexibel und unauffällig und, in der Tat, beinah unbemerkt, Jürgen Beckers erstes Buch »Felder«. Inzwischen liegt es im 9. bis 13. Tausend vor. Was zuerst als Geheimtip galt, hat demnach inzwischen eine gewisse beschränkte Verbreitung erfahren, eine Gemeinde gebildet.

Es erscheint zumindest fraglich, ob Beckers neuer Band »Ränder«, ebenfalls flexibel und unauffällig und noch schmaler als der erste, über diese Gemeinde hinaus Verbreitung finden wird. Denn Popularität kann Beckers Schicksal sowenig sein, wie Auffälligkeit sein Programm ist. Die Gemeinde aber, der vielleicht unverhältnismäßig viele Schriftsteller angehören – Becker gewann den Preis der »Gruppe 47« gegen starke Konkurrenz –, wird auch dieses Buch immer wieder lesen, wird es zitieren, daraus lernen, wird Situationen des Lebens an den Wortlauten dieser Texte messen. Gleiches läßt sich über wenige Bücher sagen, Besseres über keines.

Becker ist also »nicht jedermanns Sache«, er verlangt seinem Leser eine Umstellung ab – auf die ihm eigene Form, den ihm eigenen Sprachduktus. Daß er nicht erzählt, kein Garn spinnt, nicht fädelt oder entfädelt, teilt er mit manchem anderen, seine formalen Modelle aber mit keinem.

Mit der kunstvoll vorgetäuschten Diskretion eines Registrators, die aber in Wirklichkeit – oft bis zur Zerreißprobe – selbstverleugnende Verfremdung ist und ihren Standort zwischen Trauer und Verzweiflung, Resignation und Mitgefühl, Ironie und Bitterkeit wechselt, führt er seinen Leser über die Felder, auf denen anderer Leute Romane gedeihen, und, darüber hinaus, an die Ränder des Ausdrückbaren. Wenn er dabei hier und dort einer Erzählform oder -formel abwandelnd nachfährt, so geschieht es zum Schein, als Parodie, um die Grundelemente der verschiedenen Muster bloßzulegen. So durchmißt er das Treibhaus der Fabeln, weist Ansätze auf, mit denen er genau ins Herz des Gemeinplatzes trifft, dorthin, wo die Verhaltensweise seiner Umwelt sich artikuliert.

»Felder«, das sind lose Texteinheiten verschiedener Länge, zusammengehalten durch großstädtische Topographie – Köln und Umgebung – und durch das Schema, eine Vielfalt von Spielarten der sogenannten offenen Form. Es sind 101 Stationen, weder räumlich noch zeitlich angeordnet, Orte der Erinnerung und der Erfahrung, der Frustration, Verstörung, Angst und Melancholie. Hier springt das registrierende Bewußtsein von Feld zu Feld, wählt sich seinen sprechenden Exponenten, und dieser wählt sich seinen Gegenstand, der somit in doppelter Verfremdung erscheint.

So verzichtet Becker über weite Strecken auf eigene Sprache, um die Manierismen und Sprachfiguren seiner Mitwelt einzufangen. Und doch bleibt sein Atem über allem, er äußert sich in der Wahl der Quellen seiner Wahrnehmung, vor allem aber in den dazwischengestreuten stenographischen, gleichsam atemlosen Notaten unmittelbaren Erlebens: » . . . daß plötzlich verfolgt vom Alleinsein, daß mittendrin ein Absacken, daß wieder ein Reißen und Fallen und Fließen wohin, da ruhig erst mal ruhig die Hände die Augen die Lippen das blaue Hemd die weißen Jeans, die Haut des schwarzen Leders, und ruhig dann erst mal sagen: ich weiß gar nicht wie viele Tage da drin sind in diesem Tag und wer da alles redet in dem der redet . . .«

Erst gegen Ende wird dieser Atem kürzer, die Paragraphen ziehen sich zu aphoristischen Tagebuch-Aufzeichnungen zusammen, in denen der Autor die Methode zu offenbaren beginnt. Hier wird denn die registrierte Erfahrung rückwirkend zum Schlüssel des gesamten Textes. Ein aufschlußreicher Absatz lautet: »... die Gleichzeitigkeit verschiedener Vorgänge ist wahrnehmbar aber nicht darstellbar. In jeder syntaktischen Anordnung erscheinen die Vorgänge immer nur aneinandergereiht, nicht in ihrer wahren Dimension ...«

Diese Tatsache dürfte zwar jedem Schriftsteller bekannt sein, wird aber vor allem vom Romancier verdrängt, der ja eben auf die Darstellung des in Wahrheit nicht Darstellbaren angewiesen ist. Der letzte Absatz lautet: »22. 12. 1963; 18,30 Uhr; Halbmond (zunehmend); Schübe von Relikten, nicht Kommentaren; die Art des Rekapitulierens läßt übrig oder macht anders; Geräusch oben des Flugzeugs (wird fortfliegen am 2. 1.); all das noch in die Maschine; lesen ändern fortschicken: vorne ist vor drei Jahren, hinten ist jetzt; Felder«

Kurze Rechenschaft also, und damit souveräne und erschöpfende Enthüllung des Arbeitsprinzips: Im Laufe dreier Jahre des Schreibens sind die Felder abgeschritten und gefüllt. Eine Vielzahl subjektiver Erfahrungsmomente wird in freier Folge zum Nacherleben angeboten.

Die Prämisse über »Felder« erschien mir wichtig als Hinweis nicht nur auf Beckers außerordentliches erstes, sondern auch auf die Vorstufe zu seinem bedeutenden zweiten Buch, das mit den gleichen sprachlichen Mitteln gearbeitet ist, die gleiche Voraussetzung des Lesers bedingt, aber ein anderes Modell schafft, eine strengere Komposition, die nicht aneinanderreiht, sondern auf- und wieder abbaut.

»Ränder« sind die Symptome, die Erscheinungsformen der jeweils subjektiven Realität. Diese Ränder tastet Bekker ab, fährt ihnen mit der Sprache nach und demon-

striert die Unmöglichkeit, tiefer in objektive Realität ein-
dringen zu können.

Stellvertretend für die Tragik des Lebens steht hier also die Tragik des Versagens vor seiner Wiedergabe mit
sprachlichen Mitteln; Beschränkung also, Verzicht, und,
in der Tat, die Melancholie dieses Verzichts liegt über dem
gesamten Text, bestimmt den Ton, der immer am Ver-
klingen ist, den Fluß der Worte, der, sich steigernd, dem
Versiegen sich nähert, bis er tatsächlich im zentralen Kapitel versiegt: Es enthält nur zwei leere Seiten und suggeriert damit, daß der furchtbare Kern unserer heutigen
Realität sich dem Ausdruck entzieht, deutet damit auch
symbolisch den Ausdrucksmodus an, den der Autor als
den konsequentesten und ihm gemäßesten betrachtet: das
Schweigen.

Ausgehend von diesem Kapitel, ordnen sich spiegelbild-
lich je fünf Kapitel nach vorn und nach hinten, die, immer um etwa das Doppelte länger, einander formal und
stilistisch entsprechen. Die Randkapitel registrieren Erfahrung, der Autor reiht Gesehenes und Gehörtes, Fetzen
oft banalster Wirklichkeit aneinander, resigniert, abge-
klärt, als habe er ein Amt und keine Meinung; Reihungen
vieler Stimmen, Äußerungen der Unsicherheit und der
Hilflosigkeit: »Es ist alles so finster heute, so trübe, blöde
und öd ... Es fängt nichts an, es geht nichts weiter, es hat
keinen Zweck mehr, es hilft nichts, es kommt keine Sonne
auf, weder am Himmel, noch im Herzen ... es ist ein
unbeschreiblicher Zustand ... es kommt keiner und sagt,
daß alles so öde heute ist, so kalt und so still und daß es
nicht mehr zum Aushalten ist.«

Kapitel zwei und zehn führen an beiden Seiten einen
Schritt weiter über die subjektive Wahrnehmung hinaus,
der Satzbau schmilzt, die Sprache verläuft in Assozia-
tionsketten, hält sich nicht mehr bei den Augenblicken
auf, sondern rafft sie vielmehr in ihrem Fluß zu Versuchen der Erinnerung und der Erkenntnis zusammen, das

sprechende Subjekt gleitet vom Gegenstand zu Gegenstand, wird aber nun zunehmend zum Autor selbst, dessen Monolog jetzt an die Ränder gelangt: »... zum Beispiel am Sonntag mit der Sucht nach Wasser und Grün beginnt der Straßenkampf ist aber nur eine Randerscheinung wie all das was an den Rändern übrigbleibt als Ereignis ohne die Erkennbarkeit der Ursachen läßt man also auf sich beruhen...«

Hier tritt, verstärkt, eines der Leitmotive des Buches hervor, das »Auf-sich-beruhen-Lassen« aus furchtbarer Ohnmacht. Kapitel drei und neun sind syntaktisch wieder durchsichtiger, sie gebärden sich in referierender Umgangssprache mit saloppen Zwischenwürfen, trivialen Elementen und erzeugen damit ein Spannungsverhältnis zum Inhalt, dessen Themen, sich ständig wieder verwischend, in zyklischen Wellen eine Landschaftstopographie aufbauen, und, ausgehend von mediterraner Idylle – hier erscheint diskrete persönliche Erinnerung – und von historischen Genrebildern, einen Kosmos des Entsetzens erstehen lassen, oder vielmehr: nach Willen des Autors nur die Ränder dieses Entsetzens streifen: »... Wunder über Wunder! sieh mal, dort können die Leute jetzt brennen, dort können sie baden, dort stehen sie im Wind, dort hängen sie an den Bäumen, dort regnets, dort fällt was vom Himmel was keiner sieht, was wiederum jeder weiß, der nur der Bläue nicht vertraut...«

In den Kapiteln vier und acht werden die Wahrnehmungen zu Bruchstücken, kurz untereinandergereiht, so daß sie sich wie Lyrik lesen. Hier spricht, unverfremdet, der Autor selbst, zählt ein Register von Erfahrungen auf, um sich in den Kapiteln fünf und sieben in langsamer werdenden Rhythmen dem Verstummen zu nähern.

Keine Erzählprosa also, sondern Protokoll, persönlich Erlebtes, Mitgeschriebenes, Mitangehörtes, Äußerungen, die wir alle kennen – was hier wiedergegeben wird, haben wir oft gehört und selbst gesagt –, Aufzeichnung un-

serer eigenen Erfahrung. Die Metapher wird vermieden
wie jeder allzu kunstvolle Umgang mit der Sprache, so
daß augenfällige Schönheit sich nur dort ergibt, wo sie,
sozusagen, nicht zu vermeiden ist: ». . . der Regen hat die
neuen Städte ausgelöscht, in den alten wohnt wieder der
Schnee; der Wind schickt seine Stimmen in jedes Haus . .«

Aber nicht in diesen Passagen liegt die überragende
Kunst Beckers. Sie liegt in der Qualität seiner Verzweiflung, dazu in der Ausdrucksskala eines äußerst empfind-
samen Wahrnehmungsvermögens, einer Irritabilität, die
sich auch an Alltäglichstem aufreibt und dadurch, in kon-
trapunktischer Suggestion, Sehnsucht schafft, Sehnsucht
nicht nur nach einer Welt ohne Verbrechen, sondern auch
nach anderen Lebensformen, nach größerer Klarheit, die
in Worte zu fassen wäre.

Im Verlangen nach einer anderen, reproduzierbaren
Realität werden die wiederkehrenden Figuren immer neu
angeleuchtet, die Requisiten und Regionen – im ersten
Teil das Mittelmeer, im Rücklauf das Zuhause –, der
Abflug der täglichen DC 8, Gefährten und Filmstars und,
nicht zuletzt, das erzählende Ich selbst, die 6. Flotte, die
Katze Nina.

Aber nicht diese Dinge sind Beckers Thema, sondern
das Schreiben selbst, oder vielmehr die Unbeschreiblich-
keit, das Versagen vor dem Entsetzen: Es bleibt bei Rändern, bei der Resignation, dem absichtlichen Gebrauch
abgenutzter Wortlaute, ohne Bravoura, im Verzicht auf
jeglichen Glanz, der das Objekt aus seinem Rahmen heben könnte. So entstehen diese Variationen, die in ihrer
Wahrhaftigkeit, im Aussparen der Erschütterung erschüttern.

Dem Band ist, anstelle eines Klappentextes, ein loses
Blatt mitgegeben, eine Art diskreter Leseanweisung, die
ein wenig apologetisch anmutet. Als wolle der Verlag den
Leser um Entschuldigung bitten, daß Becker so und nicht
anders, also keinen Roman schreibe.

In Wirklichkeit, so sollte man meinen, wäre es eher der Roman, dessen immer mühsamer werdende Konstellationen heute einer Verteidigung bedürften. Denn er ist keineswegs tot. Im Gegenteil, wie Becker richtig sagt: »Der Roman lebt und lebt« (»Ränder«, Seite 19, Zeile 3). Man sollte ihm dankbar sein, daß er keinen geschrieben hat, sondern dieses Buch.

Fritz J. Raddatz

DER BLINDE SEHER

Überlegungen zu Karl Kraus

Niemand, so sagt man, kann für seine Feinde; doch vor seinen Freunden hüte man sich. Karl Kraus, den man – im Sinne von Schausteller und Fallensteller – Österreichs großen Wortsteller nennen sollte, tat's umgekehrt: sorgsam wählte er seine Feinde aus, züchtete sie gleichsam liebevoll, und ganz sorglos genoß er einen Schranzenstaat von Freunden, Bewunderern. Der sich den Anschein gab, Akklamation, Ruhm gar seien ihr gleichgültig, verrät doch immer wieder, wie wichtig es ihm war, gelesen, beachtet, ja geschätzt zu werden. Obwohl er sogar ehrerbietig, gelegentlich schon unterwürfig anfragenden Lesern grobe und verletzende Briefe schrieb, legte er eben doch auf Leser Wert.

Sogar in erbitterten Fehden, etwa mit Maximilian Harden, betont Kraus ganz stark – und ganz unlogisch: denn was ist das Lob eines so Verachteten und Verächtlichen wert? – frühe Anerkennung und Bewunderung. Zwar stellt er von sich aus schon fest, daß »meine Entwicklung heute meinen Todfeinden Achtung abnötigt«; aber sicherheitshalber zitiert er Harden aus dem 2. Heft der *Fackel*, in dem ihm »starkes Talent und beneidenswerte Frische des Witzes« bescheinigt werden, »Mut und jene frische Kraft, die sich pantherhaft in Zorn und Spott austobt«. Schon im Juni 1908 – mit 32 Jahren also schon ganz sicher, einmal Gegenstand der Forschung zu sein – fürchtet er, »die literarische Forschung könnte von Harden das Lob meines Schaffens beziehen«. Angebracht wäre diese

Furcht gewesen denen gegenüber, die dem »Cardinal« (wie ihn Else Lasker-Schüler in ihren Briefen bisweilen nannte) noch zu Lebzeiten Weihrauch schwenkten. Die von Kraus übrigens sehr geschätzte Lasker-Schüler ironisierte auch den Hofhaltenden: »Ein gütiger Pater mit Pranken, ein großer Kater, gestiefelte Papstfüße, die den Kuß erwarten. Karl Kraus ist ein Papst. Von seiner Gerechtigkeit bekommt der Salon Frost, die Gesellschaft Unlustseuche.« Tatsächlich hat Kraus nie ein Wort auch nur der ironischen Belustigung, geschweige denn der Distanz etwa gegen Leopold Lieglers 1918 erschienene kleine Huldigungsschrift – oder dessen umfangreiche Studie, die ein Jahr darauf erschien – geäußert. Liegler schwärmt vom ungebrochenen Lebensinstinkt: »Dieses Naturgegebene und Unreduzierbare, das in seiner Einmaligkeit Anerkennung seiner Eigengesetzlichkeit beansprucht, wirkt auch in Karl Kraus.«

Über niemanden hätte so geschrieben werden dürfen – der Kritiker Karl Kraus wäre erbarmungslos gewesen. Aber nicht hier, nicht bei den über 400 panegyrischen Seiten, die Liegler im Frühjahr 1919 »der Öffentlichkeit übergab« und denen er als geistiges Motto ausgerechnet ein Wort des Meisters Ekkehart voranstellte: »Frucht bringen, das heißt wirklich danken für eine Gabe.« Kraus bedankte sich nicht für derlei Gaben, er nahm sie entgegen. Das böse, auf Karl Kraus gemünzte Wort Robert Musils von der »geistigen Diktatorenverehrung« ist verständlich, zumal wenn das Impressum all dieser Huldigungsdrucksachen immer den »Verlag der Buchhandlung Richard Lanyi, Wien« ausweist; wie der Zufall es will, stand dieser Verlag in geschäftlichen Beziehungen mit der Druckerei der *Fackel*, Kraus' Freund Georg Jahoda und Kraus selber waren eng mit Lanyi befreundet. Entsprechend dem Aufdruck des *Fackel*-Umschlags:

»Die Zusendung von Büchern, Zeitschriften, Einladungen, Ausschnitten, Drucksachen, Manuskripten oder brieflichen Mitteilungen irgendwelcher Art ist unerwünscht. Antwort oder Rücksendung erfolgt in keinem Falle. Das etwa beigelegte Porto wird einem wohltätigen Zwecke zugeführt«, gab Kraus tatsächlich alle Buchsendungen der Buchhandlung Lanyi zum Verkauf.

Freilich mag unwahrscheinlich sein, daß dieser an Ruhm und Nachruhm so uninteressierte »zürnende Magier und weiße Hohepriester der Wahrheit«, wie Trakl ihn nannte, etwa die Festschrift zu seinem 60. Geburtstag nicht gekannt haben sollte. Sie erschien, »herausgegeben von einem Kreis dankbarer Freunde«, 1934 im Verlag der Buchhandlung Richard Lanyi. Jaques Brindejont-Offenbach jubelt darin:

»Glücklicher, glücklicher Karl Kraus, der Sie in Ihrem Turm von Kristall und Elfenbein wohnen mit Ihren Träumen und Ihren Enttäuschungen, und der Sie niedersteigen können zu jenen, die nicht zu Ihnen hinaufzugelangen vermögen!«

Für Karel Čapek ist Kraus »der größte Lehrmeister«, Alban Berg feiert ihn »als einen der größten österreichischen Künstler, als einen der größten deutschen Meister«, und ein (seit 1931) Arbeitsloser schreibt an den »Hochverehrten Herrn«

»In diesem Sinne dulden Sie den Dank des Namenlosen, der in Ehrfurcht Ihre Hand faßt, die ihm aus der Trostlosigkeit des Erwerbslebens und der noch größeren des öffentlichen Lebens in das Reich des Geistes die Bahn wies.«

Nicht allein der Ton der Hymne und des Weihevollen ist interessant an diesen Gedenkworten; aufschlußreich sind sie vor allem durch das, *was* sie hervorheben: so war also der große Zeitsatiriker, der Mann, der in seinem Selbstverständnis gern dem Wort Kierkegaards folgte, demzufolge »ein einzelner Mensch seiner Zeit nicht helfen oder sie retten kann, der aber ausdrücken kann, daß

sie untergeht« – so war Karl Kraus für seine Anhänger
der Bewohner eines »Turmes von Kristall und Elfenbein«, war einer, der dem sozialen Menschenmüll, den die
Weltwirtschaftskrise produzierte, keineswegs Einsicht in
die Lage der arbeitenden Klasse gab, sondern »Wege aus
der Trostlosigkeit des Erwerbslebens« wies. Und keineswegs liegt hier Zufall, gar Mißverständnis vor.

Die Ausschließlichkeit, mit der Karl Kraus dem Rausch
und der Sucht des Wortes opferte, die rasende Volte der
Lettern, der er sich hingab – das wurde nicht Mittel zur
Erkenntnis, sondern Barriere. Der Sog, den das Ereignis
Sprache auf Kraus ausübte, begann früh, schon aus der
Schulzeit kennen wir den absonderlichen Bericht des Professors Sedlmayer (der später in der *Fackel* verewigt wurde) über des kleinen Tertianers Karl Kraus' Verzweiflung, »gar so schwach im Deutsch zu sein«:

»Ach ja, wenn ein Gedicht zu memorieren oder eine
Partie Grammatik zu lernen ist, das kann ich freilich;
aber schreiben kann ich nicht; ich habe keinen Stil; und
drum möchte ich Sie bitten, mir ein Aufsatzbuch zu empfehlen, aus dem ich den deutschen Stil lernen könnte.«

Man weiß, daß Kraus noch nach 40 Jahren die Namen
seiner Mitschüler in alphabetischer Reihenfolge hersagen
konnte. Schulzeit und Lesebuch waren der Beginn eines
mythischen Sprachopfers, in dessen sakralem Feuer – bis
hin zum Theatermammut »Die letzten Tage der Menschheit« oder der eifervollen »Dritten Walpurgisnacht« –
Verstehen und Analyse vergingen. Kraus' Gestus
schwankt zwischen Gebet und Aphorismus, sein Stil und
seine Ausdrucksmöglichkeiten tradieren beides. Sogar sein
bieder-kritikloser Biograph Paul Schick muß, etwa bei der
Untersuchung des Antikriegsgedichts *Es werde Licht,* zugeben, »sein Verhältnis zur Sprache war ein religiöses«.
Es soll hier nicht Kraus' Austritt aus der Jüdischen Gemeinde (12. 10. 1899) und seine Konversion zum Katholizismus überinterpretiert werden, aber natürlich ist dieser

ganz erzwungene – und von ihm erst nach dem Weltkrieg zugegebene – Schritt Ausdruck seines Wunsches
nach Bindung, wenn nicht Verklärung. Wichtiger als dieses gern zum biographischen Detail heruntergespielte In-
diz ist Kraus' sprachliches Eigenverständnis. Seine –
durchweg zweitrangige – Lyrik enthält besonders zahlreiche Reflexionen über den sprachlichen Schaffensprozeß;
für ihn ist Dichten gleichsam ein philologischer Umweg
auf der Rückkehr ins verlorene Paradies:

»Im Dunkel gehend, wußtest du ums Licht,
Nun bist du da und siehst mir ins Gesicht.
Sahst hinter dich und suchtest meinen Garten.
Du bliebst am Ursprung. Ursprung ist das Ziel.
Du, unverloren an das Lebensspiel,
nun mußt, mein Mensch, du länger nicht mehr warten.«

Peter Rühmkorf machte einmal in einer kritischen Studie zu Karl Kraus' Aufsatz »Der Reim« darauf aufmerksam, daß die Kraussche Lehre vom Reim als einer
organischen Einheit aus Zusammenhang und Zusammen-
klang deutlich die bürgerliche Glaubensdreiheit des Guten,
Wahren und Schönen verrät:

»Daß ihm ›der soziologische Bereich nie transparent
wird‹, hat schon Walter Benjamin in seiner Krausab-
handlung hervorgehoben, und, in der Tat, in dem Maße,
wie ihm die Sprache zur Ur- und Natursache sich verklärt, verschließt sich das Bewußtsein der historischen
Wahrheit. Daß das Kunstgesetz womöglich nicht nur zwischen dem Individuum und der Sprache auszuhandeln sei,
lag außerhalb seines Erkenntnisvermögens... Daß die
Meinung, das dichterische Individuum könne in der Sprache zu sich selber finden, womöglich nur eine Ableitung,
die Antizipation eines Naturrechtes der Sprache ein
Kunstprodukt, der Glaube an eine innere Notwendigkeit
des Verswerkes ein Derivat des bürgerlichen Idealismus
sein könnte, fiel ihm nicht ein.«

In dem Band »*Worte in Versen*« stehen die beiden aufschlußreichen Gedichte »*Arbeit*« und »*Der Tag*« hintereinander abgedruckt, eine Art lyrisches Protokoll seines Tageslaufs (bekanntlich arbeitete Kraus fast immer die Nacht hindurch); nach einem Blick durchs Fenster – also einem Blick auf die Realität –, der eher irritiert und ablenkt, heißt es dann: »Und ich geh zurück an mein Gebet.« Arbeit = Gebet. Das ist die kürzeste Formel für Kraus' Irrationalismus, für seine Beziehung zur Sprache, die Versenkung, Entrückung eher war denn Mittel der Erhellung, der – horribile dictu – Aufklärung gar. Karl Kraus war ein Gegenaufklärer. Was zu beweisen wäre.

*

Untrügliches Zeichen des Irrationalen ist das Personalisieren jedes Problems – ob moralisch, wirtschaftlich oder politisch. Es ist das Aufgeben der Möglichkeit, Zusammenhänge, Kausalitäten zu erkennen. Schon Engels sagt: »Erst die wirkliche Erkenntnis der Naturkräfte vertreibt die Götter oder den Gott aus einer Position nach der anderen.« Auf Karl Kraus angewandt hieße das, seine Minigötter und Zwergdämonen – Harden, Bahr, Ehrenstein, Benedict usw. – wären vom Ereignis zum Typ avanciert, zum Repräsentanten, wenn Kraus »die Naturkräfte« – also die Kräfte der Gesellschaft – erkannt hätte. Es wäre ihm, wer weiß, sogar etwas zu Hitler eingefallen ...

Der Reduktionsprozeß aber vom großen Sprachschatz über das Kleingeld Aphorismus zur Sprachlosigkeit ist innerlich voneinander abhängig. Der Aphorismus, den Kraus selber – in einem Aphorismus – als halbe oder anderthalbe, nie ganze Wahrheit charakterisiert, ist eben jenes Sprachmittel, das allenfalls zur diagnostischen Beobachtung, nie zu mehr führen kann. Nicht zufällig fällt hier das Wort des Medizinmannes »Diagnose«: Die »Aphorismi« des Hippokrates gelten als älteste Belege der Gattung – und sind prompt medizinische Ratschläge, wie auch die spätere Sammlung des Johannes de Mediolano »Regimen sanitatum Salernitatum«. Von der Medizin her also, vom Versuch, ein Krankheitsphänomen in kurzer Chiffre festzuhalten, stammt der Begriff Aphorismus. Es ist die Fixierung eines Tatbestandes, nicht seine logische Aufschlüsselung, seine De-Chiffrierung. Typischwerweise ist ja sogar bei Lichtenberg der Aphorismus von der eher pietistisch-irrationalistischen Reaktion auf die Aufklärungsphilosophie geprägt. Man erinnere sich auch der eigentlichen Wortbedeutung von a phorizein = abgrenzen, also dem Gegenteil von Zusammenhang herstellen; ein logisch-grammatikalischer Laserstrahl, gleichsam.

Tatsächlich geht kaum einer der so hochberühmten, vielgepriesenen und mundschleicherischen Krausschen Aphorismen über den Wortwitz hinaus. Monogamie mit Einheirat zu übersetzen oder den Parlamentarismus die Kasernierung der politischen Prostitution zu nennen oder von der Unergründlichkeit der Oberflächlichkeit des Weibes zu sprechen – dazu würde man Wolfgang Neuß schon gratulieren. Wortpirouetten, mit großen Schleiern der Koketterie, der gefälligen Selbstbeobachtung; aber sie grinden und mahlen und knirschen – und beobachten nichts, machen nicht sehend. Wenn Karl Kraus vom »Heiligen Verteilungskrieg« spricht, denkt er leider nicht an die weltkriegsräuberische Neuaufteilung der Märkte, sondern er macht ein Witzchen über fouragierende Oberleutnants; und wenn er »chlorreiche Offensiven« verkündet, ist nicht von den Vorläufern der IG-Farben die Rede. Da ist viel Listiges, Verdrehtes und vom Kopf auf die Füße und wieder auf den Kopf Gestelltes, gewiß; da ist auch manches gut Erinnertes: »Man lebt nicht einmal einmal« kennt man zum Beispiel schon von Rückert; da ist viel

Biertischulk oder Heurigenschäkerei, auch manch pointil-
listischer Treffer, der von intellektueller Brennschärfe
zeugt – wer freute sich nicht, wenn's über Stefan Zweig
heißt »aufgewachsen bei Opitz«; da gibt es aber nichts,
das unserer Zeit in ihrer verschlungenen Sprache auf die
Schliche gekommen wäre: zur Fremdenwerbung der Na-
zimörder zu lesen »Germany invites you. Aber dann gab's
Haudujudu« – das ist in seiner Banalität fast so schlimm
wie die Sache, um die es geht. Albert Ehrenstein nannte
so was »Noch ein Apokalypserl gefällig, der Herr«?

Das Bewegungsgesetz der Welt war für Karl Kraus die
Rotation – die bekanntlich zu nichts führt; außer, daß
mit ihrer Hilfe zum Beispiel Zeitungen gedruckt werden
können. So litt er an diesem Sekundäraffekt, bekämpfte
die Zeitung – statt die Zeit. Als im April 1899 die erste
Nummer der *Fackel* erschien, hieß es im Leitartikel auf
der ersten Seite:
    »In einer Zeit, da Österreich noch vor der von radikaler
Seite gewünschten Lösung an akuter Langeweile zugrunde zu gehen droht, in Tagen, die diesem Lande politische
und soziale Wirrungen aller Art gebracht haben, einer
Öffentlichkeit gegenüber, die zwischen Unentwegtheit
und Apathie ihr phrasenreiches oder völlig gedankenloses
Auskommen findet, unternimmt es der Herausgeber dieser
Blätter ... einen Kampfruf auszustoßen. Der ihn wagt,
ist zur Abwechslung einmal kein parteimäßig Verschnit-
tener, vielmehr ein Publizist, der auch in Fragen der Politik die ›Wilden‹ für die besseren Menschen hält ...
Das politische Programm dieser Zeitung scheint somit
dürftig; kein tönendes ›Was wir bringen‹, aber ein ehr-
liches ›Was wir umbringen‹ hat sie sich als Leitwort
gewählt.«
    Es war die falsche Lanze, und sie war falsch eingelegt;
zumal Karl Kraus nie versuchte, »was« umzubringen,
sondern immer »wen«. Von allem, was um die Jahrhun-

dertwende Zeit und Sprache und Denken, Moral und politischen Willen formte oder vorformte, gibt es da nichts.
Vom Burenkrieg oder Chamberlains »Grundlagen des 19.
Jahrhunderts«, vom Inkrafttreten des BGB in Deutschland oder dem zweiten deutschen Flottengesetz (zur
stärksten Erweiterung der deutschen Flotte bis 1917) oder
dem Nobelpreis an Wilhelm Röntgen, von Lenins und
Plechanows Gründung der Zeitschrift ISKRA oder Eduard Bernsteins »Voraussetzungen des Sozialismus« – um
nur einige wenige, diverseste Punkte, Daten aus den Jahren 1899–1901, des großen Rasters »Zeit« zu setzen –:
kein Wort in der *Fackel*. Die Mächte der Zeit, degeneriert
zum Wort-Gemächt, kommen nicht vor. Karl Kraus handelt ab; zum Handeln wird nicht gerufen.

Dagegen greift er von Beginn an publizistisch in den
Revisionsprozeß gegen Dreyfuß ein, der 1899 in Rennes
abläuft, und gibt dem 74jährigen Wilhelm Liebknecht –
ein Jahr vor seinem Tode – Raum zu einem scharfen Angriff auf Dreyfuß und seine Verteidiger. Wozu man sich
vergegenwärtigen muß, daß dieser Prozeß sich längst von
seinem eigentlichen »Objekt« abgelöst hatte und die Verurteilung Dreyfuß' einem internationalen Sieg des Antisemitismus gleichgekommen wäre. (Zwei Jahre später
sollten die berüchtigten »Protokolle der Weisen von
Zion«, eine antisemitische Fälschung der russischen Ge-
heimpolizei, eine neue Welle des Antisemitismus bis hinein nach Deutschland auslösen.) Karl Kraus aber identifizierte sich in einem freudigen Vorspann mit Liebknechts
»Dreyfuß ist schuldig«-Thesen. Von der ersten Minute
der *Fackel* an verrennt er sich in Figuren, haßt er sich heiß
an einer Person; und statt mit kühlem Verstand Strö-
mungen oder Vergiftungen dieser Welt zu analysieren,
moniert er Laut-Krusten. Zola war wohl zu schrill. Leopold Lieglers Hagiographie hält dann auch die Äußerung
des Meisters fest, daß seine unbedingt *geistige* Einschätzung jeder menschlichen Leistung an politische Probleme

gar nicht heranreichen könne und man sich an der versündige, wenn die bloßen Lebensnotwendigkeiten als ein Letztes und Endgültiges, als ein etwa den Geist Bindendes hingestellt würden.

Mit solchem Rüstzeug ist es schwer, etwa einem Heinrich Heine beizukommen: prototypisch für eine einsichtslose – und damit aussichtslose – Kritik ist Kraus' Aufsatz »Heine und die Folgen«; nicht nur kann man auf 23 Seiten einen Jahrhundertkerl nicht »erledigen«, sondern einen so vielfacettierten Autor wie Heine kann man nicht begreifen, begreift man nur seinen Stil. »Franzosenkrankheit« zu Heines Spracheleganz zu sagen, ist natürlich ganz ulkig, und der berühmte Satz, Heine habe der deutschen Sprache so sehr das Mieder gelockert, daß heute alle Kommis an ihren Brüsten fingern können, hat soviel Witz, wie man ihn im Kaufhaus bei den Miederwaren-Kommis erwarten kann. Heines Prosa, die Kraus ganz ohne die Spur eines Beweises »Witz ohne Anschauung und Ansicht ohne Witz«, seine Poesie, die er »Operettenlyrik« nennt, wird zwar »zur Strecke gebracht«, aber nicht analysiert, nicht ergründet. Kraus macht aus Heine ein Feuilleton. Ob Heine oder Tucholsky, ob Kerr oder Harden – Kraus duldet nicht, daß ein anderer mit der Sprache spielt; und versucht, die Literatur dieser anderen von ihrer Sprache her zu erfassen. Und er ist es, der dabei auf der Strecke bleibt: schließlich entzieht sich ihm, dem Wortnarren, sogar die Sprache, schon gar, was darunter liegt.

Denn schuldig bleibt Kraus seinen Lesern durchaus, Tadel gegen Erkenntnis, Verdikt gegen Interpretation abzuwägen. Gegen das »Heinisieren« polemisierten vor ihm schon andere, Fr. Th. Vischer etwa in seinen »Kritischen Gängen« bei der Kritik an Herweghs frühen Gedichten; wobei er offenbar auf den Autor des »Buch der Lieder« abhob, den frühen, unpolitischeren Heine also. Es ist wohl nicht zufällig, daß Kraus die Reisebilder in seiner Polemik ganz außer acht läßt: hier wäre Gelegenheit, ohne Augen-

zwinkern das Entstehungsgesetz einer literarischen Form
zu bestimmen. Schon 1826 klagte ja Heine, daß ein Dichter, der nicht genau weiß, ob er Hildburghausenscher
Meiningischer oder Altenburgischer Untertan sei, schwerlich ein nationales Heldenlied hervorbringen könne. Die
Reisebilder, eine Art literarischer Versuch, Deutschland
zu einigen, sind als Möglichkeit politischer Publizistik
entstanden – schon die »Briefe aus Berlin« erschienen
1822 als Folge verschiedener Feuilletons im »Rheinisch-
Westfälischen Anzeiger«, der Aufsatz »Über Polen« ebenfalls als Zeitungsartikel 1823 in der Berliner Zeitschrift
»Der Gesellschafter oder Blätter für Geist und Herz«.
Und aus Heines Briefen an Karl Immermann oder M.
Moser geht deutlich hervor, daß er bewußt diese literari-
sche Form als Vehikel unbequemer politisch-nationaler
Ideen benutzte, als Propagandainstrument gar für die
Gedanken der Französischen Revolution. Heine steht da-
mit ganz deutlich in einer spezifischen literarischen Tra-
dition, ob man nun an Herders »Journal meiner Reise im
Jahr 1769«, Goethes »Italienische Reise« oder Seumes
»Spaziergang nach Syrakus« denkt: Der Versuch, Reise
als politisches Belehrungs- oder Lehrinstrument zu sehen,
als Möglichkeit, aus Information politische und soziale
Kritik zu münzen. Daß sich eben daraus eine spezifische
Literatur*form* bildet, ein höchst bemerkenswertes Amal-
gam aus scheinbar subjektiven Eindrücken und offenbaren
Befunden objektiver – meist unbequemer – Realitäten,
ist Karl Kraus im Schaumbad der eigenen Artikulation
entgangen. Er hat sich immer wieder, auch seine Heine-
Demontage zeigt es, der Chance begeben, Ursachen und
Zusammenhänge zu erkennen. Die Kausalität wird bei
Karl Kraus zierlich verrührt zur *cause célèbre*. Die gro-
ße Heinekritik bleibt ein 23seitiger Aphorismus, ein Wiener Capriccio.

Aber auch Bahr oder Kerr oder Harden mußten »umgebracht« werden. Der große Widersacher Harden: eigen-

artig, Karl Kraus kam nie von ihm los – und wurde ihn
nie los; denn genau dessen Polemik-Stil, dessen denunzia-
torische Gebärde wurde Stil und Gebärde des feindlichen
Bruders in Wien. Das tief verankerte Status-Quo-Den-
ken, der eigentliche Wunsch nicht etwa nach Veränderung, gar Umsturz, sondern nach dem »besseren König«,
die bißwütige Kritik am Phänomen neben dem blindwü-
tigen Übersehen, ja Ignorieren der Ursachen – das mar-
kierte Harden und seine *Zukunft* wie Kraus und seine
Fackel (die ja aus gemeinsamer Beratung hervorging).
Kraus' Lieblingsfall wurde nun Maximilian Harden –
wie der im homosexuellen Fürsten Eulenburg den seinen
hatte. Die interessante Überlegung – ganz gleichgültig,
ob der Fürst nun die Gärtner den Blumenmädchen vorzog
–, welchen Einfluß diese reaktionäre Hofkamarilla etwa auf den preußischen Staat hatte, kam bei Harden
nicht vor; ihn, und außer ihn eigentlich niemanden, inter-
essierte, was nächtens im Bett des Fürsten geschah oder am
Tage auf dem Starnberger See. Der Wilhelminismus wurde nicht in Frage gestellt, wurde eher interessant. Was
dem einen der Phallus, war dem anderen die Feder: Kraus
berauschte sich am Schlachtfest, das er mit Stil und sprachlicher Eigenart Hardens anrichten konnte. Er erfand nicht
nur das Wort »Herr« als Beleidigungstitel; er erfand auch
die Übersetzungen aus dem Deutschen ins Deutsche. Was
nun, fürwahr, im Fall Harden lohnend und amüsant war,
wenn man links den *Zukunfts*-Schwulst und rechts den
nüchternen Sinn las:

Den Sitz Konstantins er-klettern	Den byzantinischen Thron besteigen
Der Kongreß der von Bo-napartes Tatze zerstückten Europa	Der Wiener Kongreß

Die für den Kaiser gedeckte Tafel wird mit allen Wundern südlichen Lenzes geschmückt	An der Hoftafel wird junges Gemüse serviert
Unterm Wonnemond ein borussisches Sodom bezetern	Im Mai über preußische Sittenverderbtheit klagen
Onans Schatten schleicht durch Schulen und Internate	In Schulen und Internaten gehts zu
In dem rotwangigen Weißkopf zitterts vor verhaltener Erregung	Bernstein ist aufgeregt
Des Sexualtriebes Befriedigung hat die junge Seele schon gekitzelt	Der Riedel war keine Unschuld mehr
Die Herren, die vom Mann heischen, was dem Normalen das Weib gewährt	Die Homosexuellen
Das Ohr läßt von außen her keine Schallwelle durch das ovale Fenster ins knöcherne Labyrinth	Man hört nichts
Das Gefäß, dem ein Kindlein entbunden werden kann, mag Eifersucht bewachen	Auf eine Frau kann man eifersüchtig sein
Der Justizrat fältelt die Wange	Bernstein wird nachdenklich
Ein Thronender	Ein Monarch
Er hat auf einem Bau gefront	Er war Bauarbeiter
Eine, die sich dem Herd verlobt hat	Eine Hausfrau

| Über der Löwenbucht ver- | Marseille, 5. August |
| glüht der fünfte Augusttag | |

Zwischen der Rue Honorat	Meine Lokalkenntnis ist
und der Cannebière regt	verblüffend
sich's	

| Die mit Bouillabaisse und | Die Bewohner von Mar- |
| Südwein Genährten | seille |

Das ist nicht nur lustig, zänkisch und ein Beutel vom
Zorne Léautauds – es ist alles auch richtig. Nur sonderbar: wenn man 60 Seiten lang das Sausen des Rohrstocks
gehört hat, dann tut einem der Schüler leid und der Lehrer, er mag so schrecklich recht haben, wie er will, hat
unrecht. Karl Kraus hatte unrecht: denn er macht gar
nichts deutlich als: Maximilian Harden schreibt schlechtes Deutsch. Welche Verschleierungsfunktion dieser Ent-
schleierungsjournalismus hatte, beispielsweise, macht
Kraus nicht kenntlich. Er erkennt es nämlich nicht. Und
wer selber sprachlich so oft entgleist, wer diverse Male
»offene Hosentüren einrennt« und, gleich dreimal –
weil er's offenbar so gelungen findet – der jüngeren
Dramatik vorwirft, sie »schürze den dramatischen Knoten aus einem Jungfernhäutchen«; wer Harden ein Ein-
kommen von 52 000 Mark jährlich vorrechnet; wer dauernd positive Urteile solcher Autoritäten wie Liliencron,
Friedrich Uhl oder Fritz Mauthner über sich zitiert; wer
einem Kritiker – R. M. Meyer – die Kastrierung anbie-
tet; wer es offenbar geistreich findet, von Bruno Cassirer
als dem »Cassirer der Kunst« zu sprechen oder von Willy
Haas als dem »Berliner Annoncenacquisiteur«; wer zum
Kronzeugen für die Untaten der *Neuen Freien Presse*
Gott und die Welt und Richard Wagner anruft – dem
darf man Karl Kraus zitieren: »Wer einmal lügt,
glaubt einem andern nicht, und wenn der auch die Wahrheit spricht.«

Einmal nur, dieses einzige Mal, steht Kraus der Ton der Würde zur Verfügung, ist er der wirklich Überlegene: als er sich verbittet, daß Harden auf seine Liebesgeschichte mit der Schauspielerin Annie Kalmar anspielt, sie »einen grotesken Roman nennt«; hier, wo es um Persönlichstes geht, wo persönliche Verteidigung und Attacke angebracht sind, hat seine Sprache Pathos und Schönheit: »Doch um dieses einen Satzes willen lasse ich ihn nicht mehr los. Hier ist er in der Bahn, auf der er heute in Deutschland mit vollem Dampf fährt – aber durch meine Reiche kommt er nicht unbeschädigt. Hier ist die Gemeinheit am Ende. Und sie zeigt noch einmal, was sie kann. Jetzt erst fühle ich ihre Möglichkeiten, jetzt erst begreife ich den Plan, der ihren Vorstößen gegen das privateste Erleben zugrunde liegt: Die Unfähigkeit, vor dem Geist zu bestehen, vergreift sich am Geschlecht. Mein grotesker Roman lag Herrn Harden nicht als Rezensionsexemplar vor, aber er wußte von ihm, weil ich ihn besuchte, wenn ich auf meinen Reisen zu einem Sterbebett in Berlin Station machte. Für die groteske Art dieses Romans leben Zeugen wie Alfred V. Berger, mit dem er so viel über mich gesprochen hat, und Detlev v. Liliencron. Deutschlands großer Dichter weiß, wo der Roman beendet liegt, und hat das Grab in seinen Schutz genommen. Herr Harden in seinen Schmutz. Ich aber sage ihm: Ein Roman, den der andere grotesk findet, kann mehr Macht haben, eine Persönlichkeit auszubilden, als selbst das Erlebnis, von einem Bismarck geladen, von einem Bismarck hinausgeworfen zu sein. Aus den Erkenntnissen dieses grotesken Romans erwuchs mir die Fähigkeit, einen Moralpatron zu verabscheuen, ehe er mir den grotesken Roman beschmutzte. Was weiß er denn von diesen Dingen! ... Für seine Kritik meines grotesken Romans wird er mir Rede stehen. Nicht in seinem Blatte. Denn dies könnte meine Gegenrede bewirken, und er ist von meiner Unerschöpflichkeit überzeugt. Er wird nicht. Aber jetzt ist der

Augenblick gekommen, wo sich dem Motiv des Undanks wirklich das der Rachsucht gesellt ... Er ahnt gar nicht, und niemand ahnt es, welcher Gesetzesübertretungen ich fähig bin, wenn es gilt, einen grotesken Roman gegen einen nichtswürdigen Rezensenten zu schützen!«

Keineswegs aber ist Karl Kraus, der heute gern und viel zum Säulenheiligen der Sprache ausgerufen wird – keineswegs ist Karl Kraus ein Stilist solchen Karatgehalts. Seine Wortkatarakte sind oft berauschend und betäubend, eifervoll und voller Schaum. Er überinstrumentiert, begräbt Meinung und Verständnis unter Geröllhalden von Vokabeln, ein gelegentlich pathologisch anmutender Zungensturz erstickt eher als artikuliert. Plötzlich, bei vielen Schwingungen der berüchtigten Denunziationsgirlanden, an vielen Passagen seiner Zerstör-Prosa, steht man unter dem Eindruck, nicht ein Wolf bleckt kraftvoll seine Zähne, sondern zähneknirschend hat sich jemand einen Wolf geredet. Auch Karl Kraus läßt sich »übersetzen«:

In dieser großen Zeit, die ich noch gekannt habe, wie sie so klein war;	Am 1. 9. 1914 ist der Krieg ausgebrochen, und ich bin am 28. 4. 1874 geboren
die wieder klein werden wird, wenn ihr dazu noch Zeit bleibt;	wir werden den Krieg nicht gewinnen
und die wir, weil im Bereich organischen Wachstums derlei Verwandlung nicht möglich ist, lieber als eine dicke Zeit und wahrlich auch schwere Zeit ansprechen wollen;	es geht uns nicht gut

in dieser Zeit, in der eben das geschieht, was man sich nicht vorstellen konnte, und in der geschehen muß, was man sich nicht mehr vorstellen kann, und könnte man es, es geschähe nicht –;

ich – und alle andern: »man« – hatte vor dem 1. 9. 1914 nichts begriffen

in dieser ernsten Zeit, die sich zu Tode gelacht hat vor der Möglichkeit, daß sie ernst werden könnte;

ich – und alle andern – haben nur Witzchen gemacht

von ihrer Tragik überrascht, nach Zerstreuung langt, und sich selbst auf frischer Tat ertappend, nach Worten sucht;

ich weiß nichts Vernünftiges zu sagen

in dieser lauten Zeit, die da dröhnt von der schauerlichen Symphonie der Taten, die Berichte hervorbringen, und der Berichte, welche Taten verschulden: in dieser da mögen Sie von mir kein eigenes Wort erwarten. Keines außer diesem, das eben noch Schweigen vor Mißdeutung bewahrt.

Ich arbeite nicht bei der *Neuen Freien Presse*

Zu tief sitzt mir die Ehrfurcht vor der Unabänderlichkeit, Subordination der Sprache vor dem Unglück. In den Reichen der Phantasiearmut, wo der Mensch an seelischer Hungersnot

Ich weiß nichts zu sagen; ich denke viel

stirbt, ohne den seelischen Hunger zu spüren, wo Federn in Blut tauchen und Schwerter in Tinte, muß das, was nicht gedacht wird, getan werden, aber ist das, was nur gedacht wird, unaussprechlich.

Erwarten Sie von mir kein eigenes Wort. Weder vermöchte ich ein neues zu sagen, denn im Zimmer, wo einer schreibt, ist der Lärm so groß, und ob er von Tieren kommt, von Kindern oder nur von Mörsern, man soll es jetzt nicht entscheiden. Wer Taten zuspricht, schändet Wort und Tat und ist zweimal verächtlich. Der Beruf dazu ist nicht ausgestorben.

Ich bin sprachlos. Es gibt Journalisten (der *Neuen Freien Presse*), die es nicht sind

Die jetzt nichts zu sagen haben, weil die Tat das Wort hat, sprechen weiter. Wer etwas zu sagen hat, trete vor und schweige!

Sprachlos sein ist ehrbar. Ich bin ehrbar.

Überraschenderweise degeneriert auch die Kraft des Mammutspektakels von den *»letzten Tagen der Menschheit«* partienweise vom Tosen zum Getöse; eine Steinlawine kann lange prasseln – ein Gebirgsmassiv wird daraus nicht. Damit ist nicht das Ausbiegen zum »Marstheater« gemeint, Eigenamputation der Wirkmöglichkeit. Damit ist die – wenn auch ironisch so benannte – Posi-

tion des »Nörglers« gemeint: das Aufgreifen (und Verwenden) banal-politischer Sätze in Negativ-Parolen ist
gelegentlich effektvoll, bleibt aber schließlich, was es
heißt: Nörgelei. Zahllose Szenen – etwa die berühmte
mit Wilhelm II. und den Generalen oder die mit Wilhelm II. und Ganghofer – verkommen zum Stammtisch-
zitat (»Essen Sie, Ganghofer, essen Sie«). Aus den Bret-
tern, die die Welt bedeuten, wurden in zäher Laubsäge-
arbeit »Brettl«. Vor allem: Die stetig repetierende Para-
phrase (das ohne Nuancen immerwährende Kredenzen
von Typen wie der blutrünstigen Kriegsberichterstatterin
Schalek, des Monokelleutnants oder jener, die »sich's gerichtet haben«) führt zur sprachlichen wie dramaturgischen Monotonie – und damit an den Rand der politischen Neutralität. Ein dramatisches Bewegungsgesetz, etwa das Tempo des Ereignisses »Krieg« und seiner sozialen
wie moralischen Zersetzungsgeschwindigkeit aufnehmend,
existiert nicht. Die »Reinigung der Leidenschaften« wird
ersetzt durch Peristaltik. Ein österreichischer Horror-Bil-
derbogen entsteht, dessen Figuren denen von Thöny oder
Gulbransson ähneln; George Grosz nicht.

Und etwas den Autor Karl Kraus besonders Kenn-
zeichnendes geschieht: der Dialog, wieviel immer da montiert und zitiert wird und solchermaßen Wirklichkeit
»hereingeholt« werden soll – der Dialog ist nicht sein Medium; auch nicht der Monolog einer geschaffenen Figur,
die er sich eigentlich nicht vorstellen kann, der er sich allenfalls vor-stellen kann. Nicht in der Rede, im Gespräch
liegt seine Kraft – aber in der Anrede, in der Ansprache:
von großer Schönheit, von sprachlichem Glanz und poli-
tisch-seherischer Predigtkraft ist der beschwörende Monolog des »Nörglers« am Schreibtisch in der 54. Szene des
5. Aktes. Da ist nichts mehr von der Falschmeldung der
metaphysischen Schuld zu spüren – hier spricht jemand
mit antikischem Pathos, mit der Geste der erhobenen
Hände, voll Kummer und Klage und Weisheit:

»Ich habe eine Tragödie geschrieben, deren untergehender Held die Menschheit ist; deren tragischer Konflikt als der der Welt mit der Natur tödlich endet … Woran aber geht mein tragischer Held zugrunde? War die Ordnung der Welt stärker als seine Persönlichkeit? Nein, die Ordnung der Natur war stärker als die Ordnung der Welt. Er zerbricht an der Lüge; die Wesenlosigkeit, an die er den alten Inhalt seines Menschentums verloren hat, in den alten Lebensformen zu bewähren. Händler und Held zu sein und dieses sein zu müssen, um jenes zu bleiben. Er vergeht an einem Zustand, der als Rausch und Zwang zugleich auf ihn gewirkt hat. Gibt es Schuldige? Nein, sonst gäbe es Rächer, sonst hätte der Held Menschheit sich gegen den Fluch gewehrt, der Knecht seiner Mittel zu sein und der Märtyrer seiner Notwendigkeit. Und zehrt das Lebensmittel vom Lebenszweck, so verlangt es den Dienst am Todesmittel, um noch die Überlebenden zu vergiften. Gäbe es Schuldige, die Menschheit hätte sich gegen den Zwang gewehrt, Held zu sein zu solchem Zwecke! … So müßt ihr weiter sterben für etwas, was ihr die Ehre nennt oder die Bukowina und wovon ihr nicht wißt, was es ist, was aber wieder nur die Waffe selbst ist. Wofür seid ihr gestorben? Hättet ihr alle zusammen Geist genug, um die Kontraste zu spüren, ihr hättet den Leib gewahrt. Was Todesverachtung! Warum solltet ihr verachten, was ihr nicht kennt. Ihr lernt es erst kennen, wenn der Zufall des Schrapnells euch nicht ganz getötet hat oder wenn die kommandierte Bestie, Schaum vor dem Mund, ehedem ein Mensch wie ihr, euch anfällt und ihr die Minute Bewußtsein habt, nun an der Schwelle zu stehn. Und da wagt die kommandierende Bestie euch nachzusagen, ihr hättet den Tod verachtet? Und ihr habt jene Minute nicht genützt, eurem Vorgesetzten zuzuschreien, daß er nicht der Vorgesetzte Gottes sei, der ihm schaffen könne, Geschaffenes ungeschaffen zu machen? Nein, ihr habt euch von ihm, mit Gott, über die Schwelle jagen lassen, wo das Geheimnis beginnt, dessen Verrat kein irdischer Staat erlangen könnte ... Denn nie, bis zu dem unentschiedenen Krieg der Maschinen, hat es so gottlosen Kriegsgewinn gegeben und ihr, siegend oder besiegt, verloret den Krieg, der ein Gewinn eurer Mörder ist. Eurer feigen, technisch avancierten Mörder, die nur in der Entfernung vom Schauplatz ihrer Tat töten und leben können. Wie, du treuer Begleiter meines Worts, mit reinem Glauben zum Himmel der Kunst emporgewandt, mit stiller Wissenschaft das Ohr an ihr Herz legend, du mußtest hinüber? Ich sah dich an dem Tag, da du auszogst. Regen und der Schmutz dieses Vaterlands und seine ruchlose Musik waren der Abschied, als man euch in den Viehwagen pferchte! Ich sehe dein blasses Gesicht in dieser Orgie von Kot und Lüge, in diesem furchtbaren Lebewohl eines Frachtenbahnhofs, von wo das Menschenmaterial versandt wird durch jenes Machtwort, das die Leiber entfesselt und die Geister gebunden hat und das verurteilte Leben in eine Kinderstube verwandelt, in der Viehknechte spielen! Du sahest nicht aus wie solche ... Dies ist mein Manifest. Ich habe alles reiflich erwogen. Ich habe die Tragödie, die in die Szenen der zerfallenden Menschheit zerfällt, auf mich genommen, damit sie der Geist höre, der sich der Opfer erbarmt, und hätte er selbst für alle Zukunft der Verbindung mit einem Menschenohr entsagt. Er empfange den Grundton dieser Zeit, das Echo meines blutigen Wahnsinns, durch den ich mitschuldig bin an diesen Geräuschen. Er lasse es als Erlösung gelten!«

Hier, wo nicht von Bekessy und Benedict gesprochen wird, wo das Ich sich nicht reduziert auf ein Anti-Ich, aus einem Personalpronomen einmal keine Personalpolemik wird, wo dieses Ich ganz absieht von sich selber, da sieht es, macht sehend. Dies ist, ohne politisch zu benennen, einer der großen politischen Texte von Karl Kraus.

*

Denn es zeigt sich, daß die Methode, sein eigenes Sonnensystem zu sein, untauglich ist, politische Strukturen oder gesellschaftliche Substrukturen »aufzuheben«; mehr noch: die Realität nur aus zweiter Hand zur Kenntnis zu nehmen, die Welt als Wollen und Verstellung des Moritz Benedict zu sehen, heißt schließlich eine Gebrauchtwaren-Weltsicht zu haben – das Höhnen der Zeitungen und das Gift gegen den falschen Konjunktiv rückten Moral und Vernunft nicht in den Indikativ. Und am schlimmsten: die ausschließlich ad personam exekutierten Polemiken waren in ihrer Übersteigerung gelegentlich banal und wirkungslos – die Freundschaften aber schlossen den Bund des Reaktionären. Es ist dann wohl doch kein Zufall, daß das letzte Heft der *Fackel*, die Nr. 917–922, ein Ausfall gegen links ist – im Februar 1936! Und wenn wir wissen, wie sehr Karl Kraus Dollfuß bewunderte, ja, bei seinem Tode weinte, dann sind ein paar historische Erinnerungen dienlich, das Zeitverständnis des Zeitungssatirikers zu erkennen: am 20. Mai 1932 wurde Dollfuß österreichischer Regierungschef. Die Wahlen in Wien vom 24. April 1932 hatten die Sozialdemokraten mit zwei Drittel Mehrheit gewonnen, die Christlich-Sozialen hatten 24 Prozent verloren, die Großdeutschen hatten die letzten beiden Mandate verloren, die Nationalsozialisten hielten 15 Prozent. Am 31. März 1933 löste die Regierung Dollfuß den republikanischen Schutzbund auf, nachdem Dollfuß am 4. März bereits durch einen Verfahrens-Trick das Parlament ausgeschaltet hatte. Am 19. und 20. August traf Dollfuß sich in Riccione mit Mussolini. Diesem Treffen war eine lange – inzwischen veröffentlichte – Korrespondenz vorangegangen, in der Dollfuß sich Ratschläge für seinen Kampf gegen die Sozialdemokratie holte. Der Historiker Wilhelm Alff gibt diese Korrespondenz und ihre Folgen in einer Studie »Karl Kraus und die Zeitgeschichte« wieder:

»Am 1. Juli 1933 teilte Mussolini Dollfuß seine ›Idee

über die zukünftige Entwicklung der Campagne‹ mit, die der Bundeskanzler am zweckmäßigsten zu befolgen habe. Er empfahl ihm, ›ein Programm von effektiven und wesentlichen internen Reformen im entschieden faschistischen Sinn durchzuführen‹ und verwies auf die Nützlichkeit einer ›mehr als zehnjährigen Erfahrung mit dem faschistischen Regime in Italien‹. Dollfuß antwortete dem ›Duce‹ am 22. Juli 1933, er sei seit der ›Parlamentskrise‹ vom März ›unablässig‹ bemüht, den Boden für die Aufrichtung des meiner Überzeugung nach meinem Lande am besten zusagenden straffen Autoritätsregimes vorzubereiten. Der Nationalsozialismus sei ihm bei seinem Kampf gegen den Marxismus in den Rücken gefallen... Die im Mai 1933 gegründete ›Vaterländische Front‹ werde ›auf dem Führerprinzip aufgebaut, Führer der Front bin ich selbst‹... Die Sozialdemokraten Österreichs wurden immer mehr in die Enge getrieben. Von einer Wiederherstellung des Parlaments war nicht mehr die Rede. Nur die Heimwehren waren vom allgemeinen Aufmarschverbot nicht betroffen. Fürst Starhemberg kündigte vor dem roten Wiener Rathaus dessen nahe Eroberung an. Das Standrecht wurde verhängt. Die Gedenkfeiern der Sozialdemokraten zum Todestag Victor Adlers am 11. November wurden verboten, ebenso die Republikfeier am folgenden Tage. Am 23. Dezember wurden die Betriebsräte in den staatlichen Unternehmungen abgeschafft. Am letzten Tag des Jahres folgte die Auflösung der frei gewählten Vertretung der Arbeiterkammern.«

Das Ende der Regierung Dollfuß und die folgenden Ereignisse brauchen hier nicht referiert zu werden. Regierung und Person Dollfuß' hatten die stärkste Akklamation von Karl Kraus, der die Kardinäle Faulhaber und Innitzer Politikern wie Otto Bauer oder Rudolf Hilferding vorzog, der das Jahr 1933 über kein Heft der *Fackel* publizierte, bis im Oktober eine 4seitige Ausgabe mit der

Grabrede für den Architekten Adolf Loos erschien, der das nächste Heft, Nr. 889, im Juli 1934 erscheinen ließ, in dem er drängende Stimmen zu seinem Schweigen abdruckte. Die darauffolgende Nummer 890/905 war dann 315 Seiten stark: »Warum die *Fackel* nicht erscheint.«

Die *Fackel* erschien nicht, das Buch »*Die dritte Walpurgisnacht*«, 1933 verfaßt und als *Fackel*-Sonderheft schon gesetzt, wurde nicht zum Druck gegeben. Karl Kraus schwieg. Der erste Satz des ungedruckten Buches ist das berühmte »Mir fällt zu Hitler nichts ein«. Ein Grund, das Buch nicht zu veröffentlichen, wird vom späteren Herausgeber Heinrich Fischer angegeben: Kraus' »Bedenken, es könnte in der Sturzflut des Geschehens nur politisch verstanden, also mißverstanden werden«. – Dieses Mißverständnis allerdings kann *nach* Lektüre nicht mehr entstehen. Das Buch schweigt 300 Seiten lang. Es ist ein Appendix zu jenem ersten Satz, den Brecht leider wörtlich nahm, als er schrieb:

Als das dritte Reich gegründet war
kam von den Beredten nur eine kleine Botschaft.
In einem zehnzeiligen Gedicht
erhob sich seine Stimme, einzig um zu klagen
daß sie nicht ausreiche.

Als der Beredte sich entschuldigte
daß seine Stimme versage
trat das Schweigen vor den Richtertisch
nahm das Tuch vom Antlitz und
gab sich zu erkennen als Zeuge.

Nein, dieses Buch ist erschreckend, diese wortreiche Leere, die Banalität der »wer weiß etwas auf wen«-Polemik, die sich wieder an Personen verbeißt, ob Benn oder Bartels oder Binding, das alphabetische Verzeichnis der Reichsschrifttumskammer durch. Was heißt hier eigent-

lich »Mir fällt zu Hitler nichts ein« – sitzen wir denn
ständig im Kabarett, wo jemandem auf jemanden etwas
einfallen soll? Werner Finck fiel etwas ein mit seinem berühmten »Heil – wie war doch gleich der Name?« War's
das also, was Karl Kraus wollte, der sogar ein solches
Buch mit dem Wörtchen »mir« begann? Nein, wie es in
dem rührenden Nachwort der Neuausgabe heißt: »Die
Möglichkeit der Überwältigung Deutschlands durch Hitler hatte er nicht geahnt.« Gütiger Himmel – geahnt!
Nach welcher braunen Blume wird hier gesucht? Nein,
die »Dritte Walpurgisnacht« des Karl Kraus ist eine intellektuelle Bankrotterklärung: ihm fiel zum Faschismus
nichts ein. Dieses Buch saust vom leeren Schnurren einer
Koketteriemaschine; da bohrt einer – aber der Zahn ist
schon weg, der Kiefer, das ganze Gesicht. Macht nichts –
worauf kommt ein Literat? Es gibt immer zwei Lösungen: er schreibt was drüber (»Ich mach' aus Dir eine
Kurzgeschichte«), oder er schreibt nichts drüber. Karl
Kraus bringt es fertig, beides in einem zu tun.

Die Waffen, derer er sich in seinem »anti-faschistischen
Kampf« bedient, hätte kein Cervantes erfinden können:
er droht dem Reichsrundfunk, keine Freiexemplare zu
schicken. Er stellt fest, daß »Deutscher, lese nur deutsche
Zeitungen« und »Hält eure Fäuste bereit« falsches
Deutsch ist. Sonst nichts? Inhalt gut, Grammatik fehler-
haft, Herr Lehrer? Oh nein, Kraus sieht aus und in diesem mangelhaften Gebrauch der deutschen Sprache mehr:

»Ich glaube, daß ich viel besser in der Lage wäre, eben
aus dieser Erscheinung das Wesen des deutschen Umstur-
zes zu erklären, als Benn mit geognostischen, ja geomysti-
schen Schmonzes...«

Karl Kraus, der doch dem Wort nachlauscht, zieht sich
hier auf »Erscheinung« und »Wesen« und »Umsturz« zurück, auf »ich glaube«. Allein das Wortraster eines solchen Partikelsatzes verrät den Anti-Aufklärer, noch immer. Er sah in der Bücherverbrennung vom 10. Mai 1933

einen »Mummenschanz«, zu dem ihm nicht der Aufschrei
des »verschonten« Oskar Maria Graf »Verbrennt mich
auch« zur Verfügung stand, sondern zu dem er sich einen
ironischen Neid zurechtfältelte, noch immer stichelnd:

»Ich möchte ja nicht um einen Nobelpreis mit dem Tucholsky auf einem Scheiterhaufen brennen; aber wenn es
jemals ein Schulbeispiel dafür gegeben hat, daß das Glück
die Gaben ohne Wahl und ohne Billigkeit verteilt, so ist
es diese schwarze Liste, bei deren Anblick einen der gelbe
Neid packt.«

Eigenartig, wie ein Schriftsteller, der auf ein so großes,
so eifersüchtig erbautes Lebenswerk blicken konnte, sich
selber zum Harlekin desavouiert; denn wenn er dem Satiriker bescheinigt, daß er nicht nur die »Übel der Gattung« darzustellen bemüht ist, sondern auch immer Gelegenheit haben möchte, weitere Gattungen und Übel zur
Verfügung zu haben – dann heißt das, mit anderen Worten, sich mit der Rolle des Narren am Hofe einzurichten:
wo kein Hof, da kein Narr. Der aber hat, von Berufs
wegen, nichts zu ändern, auch nur bewußt zu machen –
der hat zu bewitzeln, zu lächeln, zu amüsieren schließlich.
Der entzieht sich der Erwartung, zu analysieren: »Ich
muß gestehen, daß ich mich dem Einfluß, den ›Mein
Kampf‹ geübt hat, vorweg entzogen habe...« Das genau ist es: hier wäre die Chance gewesen, in einer Wort-
und Denkanalyse ohne Mätzchen die Sprache eines Mannes – und damit sein politisches Programm – unter die
Lupe zu nehmen und zu zeigen, was eben nicht lupenrein
ist. In der gesamten »Dritten Walpurgisnacht« findet sich
nicht das Teilchen eines Ansatzes für »LTI«. Walpurgis
ist ja auch eine Nacht des Mythos, des Volksglaubens –
der irreale Märchenvorabend des 1. Mai. Und auch dieses
Abziehbildpanorama dient Karl Kraus nicht dazu, zu sagen, was er leidet, sondern zu sagen, wen er nicht leiden
kann. Es bleibt die – zurückschlagende – Wortspirale
der Publikumsbeschimpfung. So nimmt es nicht wunder,

daß Machtsprecher bundesrepublikanischer Politik, wie der Freiherr zu Guttenberg, sich auf Karl Kraus als »Lieblingsschriftsteller« berufen; von Guttenberg stammt ja der klassische Satz »Unser Ziel ist die Durchsetzung der Freiheit« – das muß man nur richtig betonen.

Das sind die Folgen. Karl Kraus, beim Worte genommen, gibt nur Worte. Karl Kraus – wie er es von Heine sagte – lebt nur als eine konservierte Jugendliebe; keine ist revisionsbedürftiger als diese. Man hatte Karl Kraus, man hatte die Masern – doch ein so großer Satiriker, daß man ihm die Denkmalswürdigkeit absprechen müßte, war er nicht.

(1968)

BEDA ALLEMANN

NACHWORT ZU PAUL CELAN
»AUSGEWÄHLTE GEDICHTE«

In der gebotenen Kürze etwas Allgemeines über die Dichtung Paul Celans zu sagen, scheint mir kaum möglich. Dazu fehlt es an einer einschlägigen literaturkritischen Terminologie, deren die Verallgemeinerung sich bedienen könnte. Ich benutze deshalb im folgenden als Leitfaden ein bestimmtes Gedicht Celans, eines der wenigen aus dem bisher vorliegenden Gesamtwerk, die sich im Sinn einer unmittelbaren poetologisch-programmatischen Selbstanweisung auffassen lassen. Es ist das Gedicht *Sprich auch du* aus dem Band *Von Schwelle zu Schwelle*, der im Jahr 1955 erschienen ist.

Sprich auch du,
sprich als letzter,
sag deinen Spruch.

Sprich –
Doch scheide das Nein nicht vom Ja.
Gib deinem Spruch auch den Sinn:
gib ihm den Schatten.

Gib ihm Schatten genug,
gib ihm so viel,
als du um dich verteilt weißt zwischen
Mittnacht und Mittag und Mittnacht.

Blicke umher:
sieh, wie's lebendig wird rings –

Beim Tode! Lebendig!
Wahr spricht, wer Schatten spricht.

Nun aber schrumpft der Ort, wo du stehst:
Wohin jetzt, Schattenentblößter, wohin?
Steige. Taste empor.
Dünner wirst du, unkenntlicher, feiner!
Feiner: ein Faden,

an dem er herabwill, der Stern:
um unten zu schwimmen, unten,
wo er sich schimmern sieht: in der Dünung
wandernder Worte.

In der zweiten Strophe dieses Gedichtes wird ein Sprechen ins Auge gefaßt, das vor der Scheidung in Affirma-
tion und Negation halt macht, das nicht auf den glatten
Aussagesatz hinauswill, sondern sich das volle Spektrum
der Unentschiedenheit vor den Gegensätzen zu bewahren
sucht. Da eine solche Art der Unentschiedenheit nicht mit
einem einfachen Zögern oder gar mit der Scheu vor dem
klaren Aussprechen des Gegensatzes verwechselt werden
darf, drängt sich ein präziserer Ausdruck auf. Könnte
man die vom Dichter geforderte Sprechweise als die einer
Noch-nicht-Entschiedenheit bezeichnen? Die Celansche
Dichtung ist reich an Gegensätzen im ganz handgreifli-
chen Sinn von Umschlägen ins Gegenteil und paradoxen
Wendungen. Sie setzt sich ihnen bewußt aus. Sie geht in
ihrem konkreten sprachlichen Vollzug durch sie hindurch.
Dieser Durchgang durch die Widersprüche und durch nicht
mehr nachvollziehbare »Bilder« ist eine den Gedichten
Celans besonders eigentümliche Bewegungsweise.

Deshalb muß der Sachverhalt einer spezifischen Unentschiedenheit, den ich hier zu umschreiben suche, auch von
der anderen Seite gesehen werden. Der Noch-nicht-Entschiedenheit, die vor der Grundentscheidung zwischen Ja
und Nein innehält, entspricht eine Nicht-mehr-Entschie-

denheit, die jeden denkbaren Gegensatz hinter sich hat, ohne ihn zu verleugnen. So kann sich das Celansche Gedicht den Paradoxien des in ihm Gesagten ganz ohne Vorbehalt öffnen. Es scheitert an ihnen nicht, denn es kennt mitten durch seine Unentschiedenheit im Hinblick auf eindeutige (affirmative oder negierende) »Aussagen« hindurch seine eigene Form der rein poetischen Entschiedenheit. Sie behauptet sich zwischen dem Noch-nicht und dem Nicht-mehr als jenes »Immer-noch« des Gedichts, von dem Celan in der Büchner-Preis-Rede spricht. Die Weite der Unentschiedenheit zwischen Nein und Ja enthält offensichtlich den Ort einer im Mitgehen erfahrbaren Prägnanz und Entschiedenheit des dichterischen Sprechens. So jedenfalls lehrt es uns die einfache Tatsache der Existenz dieser Gedichte und der Faszination, die sie auf den genauen Leser ausüben.

Ein anderes ist es, das Zustandekommen einer solchen eigentümlichen Sprach-Prägnanz außerhalb der Eindeutigkeiten des ohne weiteres Verständlichen zu erklären. In einer wenig bekannt gewordenen Äußerung hielt Celan vor zehn Jahren fest: »Dieser Sprache geht es, bei aller unabdingbaren Vielstelligkeit des Ausdrucks, um Präzision. Sie verklärt nicht, ›poetisiert‹ nicht, sie nennt und setzt, sie versucht, den Bereich des Gegebenen und des Möglichen auszumessen« (*Almanach 1958*, Librairie Flinker, Paris, S. 45). Das ist ein schon fast rigoroses Bekenntnis zur arabeskenfreien Bestandsaufnahme, zur lyrischen Landesvermessung, in der Celan damals mit Recht einen Grundzug nicht nur seiner, sondern der zeitgenössischen deutschen Lyrik im ganzen wahrnahm. Er fügte allerdings auch bei, und traf damit die spezielle Komplikation, die sich für ihn aus einem solchen Programm ergab: »Wirklichkeit ist nicht, Wirklichkeit will gesucht und gewonnen sein.« Der Vorsatz, mit Präzision zu nennen und zu setzen, erhält von dieser Einsicht her seine zusätzliche Schwierigkeit. Er wird in den Deinst der Wirklichkeitssuche und des Wirklichkeitsgewinns gestellt, was etwas anderes ist als Wiedergabe der Wirklichkeit im Gedicht.

Die Präzision des Setzens und Nennens läßt sich stilkritisch nachweisen. Man darf auf den strengen, zuweilen pochenden Rhythmus Celanscher Gedichte vor allem aus der frühen Phase aufmerksam machen. Dieser sprachrhythmische Gestus bewirkt eine Insistenz des Sagens, die sich als ungewöhnlicher Nachdruck im Gesagten niederschlägt. Selbst ein langzeiliges Gedicht wie *Das Gastmahl* (S. 10) verfließt an keiner Stelle ins Parlando, der Daktylus als sein metrisches Grundmuster ergibt hier nicht, wie es bei diesem Versfuß sonst fast unausweichlich ist, eine tänzerische dahingleitende Bewegung. Die rhythmischen Akzente, zumal am Versschluß, sind so kräftig gesetzt und vorzugsweise auf sinnschwere Substantive gesetzt, daß die Bewegung des Sprachflusses sich staut und in dieser Stauung als gezügelte Bewegung um so deutlicher zum Vorschein kommt. Die Abweichungen vom metrischen Grundmuster sind gezielt und stehen im Dienst derselben Wirkung.

Im frühesten Gedichtband Celans (*Der Sand aus den Urnen*, Wien 1948), dessen Bestand später teilweise in *Mohn und Gedächtnis* übernommen wurde (Stuttgart 1952), findet sich denn auch bereits die Tendenz zur Verknappung der Verszeile. Ein besonders klares Beispiel dafür bietet das Gedicht *Corona* (S. 17), dessen Strophenanfänge die metrisch-rhythmische Struktur des Gastmahl-Gedichts aufweisen. Gegen sein Ende aber zieht es sich immer mehr zur lapidaren Fügung zusammen bis zur Schlußzeile »Es ist Zeit.«

An diesem Beispiel läßt sich im weitern auch die Rolle der Wortwiederholung, speziell der Anapher, studieren. Auch sie gehört in den Zusammenhang des insistierenden Sprachgestus, der sich nicht auf rhythmische Erscheinungen im engeren Sinn beschränkt. Er bestimmt schließlich

auch den Satzbau und damit in letzter Konsequenz die
»Aussage« des Gedichts (»Es ist Zeit, daß es Zeit wird.«)
Die bekannte *Todesfuge* (S. 18 f.) zeigt die strukturieren-
de Kraft des Prinzips der Wiederholung beim frühen Celan im hellsten Licht. Das Prinzip differenziert sich auf
dem Weg über die *Engführung* (S. 67 ff.) und tritt allmählich, ohne ganz zu verschwinden, hinter den kompli-
zierteren syntaktischen Verhältnissen der späteren Gedichte zurück. Aber auch da, wo es sparsamer wörtlich
eingesetzt wird, bleibt das erhalten, worauf das Prinzip
der Wiederholung hinarbeitete. Es bleibt, abstrakter geworden, der Gestus des Insistierens erhalten, der allen
Celanschen Gedichten die eigentümliche Grundbewegung
des In-sich-Kreisens mitteilt, auch in den Fällen, wo keine
ausdrückliche thematische Rückwendung innerhalb des
Wortbestands erfolgt.

Damit ist der Horizont wenigstens angedeutet, in den
der scheinbar einfache programmatische Entschluß zum
lyrischen Setzen und Nennen bei Celan sogleich hinein-
führt. Da dem Gegebenen von vornherein das Mögliche
als poetischer Vermessungsbereich zugeordnet ist und die
Wirklichkeit als Ziel einer Suche, nicht einer bloßen Ver-
gewisserung erkannt und angesetzt wird, scheiden alle lyrischen Verfahrensweisen aus, die die Wortsetzung im Gedicht als einen einfachen Ausdrucks-Vorgang behandeln.
Unbeschadet der angestrebten und erreichten Präzision
kann auf die »Vielstelligkeit des Ausdrucks« nicht verzichtet werden. Die Präzision muß sich gerade in dieser
Vielstelligkeit behaupten, wenn sie nicht zur Schein-Prä-
zision absinken soll, die zwar unbefangen mit Ja und
Nein zu hantieren wüßte, aber unter den hier herrschenden Bedingungen nur um den Preis einer nicht wiedergut-
zumachenden Voreiligkeit.

Die Aufforderung zum Sprechen aus der zweiten Strophe des Gedichts *Sprich auch du* will den Sprechenden und
seinen Spruch vor solcher Voreiligkeit bewahren, bürdet

ihm dafür aber die volle Paradoxie eines vielstelligen, un-
entschieden-entschiedenen Sprechens auf. Sie belastet den,
der dieses Sprechen vernimmt, mit einer radikalen Ver-
ständnisschwierigkeit. Paradoxien, auch im modernen Gedicht, sind unbequem, sobald man sie wirklich verstehen
will – vorausgesetzt, daß Versehen auch heißt, dem Gesagten (in diesem Fall paradox Gesagten) mit nochmals
anderen Worten in den Rücken zu gelangen. Paradoxes
Sprechen ist eine Art von ultima ratio: es schöpft die
Möglichkeiten und Spannweiten des überhaupt Sagbaren
bis an die letzte Grenze aus. Ist es eine mögliche Aufgabe,
»dahinter« zu kommen, was im vielstellig-paradoxen
Sprechen gesagt wird? Eine mögliche Aufgabe scheint es
mir immerhin zu sein, die Bedingungen und Intentionen
solchen Sprechens abzuklären.

Es ist gewiß nicht nur ein Zufall, daß in der ersten
Phase der Auseinandersetzung mit der Dichtung Celans
in der literarischen Öffentlichkeit sich unversehens die
Frage nach den historischen Abhängigkeiten in den Vordergrund schob, in denen eine lyrisch-paradoxe Sprechweise steht. Es schien die natürliche Ratlosigkeit ihr gegenüber zu mildern, wenn man auf ähnliche Erscheinungen aus dem Bereich der schwerverständlichen Metaphern
in der Tradition des Manierismus verweisen konnte oder
auf den vermeintlich damit eng verwandten Bilderschatz
des modernen Surrealismus. Als Folge dieser Tendenz,
zu einer Erklärung auf dem Weg über die historische Ein-
ordnung zu gelangen, muß allerdings in dem Fall, wo
eine Dichtung von starker individueller Eigenart vorliegt,
auch das Bedürfnis sich wieder steigern, eben dieser Eigenart auf die Spur zu kommen. Von einem Punkt aus, wo
sich gut zwei Jahrzehnte kontinuierlicher lyrischer Produktion Celans überblicken lassen, ist ein solches Vorhaben nicht mehr utopisch.

Wer sich darauf einläßt, muß sich darüber im klaren
sein, daß diese Dichtung und die ihr eigentümliche Ent-

schiedenheit letztlich nicht aus den formalen Mitteln zu
erklären ist, deren sie sich bedient. Ihre Eigenart wird
nur voll sichtbar, wo das Gedicht als Vorstoß und Versuch, eine noch nicht begriffene Wirklichkeit zu gewinnen, verstanden wird. Man darf sich angesichts der Celanschen Gedichte ohne weiteres an das Diktum Kafkas erinnern, wonach die Dichtung eine Expedition nach der
Wahrheit ist. Nur in diesem vorausgreifenden Sinn läßt
ihre paradoxale Sprechweise sich begründen. Zu dieser
Art von Expedition nach der Wahrheit gehört auch das
Bewußtsein, daß »die« Wahrheit sich niemals in einen
Satz bannen lassen wird. Damit ist nichts gegen die kaum
zu widerlegende Überzeugung gesagt, daß die Wahrheit
etwas Einfaches sein muß. Vermutlich ist es eben ihre
alles Sagen übertreffende Einfachheit, die die Vielstelligkeit der Sprechweise fordert. Wer die Wahrheit zu besitzen wähnt, kann sich zu Ja und Nein entscheiden. Wer
sie als Ziel einer unablässigen Suche begreift, muß Ja und
Nein mischen, und dies auf die Gefahr hin, daß sein
Sprechen dem an den Aussagesatz und den schlichten lyrischen Ausdruck gewöhnten Ohr wie Trug klingt. Wir
stoßen auf die alte, von Nietzsche pointiert formulierte
Frage, ob die Dichter nicht zuviel lügen. Wie kann eine
Dichtung vor dieser Frage bestehen, wenn sie sich selbst
so offen zur paradoxalen Sprechweise bekennt? Sie kann
es tatsächlich nur, indem sie sich mitten durch die Nicht-
Scheidung von Ja und Nein ihre eigene Entschiedenheit
aufbaut. Von dieser conditio sine qua non her muß die
zweite Hälfte der Strophe gesehen werden:
Gib deinem Spruch auch den Sinn:
gib ihm den Schatten.
    Aus dem Sprachgebrauch Celans läßt es sich belegen, daß
das vieldeutige Wort »Sinn« vorzugsweise in der konkreten Bedeutung von »Richtung, die etwas einhält«, also geradezu als »Richtungssinn« zu verstehen ist. So wird in
den Gedichten vom »Lichtsinn« der Seele gesprochen (S.

60) oder von der Bewegung »im Herzsinn« (*Die Niemandsrose*, S. 75). Die Bremer wie die Büchner-Preis-Rede verweisen an zentralen Stellen auf den Richtungssinn des Gedichts. Er bewirkt, daß Dichtung vorauseilt (S. 140) und auf das »Andere« zuhält (S. 143).

Aus diesen Zusammenhängen gesehen, besagt die Verszeile mit der Aufforderung, dem Spruch den Sinn zu geben: ihn auf die Expeditionsreise zu schicken. Wir dürfen von einer Gedichtstrophe Celans freilich nicht erwarten, selbst wenn es sich um eine vergleichsweise »programmatische« Strophe handelt, daß sie eine solche Anweisung nach Art einer theoretischen Darlegung ausbuchstabiert. Sie präzisiert die Aufforderung zur Sinngebung durch die weitere Verszeile:
gib ihm den Schatten.

Auch das ist Präzisierung durch das Paradoxon. Die Nennung des Schattens läßt an die Dunkelheit der hier vorliegenden Sprechweise denken. Das Gedicht scheint sich damit seiner eigenen Dunkelheit förmlich zu versichern. Die Forderung nach dem Schatten widerspräche dann zunächst der Forderung nach klar erkennbarem Sinn. Eben dadurch wird aber auch sichtbar, in welcher Weise die Entschiedenheit zwischen Ja und Nein hindurch gewonnen sein will. Der Sinn des Spruches und damit seine Lebendigkeit kann sich unter den Bedingungen der paradoxen Sprechweise nur manifestieren, indem er auf das »ganz Andere« und den »Schatten« zuhält – im Celanschen Sprachgebrauch stehen beide Namen in enger Berührung mit der Sphäre des Todes. Die volle Verschränkung des Gegensatzes tritt an der späteren Stelle des Gedichtes hervor:

Beim Tode! Lebendig!
Wahr spricht, wer Schatten spricht.

Das Symbiose von Leben und Tod bleibt eine der großen Voraussetzungen der Dichtung Celans. Wer Schatten spricht, gibt sie ans Gedicht weg. Die Schatten erscheinen hier als die nächstliegende Substanz, über die der Dichter verfügt, um das Gedicht zu nähren. Das sich selbst ansprechende lyrische Du erkennt sich deshalb in der folgenden und letzten Strophe als ein »Schattentblößter«, der mit noch gesteigerter Dringlichkeit nach dem Wohin, dem Richtungssinn seiner dichterischen Bewegung zu fragen hat. Diese Bewegung treibt den, der spricht, immer weiter über sich hinaus. Sein eigener Standort schrumpft im Vollzug des Gedichts. Er wird zum geometrischen Ort, der nur noch durch die Beziehungen definiert ist, die sich in ihm vermitteln.

Dem entspricht es, daß in dieser letzten Strophe eine jener rapiden Transformationen durchgeführt wird, die der Anschauung den Atem verschlagen. Das lyrische Du selbst wandelt sich zum »Faden«. Als Vorstellungsinhalt genommen, wirkt das grotesk oder traumhaft. Jenseits solcher Hilfsvorstellungen zielt es ganz offensichtlich auf den Gewinn eines Gegenübers, nämlich des bis zur viertletzten Verszeile verschwiegenen »Sterns«. Das lyrische Du als Sprecher des Spruchs verschwindet aus dem Gedicht. Es ist aufgegangen in der Funktion, die weitgespannte Beziehung zwischen dem »Stern« und der »Dünung / wandernder Worte« herzustellen.

Auch auf der Seite des »Spruchs« hat sich damit eine weniger auffallende, aber nicht weniger radikale Verwandlung vollzogen. An die Stelle des einzelnen, vom Du gesprochenen Spruches ist die Weite der als Dünung gesehenen Wortbewegung getreten. Aber nicht nur um Ausweitung geht es dabei, sondern um eine wirkliche Umsetzung, wie sie mir für die Celansche Lyrik im Laufe der Jahre immer charakteristischer zu werden scheint. Der Wortbestand des im Gedicht Gesprochenen wird sozusagen unmittelbar verdinglicht, das heißt die Worte werden nicht mehr nur als Bezeichnungen der Dinge aufgefaßt, sondern erscheinen als selbständige Wesen gleichrangig und ohne kategoriale Differenz neben und zwischen den Erscheinungen der im Gedicht ausgesprochenen Welt.

Die »Dünung / wandernder Worte« ist keine Metapher im hergebrachten Sinn mehr. Die Wendung will wörtlich genommen werden, als es einer Metapher zukäme. In dieser Dünung kann sich wirklich ein Stern spiegeln. Wenn man die Metapher traditionellerweise als verkürzten Vergleich definiert, so könnte man hier von einer verkürzten Metapher sprechen. Die Verkürzung beseitigt den üblichen Abstand zwischen den Worten und den mit Worten bezeichneten Sachen.

Was sich an diesem frühen Beispiel ablesen läßt, verdeutlicht sich an einer Passage aus dem zuletzt erschienenen Gedichtband *Atemwende:*

Das Geschriebene höhlt sich, das
Gesprochene, meergrün,
brennt in den Buchten,
in den
verflüssigten Namen
schnellen die Tümmler, ... (*Atemwende*, S. 72)

Die *Atemwende*-Gedichte bieten insgesamt eine Fülle von Beispielen dieser Verschränkung zwischen »verdinglichter« Sprache und sprachlich evozierten Dingen. Aber auch schon die *Engführung,* von anderen Gedichten des Sprachgitter-Bandes abgesehen, enthält an exponierter Stelle eine demselben Prinzip gehorchende Wendung wie »Gras, auseinandergeschrieben«. Es geht dabei nicht um eine naive Gleichsetzung von Bezeichnung und Bezeichnetem. Der Vorgang der Verkürzung und seine Kühnheit bleiben jederzeit sichtbar. Um so mehr Gewicht kommt ihm innerhalb der Struktur der hier vorliegenden Sprechweise zu. Es ist eine Sprechweise, die sich ihrer eigenen Sprachlichkeit bewußt ist, die ihr Gesprochensein immer wieder thematisiert, nicht um sich in einen selbstgeschaffenen Sprachkosmos zurückzuziehen, sondern vielmehr in

der Absicht, den sprachlichen mit dem natürlichen Kosmos
ausdrücklich zu verschwistern.

Auf dem Hintergrund dieses Verfahrens muß die Aus-
weitung des »Spruchs« in die »Dünung / wandernder
Worte« gesehen werden. Die Anweisung vom Beginn des
Gedichts:

Sprich auch du,
sprich als letzter,
sag deinen Spruch . . .
führt zuletzt mit Folgerichtigkeit auf die Nennung einer
großen Wort-Dünung, in die auch noch der Stern als das
fernste wahrnehmbare Gegenüber des dichterischen
Spruchs eintauschen kann.

Das Herstellen dieser weitesten Verbindung erfolgt indes nicht in der Weise einer einfachen Entgrenzung. Die
Transformationen der letzten Strophe sind gegenstrebig.
Die Expansion ins Kosmische gründet in einer Kontrak-
tion des Standorts. Die Schrumpfung ist es, die ihn zu
einem Ort der Entschiedenheit macht. Diese Reduktion
gilt es noch genauer zu beschreiben, um ein geläufiges Mißverständnis auszuschließen. Vom Prinzip des einfachen
lyrischen Ausdrucks her betrachtet, erscheint die Schrumpfung als Verlust von Welt. Der sich selbst ansprechende
Sprecher des Gedichts wird »unkenntlicher«. Er verflüch-
tigt sich – jedenfalls für ein Bewußtsein, das mit dem
Begriff des dichterischen Standorts die Vorstellung einer
festgefügten Plattform verbindet, von der herab gesprochen wird. Da es in der Dichtung Celans diese Plattform
nicht gibt, kennt sie auch nicht ein feststehendes Welt-
Panorama. Das ist aber noch nicht gleichbedeutend mit
Weltverlust. Es bedeutet vielmehr den unausweichlichen
Auftrag zum Weltgewinn. Die von jedem einzelnen Gedicht gesuchte, zu gewinnende Welt ist esoterischer Natur,
das wird auch der mit dem Celanschen Werk vertraute

Betrachter zugeben. Aber es gibt keinen Anlaß, diese Esoterik mit purer Irrealität zu verwechseln. Wer einer solchen Verwechslung verfiele, würde sich den Zugang von vornherein abschneiden. Der »Faden«, auf den der dichterische Ort sich reduziert, steht für das Strukturprinzip des unablässigen Aufspürens von Beziehungen, durch das die Gedichte sich Welt heranholen. Die Reduktion, das »ferner«-Werden der Bezugsbasis, wie es sich in der Setzung des »Fadens« ausspricht, verleiht der dichterischen Wahrnehmung das höhere Auflösungsvermögen, die Verfeinerung im Sinn der Präzisierung.

Der lyrische Begriff des »Fadens« steht keineswegs isoliert im Werke Celans. Er kehrt wieder und gehört zu einem wichtigen Komplex verwandter Nennungen wie »Garn«, »Spur«, »Strahl«, »Netz«, »Gespinst«, »Schleier«, »Schliere« (die welt-vermittelnde Funktion ist besonders deutlich ablesbar an dem Gedicht *Schliere*, S. 57). Die ernsthafte Celan-Kritik hat die Bedeutung solcher Wortfelder schon früh erkannt. Sie ergeben ihrerseits eine Art von Beziehungsgeflecht, das sich über das Gesamtwerk erstreckt. Das beschränkt sich keineswegs auf den hier angesprochenen Namen-Komplex. Auffallender noch treten Leitworte wie Auge, Hand, Stein, Baum, Wolke, Wasser, Wind, Träne aus dem Gesamtzusammenhang hervor. Aus dieser Tatsache ergibt sich zweifellos eine wichtige Verständnishilfe. Allerdings muß beigefügt werden, daß man sich von der Analyse dieser Beziehungen wiederum kein panoramisches Weltbild der Celanschen Dichtung versprechen darf. Die Beziehungen sind zu beweglich, um sich mit Hilfe einer einfachen Wortstatistik katalogisieren zu lassen. Worauf es ankommt, ist der Beziehungs-Charakter als solcher, der diese Dichtung bestimmt.

Auf ihn verweist auch der Titel, den Celan seiner umfangreichsten und wichtigsten poetologischen Äußerung gegeben hat: Der Meridian. Er versteht darunter »etwas – wie die Sprache – Immaterielles, aber Irdisches, Ter-

restrisches, etwas Kreisförmiges, über die beiden Pole in
sich selbst Zurückkehrendes . . .« (S. 148). Der solchermaßen als Gleichnis der Sprache aufgefaßte Meridian ist im
selben Sinn ein geometrischer Ort wie der »Faden« des
»Sprich auch du«-Gedichts. In ihm trifft sich das Ausein-
anderliegende. Er ist kein Standort im üblichen Sinn,
wohl aber das bewegliche Ordnungsprinzip einer poetischen Erfahrung. Ihm gliedert sich ausdrücklich auch noch
des Dichters eigene Herkunft ein.

Es ist nicht müßig, zum Schluß auf den im weitesten
Sinn autobiographischen Aspekt der Dichtung Celans hin-
zuweisen. Ihre spezifische Form der Wirklichkeitssuche,
die aus dem Gewohnten und der vertrauten Formulierung aufbricht, den plausiblen Vergleich und das geschlossene Bild hinter sich läßt, um in einer paradoxen Sprache
neue, fundamentalere Beziehungen zu setzen und Welt zu
gewinnen – sie wird verständlicher auf dem Hintergrund
eines Weges, der vom Sprachverlust bedroht war. Die
Bremer Rede gibt einige Hinweise auf diesen Vorgang.
Die Sprache »blieb unverloren«, heißt es dort (S. 127).
Zugleich wird deutlich, daß sie nur mit Hilfe von Transformationen zu bewahren war, wie wir sie am Modell
eines einzelnen Gedichts zu skizzieren versuchten. Dieselbe Rede macht auf die frühe Vertrautheit mit der mystischen Tradition der Chassidim aufmerksam. Hier liegt
die stichhaltigste historische Erklärung für die surreali-
stisch anmutenden Züge der Celanschen Lyrik. Aber eben
diese Tradition konnte, wenn sie von neuem in einer Dichtung produktiv werden sollte, nicht ohne Verwandlung
aus dem Untergang gerettet werden. Die innere Spannweite einer Dichtung ist identisch mit dem von ihr zu-
rückgelegten Weg. Wie bewußt diese Spannung durch Celan aufrechterhalten wird, läßt sich an seinen Übersetzungen russischer, englischer, französischer Lyrik ablesen, die
Übertragungen ins eigene Idiom sind. Auch in ihnen manifestiert sich der den Osten und Westen umgreifende Be-

ziehungscharakter einer Lyrik, die der Sprache und dem, der sie spricht, unentwegt zumutet, sich selbst zu übersteigen. Es läßt sich heute schon erkennen, welche Dimensionen dem Gedicht in deutscher Sprache durch diesen Vorstoß hinzugewonnen worden sind.

(1968)

Die in Klammern gesetzten Seitenangaben beziehen sich, wenn nicht anders vermerkt, auf Celans »Ausgewählte Gedichte«, edition suhrkamp Bd. 262.

QUELLENNACHWEIS zu Band IV, 1

ARENDT, HANNAH (1906)

Hermann Broch und der moderne Roman.
In: ›Der Monat‹, Juni 1949, Nr. 8/9, S. 147–151.
Rechte bei Harcourt Brace Jovanovich, Inc.

BENJAMIN, WALTER (1892–1940)

Rückblick auf Stefan George.
Zuerst in: ›Frankfurter Zeitung‹, 12. 7. 1933.
In: »Angelus Novus«, Ausgewählte Schriften 2, Suhrkamp
Verlag, Frankfurt a. M. 1966, S. 475–481.

Brechts Dreigroschenroman.
Um 1935 entstanden.
Zuerst in: »Bertolt Brechts Dreigroschenbuch«,
Frankfurt a. M. 1960.
In: »Angelus Novus«, Ausgewählte Schriften 2, Suhrkamp
Verlag, Frankfurt a. M. 1966, S. 292–301.

BENN, GOTTFRIED (1886–1956)

Dürrenmatt, Die Ehe des Herrn Missisippi.
Erstveröffentlichung: Programmheft des Schloßparktheaters
Berlin-Steglitz, Heft 12, 1952/53.
In: »Gesammelte Werke«, Band 4, Limes Verlag, Wiesbaden
1961, S. 298–300.

BLOCH, ERNST (1885)

Diskussionen über Expressionismus.
Zuerst in: ›Das Wort‹, Heft 6, 1938.
In: »Erbschaft dieser Zeit«. Suhrkamp Verlag, Frankfurt a. M.
1962, S. 264–275.

BÖLL, HEINRICH (1917)

Bekenntnis zur Trümmerliteratur.
Dieser Aufsatz ist 1952 entstanden.
Zuerst in: ›Die Literatur‹, Heft 5, 1952.
In: »Erzählungen – Hörspiele – Aufsätze«. Verlag Kiepen-
heuer & Witsch, Köln/Berlin 1961, S. 339–343.
Die Stimme Wolfgang Borcherts.
Dieser Aufsatz wurde als Nachwort der Borchert-Ausgabe des
Rowohlt-Taschenbuchverlages mit der Datumsangabe 6. August
1965 veröffentlicht. »Draußen vor der Tür« und ausgewählte
Erzählungen, Hamburg 1956.
In: »Erzählungen – Hörspiele – Aufsätze«. Verlag Kiepen-
heuer & Witsch, Köln/Berlin 1961, S. 352–356.

BONWIT, MARIANNE (1913)

*Michael, ein Roman von Joseph Goebbels, im Licht der deut-
schen literarischen Tradition.*
In: ›Monatshefte‹ (Wisconsin), May 1957, S. 193–200.
Mit freundlicher Genehmigung der Autorin.

BORCHERT, WOLFGANG (1921–1947)

Das ist unser Manifest.
Entstanden 1947.
In: »Das Gesamtwerk«, Rowohlt Verlag, Reinbek bei Ham-
burg 1957, S. 308–315.

BRECHT, BERTOLT (1898–1956)

Volkstümlichkeit und Realismus.
Entstanden im Zusammenhang mit der »Expressionismus-
Debatte«; zuerst in: ›Sinn und Form‹, Heft 4, 1958 in einer
von Brecht korrigierten Form.

In: »B. B. Gesammelte Werke« in 20 Bänden, hrsg. i. Zusammenarbeit mit Elisabeth Hauptmann, Bd. 19, Suhrkamp Verlag, Frankfurt a. M. 1967, S. 322–334.

Über die Popularität des Kriminalromans.
In: »B. B. Gesammelte Werke« in 20 Bänden, hrsg. i. Zusammenarbeit mit Elisabeth Hauptmann, Bd. 19, Suhrkamp Verlag, Frankfurt a. M. 1967, S. 451–481.

DÖBLIN, ALFRED (1878–1957)

Das Goldene Tor.
Diesen Aufsatz schrieb Döblin 1946 als Geleitwort für ›Das goldene Tor‹, Monatsschrift für Literatur und Kunst, hrsg. von A. Döblin, Heft 1, September 1946.
In: »Aufsätze zur Literatur«. Walter Verlag, Olten und Freiburg 1963, S. 374–379.

DÜRRENMATT, FRIEDRICH (1921)

Bekenntnisse eines Plagiators.
Dieser Aufsatz erschien zuerst in: ›Die Tat‹, 9. August 1952.
In: »Theater – Schriften und Reden«. Verlag Die Arche, Zürich 1966, S. 239–246.

Stiller, Roman von Max Frisch.
Diese nicht abgeschlossene Arbeit ist um 1954 entstanden.
In: »Theater – Schriften und Reden«. Verlag Die Arche, Zürich 1966, S. 261–271.

FEUCHTWANGER, LION (1884–1958)

Arbeitprobleme des Schriftstellers im Exil.
Vortrag auf dem Schriftstellerkongreß von Los Angeles im Jahre 1943.
Zuerst in: »Proceedings of the Writers' Congress«, Los Angeles 1943.
Nachdruck in: ›Das Goldene Tor‹, Heft 2, 1947, S. 142–147.
In: L. Feuchtwanger, »Ceutum opuscula«. Eine Auswahl. Rudolstadt 1956, S. 547–552, u. d. T. »Der Schriftsteller im Exil«.
Mit freundlicher Genehmigung von Frau Marta Feuchtwanger.

FISCHER, ERNST (1899–1972)

Das Werk Robert Musils.
In: ›Sinn und Form‹, 9. Jahrg., 5. Heft, Berlin 1957, S. 851–
901.
Mit freundlicher Genehmigung des Autors.

GNEUSS, CHRISTIAN (1924)

Theodor Lessing, Ein Nachwort.
In: »Theodor Lessing, Geschichte als Sinngebung des Sinn-
losen«, Hamburg 1962, S. 321–337.
Mit freundlicher Genehmigung des Autors.

GRAF, OSKAR MARIA (1894–1967)

Dem Gedenken Ludwig Thomas.
Rede vor den Deutschprofessoren der Princeton-, der John-
Hopkins- und der Maryland-Universität, 1944.
In: O. M. Graf »An manchen Tagen«. Reden, Gedanken und
Zeitbetrachtungen, Frankfurt a. M. 1961, S. 48–75.
Rechte beim Gebrüder Weiss Verlag.

HOLTHUSEN, HANS EGON (1913)

Eugen Gottlob Winkler.
Zuerst in: ›Merkur‹ Heft 3, 1947.
In: »Der unbehauste Mensch«. Piper Verlag, München 1952, S.
99–121.

KESTEN, HERMANN (1900)

Der Haß. Deutsche Zeitgeschichte von Heinrich Mann.
In: ›Die Sammlung‹, hrsg. von Klaus Mann, Heft 4, 1933,
Querido Verlag, Amsterdam.
Mit freundlicher Genehmigung des Autors.

Joseph Roth.
Zuerst in: »Joseph Roth«, Werke in 3 Bänden, Band 1, S.
VII–XXVI. Kiepenheuer & Witsch, Köln/Berlin, 1956.
In: »Meine Freunde die Poeten«. Desch Verlag, München 1964.
(Kindler Taschenbuch), S. 121–142.

LEHMANN, WILHELM (1882–1968)

Ungehobener Schatz, zu Oskar Loerkes Gedichten.
Entstanden 1951.
In: »Dichtung als Dasein«. Suhrkamp Verlag, Frankfurt a. M.
1956, S. 120–126.

LUFT, FRIEDRICH (1911)

Günther Weisenborn, Die Illegalen.
Diese Kritik gesprochen am 23. 3. 1946 im Rias Berlin.
In: ›Stimme der Kritik‹. Friedrich Verlag, Velber 1965, S.
14–17.

Wolfgang Borchert, Draußen vor der Tür.
Zuerst in: ›Neue Zeitung‹ 24. 4. 1948.
In: ›Stimme der Kritik‹. Friedrich Verlag, Velber 1965, S.
27–29.

LUKÁCS, GEORG (1885–1971)

Größe und Verfall des Expressionismus.
Zuerst in: ›Internationale Literatur‹, 1934.
In: »Probleme des Realismus«. Luchterhand Verlag, Neuwied
1955, S. 146–183.

Johannes R. Becher, Abschied.
Zuerst in: ›Internationale Literatur‹, Nr. 5, 1941.
Rechte bei Luchterhand Verlag, Neuwied.

MANN, KLAUS (1906–1949)

Ödön von Horváth.
Zuerst in ›Das Neue Tagebuch‹, Jahrg. 6, Heft 24, 1938; er-
gänzt durch einige Abschnitte aus der sonst gleichlautenden
Passage des Kapitels »Die Toten« in: Escape to life.
In: »Prüfungen«, Schriften zur Literatur. Nymphenburger Ver-
lagshandlung, München 1968, S. 292–296.

MANN, THOMAS (1875–1955)

Die Kunst des Romans.
Zunächst als Vortrag im April 1940 vor Studenten der Universität Princeton, New Jersey. Erste Buchveröffentlichung in: »Altes und Neues«, Frankfurt a. M. 1953.
In: »Reden und Aufsätze 2«, Gesammelte Werke Band 10, S. Fischer Verlag, Frankfurt a. M. 1960, S. 348–362.

MUSIL, ROBERT (1880–1942)

Über die Dummheit.
Vortrag, gehalten auf Einladung des Österreichischen Werkbundes in Wien am 11. und 17. März 1937.
In: »Tagebücher – Aphorismen – Essays und Reden«. Rowohlt Verlag, Reinbek bei Hamburg 1955, S. 918–938.

NOSSACK, HANS ERICH (1901)

Nachruf auf Hans Henny Jahnn.
Zuerst in: ›Jahresring‹, 1960, Stuttgart.
In: »Die schwache Position der Literatur«. Suhrkamp Verlag, Frankfurt a. M. 1966, S. 114–121.

RILLA, PAUL (1896–1954)

Literatur und Lüth.
Eine Streitschrift. Henschelverlag, Berlin 1948.

SIEBURG, FRIEDRICH (1893–1964)

Der Freiheit überdrüssig.
Zuerst in: ›Die Zeit‹, Nr. 25, 1952.
In: »Nur für Leser«. Jahre und Bücher. Deutsche Verlags-Anstalt, Stuttgart 1955, S. 211–216.

QUELLENNACHWEIS zu Band IV, 2

ADORNO, Theodor W. (1903–1969)

Karl Kraus, Sittlichkeit und Kriminalität.
Entstanden aus einer kurzen Anzeige in ›Der Spiegel‹ 3. August
1964, Nr. 32.
In: »Noten zur Literatur II«, Suhrkamp Verlag, Frankfurt
a. M. 1966, S. 57–82.

ALLEMANN, BEDA (1926)

Nachwort zu Paul Celan ›Ausgewählte Gedichte‹.
Suhrkamp Verlag, Frankfurt a. M. 1968, S. 151–163.

BAUMGART, REINHARD (1929)

Deutsche Gesellschaft in deutschen Romanen.
Diese Arbeit, zunächst ein Rundfunkvortrag, wurde zuerst in
der ›Neuen Rundschau‹, Heft 4, 1964 veröffentlicht. In über-
arbeiteter Form erschien sie dann in: »Literatur für Zeitgenossen«, Suhrkamp Verlag, Frankfurt a. M. 1966, S. 37–58.

BÖLL, HEINRICH (1917)

Über Konrad Adenauer, Erinnerungen 1945–1953.
Zuerst in: ›Der Spiegel‹, Heft 49, 1965.
In: »Literatur im Spiegel«, hrsg. von Rolf Becker, Hamburg
1969, S. 126–134.
Mit freundlicher Genehmigung des Autors.

ENZENSBERGER, HANS MAGNUS (1929)

Die Sprache des ›Spiegel‹.
Ursprünglich als Sendung des Süddeutschen Rundfunks. Teil-
abdrucke: ›Der Spiegel‹, Nr. 10, 6. 3. 1957, S. 48 ff. – ›Texte
und Zeichen‹, Heft 12, 1957.
In: »Einzelheiten I, Bewußtseins-Industrie«, Suhrkamp Verlag, Frankfurt a. M. 1966, S. 74–105.

FRISCH, MAX (1911)

Der Autor und das Theater.
Diese Rede wurde 1964 zur Eröffnung der Dramaturgen-
Tagung in Frankfurt a. M. gehalten.
In: »Öffentlichkeit als Partner«, Suhrkamp Verlag, Frankfurt
a. M. 1967, S. 68–89.

GRASS, GÜNTER (1927)

Über meinen Lehrer Döblin, 1967.
Zuerst in: ›Akzente‹ 14, Heft 4, 1967, S. 290–309.
In: »Über meinen Lehrer Döblin und andere Vorträge«, Berlin
1968, S. 7–26.
Mit freundlicher Genehmigung des Autors.

GUGGENHEIMER, WALTER MARIA (1903–1971)

Ein zweckentfremdeter Aristokrat.
Zuerst in: ›Frankfurter Hefte‹, 11/1962.
In: »Alles Theater«, Ausgewählte Kritiken 1947–1965, Suhr-
kamp Verlag, Frankfurt a. M. 1966, S. 157–163.

HACKS, PETER (1928)

*Tätig für Felder und Feste, Über Hartmut Langes Komödie
Marski.*
In: ›Theater heute‹, Friedrich Verlag, Velber, Juni 1965, Heft
6, S. 22–24.

HEISSENBÜTTEL, HELMUT (1921)

Annäherung an Arno Schmidt.
Zuerst in: ›Merkur‹, Heft 169/1963.
In: »Über Literatur«, Walter Verlag, Olten 1966, S. 56–70.
Spielregeln des Kriminalromans.
Zuerst in: ›Der Monat‹, Heft 181/1962.
In: »Über Literatur«, Walter Verlag, Olten 1966, S. 96–110.

HILDESHEIMER, WOLFGANG (1916)

Stimme der Ohnmacht. Über Jürgen Becker, »Ränder«.
In: ›Der Spiegel‹, Nr. 26, 1968, S. 102–104.
Mit freundlicher Genehmigung des Autors.

JENS, WALTER (1923)

Gegen die Überschätzung Gerd Gaisers.
In: ›Die Zeit‹, Nr. 48, 1960.
Mit freundlicher Genehmigung des Autors.

Der Rhetor Thomas Mann.
Wurde als Vortrag am 13. 6. 1965 anläßlich des 90. Geburtstages von Thomas Mann im Frankfurter Schauspielhaus gehalten.
In: »Von Deutscher Rede«, Piper Verlag, München 1961, S. 129–150.
Mit freundlicher Genehmigung des Autors.

KAISER, JOACHIM (1928)

Andorra von Max Frisch.
In: ›Süddeutsche Zeitung‹, Nr. 264 vom 4./5. 11. 1961.
Mit freundlicher Genehmigung des Autors.

Walsers Einhorn.
In: ›Süddeutsche Zeitung‹, Nr. 211 vom 3./4. 9. 1966.
Mit freundlicher Genehmigung des Autors.

KOEPPEN, WOLFGANG (1906)

Rede zur Verleihung des Georg-Büchner-Preises 1962.
In: »Deutsche Akademie für Sprache und Dichtung«, Darm-
stadt, Jahrbuch 1962, S. 103–110.
Mit freundlicher Genehmigung des Autors.

LENZ, SIEGFRIED (1926)

*Gepäckerleichterung mit 70. Über Ernst Jünger »Werke in
zehn Bänden«.*
Zuerst in: ›Der Spiegel‹, Nr. 14, 1965.
In: »Literatur im Spiegel«, Rowohlt Verlag, Reinbek bei Ham-
burg 1969, S. 95–99.
Mit freundlicher Genehmigung des Autors.

MINDER, ROBERT (1902)

Heidegger, Hebbel oder die Sprache von Meßkirch.
In: »Dichter in der Gesellschaft«, Erfahrungen mit Deutscher
und Französischer Literatur. Insel Verlag, Frankfurt a. M.
1966, S. 210–264.

MON, FRANZ (1926)

Literatur im Schallraum.
Als Manuskript für den Sender Freies Berlin geschrieben. Sendung 1967.
In: »Texte über Texte«. Luchterhand Verlag, Neuwied/Berlin
1970, S. 108–115.

PROMIES, WOLFGANG (1935)

Hammer und Griffel. Literatur in einer Industrielandschaft.
Nachwort zum »Almanach der Gruppe 61«. Aus der Welt der
Arbeit. Neuwied/Berlin 1966, S. 371–395.
Mit freundlicher Genehmigung des Autors.

RADDATZ, FRITZ J. (1931)

Der blinde Seher. Überlegungen zu Karl Kraus.
In: ›Merkur‹ 242, Heft 6, 1968, S. 517–532.
Mit freundlicher Genehmigung des Autors.

REICH-RANICKI, MARCEL (1920)

Registrator Johnson.
Zuerst in: ›Die Zeit‹, »Zwei Ansichten«, Nr. 39, 1965, S. 26–27.
In: »Deutsche Literatur in Ost und West«, Piper Verlag, München 1963, S. 231–246.

RISCHBIETER, HENNING (1927)

Philosophie und Komödie. Zu Peter Hacks Amphitryon.
In: ›Theater heute‹, Heft 3, März 1968, S. 53–55.
Mit freundlicher Genehmigung des Autors.

RYCHNER, MAX (1897–1965)

Die Briefe Gottfried Benns.
Zuerst in: »Gottfried Benn, Briefe«. Mit einem Nachwort von Max Rychner, Wiesbaden 1957.
In: »Aufsätze zur Literatur«, Manesse-Verlag, Zürich 1966, S. 471–494.

SCHUMACHER, ERNST (1921)

Die Ermittlung von Peter Weiss.
In: ›Sinn und Form‹, Heft 6, 1965, S. 930–947.
Mit freundlicher Genehmigung des Autors.

SPIEL, HILDE (1911)

Heimito von Doderer.
In: »Welt im Widerschein«, München 1960, S. 283–298.
Mit freundlicher Genehmigung der Autorin.

SZONDI, PETER (1929–1971)

Hoffnung im Vergangenen. Über Walter Benjamin.
Vom Verfasser revidiert.
In: »Walter Benjamin, Städtebilder«, Insel Verlag, Frankfurt
a. M. 1963, S. 79–97.

WALSER, MARTIN (1927)

Brief an einen ganz jungen Autor.
In: »Erfahrungen und Leseerfahrungen«, Suhrkamp Verlag,
Frankfurt a. M. 1966, S. 155–162.

Hamlet als Autor.
In: »Erfahrungen und Leseerfahrungen«, Suhrkamp Verlag,
Frankfurt a. M. 1966, S. 51–58.

WEBER, WERNER (1919)

Ingeborg Bachmann.
Zuerst in: ›Neue Zürcher Zeitung‹, Nr. 4624/4630, 31. 10. 1964.
In: »Tagebuch eines Lesers«, Walter Verlag, Freiburg/Olten
1965, S. 183–196.

WEISS, PETER (1916)

*Anmerkungen zum geschichtlichen Hintergrund unseres Stückes
(Marat/de Sade).*
In: »Die Verfolgung und Ermordung des Jean Paul Marats«,
Suhrkamp Verlag, Frankfurt a. M. 1964, es 68, S. 134–139.

ZIMMER, DIETER E. (1934)

Wolf Biermann wird nicht vergessen.
In: ›Die Zeit‹, Nr. 23, 9. 6. 1967, S. 17–18.
Mit freundlicher Genehmigung des Autors.

REGISTER

Vorbemerkung: Alle kursiv stehenden Bezeichnungen sind Titel; kursiv stehende Ziffern bezeichnen die Stellen, an denen Beiträge der genannten Autoren abgedruckt sind.